GOTT·MENSCH·PHARAO

WILFRIED SEIPEL

GOTT·MENSCH·PHARAO

VIERTAUSEND JAHRE MENSCHENBILD
IN DER SKULPTUR DES ALTEN ÄGYPTEN

KÜNSTLERHAUS
25. MAI BIS 4. OKTOBER 1992

EINE AUSSTELLUNG DES KUNSTHISTORISCHEN MUSEUMS WIEN

IMPRESSUM

Medieninhaber:
Kunsthistorisches Museum Wien,
A-1010 Wien, Burgring 5
Generaldirektor HR Dr. Wilfried Seipel

Autor und Herausgeber:
Dr. Wilfried Seipel, Burgring 5, A-1010 Wien

Textredaktion:
Dr. Christian Hölzl

Grafische Gestaltung:
Atelier Kräftner, Wien

Texterfassung:
Elke Rasper

Lektorat:
Roswitha Egner
Mag. Regina Hölzl

Gesamtherstellung:
Druckerei G. Grasl, 2540 Bad Vöslau

Copyright:
Kunsthistorisches Museum Wien

Konzeption, Objektauswahl und wissenschaftliche Leitung:
Dr. Wilfried Seipel

Ausstellungssekretariat, Organisation und Öffentlichkeitsarbeit:
Dr. Christian Hölzl
Mag. Annita Kroath

Ausstellungsgestaltung:
Atelier Kräftner, Wien

Ausstellungsgrafik:
Atelier Kräftner, Wien
Andreas Fiala

Tischlerarbeiten und Vitrinenbau:
Tischlerei Göbel, Fladnitz auf der Teichalm

Ausstellungsaufbau:
Fa. Campmann, Wien

Restauratorische Betreuung:
Mag. Irene Engelhard
Otto Helm

Sämtliche Katalogtexte, die nicht durch zusätzliche Initialen gekennzeichnet sind, wurden von W. Seipel verfaßt.

Autoren der mit Initialen gekennzeichneten Katalogtexte:

Kat.-Nr. 23–25, 31, 32	Eva Rogge (E. R.)
Kat.-Nr. 89, 140, 141	Helmut Satzinger (H. S.)
Kat.-Nr. 185	Kurt Gschwantler (K. G.)
Kat.-Nr. 187–211	Elfriede Haslauer (E. H.)

Kurztitel:

Gott · Mensch · Pharao
Ausstellungskatalog des Kunsthistorischen Museums
im Künstlerhaus, Wien 1992
ISBN 3-900 325-22-7

Die Durchführung der Ausstellung wurde durch Zuschüsse
des Bundesministeriums für Wissenschaft und Forschung
sowie folgender Sponsoren ermöglicht:
Austrian Airlines, Die Erste, Die ganze Woche,
Österreichische Lotterien, Siemens Kulturprogramm,
Verein der Museumsfreunde

LEIHGEBER

Das Kunsthistorische Museum Wien bedankt sich bei folgenden Museen und Sammlungen,
die durch ihre Leihgaben das Zustandekommen dieser Ausstellung großzügig unterstützt haben:

Berlin: Staatliche Museen Preußischer
Kulturbesitz
Generaldirektor Prof. Dr. W.-D. Dube
Ägyptisches Museum Charlottenburg und
Museumsinsel
Direktor Prof. Dr. D. Wildung
Stellv. Direktor Dr. K.-H. Priese

Boston: Museum of Fine Arts
Direktor Dr. A. Shestack
Ägyptische Abteilung
Leiter: Dr. Rita Freed

Brüssel: Musées Royaux d'Art et d'Histoire
Direktor Dr. Francis Van Noten
Ägyptische Abteilung
Leiter: Dr. Luc Limme

Dublin: National Museum of Ireland
Direktor Dr. P. F. Wallace
Dr. Mary Cahill

Genf: Musée d'Art et d'Histoire
Direktor Dr. C. Lapaire
Dr. Y. Mottier

Hildesheim: Roemer-Pelizaeus Museum
Leitender Direktor Dr. Arne Eggebrecht
Dr. Bettina Schmitz

Karlsruhe: Badisches Landesmuseum
Direktor Dr. H. Siebenmorgen
Antikenabteilung
Leiter: Dr. M. Maaß

New York: Brooklyn Museum
Direktor R. T. Buck
Ägyptische Abteilung
Leiter: Dr. R. Fazzini
Dr. J. Romano

Metropolitan Museum of Art
Direktor Philippe de Montebello
Ägyptische Abteilung
Leiter: Dr. Do. Arnold

Oxford: Ashmolean Museum
Direktor Dr. C. J. White
Ägyptische Abteilung
Dr. H. Whitehouse

Paris: Musée du Louvre
Direktor Dr. M. Laclotte
Ägyptische Abteilung
Direktor Dr. J.-L. de Cenival
Dr. Ch. Ziegler

Turin: Museo Egizio
Direktor Dr. A. M. Donadoni Roveri
Dr. E. Leospo

Wien: Kunsthistorisches
Museum
Ägyptische Sammlung
Direktor Dr. H. Satzinger
Dr. E. Haslauer

ZUM GELEIT

Ein Merkmal der ägyptischen Kultur war die Einheit von Wissenschaft und Kunst. Die Symbole der ägyptischen Schrift – die Hieroglyphen – bestehen einerseits aus Bildern der damaligen Zeit und andererseits aus Begriffen, die Naturprozesse, soziale Praktiken und menschliche Ausdrucksformen versprachlichen.

Diese Einheit von Wissenschaft und Kunst hat das Menschenbild Ägyptens in seinem mythologischen Kontext geprägt. Für uns Kinder der modernen Zivilisation ist es daher ein Ereignis von besonderer Spannung und Aktualität, das Regelsystem einer anderen Form der gesellschaftlichen Erscheinungsweise kennenzulernen und Bezüge zur Geschichte, zur Ästhetik, zum Heute anzustellen.

Die Ausstellung ist ein Fenster in eine andere Wirklichkeit im Antlitz der Gesichter ägyptischer Skulpturen.

Kulturgeschichtliche Ausstellungen sind nicht nur ein vitales Zeichen für aufgeschlossene Kulturpolitik, sondern auch eine Möglichkeit, zeitgenössische Realitäten in bezug zu vergangenen Wirklichkeiten zu setzen und daraus Erkenntnisse für das Zusammenleben der Menschen zu gewinnen. Die Einheit von Wissenschaft und Kunst wäre eine solche Erkenntnis, die genug Sprengstoff enthielte, um die Konstitution unserer Gegenwart etwas aus den Angeln zu heben.

In diesem Sinne ist es zu begrüßen, daß die Ausstellung „Gott · Mensch · Pharao" am Beginn einer Initiative des Kunsthistorischen Museums steht, vermehrt durch Sonderausstellungen an die Öffentlichkeit zu treten. Das bedeutet eine neue, aufregende Note im kulturellen Selbstverständnis des Kunsthistorischen Museums.

Ich darf allen, die am Zustandekommen dieser Ausstellung beteiligt waren, meinen Dank und meine Anerkennung aussprechen und der Ausstellung den ihr entsprechenden Andrang wünschen.

Vizekanzler Dr. Erhard Busek
Bundesminister für Wissenschaft und Forschung

ZUM GELEIT

Mit großer Freude nehme ich die Eröffnung der Ausstellung „Gott · Mensch · Pharao. 4000 Jahre Menschenbild in der Skulptur des Alten Ägypten" in Wien zum Anlaß, um der hohen Achtung Ausdruck zu verleihen, die S. E. dem Herrn Bundespräsidenten, dessen Ermutigung zu einer erfolgreichen Organisation dieser Ausstellung wesentlich beigetragen hat, gebührt. Die vom Kunsthistorischen Museum mit Leihgaben aus den verschiedensten Ländern zusammengestellte Ausstellung gibt einen guten Einblick in einen bedeutenden Teilbereich der altägyptischen Kultur und Zivilisation.

Diese Ausstellung unterstreicht neuerlich die Tatsache, daß Kunst und Kultur seit jeher ausschlaggebend für die Hebung zwischenmenschlicher Beziehungen waren und zur Verbesserung des Verständnisses zwischen den Nationen beigetragen haben. Die hier ausgestellten Kunstwerke beziehen sich daher nicht nur auf Ägypten, sondern auch auf jenes menschliche Kulturerbe, zu dem auch andere Nationen immer wieder durch die Geschichte hindurch beigesteuert haben. Österreich als Veranstaltungsland dieser Ausstellung und einer der obersten „Kuratoren" der verschiedenen Gebiete von Kunst und Kultur, stellt einen äußerst lebhaften Beweis einer solchen Anschauungsweise dar.

S. E. Herr Abdel Hamid A. Onsi
Botschafter der Arabischen Republik Ägypten in Wien

Wenn seit vielen Jahrzehnten das erste Mal eine großangelegte Ägyptenausstellung in Wien zu sehen sein wird, in deren Mittelpunkt die ägyptische Kunst, die Darstellung des Menschen in der Skulptur, steht, so erfüllt uns dies mit besonderer Freude. Wie kaum ein anderes Medium ist es die ägyptische Kunst, die über Jahrtausende hin das Bild Ägyptens in Europa geformt hat und heute wie in der Vergangenheit nichts von ihrer Faszination verloren hat. Die ägyptische Kunst, die hier in über 200 hervorragenden Objekten der österreichischen Bevölkerung gezeigt wird, ist die beste Botschafterin unseres Landes. Sie ist das Medium, in dem das gegenseitige Verständnis unserer Völker verstärkt und ein Zeichen der kulturellen Zusammenarbeit auf hohem Niveau gesetzt wird.

Die bedeutendsten Sammlungen der Welt haben diese Ausstellung mit Leihgaben unterstützt. In diesem Zusammenhang freut es mich bekanntzugeben, daß geplant ist, im nächsten Jahr eine Ägypten-Ausstellung ausschließlich aus Beständen des ägyptischen Nationalmuseums Kairo in Wien zu zeigen.

Millionen von Besuchern haben in Europa, den USA und in der ganzen Welt der ägyptischen Kunst und Kultur in wichtigen Ausstellungen ihre Bewunderung gezollt. Auch diese Ausstellung ist ein wichtiger Beitrag dazu, das Verständnis der ägyptischen Kunst und ihrer Entwicklung zu fördern und damit beizutragen, die kulturellen und freundschaftlichen Beziehungen zwischen unseren Völkern zu unterstreichen.

Es ist mir eine Ehre, den Herrn Bundespräsidenten Dr. Kurt Waldheim, der diese Ausstellung eröffnen wird, zu begrüßen. Weiters begrüße ich den Vizekanzler und Bundesminister für Wissenschaft und Forschung Dr. Erhard Busek sowie den Generaldirektor des Kunsthistorischen Museums in Wien Dr. Wilfried Seipel, bei dem ich mich besonders herzlich für sein stetes Bemühen, die altägyptische Kultur in Österreich und in den europäischen Ländern in einem würdevollen Rahmen zu präsentieren, bedanken möchte.

Prof. Dr. Farouk Shehata
Kulturrat und Direktor der Studienmission der Botschaft der Arabischen Republik Ägypten in Wien

VORWORT

Die Geschichte der Ägyptenausstellungen in Österreich ist knapp bemessen. Sieht man ab von einer kleinen, in den Fünzigerjahren in Linz veranstalteten Ägyptenausstellung mit Leihgaben des Kunsthistorischen Museums, so war das erste große Ausstellungsereignis die im Herbst 1961 und Frühjahr 1962 im Wiener Künstlerhaus gezeigte Schau „5000 Jahre Ägyptische Kunst". Diese mit Leihgaben aus dem Ägyptischen Museum Kairo und dem Kunsthistorischen Museum Wien zusammengestellte Ausstellung war keinem speziellen Thema gewidmet, sondern gab einen umfassenden Überblick über die ägyptische Kunst und Kultur von der Frühzeit bis in die islamische Epoche. In ähnlicher Weise wie die in den Sechzigerjahren gezeigten Großausstellungen über die Kunst Altmexikos, Indiens und Chinas zählte „5000 Jahre Ägyptische Kunst" zu den ersten bahnbrechenden Ausstellungsereignissen in Wien. Erst 15 Jahre später wurde in den Burggartensälen der Hofburg wieder eine Ägyptenausstellung gezeigt: „Echnaton und Nofretete". Diese in ganz Europa und in den USA herumgereichte Wanderausstellung war erstmals einem speziellen zeitlichen und thematischen Abschnitt der ägyptischen Kulturgeschichte gewidmet. Dementsprechend groß war der Erfolg, der international gesehen nur von der „Tutanchamun"-Ausstellung überboten werden sollte, die allerdings in Wien nicht zu sehen war. Eine kleinere Ägyptenausstellung unter dem Titel „Bilder für die Ewigkeit" kam als Wanderausstellung von Konstanz über Heidelberg 1984 nach Linz. In ähnlicher Weise wie „Gott · Mensch · Pharao" versuchte sie einen Überblick über die Entwicklung der ägyptischen Kunst zu geben, wobei jedoch neben der Skulptur auch das Relief in die Ausstellungskonzeption einbezogen war. Die letzte bedeutende Ägyptenausstellung wurde 1989 im Oberösterreichischen Landesmuseum in Linz gezeigt. Sie war unter dem Titel „Götter, Gräber und die Kunst" dem ägyptischen Jenseitsglauben gewidmet und konnte über 260.000 Besucher verzeichnen. Bemerkenswert war, daß darunter an die 30 Prozent Wienerinnen und Wiener zu zählen waren. Während in den Achtzigerjahren eine Reihe von bedeutenden Ägyptenausstellungen in Deutschland und Amerika stattgefunden haben, wie etwa „Nofret - Die Schöne" in München, Hildesheim und Berlin oder „Der Aufstieg Ägyptens zur Weltmacht" in Hildesheim und etwa in den USA ebenfalls Themenausstellungen zum Alltagsleben in Ägypten oder zu bestimmten Geschichtsperioden großen Zulauf verzeichnen konnten, war in Wien seit 1976 keine vergleichbare Ägyptenausstellung mehr gezeigt worden.

Als sich daher im Herbst 1991 kurzfristig die Möglichkeit ergab, im Sommer 1992 eine Ägyptenausstellung im Künstlerhaus zu veranstalten, lag es nahe, diese Gelegenheit nicht ungenutzt vorübergehen zu lassen. Seit meiner in Konstanz 1983 gezeigten Ausstellung „Bilder für die Ewigkeit" hatte ich die Idee, eine ausschließlich der ägyptischen Skulptur gewidmete Ausstellung zu verwirklichen, nie aufgegeben. Dabei ist uns bewußt, daß eine befriedigende Realisierung dieses Vorhabens nur mit Hilfe von Leihgaben aus den bedeutendsten internationalen Sammlungen gelingen konnte. Die spontane Bereitschaft aller angesprochenen Museumskollegen, mit wenigen konservatorisch bedingten Ausnahmen, meinen Leihgabenwünschen nachzukommen, erfüllt mich mit großer Freude und Dankbarkeit.

Mit rund 210 Objekten von der Frühzeit bis in die römische Epoche wird hier erstmals ein zeitlich übergreifendes Bild der ägyptischen Rundplastik und ihrer unterschiedlichen formalen und stilistischen Erscheinungsformen veranschaulicht. Und daß mit den rund 60 Königsporträts gleichzeitig auch eine für jeden Besucher faszinierende Konfrontation mit den großen Pharaonen und Gestaltern der altägyptischen Geschichte ermöglicht wird, kann hier als besonderer Schwerpunkt unserer Konzeption herausgehoben werden. So ist es dem Besucher dieser Ausstellung und dem Leser dieses Kataloges möglich, nicht nur die kunsthistorische Entwicklung, den Aufbau, Proportionskanon und stilistischen Wandel der ägyptischen Skulptur nachzuvollziehen, sondern in direktem Gegenüber mit den bedeutendsten altägyptischen Pharaonen, wie zum Beispiel Mykerinus, Chephren, Sesostris III., Hatschepsut, Thutmosis, Echnaton, bis zu den Herrschern der Spätzeit und der Ptolemäer einen Eindruck von der letztlich ebenfalls individuell geprägten Geschichte Ägyptens und ihren Gestaltern vermittelt zu bekommen.

Während die ersten Einleitungskapitel sich skizzenhaft dem Phänomen der Rundplastik und ihren Darstellungsmerkmalen mehr allgemein nähern und auf ihr Verhältnis zum Flachbild ebenso eingehen, wie sie funktionale Zusammenhänge aufdecken, geht es in den Aufsätzen von Eaton-Krauss und Haslauer um die Darstellung der Rundplastik in der ägyptischen Kunst selbst und um ihre Herstellungsmechanismen. Die Einbindung der ägyptischen Kunstgeschichte und der Voraussetzungen ihres Verständnisses in die europäische Rezeptionsgeschichte ägyptischer Denkmäler steht gleichsam am Beginn der Auseinandersetzung mit dem Ausstellungsthema und wird in einem zweiten, von H. Satzinger verfaßten Aufsatz über die Geschichte der Wiener ägyptischen Sammlung an einem konkreten Beispiel verdeutlicht. Ein Besuch in der ägyptischen Sammlung des Kunsthistorischen Museums veranschaulicht heute noch jenen von mancherlei Mißverständnissen und Fehlurteilen geprägten Zugang zur altägyptischen Kultur, der zwischen Romantizismus und mystischem Halbdunkel stehend dem modernen Ägyptenbild nicht mehr entspricht. Nicht zuletzt gab auch die für 1993 vorgesehene Neugestaltung und Erweiterung der Wiener ägyptischen Sammlung einen zusätzlichen Anstoß, ihre gerade auf dem Gebiet der Skulptur so bedeutenden Bestände einmal im internationalen Vergleich zu präsentieren und so ihren besonderen Stellenwert herauszuarbeiten.

Auch wenn so manchem Besucher dieser Ausstellung anfangs vielleicht das Funkeln ägyptischen Geschmeides, die geheimnisvollen Mumien, die Buntheit der Grabmalereien und die Vielfalt der Grabbeigaben abgehen sollten, wie es etwa die Ausstellung „Götter, Gräber und die Kunst" in Linz geboten hat, so sind wir überzeugt, daß letztlich die vielleicht etwas mühevollere, mehr Geduld voraussetzende Begegnung mit der altägyptischen Kultur einen nachhaltigeren Eindruck hinterlassen wird. Wie kaum ein anderes Medium altägyptischer Kultur vermittelt ihre Rundplastik, trotz aller vordergründigen Fremdheit und zeitlichen Distanz, eine ganz besonders persönliche, auf jeden einzelnen Betrachter wirkende Ausstrahlung und Faszination. So ist die ägyptische Skulptur gleichsam der komprimierte, auf wenige Grundformen reduzierte Ausdruckswille der altägyptischen Kultur.

Mein Dank für das Zustandekommen dieser Ausstellung richtet sich zu allererst an alle Kollegen und Museumsdirektoren der leihgebenden Sammlungen, die sich zum Teil von ihren wichtigsten Exponaten für einen langen Zeitraum getrennt haben. Ebenso danke ich meinen Kolleginnen und Kollegen in der Ägyptisch-Orientalischen Sammlung des Kunsthistorischen Museums, vor allem ihrem Direktor Helmut Satzinger. Frau Elfriede Haslauer hat in dankenswerter Weise die Beschreibung der Bildhauermodelle übernommen und einen einführenden Beitrag über die Technologie der Statuenherstellung verfaßt. Besonderer Dank gilt Herrn Christian Hölzl, der die mühevolle Redaktion und Bibliographierung des Katalogs besorgt und die zahlreichen organisatorischen Hilfestellungen im Kontakt mit den Leihgebern übernommen und auf beste Weise durchgeführt hat. Frau Annita Kroath als Leiterin des Ausstellungssekretariats sei besonders für die bewährt perfekte Öffentlichkeitsarbeit gedankt, von der nicht zuletzt das Gelingen auch dieser Ausstellung abhängig ist. Frau Elke Rasper hat die mühevolle Texterfassung besorgt und dafür so manches Wochenende geopfert. Die Zusammenarbeit mit dem Architekten und Freund Hans Kräftner war wie immer problemlos und harmonisch und hat zu einer, wie ich meine, besonders gelungenen Ausstellungsgestaltung geführt. Ein besonders herzlicher Dank sei ihm auch für die Gestaltung des vorliegenden Katalogbuches gezollt. Dankbar möchte ich auch den Präsidenten des Künstlerhauses Wien, Herrn Dr. h.c. Hans Mayr erwähnen; wir können nur hoffen, daß dieses Ausstellungsprojekt den Beginn eines gemeinsamen Weges von Künstlerhaus und Kunsthistorischem Museum bedeutet.

Ohne ministerielle Unterstützung wäre auch dieses Ausstellungsvorhaben nicht möglich gewesen. Deswegen einen besonderen Dank an Vizekanzler Dr. Erhard Busek, dem Bundesminister für Wissenschaft und Forschung, sowie Herrn Ministerialrat Dr. Rudolf Wran, dem Leiter der Abteilung III/2, für die persönliche Unterstützung unseres so kurzfristig entwickelten Ausstellungsprojektes.

Ein ganz besonderer Dank sei den Sponsoren unserer Ausstellung gezollt, beginnend mit den Friendly, den Austrian Airlines, bis hin zu den Österreichischen Lotterien, der Ersten Österreichischen Spar-Casse, der Siemens AG, Kurt Falk und Herrn Gen.-Dir. Dr. Helmut Schimetschek, dem Präsidenten des Vereins der Museumsfreunde. Bedanken möchte ich mich auch für das Engagement der Ägyptischen Botschaft und ihres Botschafters, S.E. Abdel Hamid Onsi, sowie des ägyptischen Kulturrates Prof. Dr. Farouk Shehata. Sie haben unser Projekt von Beginn mit Wohlwollen verfolgt und die Zusage der ägyptischen Altertümerverwaltung vermittelt, im nächsten Jahr in Wien eine ausschließlich aus Beständen des Ägyptischen Museums in Kairo zusammengestellte Ausstellung zu realisieren. Abschließend sei allen meinen Mitarbeiterinnen und Mitarbeitern im Kunsthistorischen Museum und im Künstlerhaus Wien für ihre unterstützende Mitwirkung bei der Vorbereitung und Durchführung von „Gott · Mensch · Pharao" herzlichst gedankt.

Hofrat Dr. Wilfried Seipel
Generaldirektor des Kunsthistorischen Museums

INHALT

KATALOG

CHAMBER AND SARCOPHAGUS IN THE GREAT PYRAMID OF GIZAH.

Abb. 1: Thomas Milton nach Luigi Mayer, Die obere Grabkammer mit dem Sarkophag in der Cheopspyramide. Kolorierte Aquatinta-Radierung (aus: Luigi Mayer, Views in Egypte, London 1805)

14

Wilfried Seipel

ÄGYPTEN UND DAS ABENDLAND

DIE HISTORISCHEN VORAUSSETZUNGEN UNSERES ÄGYPTENBILDES

Die wissenschaftliche Einbindung aller Beschäftigung mit der literarischen, künstlerischen oder – ganz allgemein – mit der archäologisch-materiellen Hinterlassenschaft des Alten Ägypten findet ihren Mittelpunkt in der Ägyptologie, der Wissenschaft vom Alten Ägypten. Ihre Geburtsstunde kann zu Recht im Jahre 1822 gesehen werden, als es dem Franzosen François Champollion gelang, die Hieroglyphen zu entziffern und damit eine Kultur wieder zum Sprechen zu bringen, die rund zwei Jahrtausende verstummt war. Dadurch war eine Phase der geistigen Begegnung zwischen Orient und Okzident zu Ende, in der die abendländische Rezeption der pharaonischen Kultur und ihres äußeren Erscheinungsbildes – der Kunst – von grundsätzlichen Mißverständnissen, Vor- und Fehlurteilen bestimmt war.

Gehen wir zu den historischen Anfängen der Auseinandersetzung zwischen Ägypten und Europa zurück, so sei nur mit wenigen Worten auf die regen Kontakte eingegangen, die zwischen Ägypten und Kreta bereits seit der Mitte des 3. vorchristlichen Jahrtausends stattgefunden haben. Wurde Kreta auch erst rund tausend Jahre später zu einer vorgeschobenen Bastion des europäischen Festlandes, so weist die hier belegte gegenseitige Übernahme bestimmter Stilmerkmale (z. B. Spirale, „Fliegender Galopp", usw.) in der bildenden Kunst – ganz abgesehen von einer Reihe von Einwirkungen auf dem Gebiet der Architektur, Religion usw. – erstmals den künstlerischen Austausch zweier sich fremd gegenüberstehender Kulturbereiche nach. Die eine genaue Beobachtung verratende Darstellung von Gaben bringenden Minoern in den thebanischen Gräbern der 18. Dynastie ist dafür ein kennzeichnendes Beispiel: Nach der mykenischen Machtübernahme auf Kreta hatte sich auch die Schurztracht der Kreter gewandelt – ein modischer Wechsel, dem auch in den ägyptischen Darstellungen Rechnung getragen wurde. Dieses Erlebnis des Anderssein der gegenüberstehenden bzw. der Eigenart der eigenen Kultur zählt zu den ältesten Erkenntnisprozessen (kunst)historischer Begegnung.

Auch der glückliche Ausgang, den die Abwehrkämpfe gegen die im 14. und 13. Jahrhundert gegen Ägypten anstürmenden „Seevölker" nahmen, war von entscheidender Bedeutung für das Weiterbestehen der ägyptischen Eigenart, wenn sie auch zu diesem Zeitpunkt bereits eine über 2000jährige Geschichte hinter sich hatte und fremden Einflüssen gegenüber fast unempfindlich geworden war.

Das Ausgreifen der griechischen Kolonisation erfaßte Ägypten nur in einem Punkt, in der in der ersten Hälfte des 7. Jahrhunderts v. Chr. von Milesiern im Nildelta gegründeten Handelsfaktorei Naukratis. Die in diesem Zusammenhang ins Land strömenden Griechen konnten als Söldner des Pharaos bei der Herstellung eines von der Kuschitenherrschaft befreiten Ägyptens unter Psammetich I. (26. Dynastie, 664–575 v. Chr.) einen gewichtigen Beitrag leisten.

Die ersten umfangreichen Reiseberichte über Ägypten verdanken wir dem griechischen Geschichtsschreiber und Reisenden Herodot, der in der Mitte des 5. Jahrhunderts v. Chr. Ägypten bereiste und es im 2. Buch seiner Historien ausführlich beschrieb. Aufgrund seiner Eindrücke von der geographischen, vor allem aber historischen Größe dieses Landes – die sich ihm in der Landschaft, den Denkmälern, in der Geschichte oder der Weisheit der Priester zeigte – nahm er Abschied von einem graecozentrischen Weltbild. Der „Vater der Geschichte", dem das Schlagwort von Ägypten als dem „Geschenk des Nils" zu verdanken ist, fand hier ein erstes, ehrfurchtgebietendes Korrektiv der zu allen Zeiten verbreiteten Einschätzung des eigenen Kulturraums als dem Mittelpunkt der Welt.

Ob Platon wie Herodot tatsächlich Ägypten bereist hat oder ob ihm diese Reise nur wie auch dem ionischen Philosophen Solon in einer bestimmten biographisch-literarischen Tradition angedichtet worden ist, sei dahingestellt. Die Vorbildhaftigkeit der ägyptischen Kultur, vor allem ihrer Kunst, stand für ihn ohne Einschränkung fest. Als er in seinem Dialog Timaios (22) von den Erlebnissen Solons in Ägypten erzählt, der die ägyptischen Priester mit einem Bericht über die älteste Geschichte der Hellenen beeindrucken will, legt er den Ägyptern folgende Worte in den Mund: „Ach Solon, Solon! Ihr

Hellenen bleibt doch immer Kinder, zum Greise aber bringt es kein Hellene! Jung in den Seelen seid ihr alle: denn ihr hegt in ihnen keine alte, auf altertümliche Erzählungen gegründete Meinung noch ein durch die Zeit ergrautes Wissen." Und in den „Nomoi" (656d) heißt es u. a. über die ägyptische Kunst: „… bei näherer Betrachtung wird man finden, daß dort (in Ägypten) die vor zehntausend Jahren – ich meine dies nicht in dem gewöhnlich unbestimmten Sinn des Wortes, sondern tatsächlich vor zehntausend Jahren – gefertigten Gemälde und Bildsäulen weder irgendwie schöner noch häßlicher sind als die der jetzigen Zeit, sondern ganz dieselbe künstlerische Fertigung zeigen".

Inwieweit die aus diesen und zahlreichen anderen Stellen ableitbare Vorbildhaftigkeit der ägyptischen Kunst einen tatsächlichen materiellen Niederschlag im griechischen Kunstschaffen gefunden hat, ist auch heute nicht endgültig zu beantworten. Gehen wir zurück in die Zeit der Älteren Tyrannis, in der auch das oben erwähnte Naukratis gegründet worden ist, so ist es hier vor allem das erste Auftreten der griechischen Monumentalplastik, das nach einer Verbindung oder Einflußnahme Ägyptens fragen läßt. Mit ihr nahm die abendländische Formensprache einen neuen, entscheidenden Anfang, deren weitere Entwicklungslinien die griechische und damit auch die abendländische Kunst umfassend geprägt haben. Hierfür einen außergriechischen Ursprung oder auch nur Anstoß zu vermuten, fällt nicht leicht. Doch läßt ein stilistischer Vergleich der archaischen Kuros-Statuen mit der kanonischen ägyptischen Standfigur die Annahme eines ägyptischen Einflusses oder zumindest einer Anregung als wahrscheinlich erscheinen. Neben dem für die ägyptische Plastik so kennzeichnenden stereometrischen Strukturprinzip der Frontalität und des tektonischen Aufbaus fällt bei einem Vergleich sofort als Gemeinsamkeit die Stellung des linken, vorgesetzten Beines sowie die stehengelassenen Steinfüllungen der geballten Fäuste auf (s. Abb. 2). Ein auf Hekataios von Abdera zurückgehendes Zitat bei Diodor von Sizilien deutet darüber hinaus die Möglichkeit an, daß die Griechen teilweise auch das ägyptische Werkverfahren übernommen haben: „Auch von den alten Bildhauern, so sagt man, haben sich die bekanntesten bei den Ägyptern aufgehalten, nämlich Telekles und Theodoros, die den Samiern das Götterbild des pythischen Apollon hergestellt haben. Denn wie man erzählt, ist die eine Hälfte des Bildwerkes von Telekles in Samos gearbeitet, der andere Teil in Ephesos von seinem Bruder gefertigt worden, und als die Teile aneinandergesetzt wurden, haben sie so zueinander gepaßt, daß man meinen konnte, das ganze Werk sei nur von einem Mann hergestellt. Diese Art der Bearbeitung … wird aber bei den Ägyptern besonders ausgeübt. Denn bei ihnen wird das richtige Maßverhältnis nicht wie bei den Griechen von der durch das Auge wahrgenommenen Erscheinung her bestimmt … Denn indem sie den Aufbau des ganzen Körpers in 21 1/4 Teile aufteilen, geben sie das gesamte richtige Maßverhältnis des Menschen wieder. Darum stellen die Künstler, wenn sie sich über die volle Größe verständigt haben, getrennt voneinander die Werke in bezug auf ihre Größenverhältnisse genau übereinstimmend her …" (I 98,5 mit Auslassungen).

Ob der ägyptische Proportionskanon nun tatsächlich übernommen worden ist, läßt sich schwer nachweisen. Ein von E. Iversen versuchsweise über den Kuros gelegtes ägyptisches Proportionsnetz erweist, daß zumindest die metrologischen Grundlagen der ägyptischen und griechischen Rundplastik konform gingen (s. Abb. 3).

Für die griechische wie römische Zeit Ägyptens ist das Nebeneinanderbestehen autochthoner und importierter Kunsttraditionen ebenso charakteristisch wie das sich gegenseitige Durchdringen unterschiedlichster Darstellungsformen. Das in Tuna el-Gebel befindliche Grab des Priesters Petosiris aus dem Beginn der ptolemäischen Zeit gibt dafür ein besonders charakteristisches Beispiel. Während die quergelagerte Vorhalle stilistisch und ikonographisch an hellenistischen Vorbildern orientiert ist, sind die Reliefs des Kultraums ganz ägyptisch gehalten. Ein besonders einprägsames Bild gibt das Grab eines gleichnamigen Priesters in der Oase Dachle aus dem 1. Jahrhundert n. Chr. Hier ist Ägyptisches und Römisches nebeneinander aber nicht miteinander vereint (s. Abb. 4).

Aus der römischen Epoche Ägyptens seien neben der umgekehrten Einwirkung der römischen Porträtkunst auf die in Enkaustik gemalten Mumienporträts des 1.–4. Jahrhunderts n. Chr. vor allem jene Kunstdenkmäler erwähnt, die von den römischen Kaisern nach Italien entführt worden sind. Derartige Spolien, zu denen auch unsere Nr. 138 und 158 gehören, waren jedoch – wie die Beispiele zeigen – nicht auf Italien beschränkt, sondern fanden sich im gesamten provinzialrömischen Bereich. Neben den in Italien verfertigten, mehr oder weniger gelungenen Stilimitationen ägyptischer Plastik waren es vor allem diese verschleppten Kunstobjekte, mit denen die gelehrte Welt des europäischen Humanismus in Renaissance und Barock als den ersten Aegyptiaca in Berührung kam, ganz im Sinne eines Goethewortes: „Rom ist der Ort, in dem sich unsre Ansicht des ganzen Altertums in Eins zusammenzieht."

Durch die arabische Eroberung Ägyptens im 7. Jh. und auch während der türkischen Besetzung seit 1517 war der direkte Zugang zu den ägyptischen Altertümern

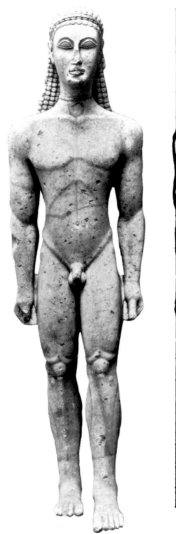 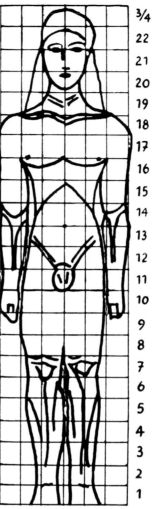

Abb. 2: Kuros, um 600 v. Chr.
New York, Metropolitan-Museum
of Art

Abb. 3: Das von E. Iverson über
den Kuros gelegte ägyptische
Proportionsnetz

abgeschnitten. Das Ägyptenbild des Abendlandes orientierte sich von nun an bis zu den Entdeckungsreisen vor allem des 18. Jh. an der klassischen antiken Überlieferung bzw. an den in Rom befindlichen Denkmälern. Diese notwendigerweise einseitige, mehrfach gebrochene und verfremdete Ägyptenrezeption sollte für Jahrhunderte eine retardierende Wirkung auf das abendländische Verständnis der ägyptischen Kunst und Kultur ausüben, ihre letzten Ausläufer haben in den Phantastereien der „Pyramidologen" ihren z. T. noch heute wirksamen Niederschlag gefunden.

Entscheidend für das Ägyptenverständnis war die Auseinandersetzung der Gelehrten des 16. und 17. Jahr-

hunderts mit der ägyptischen Schrift, die als „Hieroglyphenkunde" einen eigenen Wissenschaftszweig begründete. Die bilderreichen und rätselhaften Hieroglyphen – die „heiligen, in Stein geschnittenen" Zeichen, die vor allem auf den zahlreichen nach Rom verschleppten Obelisken zu sehen waren, übten eine besondere Faszination aus. Ausgehend von dem bereits in griechischer Zeit feststellbaren Mißverständnis der Hieroglyphenschrift als Bilderschrift, „... in der jeder Begriff nicht durch ein aus Silben zusammengesetztes Wort, sondern durch ein sinnliches Bild ausgedrückt wird, dessen uneigentliche Bedeutung sich dem Gedächtnis eingeprägt haben muß" (Diodor III, 4), war für die Gelehrten dieser Zeit der Weg

17

für eine rationale Entzifferung versperrt. Mißverstanden als Symbole, Allegorien, Embleme, Geheimzeichen usw. wurden die Hieroglyphen von nun an zur Darstellung der neuplatonischen Ideenwelt verwendet. Der in der Renaissance unternommene Versuch, eine historische und geistige Verbindung herzustellen zwischen dem Christentum, der Philosophie Platons und seinen neuplatonischen Nachfolgern mit der ägyptischen Weisheit – der Hermetischen Literatur – verschüttete den Zugang zu einem objektiven Begreifen der ägyptischen Kultur und ihrer Kunst. Als bedeutendster Exponent dieser Richtung sei der deutsche Jesuitenpater Athanasius Kircher (1601–1680) genannt, der in seinem bekanntesten Werk „Obelisci Aegyptiaci – interpretatio hieroglyphica" die symbolische Verbindung zwischen Hieroglyphen und der von ihm „erschlossenen" ägyptischen Philosophie und Weisheit herzustellen versuchte.

Die im 18. Jahrhundert einsetzende Kritik an der bis dahin unvoreingenommenen Bewunderung der ägyptisch-neuplatonischen Ideenwelt sollte nicht zuletzt auch die Wertung der ägyptischen Kunst entscheidend beeinflussen. In der ersten umfassenden Darstellung antiker Denkmäler durch Montfaucon 1719 wurden die ägyptischen Altertümer laut Auskunft des Autors nur mit großem Widerwillen aufgenommen, nicht aus ästhetischen, sondern rein aus chronologischen Gründen. Eine endgültige, für lange Zeit ausschlaggebende Abwertung, wenn auch keine direkte Verurteilung, sollte die ägyptische Kunst schließlich durch J. J. Winckelmann (1717–1768) erfahren. So schreibt er in seiner „Geschichte der Kunst des Altertums" (1764) „Die Ägypter haben sich nicht weit von ihrem ältesten Stil in der Kunst entfernt, und dieselbe konnte unter ihnen nicht leicht zu der Höhe aufsteigen, zu welcher sie unter den Griechen gelangt ist … Die Geschichte der Kunst der Ägypter ist, nach der Art des Landes derselben, wie eine große verödete Ebene, welche man aber von zwei oder drei hohen Türmen übersehen kann …" Immerhin weist er der ägyptischen Kunst bereits einen kunstgeschichtlich begründeten Platz in der antiken Vierheit aus Hellas, Rom, Etrurien und eben Ägypten zu.

Während J. G. Herder als erster ein eigenbegriffliches Verstehen der ägyptischen Kunst forderte und dazu aufrief, sie nicht ausschließlich in ihrer chronologischen Stellung zur griechischen Kunst zu sehen, hatte Goethe ein eher zwiespältiges, bisweilen sogar negatives Verhältnis zu Ägypten. Die ägyptischen Altertümer, mit denen er sich auf seiner italienischen Reise in Rom 1786–1788 vertraut machen konnte, waren für ihn nicht mehr als Kuriositäten, mit denen sich bekanntzumachen zwar sehr „wohlgetan sei; zu sittlicher und ästhetischer Bildung aber werden sie uns wenig fruchten". In einem Brief von 1797 schreibt er: „Mit den ägyptischen Altertümern mache man sich aus Reisebeschreibungen mit so wenig Kosten als möglich bekannt", und an anderer Stelle heißt es: „In den ältesten Zeiten diente die Kunst jederzeit der Religion, indem sie gewisse strenge, trübe, seltsame und gewaltsame Vorstellungen ausbildete … So bei den Ägyptern, die sich auch aus der Knechtschaft dieses dunklen Zustandes nie befreiten". Die bei ihm vorherrschende Abneigung gegen alles mystisch Unklare sollte sich auch auf sein Verhältnis zur ägyptischen Kunst auswirken. Wie er „jenes wüste Totenreich" ablehnte, so auch das schwärmerische Mystizieren der Theosophen, Rosenkreuzer und Freimaurer, deren esoterische Geheimlehren unter Berufung auf einen popularisierten Neuplatonismus weniger mit Ägypten als mit der mißverstandenen Rezeption im 17. Jahrhundert zusammenhingen. Fanden sie jedoch wie in Mozarts und Schikaneders „Zauberflöte" einen vollendeten künstlerischen Ausdruck, konnte auch Goethe nicht seine Bewunderung versagen.

Doch während er sich noch seinen Unmut über Ägypten von der Seele schrieb, war ein Ereignis eingetreten, das die weitere Entwicklung des abendländischen Kunstverständnisses gegenüber Ägypten entscheidend beeinflussen sollte: die Expedition Napoleons nach Ägypten 1798–1801. Das aus 325 Schiffen und 38.000 Mann bestehende Expeditionsheer, das den Einfluß Frankreichs auch im Ostmittelmeer und darüber hinaus sichern sollte, umfaßte auch eine aus 167 Gelehrten zusammengesetzte Kommission für Wissenschaft und Kunst. Ausgerüstet mit allen bis dahin erschienenen Büchern über Ägypten schritten sie zu einer Bestandsaufnahme des gesamten Landes. Alle kulturellen, landschaftlichen, zoologischen und technischen Besonderheiten Ägyptens wurden zeichnerisch aufgenommen und in der 1809–1813 erschienenen „Description de l'Égypte" veröffentlicht, längst nachdem die Franzosen von den Engländern aus Ägypten wieder verdrängt worden waren. Elf Foliobände, ein Atlas und zehn gewaltige Textbände gaben der europäischen Öffentlichkeit erstmals die Möglichkeit, sich anhand der sehr sorgfältigen, fast fotografisch getreuen Zeichnungen über Ägypten, seine Denkmäler und seine Menschen zu informieren. Die in direkter und indirekter Folge der Expedition nach Europa verbrachten ägyptischen Antiquitäten – praktisch die ersten seit römischer Zeit – bildeten den Grundstock der heutigen großen ägyptischen Museen. Nun war es einer breiteren Öffentlichkeit möglich, ägyptische Kunst in eigener Anschauung kennenzulernen.

Zu den folgenreichsten Entdeckungen der französischen Expedition jedoch gehörte der 1799 bei Schanzar-

Abb. 4: Wandmalerei aus dem Grab des Priesters Petosiris in der Oase Dachle, 1. Jh. n. Chr.

Abb. 5: Ein Zeichner vor dem Torso einer Monumentalstatue aus dem Tempelbezirk von Karnak (aus: Description de l'Egypte, Antiquitès T. III, Paris 1812, Pl. 48)

beiten in der Nähe von Rosetta gemachte Fund eines in drei Schriften und in zwei Sprachen abgefaßten Dekrets aus der Zeit des Königs Ptolemäus V. Epiphanes (s. Abb. 4). Der in das Jahr 196 v. Chr. zu datierende „Stein von Rosetta" gab den Schlüssel für die Entzifferung der ägyptischen Schrift und Sprache, die – wie eingangs erwähnt – im Jahre 1822 durch F. Champollion in seinem berühmten Brief an den Sekretär der Königlichen Akademie der Wissenschaften, M. Dacier, bekanntgegeben wurde.

Damit war der Weg frei geworden für eine nach wissenschaftlichen Gesichtspunkten ausgerichtete, vorurteilslose Beschäftigung auch mit der künstlerischen Hinterlassenschaft des pharaonischen Ägypten. Die allmählich sich offenbarenden Texte gewährten einen Einblick in das Denken, in die religiösen Vorstellungen der Alten Ägypter, die ihren künstlerischen Schöpfungen zugrunde lagen. Die erst durch die Entzifferung der Schrift möglich gewordene Entmystifizierung auch der ägyptischen Kunst war der Beginn einer neuen, fruchtbaren Begegnung zwischen Ägypten und dem Abendland, die in vielfältiger Weise zum Ausdruck kam. Neben der von S. Morenz aufgezeigten literarischen Befruchtung, die Europa nun von Ägypten empfing, sei auch auf die formal-künstlerischen Anregungen verwiesen, die von der Imitation ägyptischen Stils auch in der Architektur – vgl. z. B. die 1812 als Ausstellungsge-

bäude in London eröffnete „Egyptian Hall" – bis zu tiefergehenden strukturellen Angleichungen der modernen Kunst – z. B. des Expressionismus (Paul Gauguin) – führen sollte.

In weiterer Folge setzte in Ägypten eine sowohl von antiquarischen als auch wissenschaftlichen Interessen bestimmte systematische Grabungstätigkeit ein. Mit immer exakter werdenden Grabungsmethoden und Dokumentationstechniken verbreitert sie bis heute die materielle Ausgangsbasis auch der kunstgeschichtlichen Betrachtung des Alten Ägypten. Die in den letzten Jahrzehnten sich vollziehende allmähliche Abkehr vom abendländischen Bildungsideal, das ausschließlich an der klassischen Antike orientiert war, aber auch die als Reaktion auf eine übertechnisierte, inhumane und verunsicherte Welt zu verstehende Hinwendung zu den immer noch von romantischen Vorstellungen nicht gänzlich befreiten Zeugnissen längst vergangener und ferner Kulturen können zu jenen Ursachen gezählt werden, die für die heutige Ägyptenbegeisterung mit verantwortlich sind. Die aus dem „Brunnen der Vergangenheit" geschöpften Selbstzeugnisse der altägyptischen Kultur spiegeln nicht nur in ihrer formalen Gestaltung die auch uns eigene Sehnsucht nach einem geschlossenen, in sich ruhenden Weltbild wider, in dem die zugrundeliegende Denkstruktur mit ihrem äußeren Erscheinungsbild deckungsgleich ist.

Abb. 6: Saal I der Ägyptisch-Orientalischen Sammlung des Kunsthistorischen Museums Wien. Im Vordergrund die Statue des Chaihapi (Kat.-Nr. 138). Die Wandmalereien E. Weidenbachs zeigen Szenen aus dem Grab des Gaufürsten Chnumhotep II. in Beni Hassan

Helmut Satzinger

DIE ÄGYPTISCHE SAMMLUNG IM WIENER KUNSTHISTORISCHEN MUSEUM

GESCHICHTLICHE ENTWICKLUNG

Die Wiener Sammlung ägyptischer Altertümer umfaßt eine große Anzahl bedeutender Skulpturen aller Perioden der pharaonischen Geschichte, zahlreiche Steinplatten mit Inschriften und Reliefs sowie eine eindrucksvolle Fülle von Zeugnissen des Totenkultes, angefangen von den großartigen Steinsarkophagen bis hin zu Uschebti-Statuetten und Amuletten. Dazu kommen noch die zahlreichen kulturhistorischen Zeugnisse, die uns darüber Aufschluß geben, wie die Menschen des Niltals im Altertum gelebt haben. Dieser Bestand ist allerdings nur zum geringen Teil durch systematische Sammeltätigkeit zustande gekommen, und die Geschichte seiner Entstehung ist sehr ungleichförmig. Dazu muß man bedenken, daß die ägyptischen Altertümer ebenso wie alle anderen Sektionen des Kunsthistorischen Museums zunächst nicht staatlich waren, sondern vielmehr Familieneigentum (Fidcikommiß) des Hauses Habsburg. Mit dem Ende der Monarchie gingen diese Sammlungen in den Besitz der Republik Österreich über.

Die erste aktive Periode für ägyptische Erwerbungen waren die Jahre um 1820, als Geschichte und Kunst der Pharaonenzeit gerade erst für die gebildete Welt entdeckt worden waren. 1798/99 hatte Napoleon sein berühmtes „ägyptisches Abenteuer" unternommen: Er zog auf dem Seeweg nach Ägypten, um sich des Landes zu bemächtigen. Aber das ehrgeizige Unternehmen war nicht nur als militärische Aktion geplant. Ein Stab von Wissenschaftlern verschiedener Disziplinen zog mit, die das exotische Land aufnahmen und ihre Ergebnisse in der Folge publizierten. Das vielbändige Foliantenwerk der *Description d'Égypte* und die diesem vorausgeeilten Nachrichten versetzten die europäische Öffentlichkeit in den ersten beiden Jahrzehnten des 19. Jahrhunderts geradezu in ein Ägypten-Fieber, das dann seine Krönung 1821 durch die Entzifferung der Hieroglyphen durch den genialen Jean François Champollion fand. So ist es zu verstehen, daß ab dem europäischen Friedensschluß

von 1814 Kaufleute und Diplomaten des Habsburgerreiches der Wiener Sammlung ägyptische Altertümer widmeten, worunter sich beachtliche Objekte befanden. Einige dieser Schenkungen werden weiter unten genannt werden.

ERWERBUNGEN BIS 1821

Die große und in gewissem Sinn für die ägyptische Sammlung grundlegende Erwerbung wurde 1821 getan. In diesem Jahr erfolgte das Angebot des Arztes Dr. Ernst August Burghart, auf einer Reise nach Ägypten Antiquitäten für das Kaiserhaus zu erwerben. Niemand geringerer als Fürst Metternich hatte ihn empfohlen. Burghart erhielt tatsächlich diesen Auftrag, und er kehrte noch im selben Jahr mit einer großen Sammlung aus Ägypten zurück. Burghart hat natürlich in der Kürze der Zeit weder selbst ausgegraben, noch eigentlich gesammelt. Dabei erwarb er vor allem die Sammlung von Giuseppe Nizzoli, der damals österreichischer Generalkonsul war. Auch der Name von Antonio Lebolo scheint in den Berichten auf. Durch diese große Erwerbung ist überhaupt erst eine eigene ägyptische Sammlung zustandegekommen. Vordem waren die nicht sehr zahlreichen Aegyptiaca unter die klassischen Bestände des Münz- und Antikenkabinettes gereiht gewesen; nunmehr existierte neben der Münzsammlung sowohl eine klassische als auch eine ägyptische Antikensammlung. Der Direktor des Münz- und Antikenkabinettes, Anton Steinbüchel von Rheinwall, wurde angewiesen, ein eigenes „Supplement-Inventar" für die ägyptischen Altertümer zu erstellen. Er konnte dieses 1824 vorlegen: Es umfaßt 3770 Nummern. Vor 1821 hingegen dürfte sich der Bestand auf nicht sehr viel mehr als hundert Stücke verschiedener Art belaufen haben.

Die Geschichte dieser ägyptischen Altertümer, die sich schon vor Burghaïts Eïwerbung in Wien befanden, ist jedoch zum Teil von besonderem Interesse. Zu den bekanntesten gehört wohl die der Statue des Gemnefhorbak (Kat.-Nr. 158), die der wallonische Gelehrte Ogier Ghislain de Busbecq als Gesandter Kaiser Ferdinands I. um 1560 in Konstantinopel gekauft hat. Er war vermutlich damals in das Osmanenreich gereist, um einen der zahlreichen Friedensschlüsse vorzubereiten, die die Habsburger in dieser unruhigen Zeit mit den Türken schlossen (1562; Adrianopel 1568 usw.). Busbecq und andere nützten solche Gelegenheiten, um zum Beispiel neue, unbekannte Zierpflanzen wie Tulpen, Lefkojen, Flieder und Roßkastanien nach Wien zu bringen; in diesem Fall jedoch war es eine exotische Skulptur. Diese war vermutlich schon in der römischen Kaiserzeit nach Byzanz verbracht worden. – Aus einer viel späteren Zeit – 1799 – weiß man von einer anderen Erwerbung, nämlich der eines schönen und wichtigen spätzeitlichen Statuenfragments („Büste" eines Mannes, Kat.-Nr. 162): sie wurde damals von Stanislaus Poniatowski eingetauscht (vermutlich gegen eine kostbare Gemme, dem Sammlergeschmack des Fürsten entsprechend). – 1808 traf in Wien eine Gruppe von Objekten ein, die 1805 von Philipp Agnello im Auftrag von Graf Savorgnan in Ägypten angesammelt wurden; darunter befand sich vermutlich die Fingerspitze einer Kolossalstatue, Inv.-Nr. 45, und manches andere der Objekte, von denen das Supplement-Inventar sagt, daß sie aus dem Antikenkabinett stammen.

Von einigen wenigen weiteren Objekten wissen wir aus einem anderen Grund, daß sie 1809 vorhanden waren. In diesem Jahr wurde Wien bereits zum zweiten Mal von den Truppen Napoleons besetzt. Zuvor waren in Eile zahlreiche Kunstwerke der kaiserlichen Sammlungen ostwärts (nach Ungarn, nach Kroatien) in Sicherheit gebracht worden, offensichtlich auch die allermeisten wichtigen Antiken. Als der Generaldirektor der französischen Museen, Vivant Denon, das Verbliebene sichtete, waren darunter nur vier oder fünf ägyptische Antiken, die er für würdig befand, eingepackt zu werden. Das Isis-Köpfchen, das die Übergabeliste nennt, kann weder mit einem Objekt der Ägyptischen Sammlung noch mit einem solchen der klassischen Antikensammlung identifiziert werden. Es ist vermutlich in Frankreich verblieben. Doch vier andere Objekte kehrten nach der Abdankung Napoleons im Jahr 1814 offensichtlich wieder zurück: der Sockel einer Königsstatue, Inv.-Nr. 44; die schon oben angeführte Fingerspitze einer Kolossalstatue, Inv.-Nr. 45, die 1808 erworben wurde; ein Opferbecken des Alten Reiches, Inv.-Nr. 8557 (Identifizierung unsicher) sowie eine monumentale Stele der Spätzeit, Inv.-Nr. 188.

Abb. 7: Ernst August Burghart nach einem Aquarell von Peter Fendi (Kunsthistorisches Museum Wien, Archiv des Münz- und Antikenkabinettes, in Verwahrung der klassischen Antikensammlung)

Abb. 8: Kupferstich der Statue des Chaihapi (Kat.-Nr. 138; aus: A. de Laborde, Voyage pittoresque en Autriche II, 1821, Tafel 13)

Statue Egyptienne,
à l'Archevêché.

Statue Egyptienne,
à l'Archevêché.

25

BEDEUTENDE SCHENKUNGEN

Wie oben schon angedeutet, begann nach dem Ende der napoleonischen Kriege eine Serie von zum Teil sehr substantiellen Schenkungen an die kaiserliche Sammlung, die durch österreichische Kaufleute und Diplomaten erfolgten. Bereits 1814 stiftet Carl Ritter von Rosetti, der damalige Generalkonsul in Kairo, den prachtvollen mumiengestaltigen Steinsarkophag der Königin Chedeb-neith-iret-binet [Chedeb-nit-jer-bone] aus der Saitenzeit (Inv.-Nr. 3). 1831 bietet Generalkonsul Joseph von Acerbi die Fingerspitze einer Kolossalstatue an (Inv.-Nr. 47); seine Angabe, sie stamme von einem der 20 m. hohen Kolosse Ramses' II. an der Fassade des großen Felsentempels in Abu Simbel, dürfte zutreffen. Der Konsul Franz Champion stiftete 1854 zwei wertvolle Dinge; zum einen eine Statuengruppe aus einem Grab von Theben-West aus der Ramessidenzeit, die die Brüder Meriptah und Siêse sowie ihre Mutter Kafi zeigt (Inv.-Nr. 48); zum anderen den kompletten Satz der vier Eingeweidegefäße (Kanopen) einer Königstochter der 22. Dynastie (Libyerzeit) namens Tjesbastetperet (Inv.-Nr. 3561–3564).

Von 1834 bis 1849 war Anton Ritter von Laurin aus Wippach (Vipava), Slowenien, österreichischer Generalkonsul in Alexandria. Von ihm erfolgten mehrere Schenkungen, die zum Teil sehr wichtig sind. Im Jahr 1845 sind es zehn Grabstelen des Mittleren und des Neuen Reiches, ein steinernes Pyramidion (also die Spitze einer aus Lehmziegeln gemauerten Pyramide von einem thebanischen Grab des Neuen Reiches) sowie drei Rindermumien von den Grüften der heiligen Apis-Stiere in Saqqara; letztere waren allerdings in einem so schlechten Zustand, daß heute nur wenig mehr als der Kopf der Mumie eines Stieres übrig ist. Zwei Jahre später stiftete Laurin einen mächtigen und schönen steinernen Sarkophag in Mumienform; er stammt von der Bestattung eines Mannes namens Padepep aus der Spätzeit (Inv.-Nr. 2). 1851 war Laurin bereits an seinem neuen Dienstort Bukarest, aber die Reste seiner ägyptischen Sammlung waren in Alexandria verblieben. Davon stiftete er in diesem Jahr drei bedeutsame Skulpturen: die Stabträgerstatue des Siêse (Kat.-Nr. 138) aus Assiut, Zeit Ramses' II.; die Sitzstatue des Königssohnes von Kusch (das heißt, des Gouverneurs von Nubien) Merimose (Kat.-Nr. 125), Zeit Amenophis' III., und den Torso des Char aus der Spätzeit (Inv.-Nr. 38); des weiteren fünf Abydos-Stelen des Mittleren Reiches. Laurin war es auch, der den herrlichen Steinsarkophag des Nesschutefnut [Esschutfêne] in einem tiefen Grabschacht in Saqqara entdeckte (Inv.-Nr. 1); aber die Bergung und den Abtransport konnte 1851 erst sein Nachfolger Christian von Huber durchführen. Dieser schenkte dann 1854 der kaiserlichen Sammlung eine ägyptische Stele aus der Zeit des Augustus, die schon äußerlich von besonderem Reiz ist, da sie zwar in ägyptischem Stil gestaltet ist, aber eine griechische Inschrift trägt (Inv.-Nr. 205). Es ist eine Weihestele, die von der Zunft der Fein- und Kuchenbäcker des arsinoitischen Gaues (Fajjum) für ihren Vorsitzenden errichtet, wurde.

Außer den Konsuln waren es vor allem Kaufleute und andere Wirtschaftstreibende, die zur Mehrung der kaiserlichen Sammlung beitrugen. Es ist auffallend, wie viele Triestiner darunter waren: Peter Jussuff stiftet bereits 1818 zwei der gewaltigen Sachmet-Statuen (Kat.-Nr. 95 und 96) Amenophis' III., 18. Dynastie (auf eine ist der Name eines Mannes graviert, der berühmt ist für seine „Ausgrabungen" um 1820 herum: Giovanni Belzoni). Carlo Antonio Fontana schenkt 1821 den in seiner Bemalung bestens erhaltenen Kartonage-Sarg der Dame Herib (Inv.-Nr. 225, mit Mumie Inv.-Nr. 251), ein schönes Totenbuch (den sogenannten Papyrus Fontana, Inv.-Nr. 3854), die Stele Inv.-Nr. 158 aus dem Neuen Reich, die kleine magische Stele Inv.-Nr. 1012 mit dem Bild der syrischen Göttin Qadesch, eine große hölzerne Geier-Statuette (Inv.-Nr. 800) und einen Fayence-Uschebti Sethos' I. (Inv.-Nr. 850). 1828 stiftet Elias Sciade aus Triest (dem Namen nach ein Christ arabischsprachiger Herkunft, wie vielleicht auch Peter Jussuff) eine große ramessidische Stele (Inv.-Nr. 124) sowie eine demotische Urkunde (Inv.-Nr. 3872). Einige weitere Spender sind im folgenden angeführt: 1821 schenkt der Großhändler Karl Ritter von Neupauer den mächtigen Steinsarkophag des Anhernacht (Inv.-Nr. 5), nachdem er bereits im Jahr davor eine Anzahl „Anticaglien" gestiftet hatte. Isidor von Löwenstern, ein Wiener Bankier, stiftet 1837 eine Anzahl von Objekten, die er auf einer Ägypten-Reise erworben hatte; darunter einige Abydos-Stelen des Mittleren Reiches. 1852 stiftet der Arabist Alfred Freiherr von Kremer den seither nach ihm benannten Papyrus mit der Verspottung des Harfners, ein einzigartiges Beispiel eines demotischen literarischen Textes (Inv.-Nr. 213). In mehrfacher Hinsicht eindrucksvoll ist die steinerne Schranke oder Interkolumnialplatte mit dem Namen Psammetichs II., die der Reichtagsabgeordnete Josef Freiherr von Schwegel 1869 gestiftet hat: Sie zeigt seltene und interessante Ritualszenen, die der König zum Neujahrsfest zu vollziehen hat, und dies mit großem Realismus in der Portrait-Wiedergabe des Königs. – Erzherzog Rainer ist der Wissenschaft vor allem dadurch bekannt, daß er die große Sammlung von Papyri, die der Kaufmann Theodor Graf beschafft hatte, schließlich durch Ankauf davor bewahrte, ins Ausland zu gehen; indem er sie später der Hofbibliothek schenkte, schuf er die Wiener Papyrussammlung (eine Abteilung der Österreichischen Nationalbibliothek), die eine der größten der Welt ist. Der Ägyptischen Sammlung schenkte Erzherzog Rainer 1870 ein schönes großes Opfergefäß aus Bronze mit eingravierter bildlicher Darstellung und Inschriften eines Priesters namens Ptahhotep (Inv.-Nr. 491), ferner einen Bronzespiegel mit dem Namen des Priesters Harenanch (Inv.-Nr. 793).

Ein bemerkenswertes Werk fand 1825 Eingang in die kaiserliche Sammlung, nämlich eine ägyptische Statue, die in Wien ausgegraben worden war. Das ereignete sich im Jahr 1800, als Arbeiten am Wiener Neustädter Kanal – im Gebiet des späteren Aspang-Bahnhofes im III. Gemeindebezirk – durchgeführt wurden. Man stieß auf römische Funde von der Zivilstadt von Vindobona, und dabei auch auf die fast völlig intakte Hockerstatue des Chaihapi aus der Zeit der 19. Dynastie (Kat.-Nr. 138). Die Skulptur war offensichtlich in der Römerzeit angeschafft worden, etwa um einem lokalen Heiligtum des weit verbreiteten Sarapis-Kultes sakralen ägyptischen Charakter zu geben. Die Statue kam später in kirchlichen Besitz und wurde 1825 von Fürst-Erzbischof Graf von Firmian der kaiserlichen Sammlung überlassen.

SCHWIERIGKEITEN VERSCHIEDENER ART

Im selben Jahr wurde auch ein bedeutsamer Papyrus gekauft. Der vollständige „mythologische Papyrus" (eine Art Bilder-Totenbuch) des Chonsumes [Chensmose] (Inv.-Nr. 3859) ist auf Grund seiner graphischen Qualität auch heute noch eines der großartigsten Stücke der Sammlung. Im großen und ganzen stagnierte aber das Interesse an Ankäufen, und dies aus mehreren Gründen. Auf seiten der Eigentümer, der Dynastie Habsburg, wurde lange nichts diesbezüglich unternommen, um die archäologischen Sammlungen nachhaltig zu mehren. Reines Prestige-Denken konnte bei einer altehrwürdigen Dynastie, die bereits so reiche und wertvolle Kunstsammlungen besaß, keine große Rolle spielen. So kam es wirklich nur auf persönliches Interesse an. Kaiser Franz I. verstarb 1835. Es folgte ihm der ältere Sohn auf den Thron als Ferdinand I. (1793–1875), euphemistisch genannt „der Gütige" – er war körperlich wie geistig behindert und folglich unfähig zu regieren. Dies besorgte vielmehr unter dem Vorsitz des Erzherzogs Ludwig, des jüngsten der noch lebenden Brüder

des verstorbenen Monarchen, die „Staatskonferenz", in der vor allem Fürst Clemens Metternich und Graf Franz Anton Kolowrat-Liebsteinsky gegeneinander agierten. Der nüchterne und sparsame Franz Joseph – ganz Gegensatz zu seinem enthusiastischen Bruder Ferdinand Maximilian – folgte ihm im Revolutionsjahr 1848 als 18jähriger Jüngling auf den Thron, und er hatte gleichsam alle Hände voll zu tun, um die Monarchie aus der bestehenden Krise herauszuführen. Erst das ehrgeizige Projekt eines glänzenden Hofmuseums brachte da in den siebziger Jahren eine Wendung. Doch ganz abgesehen von persönlichen Interessen gab es einen schwerwiegenden äußeren Grund für eine gewisse Stagnation in der Erwerbungspolitik. Die ägyptische Sammlung war insbesondere ab 1836 nur behelfsmäßig in sehr beengten Räumen untergebracht, so daß jeder umfangreichere Zuwachs Probleme verursachte.

Als die ägyptischen Objekte noch einen wenig distinkten Teil der Altertümersammlung bildeten, waren sie mit dieser im sogenannten Augustinergang, einer heute nicht mehr existierenden Lokalität, untergebracht. Diese langgestreckte Anlage an der Rückseite der Hofbibliothek (Nationalbibliothek) verband die Hofburg mit der Augustinerkirche und erlaubte dem Hofstaat, die Kirche geschützt zu erreichen. Als archäologisches Museum aber war sie selbst nach damaligem Maßstab nicht sehr gut geeignet. Nach den Burghartschen Erwerbungen aber mußte man für die neu geschaffene ägyptische Sammlung mit ihren mehreren tausend Objekten nun ein Domizil suchen. Man fand es im ersten Stock eines Patrizierhauses in der Stadt (Johannesgasse); doch sehr ideal scheint auch das nicht gewesen zu sein. So kann man auf Grund der Inventare sehen, daß die großformatigen Steinobjekte im Verband der Antikensammlung verblieben waren: offenbar war es nicht möglich oder nicht ratsam, die beiden vorhandenen Sachmet-Statuen (Kat.-Nr. 95 und 96) und den Deckel des Sarkophages der Chedeb-neith-iret-binet (Inv.-Nr. 3) am neuen Ort aufzustellen bzw. sie hinzubringen. Die Sammlung blieb von 1823 bis 1836 in der Johannesgasse zugänglich; dann mußte sie einen neuen Platz erhalten. Es folgte eine echte Notlösung: Im Unteren Belvedere, wo bereits die Klassische Antikensammlung unter nicht sehr günstigen Bedingungen untergebracht war, mußte nun auch die ägyptische Sammlung Raum finden. Nun waren die kaiserlichen Altertümersammlungen nicht die einzigen Kunstsammlungen, die beengt und ungünstig dargeboten waren. Dies förderte auf seiten des Kaisers und seiner Mitarbeiter die Idee, in Wien repräsentative Museumsbauten zu errichten, die einen würdigen und geeigneten Rahmen für die Kunstschätze und Kostbarkeiten bieten würden.

Abb. 9: Carl Goebel, „Das Eintrittskabinett in die egyptische Sammlung" im Unteren Belvedere mit Durchblick in den Marmorsaal. Rechts der Sarkophag der Königin Chedebneith-iref-binet (Inv.-Nr. ÄS 3). Aquarell, 1889; Kunsthistorisches Museum, Gemäldegalerie, Inv.-Nr. 4219 (2303)

Abb. 10: Carl Goebel, „Das II. Cabinett der egyptischen Sammlung" im Unteren Belvedere. Bei der Sitzstatue im Vordergrund dürfte es sich um jene des Henka (Kat.-Nr. 23) handeln. Aquarell, 1889; Kunsthistorisches Museum, Gemäldegalerie, Inv.-Nr. 4221 (2302)

SAMMLUNG MIRAMAR

Die zweite aktive Periode für ägyptische Erwerbungen folgte dann also in der Zeit der Erbauung und Einrichtung des Kunsthistorischen Museums (1871 bis 1891). Im Zuge der Verwirklichung dieses ambitionierten Projektes war man auch sehr daran interessiert, die Sammlungsbestände zu mehren. Dazu bot sich eine hervorragende Möglichkeit, denn in Österreich existierte damals bereits eine zweite ägyptische Sammlung von beachtlichem Umfang und teilweise hohem Niveau: die Sammlung in Schloß Miramar bei Triest, die Erzherzog Ferdinand Maximilian, der sehr ambitionierte nächstjüngere Bruder des Kaisers, zustande gebracht hatte. Er war zu der Zeit, als der Bau des Kunsthistorischen Museums begonnen wurde, bereits mehrere Jahre tot: als Kaiser Maximilian von Mexiko war er 1867 in Querétaro von den Revolutionären unter Benito Juárez erschossen worden.

Die Sammlung Miramar geht vor allem auf zwei große Erwerbungen zurück, eine im Jahr 1855 – Erzherzog Ferdinand Maximilian war damals Oberkommandierender der Kriegsmarine mit Sitz in Triest – und eine im Jahr 1865, schon in der mexikanischen Zeit. 1855 weilt er zu einem offiziellen Besuch in Ägypten. Als obligates Gastgeschenk (Gegengabe für die von ihm überreichten Besuchsgeschenke) erbittet er sich vom Vizekönig Saʿîd anstelle der üblichen Kostbarkeiten ägyptische Altertümer, die er anscheinend auch in verhältnismäßig reichlichem Ausmaß erhielt. Die wichtigeren unter diesen Objekten wurden 1864 vom österreichischen Ägyptologen Simon Leo Reinisch publiziert. Dieser Teil der Sammlung galt späterhin als Staatseigentum und nicht als Fideikommiß (habsburgischer Familienbesitz) – die Gegengeschenke stammten offensichtlich aus staatlichem österreichischen Bestand. Als der Erzherzog zum Kaiser von Mexiko geworden war, ließ er durch seinen ägyptologischen Berater Reinisch im Winter 1865/66 in Ägypten in großem Stil Altertümer ankaufen, um sie in einem mexikanischen Nationalmuseum zu präsentieren. Das Schiff, das sie transportierte, lag bereits im Hafen von Veracruz, als Maximilian erschossen wurde; es wurde daraufhin nach Triest zurückbeordert. Die damals erworbenen Bestände waren offensichtlich Kaiser Maximilians Privateigentum, da sie seinen Eltern (Franz Karl und Dorothea Sophie) erblich zufielen, und nach deren Tod seinen noch lebenden Brüdern (Franz Joseph, Karl Ludwig und Ludwig Viktor). Reinisch dürfte sich bei den Erwerbungen u. a. der Hilfe des preußischen Ägyptologen Heinrich Brugsch' bedient haben.

Daneben machte Ferdinand Maximilian sicherlich im Lauf der Zeit auch kleinere Erwerbungen. Es ist erweislich, daß er 1855 (bei seinem Staatsbesuch in Ägypten) oder schon vorher ägyptische Altertümer vom ehemaligen österreichischen Generalkonsul Anton von Laurin gekauft hat. Mit Sicherheit gilt dies für die vier Inschriftsteine des Sechemuiptah Itusch aus Saqqara (Inv.-Nr. 5817–5820). Laurin war schon 1851 aus Ägypten nach Bukarest abberufen worden, doch die Reste seiner Sammlung verblieben noch in Alexandria. Aber es ist kaum anzunehmen, daß Ferdinand Maximilian diese Gegenstände bis 1851 erwarb, da er da gerade erst 19 Jahre alt war. Jedenfalls führt die Geschichte der Sammlung Miramar auf einen Mann zurück, der auch mit der kaiserlichen Sammlung in Wien als ihr großzügigster Spender eng verbunden ist.

DIE WEITERE ENTWICKLUNG
BIS ZUR GEGENWART

Die Sammlung Miramar wurde 1878 in das Wiener Inventar eingetragen, aber die Objekte selbst wurden erst 1883 von Miramar nach Wien verbracht. Daneben gab es in dieser Zeit noch weitere Erwerbungen, doch verblaßt ihre Bedeutung ein wenig gegenüber der glorreichen Sammlung Miramar. Zu erwähnen wäre etwa noch folgendes: Kronprinz Rudolf, der Sohn Kaiser Franz Josephs, machte 1881 eine Reise nach Ägypten und Palästina; in Ägypten erwarb er sechzig pharaonische Altertümer, die er nach seiner Rückkehr sogleich der Ägyptischen Sammlung zukommen ließ. Es sind viele bedeutsame Objekte darunter, wie Stelen und andere Inschriften. Die meisten Skulpturen sind zwar fragmentiert, doch sind darunter dennoch sehr wichtige Stücke, wie das Oberteil einer stark überlebensgroßen Statue Sethos' I. (Inv.-Nr. 5910). Ferner wurden über den Ägyptologen Heinrich Brugsch 1875 einige Objekte angekauft, unter denen bedeutende Skulpturen des Alten Reiches sind, wie die beiden Statuen des Henka (Kat.-Nr. 23 und 24), aber auch wichtige Papyri. Außerdem hat Kustos Ernst von Bergmann 1877/78 auf einer Ägypten-Reise einige bedeutsame Objekte erworben.

Im zwanzigsten Jahrhundert wurde das Museum vor allem durch archäologische Ausgrabungen bereichert, die von Wiener Institutionen in Ägypten durchgeführt wurden. Am ertragreichsten in qualitativer Hinsicht waren zweifellos die Ausgrabungen auf dem Mastaba-Friedhof an der Cheopspyramide, die Professor Hermann Junker für die Wiener Akademie der Wissenschaften vor und nach dem Ersten Weltkrieg betrieb. Der Ausgräber konnte zu jenen Zeiten noch damit rechnen, mit einem schönen Anteil an den Funden für seine Mühen und Kosten entschädigt zu werden (heute ist dies in Ägypten von Gesetz wegen sehr stark eingeschränkt; viele andere Staaten verbieten überhaupt, daß Funde außer Landes gebracht werden). Für die Wahl dieses prestigeträchtigen Grabungsareals an der Cheopspyramide war durchaus auch ein sammlungssystematischer Gesichtspunkt maßgeblich. In Giza waren Denkmäler des Alten Reiches in reichem Maß zu erwarten. Bis dahin aber gab es davon nur wenige in Wien, und dies war den Verantwortlichen schmerzlich bewußt. Abgesehen von den Fundteilungen, die sich an die Grabungen von 1913–1914 und 1925–29 anschlossen, wurde ein besonderer Fundkomplex auch käuflich von der Generaldirektion der ägyptischen Altertümerverwaltung erworben, nämlich die Kultkammer (Opferkapelle) des Prinzen Kaninisut mit ihren hervorragenden Reliefs in einem strengen und schönen Stil des Alten Reiches (Inv.-Nr. 8006; etwa 2450 v. Chr.). Dieser Ankauf von 1914 wurde durch ein frühes Beispiel von *sponsoring* ermöglicht: Ein Wiener Industrieller, der Kommerzialrat R. Maaß, finanzierte ihn. Die Errichtung der Kultkammer mit den originalen Reliefs konnte erst 1925 erfolgen.

Andere Wiener Ausgrabungen erbrachten zwar keine derartige Fülle wertvoller Kunstwerke und Inschriften, jedoch wissenschaftlich bedeutsames Material, insbesondere solche Funde, die unsere kulturhistorischen Kenntnisse vermehren. Dies betrifft nicht nur das eigentliche Ägypten und die pharaonische Periode, sondern auch die Vor- und Frühgeschichte sowie die Geschichte des südlichen Nachbarlandes Nubien. Von besonderem Interesse sind die Grabungen von Professor Manfred Bietak in Tell el-Dab'a im östlichen Delta, wo man die Hauptstadt der syrischen Hyksos-Könige vermutet.

Hin und wieder ist es doch auch heute noch möglich, Altertümer käuflich zu erwerben, und dann und wann sogar ein wertvolles Kunstwerk, wie 1991 die Hockerstatue des Horemachbit (Kat.-Nr.151) aus der Saitenzeit (um 650 v. Chr.).

Lit.: H. Satzinger, Der Werdegang der Ägyptisch-Orientalischen Sammlung des Kunsthistorischen Museums in Wien. In: Egitto fuori dell'Egitto. Dalla riscoperta all'Egittologia (Atti del Convegno Internazionale Bologna 26–29 marzo 1990). Bologna 1991, 367–382 (mit weiterer Lit.). – Ders., Frühe Erwerbungen für die ägyptische Sammlung. In: Jahrbuch der kunsthistorischen Sammlungen (im Druck)

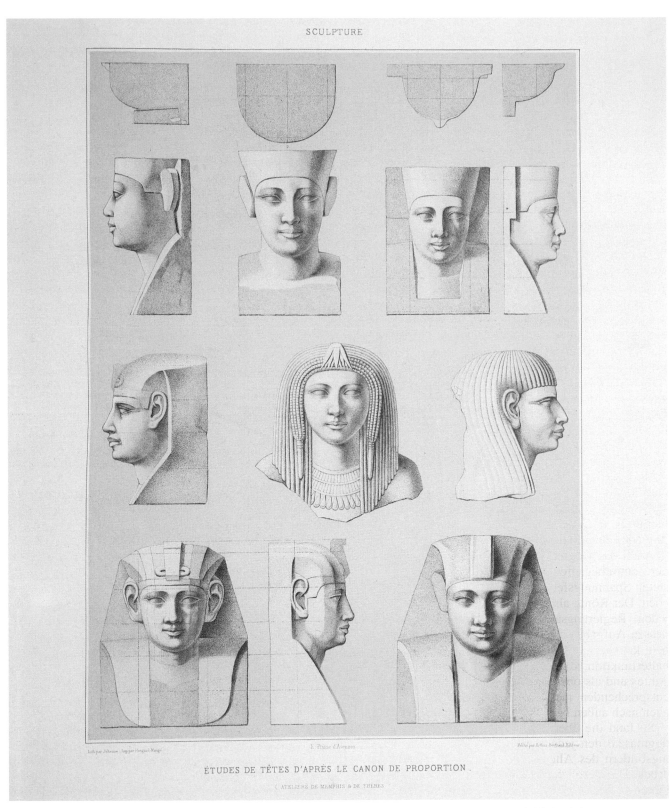

ÉTUDES DE TÊTES D'APRÈS LE CANON DE PROPORTION.

(ATELIERS DE MEMPHIS & DE THÈBES)

Abb. 11: Bildhauermodelle entsprechend dem ägyptischen Proportionskanon mit erhaltenem Quadratraster auf nicht bearbeiteten Flächen (aus: Prisse d'Avennes, Histoire de l'Art Egyptien d'après les Monuments, Paris 1878, Pl. 30)

Wilfried Seipel

DIE VORAUSSETZUNGEN DER ÄGYPTISCHEN KUNST UND IHR REGELSYSTEM

Zu den letztlich formprägenden Voraussetzungen der ägyptischen Kunst zählen die Strukturen der ägyptischen Landschaft ebenso wie die historischen Bedingungen ihres Entstehens und ihrc institutionell und religiös begründete Einbindung in ein übergreifendes Weltbild.

Das in der Bezeichnung großflächiger Landschaftsstrukturen sich zeigende Farbempfinden – das „Große Grüne" für das Meer, das „Rote" für die Wüste und das „Schwarze (Fruchtland)" für Ägypten selbst – findet seine Entsprechung nicht nur in der am Naturvorbild orientierten Bemalung sämtlicher Kunstwerke (auch der Hartsteinstatuen), sondern erweist auch das bewußte Begreifen formal geschlossener, streng abgegrenzter Räume. Die klaren Konturen der Landschaft finden sich wieder in dem ebenfalls von Eindeutigkeit bestimmten Regelwerk der ägyptischen Kunst. Das Unveränderliche in der zyklischen Wiederkehr des Gleichen, wie es am Beispiel der jährlichen Nilüberschwemmung erfahren wurde, führte zur Suche nach der künstlerischen Darstellung des Dauerhaften. Als zeitloses und unvergängliches Abbild des Weltenlaufs sollte es diesen weiterhin sicherstellen. Bereits hier finden die statische Verhaltenheit und der dynamische Wandel der ägyptischen Kunst ihre erste Begründung.

Auch das Dogma vom göttlichen Königtum, einem der Zentralbegriffe der ägyptischen Kultur, steht in dem steten Spannungsfeld der ewigen Wiederkehr des Gleichen. Der König als „Wiederholer der Geburten" ist bei jedem Regierungsantritt auch Neuschöpfer der Welt, dessen Aufgabe es ist, die ägyptisch als Maat bezeichnete kosmische Weltordnung zu garantieren. Diese Erhalterfunktion, die der König kraft seines göttlichen Amtes und als oberster Priester ausübte, bedurfte einer entsprechenden materiellen Verdeutlichung und einer auch nach außen hin sichtbaren Festschreibung.

So fand die überzeitliche Bestimmung des Königsdogmas in den jeder Vergänglichkeit enthobenen Königsbildern des Alten Reiches den ihr gemäßen Ausdruck. Die sterbliche Individualität des Gottkönigs tritt hinter dem Ewigkeitsanspruch seines Amtes zurück. Nicht der Mensch als König, sondern der idealisierte, ewig jugendliche Gott und König sind das Darstellungsziel. Ihren vollendetsten künstlerischen Ausdruck fand diese Konzeption in der Sitzfigur des Königs Chephren (4. Dynastie, um 2500 v. Chr.), die das wohl eindrucksvollste Königsbild der ägyptischen Geschichte darstellt (s. Abb. 12). Der den Kopf des Königs mit seinen Schwingen umfangende Horusfalke ist Zeichen göttlicher Identität, die ihren Anspruch auch über den Tod hinaus beibehielt. Auch der verstorbene, zum Totengott Osiris gewordene König, nimmt weiterhin teil an dem zyklisch sich erneuernden Königtum. Der König bleibt König auch im Jenseits, das als bruchlose Weiterführung der diesseitigen Existenz aufgefaßt wurde. Dementsprechend ist sein Machtanspruch auch in dieser Statue, die in seinem Totentempel gefunden wurde, festgeschrieben. Die Pyramidenanlagen als die monumentalen Grabmäler der vergangenen Könige fanden ihren kultischen Mittelpunkt in den jeder Vergänglichkeit entäußerten Grabstatuen der Könige.

Doch die Repräsentation des Königs bzw. der durch ihn vertretenen Institution blieb nicht auf die praktisch unzugänglichen Totentempel der Pyramidenanlagen beschränkt. Dic Funktion des Königs als „Herr des Rituals", in der er als Garant der Maat auch für den kultischen Vollzug der Opfer im ganzen Land verantwortlich war, kam in der Tempelstatue zum Ausdruck. Nicht nur der opfernde oder betende König wird in ihr dargestellt, sondern seit dem Mittleren Reich auch der machtvolle Herrscher, der sich – bisweilen in propagandistischer Absicht – in den Tempelhöfen oder an exponierten Stellen des ganzen Landes in monumentaler Größe abbilden ließ.

Die im Königsbild zum Ausdruck gebrachte Weltsicht, die religiöse Einbindung des Königsdogmas in den Weltenlauf von Tod, Leben und Erneuerung, die den Untertanen bei jeder Thronbesteigung aufs neue vor Augen geführt wurde, blieb nicht ohne Auswirkungen auf den nichtköniglichen Bereich. Die Grabstatue als überzeitlicher Repräsentant des Grabherrn – ob eines Königs oder Privatmannes – ist seit der 3. Dynastie ein integrierender Bestandteil des Grabes (s. dazu auch die Objektbeschreibungen). Die im Königsbild vorgeprägten kanonischen Darstellungsformen von Stand- und Sitzfigur wurden in dcn privaten Bereich über-

Abb. 12: Sitzstatue des Königs Chephren mit dem Horus-Falken. Diorit, 4. Dynastie, um 2500 v. Chr.; Kairo, Ägyptisches Museum

nommen und mit einer vergleichbaren kultischen Funktion betraut.

In ähnlicher Weise sollte auch das Reliefprogramm der königlichen Totentempel in seiner Vielfalt das Darstellungsrepertoire der privaten Grabanlagen des Alten Reiches bestimmen, die aufgrund des Überlieferungsstandes unsere Vorstellung vom ägyptischen Flachbild dieser Zeit prägen. Die Auffassung der jenseitigen Existenz als Abbild und Fortführung der realen Wirklichkeit fand in den Darstellungsthemen der Gräber ihren entsprechenden Ausdruck. Wenn auf die Themenvielfalt hier auch nicht annähernd eingegangen werden kann, so sei nur auf die häufigsten Darstellungen hingewiesen, die den Grabherrn am Opfertisch oder zusammen mit seiner Familie zeigen. Daneben stehen kultisch-rituelle Szenen wie Musik- und Tanzdarstellungen, aber auch Handwerksszenen, Jagd- und Marktszenen sowie Darstellungen aus dem landwirtschaftlichen Bereich im weitesten Umfang. Diese variantenreiche Fülle der überlieferten Darstellungsthemen des Alten Reiches sollte jedoch im weiteren Verlauf der ägyptischen Kunstgeschichte noch zahlreiche ikonographische und stilistische Erweiterungen erfahren, deren Höhepunkt in den thebanischen Grabmalereien des neuen Reiches zu finden ist.

Das Flachbild bereits des Alten Reiches war ebenso geprägt von den unveränderlich bleibenden Darstellungs- und Ordnungsprinzipien wie die gleichzeitige Rundplastik. Bei beiden, von ihrer inneren Struktur her nur bedingt trennbaren Kunstgattungen, reichen die Anfänge weit in die vorgeschichtliche Zeit zurück und fanden in der Reichseinigungsperiode ihren ersten bestimmenden Abschluß.

Auf die lokal begrenzten neolithischen Kulturen Ober- und Unterägyptens, die nach den maßgeblichen Fundorten Badari, Negade bzw. Omari, Merimde usw. benannt werden, folgte eine von Oberägypten ausgehende übergreifende Expansionsbewegung, als deren Folge immer größer werdende territoriale Einheiten entstanden, bis schließlich Unter- und Oberägypten vereint waren. Von den zahlreichen Königen dieses mehrere Jahrhunderte währenden Einigungsprozesses ist für uns König Narmer von besonderer Bedeutung. Mit seinem Namen ist das wichtigste überlieferte Dokument dieser formativen Phase der ägyptischen Geschichte verbunden, die sog. „Narmerpalette" (s. Abb. 13, 14).

Die Schminkpaletten waren ursprünglich Gebrauchsgeräte zum Anreiben der Gesichts- und Augenschminke und zählen zu den kennzeichnenden Grabbeigaben vor allem der Negade-I- und -II-Zeit. Die aufgrund magisch-religiöser Funktionen immer stärker sich entwickelnde künstlerische Ausgestaltung fand in den reliefierten Prunkpaletten der Reichseinigungszeit ihren Höhepunkt. Zahlreiche Paletten dieser Art geben ein anschauliches Bild von der Herausbildung des ägyptischen Flachbildes und seiner Aufbauprinzipien.

Die Vorderseite der Narmerpalette zeigt den König beim „Schlagen der Feinde". Mit der oberägyptischen Krone versehen, schlägt er einen am Schopf gepackten Unterägypter, dessen Herkunft und Gesamtanzahl in Hieroglyphen angegeben sind. Hinter Narmer steht der königliche Sandalenträger. Die Rückseite der Palette, deren Napf von zwei Schlangenhalspanthern gebildet wird, zeigt Narmer bereits als unterägyptischen König, der mit seinem Standartengeleit die Reihe der gefallenen Feinde abschreitet. Diese Darstellungen zeigen jedoch keineswegs ein einmaliges, zeitlich fixierbares Ereignis, sondern die zu einem ikonographischen Topos gefügte allgemeine Darstellung des Königs als des Überwinders der feindlichen, chaotischen Mächte, ganz im Sinn des oben geschilderten Königsdogmas. Geschichte wird hier als ritualisiertes, vom König mitbestimmtes Geschehen verstanden. Dementsprechend bedient sich die Kunst auch hier festgelegter symbolischer Formen, die in diesem Fall bis weit in die griechisch-römische Zeit unverändert beibehalten wurden. Wenn der König auch auf der Napfseite sozusagen als Ergebnis eines historischen Vorganges mit der unterägyptischen Krone dargestellt ist, so steht doch der überzeitliche, zyklische Aspekt dieser Handlung als Symbol königlicher Wirksamkeit im Vordergrund. Dadurch aber ist die Darstellung der Notwendigkeit entbunden, bestimmte zeitlich fixierte Abläufe oder Bewegungsvorgänge zu verdeutlichen, die ohne eine Einbindung in einen dynamisch definierbaren Raum nicht befriedigend wiedergegeben werden können. Die daraus sich ergebende perspektivlose oder „aspektivische" Darstellungsweise sollte jedoch nicht zu dem Schluß verleiten, die Ägypter hätten kein Raumempfinden gehabt. Es bestand für sie vielmehr kein funktionales Bedürfnis, die illusionäre, dynamische Raumtiefe in ihrer Kunst zum Ausdruck zu bringen.

Doch die Narmerpalette läßt noch weitere wesentliche Merkmale des ägyptischen Flachbildes erkennen: die Einteilung der Bildfläche in Register, die durch die „Standlinie" voneinander getrennt sind und zusammen mit dieser das entscheidende Ordnungsprinzip der zweidimensionalen Darstellungsweise ausmachen; die unterschiedliche, vom jeweiligen gesellschaftlichen oder institutionellen Rang bestimmten Größenverhältnisse der dargestellten Personen. Die hier erstmals in vollendeter Form verwirklichten Grundprinzipien des ägyptischen Flachbildes wären freilich ohne die auf den bemalten Tongefäßen der Negade-Zeit belegten Entwicklungsstufen nicht denkbar. Standlinie, unterschiedliche Figu-

Abb. 13: Schminktafel des Königs Narmer (Narmerpalette). Schiefer, um 3000 v. Chr.; Kairo, Ägyptisches Museum

Abb. 14: Schminktafel des Königs Narmer (Narmerpalette), Pfannenseite. Schiefer, um 3000 v. Chr.; Kairo, Ägyptisches Museum

rengröße und szenische Kohäerenz findet sich jedoch nicht nur auf der Keramik vorgeprägt, sondern auch auf der einzigen erhaltenen Wandmalerei dieser Zeit in einem Grab in Hierakonpolis (s. Abb. 15; heute im Ägyptischen Museum Kairo). Neben den auch sonst häufig belegten Schiffsdarstellungen fallen vor allem die fremden Einfluß verratende Darstellung des „Herrn der Tiere" sowie die zweimal belegte Standlinie auf. Einmal sind es drei geschlagene Feinde, das andere Mal vier liegende Steinböcke, die durch eine gemeinsame Basislinie zu einer Gruppe zusammengefaßt werden. Die voraussetzbare gegenseitige Beeinflussung von Keramikbemalung und Wandmalerei wird durch die meist als „Tierfalle" gedeutete Darstellung von fünf um zwei konzentrische Kreise angeordneten Antilopen belegt. Entsprechend der häufig belegten Bemalung der Gefäßinnenseite mit Tierdarstellungen, die um den Gefäßboden kreisförmig angeordnet sind, kann diese Darstellung als formale Übernahme der erwähnten Gefäßdekoration aufgefaßt werden.

Die in der Wandmalerei von Hierakonpolis noch gebotene Möglichkeit der Entwicklung großflächiger Darstellung zusammengehöriger Szenen wurde nicht wahrgenommen. Die das Register bildende Standlinie führte zur Zergliederung thematischer Komplexe und zur Herausbildung von in sich selbst geschlossenen Einzelbildern ohne räumliche und zeitliche Dynamik. Insofern stellt die Narmerpalette eine Synthese aller jener Strukturelemente dar, die sich in einer lange währenden Entwicklung herausgebildet und schließlich das Erscheinungsbild des ägyptischen Flachbildes auf Dauer geprägt haben.

Doch neben Standlinie, Register, unterschiedlichen Größenverhältnissen sei nochmals auf die zweidimensionale Darstellungsweise der menschlichen Figur hingewiesen, die vom Beginn bis zum Ende der ägyptischen Geschichte eine stets gleichbleibende Wiedergabe erfuhr. Während das Gesicht – Stirn, Nase und Mund – im Profil dargestellt wird, ist das Auge in Form eines eigenständigen hieroglyphischen Zeichens von vorne wiedergegeben. Hals und Schultern sind in Vorderansicht gezeichnet, während bereits unterhalb der Achselhöhlen die vordere und hintere Brustlinie eine Profilansicht zeigen, die durch die Angabe der Brustwarze in Seitenansicht noch unterstrichen wird. Die Seitenansicht setzt sich von hier bis zu den Füßen fort, nur die leicht gegen die Körpermitte verschobene Stellung des Nabels scheint eine Drehung anzudeuten.

Diese zusammengesetzt erscheinende Wiedergabe des Menschen, die für die Sitzfigur ebenso typisch ist wie für die Standfigur, läßt die Frage nach der hier vom Künstler zugrundegelegten „Ansicht" bzw. „Hauptan-

Abb. 15: Nilschiffe und Jagdszenen nach einer Wandmalerei aus Kom el-Achmar, Ägypten. Naqada-II-Kultur, Gerzéen, um 3400/3200 v. Chr.

sicht" als nicht zutreffend erscheinen. Weder eine direkte Seitenansicht noch die Frontansicht bestimmt das menschliche Bild, das als parataktische, additive oder am besten „kombinatorische" Darstellung bezeichnet werden kann. Die verschiedenen Konturen der Figur dienten dazu, den Charakterisierungsgrad des Dargestellten, seine überindividuelle Erkennbarkeit als stehender oder sitzender Mensch, also sein Wesen, in optimaler Weise zu veranschaulichen. Nicht das Seh- oder Erscheinungsbild, sondern das „Wesensbild" ist das Ziel der Darstellung. Nicht die Betonung des organischen Zusammenwirkens der Einzelteile in anatomischer Entsprechung ist wichtig, sondern die der Hieroglyphenschrift vergleichbare Summierung einzelner „Zeichen", die aufgrund der Art ihrer bildsyntaktischen Zusammenstellung das Bild erst „lesbar" machen. Die bewußte Einbindung der Darstellung in eine „statische" Fläche erklärt zusätzlich die Frontalansicht der Schultern: Eine reine Seitenansicht würde die Andeutung von Raumtiefe erforderlich machen, die in der ägyptischen aspektivischen Darstellungskonzeption als funktionslos ausgeklammert blieb. Nur bei der Wiedergabe unbelebter Statuen galt die Seitenansicht auch der Schultern als darstellbar.

Das einmal als gut befundene Darstellungskonzept der „flachbildlichen Grundform" (H. Schäfer), das für sämtliche Personendarstellungen, seien es Tote oder Lebende, Götter, Könige oder Menschen, in gleicher Weise angewendet wurde, erklärt jedoch noch nicht in ausreichendem Maße die über Jahrtausende hin zu verfolgende Gleichartigkeit, ja Identität der zweidimensionalen Darstellungen. Seit dem Alten Reich sind bei zahl-

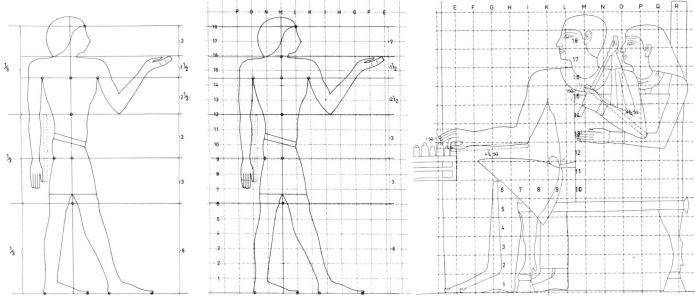

Abb. 16: Der Kanon des Alten Reiches   Abb. 17: Der Kanon des Mittleren Reiches, Standfigur   Abb. 18: Der Kanon des Mittleren Reiches, Sitzfigur

reichen unfertig gebliebenen Reliefs die Reste der ursprünglichen Vorzeichnungen erhalten geblieben. In manchen Fällen war die Figur zudem noch in ein System aus sieben waagrechten Linien eingeschrieben, die von einer senkrechten Symmetrieachse durchschnitten wurden. Sie dienten der Angabe bestimmter Maßverhältnisse der darzustellenden Figur. Standlinie, Knie, Gesäß, Ellenbogen, Achselhöhle, Halsansatz und Haaransatz bekamen durch sie unveränderliche und für alle Figuren identische Proportionen zugewiesen (Abb. 16). Ob die seit der 12. Dynastie nachweisbaren engmaschigen Quadratnetze, die sich mit den sieben Linien des Alten Reichs in Deckung bringen lassen, schon früher in Verwendung waren, sei dahingestellt. Jedenfalls gaben sie die Möglichkeit, aufgrund der feineren Unterteilung der Gesamthöhe eine größere Genauigkeit in der maßgerechten Darstellung zu erzielen. Doch welche metrologischen Voraussetzungen lagen diesem „Proportionskanon" zugrunde?

Ein Blick auf das metrologische System der Ägypter zeigt, daß seine Grundlage die (normierte) Länge bestimmter Körperteile war. Als wichtigstes Maß sei die „Normalelle" genannt (44 cm), die in vier Handbreiten zu je vier Finger unterteilt war. Das dem Quadratnetz zugrundegelegte Einheitsmaß war jedoch die aus 11/3 Handbreiten zusammengesetzte „Faust". So wurde die stehende Figur in ein Netz eingeschrieben, das von der Standlinie bis zum Haaransatz insgesamt 18 Felderreihen umfaßte (s. Abb. 17, 18). Die auf diese Weise ver-

bindliche Festlegung der natürlichen Körperproportionen wurde auf alle Darstellungen, auch auf die Sitzfigur, angewandt. Die Ersetzung der Normalelle durch die etwas längere „Königselle" (52,4 cm) in der 26. Dynastie sollte das Erscheinungsbild der Darstellungen nur unwesentlich variieren (s. dazu auch die Kat.-Nr. 187ff.).

Die Erörterung des Proportionskanons gibt Gelegenheit, auch das Fertigungsverfahren der ägyptischen „Künstler" kurz darzulegen, für die es keine unseren Vorstellungen entsprechende Benennung gab, sondern die einfach als Handwerker bezeichnet wurden: Auf die sorgfältig geglättete Wand wurde – zumindest bei den wichtigeren Darstellungen – zuerst das Proportionsnetz aufgetragen, in das mit roter Tinte die eigentlichen Vorzeichnungen eingeschrieben wurden. Erst nach einer in Schwarz vorgenommenen Korrektur (s. Kat.-Nr. 186) durch den Arbeitsleiter der Handwerkergruppe, die ja dem Werkverfahren entsprechend arbeitsteilig vorging, konnte mit der Ausarbeitung des Reliefs begonnen werden. Je nachdem, ob es versenkt oder erhaben gearbeitet werden sollte, wurde der umliegende Grund abgearbeitet oder stehengelassen. In einem weiteren Arbeitsvorgang wurden die Kanten geglättet und gerundet, zuletzt wurde die Farbe aufgetragen, meistens auf einer dünnen Stuckschicht. Die zahlreichen erhaltenen rundplastischen „Bildhauermodelle" (s. Kat.-Nr. 187ff.) erweisen, daß auch die Herstellung der Rundbilder von demselben Proportionskanon ihren Ausgang nahm. Auf

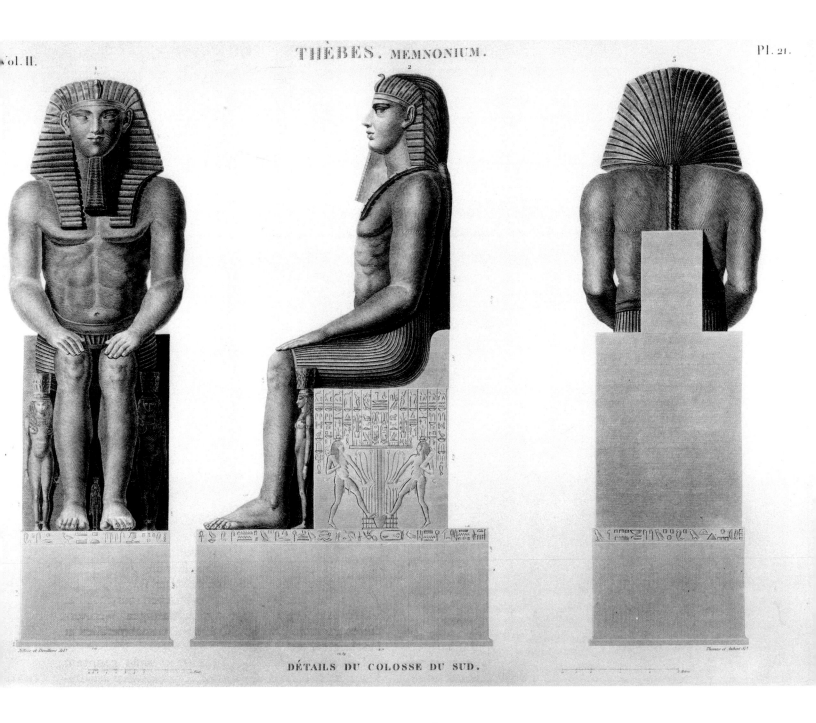

DÉTAILS DU COLOSSE DU SUD.

Abb. 19: Der südliche der beiden heute noch am Fruchtlandrand in Theben-West aufrecht stehenden Memnonskolosse. Die beiden Monumentalstatuen stellen König Amenophis II. (1402–1364 v. Chr.) dar und flankierten den Eingang zu seinem – heute vollständig verschwundenen – Totentempel (aus: Description de l'Égypte, Antiquitès T. II, Paris 1812, Pl. 21)

die mit dem Quadratnetz versehenen Flächen des kubischen Werkblockes wurden die zweidimensionalen Vorlagen als Draufsicht, Seitenansicht, Vorder- und Rückansicht eingezeichnet, die den ersten Meißelschlägen des Bildhauers als Orientierung dienen sollten. Auch die Rundplastik verdankt ihr gleichförmiges Erscheinungsbild dem Proportionskanon und dem von ihm ausgehenden Fertigungsverfahren.

Darüber hinaus, aber nicht unabhängig davon, entwickelte das Rundbild entsprechend der Vielfalt der Erscheinungsformen des Menschen eine Reihe festgelegter Darstellungsformen, die schon bald nach ihrem ersten Auftreten typisiert wurden. Zu den wichtigsten rundplastischen Darstellungstypen gehören so die „Standfigur" (Kat.-Nr. 18) und die „Sitzfigur" (Kat.-Nr. 21), in denen die beiden gegensätzlichen, aber repräsentativen Haltungsweisen des Menschen in zeitloser kanonischer Form zum Ausdruck gebracht werden. Die männliche Standfigur, deren leicht vorgestelltes linkes Bein einen Schritt anzudeuten scheint, ohne daß jedoch der herabhängende rechte Arm dieser Bewegung folgen würde, meint weder Schreiten noch Stillstehen. Sie reduziert vielmehr die Darstellung des aufrechten Menschen auf zwei ineinander verschränkte Erscheinungsweisen, die ein unverwechselbares zeitloses Bild der dargestellten Person ergeben. Die Sitzfigur, die ursprünglich dem thronenden König vorbehalten war, sollte die aus dem alltäglichen Leben herausgehobene Position verdeutlichen, die nicht ohne Grund die häufigste Erscheinungsform der Grabstatue darstellt; auch der Tote vor dem Opfertisch ist in der Regel sitzend wiedergegeben. Stand- und Sitzfigur sind in ihrem Aufbau von Geradansichtigkeit und strenger Tektonik bestimmt. Die selten fehlende Basisplatte und der Rückenpfeiler beschreiben ihren kubischen Bezugsrahmen.

Die seit der 4. Dynastie zuerst im königlichen Bereich nachweisbare Schreiberfigur ist die erste Erweiterung des rundplastischen Formeninventars. In ihr ist weniger die Person des Auftraggebers Darstellungsziel, als vielmehr der von ihm innegehabte gesellschaftliche Status (Kat.-Nr. 24 und 25). Die in weiterer Folge neu auftretenden Statuentypen sind in einigen Fällen Ableitungen der drei Grundtypen. Neben die seit ältester Zeit belegte Kniefigur treten Beter- und Opferstatuen, seit dem Mittleren Reich auch der „Würfelhocker", in dem das kubisch bestimmte Strukturprinzip der ägyptischen Rundplastik seinen vollendetsten Ausdruck fand. Die letzte umfangreiche Erweiterung des Typenrepertoires erfolgte in der 18. Dynastie.

Zusammenfassend läßt sich so das scheinbar von statischer Verhaltenheit gekennzeichnete Erscheinungsbild der ägyptischen Kunst – das nur die eine, aber sehr viel augenfälligere Seite dieses Mediums darstellt – als eine von seinem unveränderlichen Kanon, einem vorgegebenen Regelwerk, bestimmte Darstellungsweise charakterisieren, deren Aufgabe es war, die flüchtigen Erscheinungen dieser Welt und vor allem ihre Akteure, seien es die Götter, Könige oder Sterblichen, in gleichsam archetypische Bilder – Ikonen – einzuschmelzen. Die Standfigur, die Sitzfigur usw. sind die einmal gefundenen Reduktionen der vielfältigen Erscheinungswelt auf rundplastische oder flachbildliche „Momentaufnahmen".

Da in diesen Momentaufnahmen jedoch der innerste Kern, das Wesen des Dargestellten, zum Ausdruck gebracht werden soll, verliert der scheinbar zeitlich bestimmbare Ausschnitt – etwa aus der Bewegung des Gehens – seine zeitliche und damit auch räumliche Funktion: die Dynamik der Bewegung ist aus der Darstellung ausgespart, ist funktionslos. Denn jede Angabe einer zeitlichen Gebundenheit würde das Wesen des Dargestellten als vergänglich erscheinen lassen und damit der Zielsetzung der Kunst zuwiderlaufen, ein für die Ewigkeit bestimmtes Abbild einer nur scheinbar vergänglichen Welt zu sein. Zeitlich fixierte Einmaligkeit, also Unwiederholbarkeit, und wesensmäßige Dauer, also Unvergänglichkeit, sind zwei sich ausschließende, unvereinbare Bestimmungen.

Bei aller gebotenen Zurückhaltung und Einschränkung sei zur Verdeutlichung auf die für das Ostkirchentum so bedeutsame Ikone verwiesen. Von ihrer theologischen Konzeption her gleichsam als Fenster zwischen irdischer und himmlischer Welt definiert, werden in ihr die Archetypen der unvergänglichen Welt sichtbar, die Erscheinungen himmlischer Urbilder. Dementsprechend wird der einzelne Ikonentyp in kanonischer, über Jahrhunderte unveränderter Form reproduziert, wobei das Moment schöpferischer Individualität hinter dem ebenfalls meist arbeitsteiligen Werkverfahren gar nicht bzw. nur in seltenen Ausnahmefällen in Erscheinung tritt.

Daß diese Ausnahmefälle aber in nicht geringem Maße auch für das ägyptische Kunstschaffen bestimmend waren, das keineswegs nur in statischer Verhaltenheit und eingebunden in ein starres kanonisches Regelwerk aus „Musterbüchern" zusammengesetzte Durchschnittsqualität produzierte, ist an zahlreichen Spitzenleistungen der ägyptischen Kunstgeschichte ablesbar. In ihnen verwirklichte sich auf dem schmalen Band zwischen vorgegebenem Regelsystem und künstlerischem Anspruch bisweilen eine schöpferische Individualität, die – auf das Menschenbild bezogen – trotz aller Idealisierungstendenzen zu einer echten Porträthaftigkeit vorstoßen konnte. Kunsthistorisch und vor allem unter ästhetischen Gesichtspunkten betrachtet sicher bedeutsam, können diese Meisterleistungen für ein vertieftes Verständnis der ägyptischen Kunst und ihrer Funktion nur wenig Neues beitragen. Nur in jenem historischen Kontext, in dem die Umsetzung neuer Wertmaßstäbe an den traditionellen Darstellungsregeln zu scheitern drohte, konnte sich die künstlerische Individualität – sei es mit Billigung oder gar Förderung des Auftraggebers – ungehemmt Durchbruch verschaffen.

Die Kunst der Amarna-Zeit ist das wohl eindrucksvollste Beispiel dafür.

Daß geschichtliche Erfahrungen und veränderte historische Bedingungen ebenfalls das feststehende Erscheinungsbild der ägyptischen Kunst abzuändern vermochten – wenn auch in recht engen Grenzen –, daß ihrer statischen Verhaltenheit auch ein dynamischer Wandel zur Seite stand, mögen die ausgestellten Objekte und ihre Beschreibungen erweisen.

Wilfried Seipel

ZUR ÄGYPTISCHEN RUNDPLASTIK
EIN ÜBERBLICK

Wie kaum eine andere Erscheinungsform der altägyptischen Kunst vermittelt die Rundplastik, auch Skulptur oder Rundbild genannt, einen erhellenden, ja entscheidenden Einblick in das Wesen altägyptischer Kultur. Sie gibt in hunderten Beispielen Aufschluß über die geistigen und religiösen Voraussetzungen Altägyptens und seiner Menschen. Ihre gesellschaftlichen und sozialen Vorstellungen und Bedürfnisse, ihre individuellen Zielsetzungen und Erwartungen, vor allem aber ihre Einbindung in ein übergeordnetes, von Stabilität und Dauer gekennzeichnetes Gesellschaftsmodell mit dem von Gott beauftragten und berufenen Pharao an der Spitze, finden im „Menschenbild" der altägyptischen Skulptur den umfassendsten und tiefgreifendsten Ausdruck.

Die anthropomorphe Gottesdarstellung, die Wiedergabe des thronenden, stehenden oder betenden Königs sind die auf nur wenige Darstellungsformen reduzierten Bilder letztlich menschlicher Verhaltensweisen und Zustände, die in der nichtköniglichen bzw. nichtgöttlichen Privatplastik ihre Entsprechung bzw. ihr Gegenüber finden. Die von Funktion und Zielsetzung ausgehende Trennung der ägyptischen Skulptur in nichtkönigliche (also private) und königliche, einschließlich gottbezogener Rundplastik entspricht zwar weitgehend dem historisch über Jahrtausende zurückzuverfolgenden Befund, wird jedoch kaum der Tatsache gerecht, daß sich das Göttliche und das Königliche, das Numinose und das Heilige in ihren unendlich variantenreichen Erscheinungsformen nie dem „Menschenbildnis" und seiner

konkreten Realisierung entzogen haben – sieht man ab von der in der Sonnenscheibe und ihren Strahlen innewohnenden Wirksamkeit des Gottes Aton (eigentlich Jâti) der Amarna-Zeit. Und selbst dieser bediente sich menschlicher Hände, wenn es darum ging, die Wirkung seiner Strahlen besonders sinnfällig zum Ausdruck zu bringen. Dazu kommt, daß eine sichere Zuordnung der ältesten rundplastischen Belege, sei es der aus Ton modellierte Kopf aus dem 5. Jahrtausend v. Chr., der in Merimde gefunden wurde oder die zahlreichen der Negade I- und Negade II-Zeit entstammenden „Tonidole" und Elfenbeinfigürchen zu einer dieser beiden Kategorien göttlich/königlich bzw. nichtköniglich kaum möglich ist, gerade diese frühen Belege also eher gegen eine funktionale Trennung dieser beiden Darstellungskategorien sprechen, wie es auch die zahlreichen aus dem ältesten Tempelbezirk von Abydos aus dem Beginn des 3. Jahrtausends v. Chr. stammenden menschlichen Votivfigürchen (?) zu unterstreichen scheinen.

Die menschliche Darstellungsform, das Menschenbildnis, ist letztlich das Verbindende, der gemeinsame Ausgangspunkt und übergreifender Zielort der ägyptischen Skulptur, unabhängig von gesellschaftlich oder/und religiös-ideologisch motivierter Differenzierungen. Nur die rein theriomorphen Götterdarstellungen entziehen sich dieser Einordnung, wobei freilich die zahlreichen tier-menschgestaltigen Mischformen, wie sie etwa im königlichen Bereich die Sphinxform vertritt, in ihrem formalen Darstellungsgerüst deutlich eine Affi-

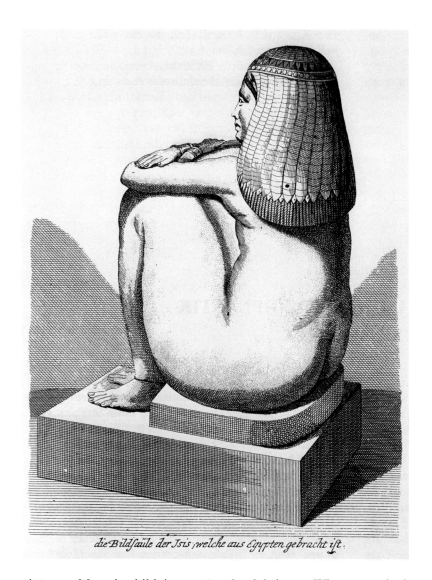

die Bildsäule der Isis, welche aus Egypten gebracht ist.

Abb. 20: Kupferstich eines Würfelhockers, den Richard Pococke auf seiner Reise durch Ägypten in Kairo im Hause eines italienischen Kaufmannes gesehen hat (aus: Richard Pococke, Beschreibung des Morgenlandes und einiger anderer Länder, Erlangen 1754, Tafel LX)

nität zum Menschenbildnis zum Ausdruck bringen. Wie die im folgenden Katalog gegebene historische Aneinanderreihung von rund 200 Skulpturen ergibt, entziehen sich bestimmte Darstellungsformen des königlichen Bereichs zeitweise jenem der Privatplastik und umgekehrt, doch bleibt davon letztlich die Grundaussage der ägyptischen Skulptur unberührt.

Können wir also einer aufgrund rein funktionaler Kriterien gegebenen Kategorisierung der ägyptischen Skulpturen in königliche bzw. private Rundplastik nur bedingt folgen, so wird dieser Ansatz auch durch die in beiden Kategorien in gleicher Weise belegten Materialien unterstützt. Ägyptische Skulpturen sind seit ältester Zeit aus Ton, Elfenbein, Horn, Bein, Holz, Stein, Kupfer, Bronze, Gold, Silber, etc. belegt. Unterschiedlich nach Auftraggeber und Aufstellungsort, also nach gesellschaftlicher Einbindung und funktionaler Zielsetzung

produziert, sind Darstellungsinhalt und Darstellungsform davon weitgehend unberührt. Die aus Elfenbein gefertigte Sitzfigur des Königs Cheops entspricht der aus Granit hergestellten Sitzstatue des Beamten X – beide formal übereinstimmend als Sitzbildnis geformt, wenn auch mit vielleicht unterschiedlicher Zielsetzung. Mögen also auch inhaltliche, funktionale und vom Herstellungsmaterial her bedingte Differenzierungen nachweisbar sein, so ist die zugrundegelegte Darstellungsform als sitzender Mensch/König identisch.

Die Reduktion im Darstellungsrepertoire des Menschenbildes auf wenige Grundformen läßt kaum funktionale oder inhaltliche Ursachen erkennen. Ob Standfigur, Sitzfigur oder Kniefigur – alle drei Darstellungstypen sind sowohl im königlichen als auch im privaten Bereich, sowohl als Grabstatue als auch als Tempelstatue belegt. Es ist hier müßig, über die Vorbildhaftigkeit des königlichen Bereichs nachzudenken, da unser Belegmaterial für eine gesicherte Aussage diesbezüglich nicht ausreicht!

Ein kurzer Überblick über das im Laufe der Geschichte allmählich immer diffenzierter werdende Darstellungsrepertoire läßt freilich auch einige wenige gesellschaftsspezifische Ausnahmefälle erkennen (eine ausführliche Darlegung dieser Entwicklungen findet sich in den Einzelbeschreibungen des Katalogs). Stand- und Sitzfigur sind gleichsam die stereotypen Darstellungsikonen des ägyptischen Menschenbildes und über den gesamten geschichtlichen Zeitraum der ägyptischen Kunst belegt. Königliche Sitzfiguren und private Standbilder aus Elfenbein bzw. Holz aus der 1. Dynastie stehen am Beginn einer Jahrtausende langen Entwicklung, die an den bereits zu ihrem Beginn gefundenen Lösungen bis zu ihrem Ende festgehalten hat. Daneben sind bereits seit dem Beginn des 3. Jahrtausends kleine Sitzfiguren und Hockende belegt (Abydos), denen sich spätestens seit der 2. Dynastie die Kniefigur zur Seite gesellt, die im Tempel des Gottes einen betenden Priester repräsentieren sollte. Eine auf dem Rücken der dargestellten Person eingeschriebene Reihe von Königsnamen verweist auf die Funktion des dargestellten Priesters und gibt gleichzeitig eine genaue chronologische Einordnung. Erst später ist die Kniefigur auch im königlichen Bereich belegt.

Eine besonders reiche Differenzierung erfuhr die Sitzfigur, die einen auf einem Thron, einem Hocker, einem Lehnstuhl, etc. sitzenden Menschen/König/Gott wiedergibt. Zu den besonders eindrucksvollen Varianten zählt hier die sogenannte Schreiberfigur, die den Dargestellten in seiner Eigenschaft als hohen Beamten entweder bei seiner Tätigkeit als Schreiber oder auch als Lesenden oder Zuhörenden ausweist. Daß sich dieser Darstellungstyp im königlichen Bereich nicht findet, versteht sich aus der mit der gesellschaftlichen Position des Schreibers verbundenen Einordnung. Während die Figur des Hockenden bereits in älteste Zeit zurückverfolgt werden kann, gehört die Darstellungsform des „Würfelhockers" zu den Neuerungen des Mittleren Reiches. Dieses vor allem im Neuen Reich und dann wieder in der Spätzeit gerne umgesetzte Menschenbild zeigt den aus der Geschlossenheit des präexistenten Urhügels zur Wiedergeburt emportauchenden Toten. Auch diese Darstellungsform findet sich nicht im königlichen Bereich. Andererseits sind die Varianten der Kniefigur seit König Chephren auch im königlichen Bereich und zwar in der Form des opfernden Königs belegt. Von besonderer Produktivität in der Erfindung neuer Darstellungsvarianten der Kniefigur war das Neue Reich, das u. a. den Stelophoren, Sistrophoren, Naophoren und Theo-

phoren schuf – alles Tempelstatuen, die den Dargestellten bei der Teilnahme am täglichen Opferritual repräsentieren sollten. Eine wohl nur aufgrund des unvollständigen Überlieferungsbestandes angenommene Übernahme der königlichen Beterfigur in den privaten Bereich ist in das Mittlere Reich anzusetzen und wird gerne mit dem Namen des Königs Sesostris III. verbunden. Auch die erst seit dem Mittleren Reich belegte Mantelstatue muß bei den seltenen Neuerungen des ägyptischen Darstellungsrepertoires aufgeführt werden. Neben den zahlreichen Einzeldarstellungen kommt seit dem Alten Reich den Statuengruppen eine besondere Bedeutung zu. Stehende und sitzende Ehepaare mit und ohne Kinder, sogenannte Pseudogruppen, die den Grabherrn identischerweise zweifach abbilden, Darstellungen des Königs mit verschiedenen Göttern und Familiengruppen aus drei und mehr Personen sind über den gesamten Zeitraum der altägyptischen Skulptur häufig belegt.

Das trotz seines großen Variantenreichtums auf wenige Grundformen beschränkte Darstellungsrepertoire des ägyptischen Menschenbildnisses wird durch eine Gruppe von Darstellungen erweitert, die aufgrund ihrer „unkanonischen" Darstellungsform nur bedingt dem klassischen Entwicklungsbild der ägyptischen Skulptur zuzuordnen sind. Es sind dies die sogenannten Dienerfiguren, die seit dem Ende der 4. Dynastie in ausschließlicher Funktion als Grabbeigabe belegt sind. Sie entziehen sich dem kanonischen Regelwerk von tektonischem Aufbau und Frontalität und können gleichsam als rundplastische Momentaufnahme landwirtschaftlicher oder handwerklicher Verrichtungen aufgefaßt werden: Bierbrauer, Töpfer, Schlächter oder Bäcker, Musikanten, etc. sollten in einer auf das Jenseits bezogenen Aufgabenstellung die Versorgung des Grabherrn mit den entsprechenden Nahrungsmitteln oder Lustbarkeiten sicherstellen. Während die Dienerfiguren des Alten Reichs vorwiegend aus Kalkstein gefertigt wurden, sind die im Mittleren Reich häufig belegten Modelle von Szenen des täglichen Lebens aus Holz. Auch sie enthalten zahlreiche „unkanonische" Darstellungen von Tätigkeiten des Alltags, wie sie in den Grabmalereien oder Grabreliefs zu Hunderten zu sehen sind. Eine ebenfalls hier nur bedingt dazugehörige Darstellungskategorie stellen die seit dem Beginn des Mittleren Reiches nachweisbaren mumienförmigen Uschebti-Figuren dar, die als Abbilder des Verstorbenen dazu bestimmt waren, für ihn im Jenseits unangenehme Arbeiten zu verrichten.

Die immer wiederkehrenden Stereotypen der Stand- bzw. Sitzfigur, die als die am häufigsten vertretenen Haltungsformen menschlicher Skulptur ihren Bezug, wie wir meinen sogar ihre Herkunft aus dem Flachbild, dem

Relief und der Malerei, nicht verleugnen können (siehe dazu unten zu den Bildhauermodellen Kat.-Nr. 200ff.), sind freilich von so großem quantitativen Übergewicht – sowohl im königlichen als auch im privaten Darstellungsbereich –, daß sich die Frage nach den diesen Grundformen zugrundegelegten Vorstellungen, ihrer Funktion und Aussage bzw. nach ihren Inhalten wie von selbst aufdrängt. Einige Beispiele mögen dies erläutern. Von allem Anfang an lassen sich Stand- und Sitzfigur sowohl auf das Grab als auch auf den Tempelbereich beziehen. Die Tempelstatuen des Königs Chasechemui aus der 2. Dynastie zum Beispiel hatten ihren Aufstellungsort im Haupttempel von Hierakonpolis. Sie waren dazu bestimmt, die Vergegenwärtigung des Königs und des von ihm repräsentierten Königtums innerhalb des Tempels sicherzustellen. Der in das Zeremonialgewand des Thronjubiläums gekleidete König ist mit der oberägyptischen Krone versehen und auf einem Thron sitzend dargestellt. Die auf der Sockelbasis eingeritzten Zahlzeichen in Verbindung mit den flüchtig skizzierten Ritzungen gefallener und getöteter Feinde geben in unmißverständlicher Weise den „Inhalt" der Statuen wieder: Das Regierungsprogramm dieses Königs, dessen Zielsetzung in der hier dargestellten Überwindung der chaotischen Mächte deutlich zum Ausdruck gebracht wird. Die Statue diente der Vergegenwärtigung im Tempel und dem programmatischen Ausdruck der zugrundegelegten Idee, der Idee des ordnenden, Maat-gerechten Königtums und seines Repräsentanten.

Das statuarische Sitzen, dessen hieroglyphische Entsprechung als Schriftzeichen für das Begriffsfeld „verklärt, heilig, entrückt, erhaben" steht, war immer Ausdrucksform des Besonderen, gesellschaftlich Herausgehobenen, auch in der sogenannten Privatplastik. So verwundert es nicht, daß nicht nur die bedeutendsten Königsbildnisse der ägyptischen Geschichte den thronenden König zeigen – zum Beispiel die Sitzstatue des Djoser aus Sakkara oder der sogenannte Falkenchephren aus seinem Totentempel in Giza (siehe Abb. 12), sondern daß auch die hohen Beamten und Priester sich gerne dieser Darstellungsform bedienten. Und dies gilt vor allem auch für den zweiten bedeutenden Funktionsbereich der ägyptischen Skulptur, die Grabplastik.

In ähnlicher Weise wie die Tempelstatue der dauernden Vergegenwärtigung des dargestellten Königs oder Beamten im Tempel – dies vor allem seit der Zeit des Mittleren Reiches – dienen sollte, war auch die Grabstatue dazu bestimmt, den Grabherrn der Vergänglichkeit des irdischen Daseins zu entrücken und ihn als Ersatzbildnis für alle Ewigkeit vor dem physischen Zerfall zu bewahren. Diese neben der seit dem Beginn der 3. Dynastie nachweisbaren Mumifizierung als zusätzliche Si-

cherung und Perpetuierung der Jenseitshoffnungen verbreitete Begräbnissitte fand in den Grabstatuen ihren sinnfälligsten Ausdruck. Diese „Ersatzstatuen" wurden durch ein sogenanntes „Mundöffnungsritual", das wohl noch in der Bildhauerwerkstätte vollzogen wurde, gleichsam magisch belebt und damit für die Einwohnung des Ka des Toten vorbereitet. Dieser Ka, der als Lebenskraft und schöpferische Potenz des Bestatteten aufgefaßt werden kann, verlieh der Statue gleichsam die individuelle Persönlichkeit, die Identität mit dem sterblichen Vorbild. Ihre Individualität allerdings konnte durch die Hinzufügung des Namens und der Titel der dargestellten Personen noch besonders betont werden, war der Name doch ein unabdingbarer Bestandteil des ägyptischen Personenbegriffs. Die kraft des Mundöffnungsrituals ermöglichte Einwohnung des Ka des Toten, die Bezeichnung der Statue mit seinem Namen und der Aufstellungsort in einer eigenen, dem Besucher des Grabes unzugänglichen Statuenkammer, dem Serdab, können als die grundlegenden Eigenschaften einer Grabskulptur aufgeführt werden. Die über die Ka-Statue erfolgte Verlebendigung des Grabbesitzers, der in dieser Skulptur einen für die Ewigkeit bestimmten Ersatz seiner eigenen Person fand, hatte insbesondere auch eine Mittlerfunktion zu erfüllen, die in der Entgegennahme der vor der Scheintüre des Grabes auf der Opferplatte niedergelegten täglichen Opfergaben bestand. Durch diese tägliche Opferspeisung, die von den Priestern des Königs im königlichen Totentempel oder von den Anverwandten des einfachen Grabherrn in seiner Mastaba, wie jene Gräber des Alten Reiches genannt wurden, niedergelegt wurden, war die jenseitige Versorgung des Grabherrn gesichert. Nur durch Sehschlitze oder einfache Bohrungen durch die Scheintüre mit der Statuenkammer, dem Serdab, verbunden, war die Kultkammer des Grabes der Ort der Speisung des Toten, die in vielfältiger Weise auf den Reliefs der Grabwände, aber auch in der Speisetischszene der Scheintüre wiederholt wurde.

Wenn die grundsätzliche Funktion und Zielsetzung der Grabstatuen wohl letztlich auch uns heute verstehbar sein dürften, so bleibt freilich ungeklärt, nach welchen funktionalen Gesichtspunkten bald die Standfigur, bald die Sitzfigur als Ersatz bzw. Ka-Statue des Grabherrn ausgewählt wurde. Sitzfiguren oder Standfiguren, sei es von weiblichen oder männlichen Grabbesitzern, sind in gleicher Weise und ohne besondere quantitative Unterschiede in dieser Funktion belegt. Wenn das Sitzen freilich als eine dem gesellschaftlichen Bewußtsein entsprechende besondere Betonung der sozialen Position des/der Dargestellten aufgefaßt werden kann, und der Hinweis auf das hieroglyphische Schriftzeichen scheint diese Annahme zu bestätigen, so wäre es freilich falsch anzunehmen, daß die Standfigur eine daraus ableitbare geringere gesellschaftliche Position verkörpern würde. Ganz im Gegenteil: Stehen und Sitzen sind die beiden grundlegenden Haltungsformen des Menschen, denen im Gegensatz zum Laufen statische Verhaltenheit zu eigen ist; und es hat für uns den Anschein, als ob es gerade diese Gemeinsamkeit ist, die den beiden Grundformen der ägyptischen Skulptur ihre weite Verbreitung sichern sollte.

Die Standfigur, die in der Regel den linken Fuß nach vorne setzt und damit eine Pseudoschrittstellung anzudeuten versucht, wird heute gerne als Ausdruck der Bewegungsfähigkeit des Menschen gedeutet und aus diesem Grund bisweilen als Pseudoschrittfigur oder seit neuestem auch als Stand-Schreitfigur (D. Wildung) bezeichnet. Die in der Beschreibung der folgenden Katalognummern häufig wiederholte Bezeichnung der formalen Grundstruktur der Stand- und Sitzskulpturen bedient sich immer wieder der Begriffe Frontalität, Geradansichtigkeit, Achsengeradheit oder auch Richtungsgeradheit, wie sie dem von Basisplatte und Rückenpfeiler bestimmten kubischen Raum, in dem diese Statuen eingeschrieben zu denken sind, am besten entsprechen. In dieser in ihrer extremsten Form in den seit dem Mittleren Reich belegten „Würfelhockern" verwirklichten kubistischen Darstellungsform findet die ägyptische Skulptur letztlich ihr Bezugssystem, dem die gesamte Rundplastik – mit Ausnahme der sogenannten Dienerfiguren (s. o.) – untergeordnet ist. Nun hat erst unlängst Dietrich Wildung in einem „Bilanz eines Defizits" betitelten Aufsatz (in: Hildesheimer Ägyptologische Beiträge Nr. 29, 1988, S. 57ff.), ausgehend von der letztlich auf Heinrich Schäfer zurückgehenden Aufdeckung der Richtungsgeradheit der ägyptischen Skulptur, die Behauptung aufgestellt, daß den ägyptischen Statuen keineswegs Frontalität oder Richtungsgeradheit zukäme, sondern ihnen allen eine regelmäßige Linksdrehung in der Körperachse gemeinsam sei. Die bereits von H. Schäfer erwähnten Ausnahmefälle, bei denen „Drehungen des Rumpfes, bei denen die eine Schulter etwas vorgenommen ist, … etwa zu einem Dutzend zu vielen Tausenden" nachweisbar sind, „und zwar nur unter stehenden Figuren, deren Schulterbewegung dann gewöhnlich der des vorgesetzten Beines folgt", werden von Wildung dahingehend korrigiert, daß die Schulterdrehung nicht dem vorangesetzten linken Bein folgt, sondern sowohl bei Stand- als auch Sitzfiguren jeweils die rechte Schulter nach vorne gerückt ist und der Kopf, aus der Symmetrieachse verschoben, seine Blickrichtung leicht nach links geneigt hat. Darüber hinaus werden die bisher als Ausnahmefälle deklarierten

Abweichungen von der Geradansichtigkeit zur Regel erklärt und mit der physiologisch bedingten Körperhaltung eines schreitenden bzw. laufenden Menschen begründet. Nicht Geradansichtigkeit und Frontalität kennzeichnen nach Wildung die Grundstruktur der ägyptischen Skulptur, sondern vielmehr ein bewußtes Abweichen davon, eine direkte Symmetrophobie sind ihre kennzeichnenden Merkmale, die in der Linksdrehung der Schultern und des Kopfes sowohl bei den Standfiguren als auch bei den Sitzfiguren in gleicher Weise zum Ausdruck gebracht werden. Während die für Wildung offensichtlich bei allen Stand- und Sitzfiguren vorauszusetzende Linksdrehung der Körperachse „ihre Antwort in den physiologischen Gegebenheiten des menschlichen Körpers" findet, da die „physiologisch bedingte Dominanz des rechten Armes und linken Beines im Bewegungsablauf in der rundplastischen Darstellung als Gegengewicht zum vorangesetzten linken Bein das Nachvornehmen der rechten Schulter erfordert", wird der funktionelle Aspekt der Achsenverschiebung mit dem Bestreben „der ägyptischen Kunst überhaupt, … Leben darzustellen", begründet. Dementsprechend heißt es „die menschliche Figur in der ägyptischen Rundplastik lebt, und sie lebt von der bewußten Darstellung von Bewegung". Auch wenn H. Schäfer bereits in den zwanziger Jahren auf die Abweichungen von dem von ihm entdeckten Prinzip der Geradansichtigkeit hingewiesen hat, ist die auf D. Wildung zurückgehende Beobachtung einer bewußten Linksdrehung in der Körperachse ägyptischer Statuen eine verdienstvolle Feststellung. Jeder Besucher kann sich davon selbst bei einigen der hier ausgestellten Skulpturen überzeugen, wie zum Beispiel bei den Standfiguren des Snofrunefer (Kat.-Nr. 18) oder jener des Baefba (Kat.-Nr. 19). In beiden Fällen ist eine leichte Drehung der Schulterachse nach links feststellbar, sodaß auch die Blickrichtung der beiden Figuren aus der frontalen Symmetrieachse etwas nach links abweicht. Allerdings lassen sich auch in dieser Ausstellung sehr viel mehr Beispiele anführen, in denen die traditionell zugrundegelegte Frontalität und Geradansichtigkeit gewahrt sind. Freilich können hier nur stereometrische Untersuchungen eine letzte Klärung bringen, ob die Abweichung aus der Geradansichtigkeit tatsächlich zu einem „Grundaspekt der ägyptischen Kunst überhaupt" gehört.

Die von D. Wildung vorgenommene Verallgemeinerung dieser Achsenverschiebung betrifft ja nicht nur die „Stand-Schreitfigur", sondern in gleicher Weise auch die Sitzfigur, für die allerdings nur ein überzeugendes Beispiel angeführt wird. Für beide Darstellungsformen wird nun „die bewußte Darstellung von Bewegung" zum Darstellungsziel erklärt und dem statischen Charakter der ägyptischen Kunst auf diese Weise schlechthin eine Absage erteilt. Wenn allerdings die Achsenverschiebung als physiologisch bedingte Folge eines Bewegungsablaufes einer schreitenden Figur erklärt bzw. daraus die Begründung für die umfassende Deutung als Bewegungsdarstellung abgeleitet wird, so ist eine Übertragung dieser Achsenverschiebung auf eine Sitzstatue unverständlich. Gerade der in der Sitzhaltung zum Ausdruck gebrachte „verklärte", jeder Zeitlichkeit enthobene Zustand des Grabherrn wäre auch durch eine nur andeutungsweise Wiedergabe eines „Bewegungsablaufes" geradezu gestört. Und natürlich findet sich auch bei der Haltung der Sitzstatue keinerlei physiologische Begründung, wie sie bei einem Schreitenden und auch hier nur zum Teil zutrifft. Ein Blick in die von Muybridge in zahlreichen Fotoserien wiedergegebenen Bewegungsabläufe schreitender und laufender Menschen zeigt – und ein persönliches Experiment unterstreicht diesen Befund –, daß bereits beim schnellen Gehen bzw. weitem Ausschreiten die rechte Schulter immer dann vorgezogen wird, wenn gleichzeitg das linke Bein ausschreitet. Aber: Die Blickrichtung der schreitenden Person ist immer achsengerade, entspricht immer der Gehrichtung und ist damit ganz dem Prinzip der Frontalität untergeordnet. Während also offensichtlich die Beobachtungsgabe des ägyptischen Künstlers sehr wohl die vorgenommene rechte Schulter bei ausschreitendem linken Bein in die Skulptur umzusetzen imstande war, scheint dieser Beobachtungsgabe die „geradansichtige", ebenfalls physiologisch begründete Kopfhaltung entgangen zu sein. Oder handelt es sich vielleicht doch nicht um die Wiedergabe eines Bewegungsablaufes, ja vielleicht nicht einmal um die Andeutung einer Bewegungsfähigkeit, einer „Haltung … unmittelbar vor einer Bewegung, die abrufbereit gehalten wird"? Die durch die festgestellte Achsendrehung des Oberkörpers bzw. die aus der Symmetrielinie abweichende Blickachse zeigt für uns keinesfalls „die Bereitschaft zur Veränderung ihrer Position an", sondern dürfte eher der Kategorie stilistischer Merkmale ohne bestimmte funktionale Zielsetzung zuzurechnen sein.

Gerade die Tatsache, daß die Standfigur jene zwischen Stehen und Schreiten changierende Haltung wiederzugeben scheint, die eine genaue Festlegung auf eine der beiden Haltungskategorien kaum zuläßt, zeigt, daß die Bewegung als letztes Ziel der Darstellung ausgeschlossen werden kann. Die inhaltliche und funktionale Bestimmung der Grabstatuen aber auch der Tempelskulpturen findet ihre letztlich gemeinsame Begründung in einer beabsichtigten überzeitlichen Vergegenwärtigung und Perpetuierung eines statischen Zustandes – eines Zustandes einer Person, sei es eines Königs oder eines Beamten, die

jeder zeitlichen Einbindung, wie sie etwa in der Angabe von Bewegung vorgegeben wäre, entbunden, auf ein unbegrenztes Dasein im Jenseits hoffen darf. So bleibt für uns die statische Verhaltenheit der äygptischen Skulptur in ihrer Einbindung in ein von Geradansichtigkeit und Frontalität, von kubischem Raumempfinden und Achsengeradheit bestimmtes Grundgerüst die dem Wesen ägyptischer Rundplastik schlechthin am nächsten kommende Eigenschaft. Die ägyptische Skulptur, deren Bezeichnung als „Bild für die Ewigkeit" letztlich die Kernaussage ihrer Funktion trifft, ist gerade durch das Fehlen jeglicher Andeutung zeitlich bedingter Bewegung charakterisiert. „Die ägyptische Plastik strebt niemals an, die Illusion eines belebten Körpers zu vermitteln" (J. Assmann). Sie ist jenes ästhetisch beeindruckende, kunstvolle Medium menschlicher Hoffnung, die Zeitlichkeit unseres Daseins zu überwinden.

Die oben geäußerten Feststellungen über die Angabe von Bewegungsabläufen in der Rundplastik schließen jedoch keineswegs die Tatsache aus, daß die ägyptische Kunst sehr wohl in der Lage gewesen ist, Bewegung und Bewegungsabläufe in einwandfreier und überzeugender Form wiederzugeben, wenn auch freilich nur im Flachbild, im Relief und in der Malerei. Die zahlreichen Darstellungen laufender Soldaten oder die bereits in der 3. Dynastie nachweisbare Wiedergabe des Königs beim Kultlauf, wie etwa im Südgrab des Königs Djoser in Sakkara, zeigt sehr deutlich, daß dem ägyptischen Künstler die Wiedergabe komplizierter Bewegungsabläufe keinerlei Probleme bedeutet hat. Und gerade dieser Umstand weist einmal mehr auf die essentielle Verschiedenheit zwischen Flachbild und Rundbild hin. Darauf hinzuweisen, muß freilich einem weiteren Ausstellungsprojekt vorbehalten bleiben.

Zu den stets aufs neue gestellten Grundfragen ägyptischer Skulptur zählt ihre scheinbare oder wirkliche Porträthaftigkeit. Bis heute, und die zahlreichen hier angeführten Belege scheinen es zu unterstreichen, läßt sich hierauf keine endgültige gesicherte Antwort geben. Wenn heute auch weitgehend Übereinstimmung darin besteht, daß zum Beispiel die im Alten Reich angefertigten Grabstatuen in der Regel überindividuelle, idealisierte, altersmäßig-zeitlich neutrale Darstellungen sind, so werden die sogenannten Ersatz- oder Reserveköpfe der 4. Dynastie gerne als Ausnahme und Erweis der Porträthaftigkeit angeführt. Und tatsächlich erweckt ein Vergleich dieser Skulpturen mit gleichzeitigen Grabstatuen einen individuellen porträthaften Eindruck. Ob und inwieweit hier das schon aus Platzgründen erklärbare Fehlen der üblichen Beschriftung mit Namen und Titeln der dargestellten Personen einen gewissen Anteil an einer ersatzweisen Porträthaftigkeit hat, kann nur vermutet werden, bleibt jedoch solange offen, als die tatsächliche Funktion dieser Köpfe nicht mit letzter Sicherheit feststeht (s. Kat.-Nr. 11, 12). Gerade die, wenn auch nur in wenigen Beispielen belegte, bewußt angegebene Jugendlichkeit dargestellter Personen (vgl. Kat.-Nr. 18), die dem tatsächlichen Alter des Grabbesitzers nicht entsprochen hat, weist einmal mehr auf ein überindividuelles, idealisiertes Darstellungsziel hin. Und das Fehlen von altersspezifischen Details, wie von charakteristischen Gesichtsmerkmalen entkleiden die Ersatzköpfe jeglicher porträthafter Zufälligkeit. Auch bei ihnen sind Würde, Dauer und Nähe zur Gottheit die bestimmenden Faktoren, so persönlich manches dieser Gesichter auch wirken mag. Als Verbindung zwischen Diesseits und Jenseits zeigen die Reserveköpfe eine von jeglicher Zeit und damit von Vergänglichkeit losgelöste Erscheinungsform des Toten. Und in entsprechender Weise, wie wir oben eine Begründung für das Fehlen bewegungsbezogener Haltungsweisen der Stand- und Sitzfigur in der überzeitlichen Zielsetzung der Grab- und Tempelstatuen gefunden haben, kann dieses Argument auch für die Ersatzköpfe angeführt werden. Andererseits lassen die überlieferten Beispiele der Königsskulptur, soweit sie quantitativ ausreichen, zum Beispiel für Chephren oder Mykerinus deutlich individuelle Merkmale erkennen, die für eine Zuordnung unbeschrifteter Königsporträts herangezogen werden können. Dabei sind deutliche Unterschiede bei den einzelnen Königen zu vermerken, und es hat den Anschein, als ob mit König Mykerinus eine stärkere Porträthaftigkeit eingesetzt hätte bzw. die entsprechenden stilistischen Merkmale bewußter herausgearbeitet wurden (s. Kat.-Nr. 13, 14). Einen besonderen Stellenwert in der Diskussion über die Porträthaftigkeit der ägyptischen Skulptur hat seit jeher das Königsbildnis des Mittleren Reiches, vor allem der mittleren 12. Dynastie eingenommen. Während die Bildnisse der ersten Könige der 12. Dynastie in überwiegendem Maße noch von dem Darstellungsziel geprägt sind, das nach den Wirren der Ersten Zwischenzeit neu gefestigte und nach außen in verstärktem Maße zu vermittelnde Königsdogma in Gestalt idealisierter, überindividueller Königsantlitze zu repräsentieren, und die Königsstatuen Sesostris I. aus seinem Totentempel geben ein kennzeichnendes Beispiel dafür, steigen mit der mittleren 12. Dynastie nicht nur das persönliche Machtbewußtsein, vor allem der Könige Sesostris III. und Amenemhet III., sondern auch das Bedürfnis nach neuen, individuell geprägten Ausdrucksmöglichkeiten. So entstanden diese von packender Intensität gekennzeichneten Königsbildnisse Sesostris III. und seines Nachfolgers, deren realistische Porträtähnlichkeit kaum mehr in Frage gestellt werden kann. Allerdings geht

auch hier das Bestreben nach Ausdruck individueller Erkennbarkeit nie soweit, daß sekundäre, flüchtige Gesichtsdetails mit in die Darstellung einbezogen worden wären. Immer noch – und dies gilt auch für die extreme Expressivität und Übersteigerung der Porträts Amenophis IV.-Echnatons (eigentlich Achanjati zu sprechen) – bleibt das übergeordnete Darstellungsziel sichtbar: Einen König, zwar in seiner persönlich geprägten Individualität und Porträthaftigkeit wiederzugeben, mit stilistischen Mitteln jedoch auf ein übergeordnetes, von menschlicher Machtpolitik, überzeitlichem Königsdogma und religiöser Einbindung geprägtes Darstellungsziel hinzuwirken (s. Kat.-Nr. 43ff.).

Die für die Könige der 18. Dynastie Thutmosis III., Hatschepsut, Amenophis II. und III. – Amenophis IV. sei als extreme Ausnahme hier bewußt ausgeklammert – vorliegenden Untersuchungen zur Porträthaftigkeit ihrer Bildnisse, erweisen zwar einerseits deutliche stilistische Anhaltspunkte für eine porträthafte Zuweisung unbeschrifteter Darstellungen, doch fällt es oftmals schwer, rein stilistische Darstellungsmerkmale von porträthaften Einzeldetails zu trennen. So ist das berühmte Thutmosidenlächeln insofern stilbildend und kaum porträthaft, als es sich bei fast sämtlichen Königen der 18. Dynastie immer wieder findet und noch bis weit in die Ramessidenzeit hineinwirkt.

Ein besonderes Problem bezüglich ihrer Porträthaftigkeit bedeuten die sogenannten Porträtköpfe der ägyptischen Spätzeit und der griechisch-römischen Epoche. Der idividuell porträthafte Ausdruck der grünen Köpfe in Berlin (s. Kat.-Nr. 177) oder des Kopffragmentes aus Wien (s. Kat.-Nr. 178) scheint zwar deutlich einem persönlich geprägten Altersbildnis zu entsprechen, bleibt aber letztlich in seiner meisterhaften Aneinanderreihung und Verschmelzung stilistischer Gesichtsdetails überindividuell und ohne persönlich erkennbaren Bezug zu einem bestimmten Menschenbild. In diesen „Porträtköpfen" erhebt sich die formale und stilistische Gestaltungskraft der ägyptischen Skulptur zu einem letzten, nie mehr erreichten Höhepunkt, dessen qualitative Einschätzung von einer eventuellen Porträtähnlichkeit völlig unabhängig ist. Die in den nachfolgenden Beschreibungen versuchte Diskussion der hier nur anskizzierten Fragestellungen der Ausnahmen und der Regelhaftigkeit in der Geschichte der ägyptischen Skulptur möge dazu beitragen, die Wertschätzung dieser wohl wichtigsten Kunstgattung der ägyptischen Kultur einer möglichst breiten Öffentlichkeit nahezubringen. Möge ihre Wirkung dazu beitragen, die Auseinandersetzung mit der für die Entwicklung der menschlichen Zivilisation so bedeutsamen Hochkultur des alten Ägypten zu fördern und zu vertiefen.

Abb. 21: Oberteil einer Bronzestatuette des Gottes Osiris (Wien, Inv.-Nr. ÄS 8564) mit eingelegtem Halskragen

Elfriede Haslauer

WERKVERFAHREN
BEI STATUEN AUS STEIN, HOLZ, BRONZE,
FAYENCE UND TON

WERKZEUGE

Das ursprünglich als Werkzeug und für die Herstellung von Werkzeug verwendete Material war Stein von verschiedener Art, vor allem Flint, der als Schichten eingelagert und als Knollen im Kalkstein zu finden ist und in Ägypten reichlich und überall vorhanden ist. Aus ihm wurden alle Arten von Klingen, Messern, Bohrern und Beilen hergestellt. Sie konnten zur besseren Handhabung in oder an Stielen oder Griffen aus Holz befestigt werden. Zur Befestigung dienten Riemen und Kupferdraht.

Zur Bearbeitung von harten Gesteinen wurden H ä m m e r aus besonders hartem Stein, vor allem Dolerit verwendet. Die durch den Gebrauch abgenutzten kugelartigen Reste dieser Hämmer liegen noch an den verschiedensten ehemaligen Arbeitsplätzen wie z. B. in Steinbrüchen, bei den Pyramiden, in Nekropolen.

Bereits im Alten Reich wurde Kupfer zu Werkzeug verarbeitet, d. h. die Form in Modeln gegossen, dieser Rohling dann geschmiedet und durch Hämmern gehärtet. Solcherart wurden M e i ß e l – Flach- und Spitzmeißel (Wien, Inv.-Nr. 7187, 8132, 713, 8130) in verschiedenen Größen für die Steinbearbeitung, die D e c h s e l (Wien, Inv.-Nr. 8168, 9254) Meißel und Grabstichel zur Holzbearbeitung hergestellt, ebenso die Klingen für Beile.

Ab dem Mittleren Reich wird auch Bronze verwendet, Eisen ist erst für die Spätzeit belegt.

Kleine Meißel und Spitzen werden in Holzgriffe eingesetzt. Der Dechsel ist ein bei der Holzverarbeitung sehr vielseitig verwendbares Werkzeug. An einen gebogenen Griff wird senkrecht dazu die Klinge angesetzt, sie ist durch Schnürung befestigt, kann zusätzlich verkeilt sein.

Die Kupferwerkzeuge wurden bei Gebrauch sehr rasch abgenutzt und mußten oft nachgeschliffen und nachbearbeitet werden. Deshalb hatten die Arbeitstruppen eigene Werkzeugmacher.

Zum Arbeiten mit dem Meißel, vor allem, wenn man wuchtige Schläge ausführen will, gehört der Hammer. Dies ist ein S c h l e g e l aus Holz mit großem, leicht konischem Kopf und angearbeitetem kurzen Stiel (Wien, Inv.-Nr. 9288). Die uns erhaltenen Schlegel zeigen starke Abnützung, d. h. eine weniger oder mehr tiefe, um den Kopf laufende eingeschlagene Rille. Durch weitere Absplitterung von Holz und dadurch entstehenden Verlust an Masse und Schlagwirkung wird das Gerät unbrauchbar.

Auch B o h r e r sind seit dem Alten Reich bekannt. Es sind dies der Drillbohrer, der mittels eines Bogens geführt wird, und der Kurbelbohrer: am unteren Ende der Treibstange ist der Bohrkopf aus Stein oder Metall eingesetzt, am oberen Ende die Kurbel, beschwert durch einen oder mehrere Steine, wodurch der Druck und auch der Schwung verstärkt werden. Eine Abart dieses Bohrers ist der Hohlbohrer (Kronenbohrer): der Bohrkopf ist röhrenförmig.

S ä g e n wurden zum Schneiden von Holz und weichen Gesteinen wie z. B. Kalkstein verwendet. Für Holz verwendete man Sägeblätter aus Kupfer, für Stein auch Kupferdraht und Sand.

MATERIALIEN

Das am besten geeignete Material für Statuen, die für die Ewigkeit geschaffen wurden, ist der S t e i n . Er ist am widerstandsfähigsten, je härter der Stein, desto größer die Gewähr für Dauer. Hartgesteine werden daher vor allem für die großen Statuen der Könige und Götter verwendet, besonders der rosa Granit und der graue Granodiorit aus den Steinbrüchen von Assuan, Basalt, Anorthosit für die Statuen des Königs Chephren in der 4. Dynastie (auch als Chephren-Diorit bezeichnet), ab dem Mittleren Reich werden auch silifizierte Sandsteine (Quarzit, bei Heliopolis) verwendet. Aus dieser Zeit sind zwei kolossale Sitzstatuen von König Amenemhet III. im Fajjum bekannt. Zu einer solchen könnte der Vorfuß in Wien gehören (Inv.-Nr. 5781, Kat.-Nr. 108).

Leichter zu bearbeiten sind Kalkstein, Kalzit („Alabaster", in Hatnub, am Sinai), auch Sandsteine (aus Nubien, in verschiedenen Färbungen). Kalkstein ist im Alten Reich (z. B. Wien, Inv.-Nr. 7506, Kat.-Nr. 18; Inv.-Nr. 8410, Kat.-Nr. 29), dann wieder im Neuen Reich (Wien, Inv.-Nr. 63, Kat.-Nr. 122) sehr beliebt für die Grabstatuen von Privatpersonen, ab dem Mittleren Reich findet die Grauwacke (ein Hartgestein aus dem Wadi Hammamat) in ihren verschiedenen Graufärbungen und Varianten (Grauwacke/Grünschiefer) reichlich Verwendung. Besonders feinkörniger weißer Kalkstein wurde in Tura gebrochen und wegen seiner Güte für hervorragende Skulptur verwendet (Reservekopf Wien, Inv.-Nr. 7787, Kat.-Nr. 11).

H o l z eignete sich ebenfalls sehr für die Herstellung von Statuen. Es ist gut zu bearbeiten und wurde vor allem für Grabstatuen verwendet (z. B. London, BM 29594, Kat.-Nr. 36; Berlin 14134, Kat.-Nr. 128; Turin Provv. 319, Kat.-Nr. 54). Seine Haltbarkeit ist allerdings begrenzt. Zwar ist die trockene, abgeschlossene Luft der Gräber nicht ungünstig, doch konnte z. B. die Gefräßigkeit von Käferlarven viel Zerstörung anrichten. So konnte es passieren, daß die hölzernen Dienerfiguren in Gräbern aus dem Alten Reich in Giza völlig ausgehöhlt und durchlöchert waren und zu Staub zerfielen, deren aus Kalkstein gearbeitete Attribute jedoch erhalten sind.

Für kleine Statuetten wurde auch das kostbare vornehmlich aus Nubien importierte E l f e n b e i n (Hildesheim, Inv.-Nr. 6106, Kat.-Nr. 1; Brüssel E.2841, Kat.-Nr. 2) verwendet, das ähnlich wie Holz und mit feinen Werkzeugen bearbeitet wurde. Statuen wurden auch aus K u p f e r gefertigt, doch sind sie im Gegensatz zum Stein aus wesentlich vergänglicherem Material, das vor allem durch Einschmelzen wieder verwendet werden kann. Dasselbe Schicksal erlitten die Metallsärge von Königen und sonstige Gegenstände aus wertvollem Metall. Sie waren immer der Begehrlichkeit der Grabräuber ausgesetzt. Dadurch sind uns derartige Bildwerke kaum überliefert. Aus früher Zeit kennen wir nur die lebensgroßen Statuen von König Pepi I. und seinem Sohn Merire aus der 6. Dynastie (jetzt im Museum in Kairo), aus der Spätzeit den etwa lebensgroßen Königskopf aus Hildesheim, Inv.-Nr. 384. Eher erhalten sind kleine Statuetten aus B r o n z e guß (London, BM 54388, Kat.-Nr. 80; London, BM 2276, Kat.-Nr. 146).

Weiteres Material, das für kleine Figuren verwendet wurde, ist Ton und Fayence. Es konnte hand- oder modelgeformt werden, letzteres ermöglichte Massenanfertigung, was für die Herstellung der großen Anzahl von Uschebtifiguren (Wien, Inv.-Nr. 8373), die für die Grabausstattung notwendig waren, sehr nützlich war. Inschriften wurden eingekerbt oder aufgemalt.

T o n war überall in Ägypten verfügbar. F a y e n c e ist eine Masse, die aus 95 % zerstoßenem Quarzsand besteht, mit Alkalien vermengt und mit Wasser vermischt und verknetet, in Modeln geformt, getrocknet und im Ofen gebrannt wird. Verschiedene natürliche Beimengungen von Oxyden bewirken verschiedene Verfärbungen. Dieser Kern wird mit G l a s u r überzogen. Für die Glasur werden dieselben Grundstoffe verwendet, aber sehr fein pulverisiert, und Kupferoxyd, das die besonders beliebte blaugrüne Färbung ergibt, wird zugesetzt. Gebrannt und nochmals zerrieben, mit Wasser gebunden, wurde der Fayencekern damit überzogen und nochmals gebrannt.

Zur Bemalung verwendete man P i g m e n t - f a r b e n . Sie wurden aus Mineralien durch Zerstoßen in Mörsern und Zerreiben auf Reibsteinen gewonnen und mit einem Bindemittel (Wasser, Knochenleim, manchmal auch Wachs) vermischt. Ihre faszinierende Strahlkraft kann man noch heute an Wandmalereien und Statuen, die nicht unter starker Abnützung litten, bewundern.

In Ägypten häufig vorkommende Pigmente sind Rot- und Gelbocker (Eisenhydroxyd), Kreide und Gips für Weiß, Ruß und Tier- und Holzkohle für Schwarz, Kupferkarbonat für Blau, Blau und Grün konnte ebenfalls durch Zusammenschmelzen von Sand, Kupferoxyd, Kalziumkarbonat und Natron gewonnen werden. Rote Farbe wurde auch aus Eisenoxyd (Hämatit) gewonnen. Zusätzliche Farben wurden durch Mischen dieser Grundtöne erreicht, die allerdings vom Ägypter in ihrer Reinheit bevorzugt wurden. Wenn aber besondere Effekte erzielt werden sollten, wie die Darstellung von sehr feinen, transparenten Stoffen, die die Haut durchschimmern lassen, so wird an diesen Körperstellen die rote Hautfarbe durch Beimengung von Weiß zu Rosa aufgehellt.

Zum Farbauftrag wurden Pinsel aus Pflanzenfasern, aufgefaserten Pflanzenstielen oder Holz von verschiedener Stärke entsprechend der zu behandelnden Flächen verwendet und zugespitzte Binsen für feine Details und Konturlinien.

HERSTELLUNG

Statuen aus Stein

Dank der in Werkstätten und Steinbrüchen zurückgebliebenen unfertigen Werkstücke kann man einiges über die Arbeitsweise der Bildhauer erschließen.

Ein Quader wird in den gewünschten Maßen von Höhe, Breite und Tiefe der zu schaffenden Figur zugerichtet. Darauf wird mittels einer eingefärbten Schnur ein Quadratnetz aufgebracht, in das entsprechend dem Proportionskanon auf den Flächen die Ansichten der Figur von ihren vier Seiten und die Draufsicht eingezeichnet werden, üblicherweise mit roter Farbe, Korrekturen wurden mit Schwarz vorgenommen. Erst danach setzte von allen Seiten her die eigentliche Bildhauerarbeit ein, während die Hauptteile wie Kopf und Körper zuerst nur blockhaft gestaltet wurden (Wien, Inv.-Nr. 58, Kat.-Nr. 189; Boston, MFA 11.730, Kat.-Nr. 187). Das Vorzeichnen der entsprechenden Konturen bzw. Details mußte gemäß den einzelnen Abarbeitungsphasen wiederholt werden, solange bis die Rundplastik erreicht (Wien, Inv.-Nr. 66, Kat.-Nr. 190; Boston, MFA 11.733, Kat.-Nr. 188), die Details herausgearbeitet, Inschriften eingraviert (Wien, Inv.-Nr. 5768, Kat.-Nr. 192) waren. Als Werkzeug verwendete man Meißel und Schlegel (Abb. 1), wobei man bei Meißeln entsprechend der Arbeitsphase unterschiedlich breite Flachmeißel und dickere oder feinere Spitzmeißel wählte. Für kleine Vertiefungen wie die Bohrung der Ohrläppchen, Mundwinkel oder kleine Löckchen wurden Bohrer verwendet. Abschließend wurde die Oberfläche durch Poliersteine und zerstoßenen Quarzsand verschiedenster Körnung geglättet. Diese Arbeitsphase ist sehr gut an der Statue des Chaemwese (Kat.-Nr. 192) zu beobachten: Nach dem Eingravieren der Inschriften auf den drei Seiten des Rückenpfeilers begann man, von dort ausgehend, die Oberfläche zu polieren. Die drei Seiten des Rückenpfeilers sind bereits geglättet und man kann genau sehen, daß beim Polieren der schmalen Seitenflächen zugleich auch der anschließende Bereich der Figur mitgeglättet wurde. Besonders deutlich wird das an der flächigen Behandlung der rechten Hälfte der linken Fußsohle (Abb. 2).

Wenn eine Statue in dieser Weise fertiggestellt war, konnte sie noch zusätzlich bemalt werden, um den Ausdruck zu erhöhen. Das weiße Material des Kalksteins bildete einen idealen Maluntergrund. Die Oberfläche konnte außerdem durch eine feine Stuckschichte geglättet werden, bzw. Unebenheiten konnten ausgegli-

chen werden. Für die Hautfarbe der Männer verwendete man Dunkelrot, für die der Frauen Gelb, für Pupille/Iris der Augen, die Augenumrahmung und Haare Schwarz. Die Kleidung war im allgemeinen weiß, Schmuck, Insignien, Kronen und andere Attribute entsprechend ihrer Art, Stege zwischen Körper und Gliedmaßen schwarz (Hildesheim, Inv.-Nr. 2, Kat.-Nr. 30) oder in derselben Farbe wie der angrenzende Teil (Turin, Inv.-Nr. 3091, 3056, Kat.-Nr. 118, 120). Inschriften wurden durch Einfärben, z. B. Blau, gehöht oder mit Farbpaste eingelegt.

Der Ägypter bevorzugte die wenigen Grundfarben unvermischt, weil nicht nur der flüchtige, subjektive Augeneindruck, sondern auch das Wesen wiedergegeben werden sollte. Jeder Farbe eignete auch eine eigene Symbolik.

Um den Eindruck der Lebendigkeit noch zu erhöhen, konnten Augen aus anderem Material (Wien, Inv.-Nr. 9265, 9266) eingesetzt werden. Die Augenumrahmung war aus Kupfer, bei sehr großen Statuen und Särgen auch aus Bronze gegossen, der Augapfel aus Bein, Quarz oder Bergkristall, die Pupille aus schwarzem Stein oder Glas (Königskopf Louvre, Inv.-Nr. E 10299, Kat.-Nr. 40). Solche Augen konnten bei Austrocknen des Klebemittels allerdings leicht wieder herausfallen (Kopf des Baefba Wien, Inv.-Nr. 7786, Kat.-Nr. 20; Brooklyn Museum, Inv.-Nr. 56.85, Kat.-Nr. 42).

All diese verschiedenen Arbeitsgänge machen ersichtlich, daß nicht eine einzige Person an einem Werkstück arbeitete, sondern einige Phasen (Auftragen des Rasters, grobe Abarbeitung des Steines) auch von Hilfskräften bzw. Schülern der Werkstätte ausgeführt werden konnten, nur die exakten Vorzeichnungen und die Endausführung mußten von einem Meister selbst vorgenommen werden.

Statuen aus Stein behalten immer die gewisse Blockhaftigkeit, was ja dem Material entspricht. Man vermeidet Auflösungen durch Stegverbindungen, Attribute werden mit dem Körper verbunden, an diesen angeschmiegt. Die zu Fäusten geschlossenen Hände bei Männern werden, wenn sie nicht ein bestimmtes Objekt halten, mit dem sogenannten Schattenstab oder Steinkern gefüllt, der Idee eines Gegenstandes, um Leere zu vermeiden und überdies einem späteren Verlust durch Abbrechen vorzubeugen. Eine der wenigen Ausnahmen bildet eine Statuengruppe, wo Mann und Frau auf einer lehnenlosen Bank sitzen, die Frau ihren Mann mit dem rechten Arm umfaßt und dieser Arm den Freiraum zwischen den beiden Körpern ohne Verbindungssteg quert (Wien, Inv.-Nr. 8410, Kat.-Nr. 29). Eine Idealform ist der sogenannte Würfelhocker, bei dem der Block nur vom Kopf überragt wird, Arme und Beine des Hockenden sind in den Würfel eingebettet.

Abb. 23: Rückenpfeiler und linker Fuß der unfertigen Statue des Prinzen Chaemwese (Kat.-Nr. 191). Mit Ausnahme des beschrifteten Rücken-pfeilers und der Fußsohle ist diese Statue noch unpoliert

Statuen aus Holz

Sie konnten aus einem Stück gearbeitet sein, wenn es die Größe zuließ, oder aus Teilen zusammengesetzt. Die größten sind unterlebensgroß. Holz läßt sich leichter bearbeiten als Stein. Man verwendete vor allem das Querbeil (Dechsel), sonst Hammer, Meißel, Stichel, Bohrer wie auch in der Steinbearbeitung.

Die größeren Figuren waren meist mehrteilig, vor allem Arme wurden angesetzt (Turin, Inv.-Nr. Provv. 319, Kat.-Nr. 54 – die Arme sind verloren; Turin, Inv.-Nr. 3105, Kat.-Nr. 135) auch Füße (Turin, Inv.-Nr. 3049, Kat.-Nr. 140; Inv.-Nr. 3105, Kat.-Nr. 135) durch Verzapfen, Dübeln, Leimen. Man arbeitete meist ohne Verbindungsstege (London, BM 32772, Kat.-Nr. 116; BM 2373, Kat.-Nr. 134) und Rückenplatten, die Podeste konnten extra angesetzt und die Figur daraufgestellt oder mittels Zapfens eingesetzt werden. Ebenso konnten Augen, Attribute, wie Stäbe und Amulette, separat gearbeitet, auch aus anderem Material gefertigt und dann eingefügt sein. Unebenheiten, Fehl- und Ansatzstellen wurden mit Stuck oder einer kittartigen Masse verschmiert und geglättet. Abschließend wurde die Statue bemalt (Turin, Inv.-Nr. Provv. 319, Kat.-Nr. 54; Inv.-Nr. 1388, Kat.-Nr. 133; Inv.-Nr. 3105, Kat.-Nr. 135). Statuen von Göttern und Königen wurden auch vergoldet oder teilvergoldet (Kronen, Insignien, Kleidung). Manchmal gab man ihnen auch Bekleidung aus Stoff.

Statuen aus Kupfer und Bronze

Ursprünglich wurde in Ägypten nur K u p f e r verwendet, das entsprechend seinen Lagerstätten verschiedene Verunreinigungen wie Blei, Eisen, Arsen enthielt. Kupfererz wurde in der östlichen Wüste abgebaut, besonders am Sinai. Es wurden nicht nur Gefäße und sonstige Gebrauchsgegenstände in Treib- und Gußtechnik hergestellt, sondern sogar große Statuen gegossen wie z. B. die Statue von König Pepi I. Dafür wendete man den Hohlguß an. Er spart Material und verringert das Gewicht.

B r o n z e – eine Kupfer-Zinn-Legierung – wurde erst in der 12. Dynastie von Syrien nach Ägypten in Form von Barren und Waffen importiert. Durch Ein-

schmelzen gewann man das Material, um in Ägypten die gewünschten Artikel zu formen. Aus der Spätzeit sind zahlreiche Statuen und Statuetten aus Bronze erhalten, die vor allem als Votivgaben für die Tempel gewidmet waren.

Es gab zwei Verfahrensweisen für den Guß, den Voll- und den Hohlguß. Vollguß wird vor allem für Statuetten von Göttern verwendet und für sehr kleine Votivgaben und Amulette.

V o l l g u ß : Es wird ein Modell aus Ton oder Wachs geformt und davon ein Model aus Gips erzeugt. War dieser Model zweischalig, konnte er mehrmals als Gußform zur Serienproduktion (kleine Votivgaben, Amulette) benützt werden. War der Model nur einteilig, mußte das Wachsmodell herausgeschmolzen werden und war nach Erstarren des eingefüllten Metalls der Model zerschlagen werden, war also nur für einen einmaligen Gebrauch geeignet. Üblicherweise war die Einfüllöffnung für das flüssige Metall in der Standfläche oder an der Fußsohle, so wurde gleichzeitig ein Steckzapfen angegossen. Komplizierte Figuren oder Figurengruppen waren auch in Einzelteilen gegossen und nachträglich zusammengesetzt.

H o h l g u ß : Wie beim Vollguß wird ein Modell aus Wachs gefertigt oder, um Wachs zu sparen, mit diesem um einen Tonkern modelliert, dann der Gipsmodel danach angefertigt. Um beim Ausschmelzen des Wachses den Tonkern in Position zu halten, müssen beim Ummanteln mit Gips Stege als Abstandhalter eingesetzt werden. Die nach dem Guß an der Oberfläche der Figur sichtbaren Fortsätze werden nachträglich abgearbeitet. War der Model zweiteilig und dadurch mehrmals verwendbar, wurde diese Form mit flüssigem Wachs ausgeschwenkt, sodaß eine Wachsschicht von 1 bis 2 mm Dicke gebildet wurde, dann eine breiige Masse aus Ton und Sand eingefüllt, wobei wieder Stege für die Befestigung dieses Gußkerns eingesetzt wurden.

Eine nachträgliche Bearbeitung der Oberfläche eines gegossenen Metallgegenstandes war nur dann notwendig, wenn durch das Gußverfahren stehengebliebene Grate und Nähte abgefeilt werden mußten. – In den Ohren des Königskopfes Hildesheim, Inv.-Nr. 384 (Kat.-Nr. 166) sind die Nägel von der Halterung des Gußkerns noch zu sehen. – Die feinen Details waren schon im Wachsmodell ausgearbeitet. Waren Einlagen aus Gold, Silber, Glas, Edelstein vorgesehen, wurden die Ausnehmungen dafür schon im Wachsmodell ausgespart. Silber- und Golddraht wurde in Kerben eingehämmert, nichtmetallische Einlagen eingeklebt. Auch Vergoldung mit Blattgold war möglich (Osirisstatuette, Wien, Inv.-Nr. 4031, Detail Abb. 3).

BILDHAUERMODELLE UND MUSTERBÜCHER

In den Werkstätten gab es Vorlagen und Modelle, nach denen die Lehrlinge übten und die als Prototyp z. B. eines bestimmten Königsporträts galten. Zahlreiche Modelle und Übungsstücke wurden in den Bildhauerwerkstätten von Amarna gefunden. Man verwendete dafür üblicherweise den leicht zu bearbeitenden Kalkstein.

Für Königsporträts gab es dem Kanon entsprechende Musterexemplare als Rundplastik (London, BM 57273, Kat.-Nr. 207; BM 48665, Kat.-Nr. 204) und Relief. Sie waren als Büsten gearbeitet, d. h. nur Kopf und Schultern mit waagrechter Standfläche. Weiters gab es Einzelteile von Statuen wie Hände und Füße (Berlin, Inv.-Nr. 15316, 19747, 20788, Kat.-Nr. 197). Es gibt Modelle, die noch in einem Zwischenstadium der Fertigung sind, auf deren Schnittflächen und der Unterseite der Quadratraster eingeritzt ist. Sie sollten die Maßverhältnisse verdeutlichen (Turin, Inv.-Nr. 7048, Kat.-Nr. 201).

Auch für Hieroglyphen in Flachrelief gab es Vorlagen. Wien, Inv.-Nr. 1017 (Kat.-Nr. 208): Auf der Vorderseite ließ man als „Standlinie" für den Falken eine waagrechte Reihe des Quadratnetzes stehen und an der linken oberen Ecke der rechteckigen Platte einen Steg, woraus noch die ursprüngliche Dicke der Kalkstein-platte ersichtlich ist. Sonst ist der Hintergrund tadellos abgearbeitet. Der Falke selbst ist nicht bis ins letzte Detail vollendet, beim Federkleid sind nur für jeden Federntyp eine oder mehrere ausgeführt. Auf der Hinterseite ist durch eingeritzte waagrechte und senkrechte Linien eine Aufteilung in 10 mal 10 Quadrate vorgenommen, was auch der Einteilung auf der Vorderseite entspricht. Außerdem versuchte man vom Mittelpunkt aus mit einem Zirkel drei Kreise einzuritzen, was nicht gänzlich gelungen ist.

Dazu kommen noch Künstlerskizzen (Wien, Inv.-Nr. 5979, Kat.-Nr. 186: Kopf eines Königs aus der 19. Dynastie) auf Kalksteinostraka. Es sind dies Entwürfe für Reliefs und Zeichenübungen.

Entwürfe und Vorlagen für Rundplastik und Relief sind uns auf Papyrus nicht erhalten – ein Nachteil dieses vergänglichen Materials –, waren aber sicher vorhanden. Es ist dies aus den Reliefs und Malereien der Grab- und Tempelwände ersichtlich. Gleichartige Szenen findet man wiederholt. In der Spätzeit wurden sogar Kopien von Darstellungen in Gräbern früherer Zeiten angelegt und verwendet. Bei Vorlagen für Darstellungen verhielt es sich sicher so wie bei Texten, z. B. Unterweltstexten, die uns auch auf Papyrus überliefert sind, weil sie in dieser Form den Toten ins Grab mitgegeben wurden.

Eine Ausnahme bildet ein Papyrusfragment, auf dem in einen Quadratraster die Vorder- und Seitenansicht und die Draufsicht der Figur einer Sphinx eingezeichnet sind. Sicherlich gab es auch aufgeschriebene Vorschriften für den Kanon.

Abb. 24: Relief mit Opferriten von der Statue des Seschemnofer aus seinem Grab in Giza; Hildesheim, Pelizaeus-Museum 3190

Marianne Eaton-Krauss

STATUENDARSTELLUNGEN IN MALEREI UND RELIEF

Eine wichtige Quelle für die Erforschung der altägyptischen Rundplastik sind die Statuendarstellungen in Malerei und Relief, die sich seit dem Alten Reich bis in die letzten Jahrhunderte der pharaonischen Geschichte auf den Wänden von Gräbern und Tempeln finden. Auch eine Eigenart der altägyptischen Schrift trägt zu unserer Kenntnis bei, denn das Wort für Statue wurde oft mit dem Miniaturbild einer Statue als Phonogramm oder Determinativ geschrieben. Wie es der Zufall will, ist der älteste, sichere Beleg für eine großformatige Metallstatue ein Deutezeichen dieser Art, das als Notiz im Annalentext des sogenannten Palermosteins die Herstellung einer Kupferstatue von Chasechemui, dem letzten König der 2. Dynastie, vermerkt. Der Name dieser Statue lautete „Hoch ist Chasechemui", was man üblicherweise als Anspielung auf ein großes Format der Figur interpretiert. Nur in sehr seltenen Fällen sind Statuen dieser Art erhalten geblieben. Das früheste Beispiel ist einige Jahrhunderte jünger als Chasechemui und stammt aus der 6. Dynastie. Es handelt sich um eine überlebensgroße Statue, ausgegraben im Tempel des Falkengottes Horus in Hierakonpolis. Auch die auf dem Palermostein erwähnte Statue Chasechemuis war für einen Göttertempel bestimmt gewesen.

Anders als Könige konnten Privatleute im Alten Reich ihre Statuen nicht in Tempeln aufstellen. Aber während des Mittleren Reiches galt dieses königliche Vorrecht nicht mehr, wie die in Tempeln gemachten Funde von Privatstatuen beweisen. Aus dieser Zeit und aus dem Provinzort Beni Hassan kennt man ein Grabrelief mit dem Transport einer Statue zum Tempel. Da der Grab- und Statuenbesitzer dargestellt ist, wie er den Transport begleitet, ist zu schließen, daß diese Statue noch zu seinen Lebzeiten im Tempel aufgestellt wurde. Diese Darstellung ist singulär, denn die in Flachbildern dargestellten Privatstatuen waren während der gesamten pharaonischen Geschichte für Gräber bestimmt. Aber unabhängig vom Bestimmungsort war die Funktion einer jeden Statue ein und dieselbe, nämlich Opfergaben entgegenzunehmen für die dargestellte Person.

Während des Alten Reiches hat man Statuendarstellungen häufig in das Malerei- und Reliefprogramm der Gräber aufgenommen. Man stellte Bildhauer bei der Be-arbeitung von Statuen dar, ferner den zeremoniellen Transport der Statuen zum Grab. Seltener belegt sind Szenen mit Ritualen, die man zugunsten des Verstorbenen vor den ihn vertretenden Statuen zelebrierte. Allerdings bieten weder die Statuendarstellungen des Alten Reiches noch die späterer Epochen detaillierte Angaben über das Aussehen von tatsächlichen Statuen. Das ist eine Folge davon, daß sich die Vorzeichner bei den Statuendarstellungen oft von anderen Abbildungen des Grabbesitzers beeinflussen ließen. Dies gilt besonders für Details der Tracht und für Attribute wie Spazierstock und Zepter bei Abbildungen von Sitzstatuen.

Vier Möglichkeiten gibt es, die Darstellung einer Statue in Relief und Malerei zu identifizieren. Die Statue konnte in angenäherter Profilansicht gezeichnet sein, mit der nahen Schulter in Seitenansicht, während die ferne Schulter hinter der nahen verschwindet. In dieser Weise hat der Steinbildhauer die Umrisse einer Statue auf dem Steinblock skizziert, bevor er an das Ausmeisseln ging. Weitaus häufiger aber zeichnete man die Statue entsprechend der sogenannten wechselseitigen Konvention, wie im Flachbild für die menschliche Figur üblich. Eine solche Figur ist als Statuenabbildung identifizierbar, wenn sie auf einem Sockel steht und ferner, wenn neben ihr ausdrücklich das Wort „Statue" geschrieben ist. Schließlich lassen auch Bildkontexte – wie zum Beispiel Darstellung der fraglichen Figur in einer Bildhauerwerkstatt – erkennen, daß eine Statue gemeint ist.

Obwohl die Darstellungen das Aussehen von Statuen nicht exakt wiedergeben, kann man ihnen aber doch verläßliche und signifikante Aussagen über ihre Funktion entnehmen. Beispielsweise steht in den Werkstattszenen neben den Statuendarstellungen in der Regel einfach die Bezeichnung „Statue", wogegen die auf Transportschlitten stehenden Statuen auf ihrem Weg zum Grab zusätzlich noch durch Namen und Titel des Besitzers gekennzeichnet sind. In Werkstattszenen gibt man Statuen üblicherweise in gleicher Größe wie die an ihnen arbeitenden Bildhauer wieder, während Statuen auf dem Transport zum Grab oft viel größer abgebildet werden als die Männer in der begleitenden Prozession. Dies rührt nicht daher, daß etwa in Privatgräbern Kolossalstatuen von Privatleuten üblich gewesen wären, sondern daher, daß die Statuen in diesem Kontext den Grabherrn vertreten. Um seinen bedeutenderen Status auszudrücken, erscheint der Grabherr auf den Wänden seines Grabes traditionellerweise viel größer als andere Personen.

Wenn im Transportzug mitgehende Priester der Statue Weihrauch spenden, dann ist das ein klarer Hinweis darauf, daß die Statue zu diesem Zeitpunkt schon ihre kultische Funktion ausübt. Dieser Funktionswandel trat zwischen der Herstellung der Statue und ihrem Transport zum Grabe ein. Nach Bemalung und Beschriftung der Figur und noch vor dem Verlassen der Werkstatt führte man an ihr die Zeremonie der Mundöffnung aus, was sie in die Lage versetzen sollte als Stellvertreter für den Grahherrn zu fungieren und an seiner Stelle Opfer entgegenzunehmen. Die detaillierteste Schilderung dieses alten Rituals, dessen Ursprünge in die vordynastische Zeit zurückgehen und das auch an der Mumie des Verstorbenen selbst ausgeführt wurde, ist aus den Malereien des thebanischen Grabes Nr. 100 bekannt. Der Grabinhaber war der Wesir Rechmire, der in der Mitte der 18. Dynastie lebte. In allen Episoden des Rituals ist hier eine schreitende Statue von Rechmire das Kultobjekt.

Szenen aus den Bestattungsfeierlichkeiten kommen in den Wanddekorationen altägyptischer Gräber oft vor, aber Abbildungen des mumifizierten Leichnams des Verstorbenen gehören vor dem Mittleren Reich nicht dazu. Während des Alten Reiches zeigen die Abbildungen regelmäßig einen geschlossenen Sarg, aber in einigen wenigen Fällen ersetzt eine Statue oder ein geschlossener Statuenschrein den Sarg. Eine solche Wiedergabe des Sargschlittenzugs bieten beispielsweise die heute im Museum zu Leiden befindlichen Reliefs aus dem Grab des Hetepherachti (Abb. 1): Eine schreitende Statue steht in einem Schrein mit weit geöffneten Türen, den zwei rote Ochsen auf einem Schlitten zum Grab ziehen. Drei Tänzerinnen, ein Klageweib, ein Vorlesepriester und ein der Statue räuchernder Priester geleiten die Statue zum Friedhof. Auf der Grundlage solcher Szenen könnte man schließen, daß die Statue für den Fall einer Beschädigung oder Zerstörung des Leichnams als Ersatzkörper galt. Aber diese Erklärung scheint doch nicht zuzutreffen, da keine Beispiele bekannt sind in denen es zur Beisetzung einer als Ersatz für einen Leichnam dienenden Statue in einem Grab kam.

Die fast lebensgroße Statuendarstellung (Abb. 2) gehört zu einer Szene, in der Totenpriester sich um die Statue kümmern. Hermann Junker entdeckte dieses heute im Pelizaeus-Museum in Hildesheim befindliche Relief in einem Grab aus dem Ende der 5. Dynastie in

Giza. Eine Beischrift bezieht sich auf die kultische Funktion der Statue, nämlich stellvertretend für den Verstorbenen jene Opfer zu erhalten, die für ein Weiterexistieren im Jenseits als wesentlich galten.

Im Alten Reich überwiegt gegenüber allen anderen Typen dargestellter Statuen die Schreitstatue. Diesem älteren Terminus steht die jüngere interpretatorische Bezeichnung als Stand-Schreitfigur gegenüber. Demnach soll in Statuen dieser Art nicht der Vorgang des Schreitens dargestellt sein, sondern eine „virtuelle Bewegung". In solchen „Stand-Schreitfiguren" wäre „nicht der Vollzug der Bewegung, sondern der Augenblick unmittelbar vor einer Bewegung" wiedergegeben. Dem widerspricht, daß bei Statuendarstellungen das Gewicht der Figur gleichmässig auf beide Beine aufgeteilt ist, entsprechend den anatomischen Verhältnissen bei einer Schreitstellung. Die Statuendarstellungen stützen mithin die traditionelle Interpretation dieser bei altägyptischen Statuen am häufigsten wiedergegebenen Haltung als Schrittstellung.

In gleicher Weise läßt sich den Darstellungen entnehmen, daß Sitzstatuen den Grabeigentümer passiv sitzend zeigen sollen und nicht, wie auch interpretierend vorgeschlagen wurde, und er nicht im Begriff ist aktiv das Opfermahl einzunehmen. Denn im Kontext eines Opferrituals mit Speisung, wie es nach den Grabszenen vor Statuen abläuft, ministriert der Totenpriester regelmäßig vor einer Schreitfigur und nicht vor einer Sitzfigur. Im übrigen stellen Sitzstatuen die im Flachbild zweithäufigste Kategorie nichtköniglicher Statuen dar.

Aus dem Repertoire der erhaltenen Statuen sind Familiengruppen, bestehend aus dem Verstorbenen, seiner Frau und seinen Kindern gut bekannt. Unter den Statuendarstellungen findet man aber diesen Typ nur selten. Dagegen ist die Schreiberstatue, als ein anderer häufig erhaltener Statuentyp, in den Darstellungen ganz unbekannt. In der Schreiberstatue präsentiert sich der Besitzer im Dienst eines Höherstehenden und damit in einem Status, der seinen anderen Abbildungen auf den Grabwänden nicht entsprach, wo er sich stets als ranghöchste Person abbilden ließ.

Gelegentlich nennt die Beischrift zu einer Statuendarstellung das Material der jeweiligen Statue. In Werkstattszenen läßt sich das Material einer Statue manchmal aus den Werkzeugen in den Händen der Bildhauer erschließen. Auch das Vorhandensein bzw. das Fehlen bestimmter Strukturelemente erlaubt Schlußfolgerungen. Beispielsweise ist in einer Werkstattszene im Grab des Ti in Saqqara (späte 5. Dynastie) der Arm eines Bildhauers zwischen den Beinen einer Statue sichtbar (Abb. 3). Wäre diese Statue aus Stein, dann könnte der Arm des Bildhauers hinter dem Füllstein, den man übli-

Abb. 25: Sargschlittenzug vom Mastaba des Hetepherachti aus Saqqarah; Leiden, Rijksmuseum van Oudheden F. 1 904/3.1 (nach: H. T. Mohr, The Mastaba of Hetep-her-akhti, Leiden 1943, Fig. 3)

cherweise zwischen den Beinen belassen hat, nicht abgebildet werden. Und schließlich identifiziert auch ein in einer Statuendarstellung angegebener Rückenpfeiler den Werkstoff als Stein, denn Rückenpfeiler gibt es bei Holzstatuen nicht. Eine Übersicht über die Statuendarstellungen sowohl des Alten als auch des Mittleren Reiches lehrt, daß man Privatstatuen eher aus vergänglichem Holz anfertigte und weniger aus dauerhaftem Stein.

Es gibt zwei Gründe, warum königliche Statuen vor dem Neuen Reich selten in Relief und Malerei belegt sind. Zum einen erlaubte es der überhöhte Status des Königs im Alten Reich nicht, daß irgendein Bild von ihm in einem Privatgrab vorkam und von ganz wenigen Ausnahmen abgesehen scheint dieses „Tabu" auch während des Mittleren Reiches in Kraft gewesen zu sein. Zum anderen sind Tempeldekorationen aus dem Alten und Mittleren Reich nur sehr selten erhalten, und urteilt man nach der Analogie des Neuen Reiches, so dürften auch die verlorene Tempeldekoration der älteren Epochen Darstellungen von königlichen Statuen enthalten haben.

Mit dem Beginn des Neuen Reiches änderte sich diese Situation. Jetzt bieten Privatgräber häufig Darstellungen von königlichen Statuen, während die früher gewöhnlichen Abbildungen von Statuen des Grabbesitzers selten vorkommen. Szenen, die die Herstellung von Privatstatuen schildern, sind praktisch unbekannt und solche mit dem Transport von Statuen des Grabbesitzers sind rar. Eines der wenigen Beispiele kommt aus dem Grab von Maya, dem Schatzhausvorsteher unter Tutanchamun und Aufseher aller Bauarbeiten des Königs im Tempel von Karnak. In der Mitte des vergangenen Jahrhunderts brachte die unter Lepsius' Leitung stehende Preussische Expedition verschiedene Reliefblöcke aus Mayas Grab nach Berlin. Darunter befand sich auch die Szene mit dem Transport von Mayas Statuen zum Grab. Singulär ist eine der Darstellungen, in der eine überlebensgroße Figur des knienden Maya einen Schrein (Naos) vor sich hält. Solche naophoren Statuen zeigen den Eigentümer als demütigen Verehrer einer Gottheit und damit in einer Form, die zur Aufstellung in einem Tempel geeignet war. Aber Mayas Statue sollte in seinem Grab aufgestellt werden, zu dem jedoch wie im Fall anderer zeitgenössischer Grabanlagen in Saqqara Götterkapellen gehörten, die man aus der Tempelarchitektur übernommen hatte. Daher war im erweiterten funktionellen Kontext des Grabes von Maya eine naophore Statue nicht fehl am Platz. In der gleichen Szenenfolge binden Diener Schmuckkragen um den Hals zweier anderer Statuen Mayas. Diese Vignetten belegen mithin, daß man auch nicht-königliche Statuen mit Girlanden und Schmuck dekorierte. Für Götterfiguren ist ein entsprechendes Ritual in Text und Bild belegt.

In der 18. Dynastie haben die Leiter der königlichen Werkstätten in ihren Gräbern Statuen des regierenden Pharao abbilden lassen, die unter ihrer Aufsicht hergestellt wurden. Die Statuentypen reichen von kleinformatigen Metallfiguren, in denen vermutlich Votivgaben für Tempel zu sehen sind, bis zu kolossalen Steinstatuen als öffentliche Zeugen für die königliche Macht. Auch vergoldete hölzerne Königsstatuen, die zur königlichen Grabausstattung gehörten, sind in diesen Atelierszenen wiedergegeben.

Die Statuendarstellungen des Neuen Reiches ergänzen unser Wissen über die tatsächlich vorhandenen Statuentypen. Von einem Bau Thutmosis' IV. im Tempel von Karnak stammt beispielsweise ein Relieffragment mit einer Darstellung des Königs als Falke. Da dieser Statuentyp bei den erhaltenen Statuen selten vorkommt, bietet die Abbildung im Relief eine willkommene Ergänzung unserer Kenntnisse. Die Wiedergabe einer Stabträgerstatue Amenophis' II. im Grab eines seiner Höflinge in Theben-West stellt den ersten Beleg für diesen Statuentypus im Neuen Reich dar. In der 18. Dynastie ist das älteste erhaltene Beispiel einer solchen Statue erst aus der folgenden Regierungszeit bezeugt.

Eine zeitgenössische thebanische Grabmalerei zeigte zwei königliche Kolossalstatuen rechts und links von einem Tempeltor, das nach der Beischrift der IV. Pylon des Tempels von Karnak zu sein scheint. In Amarna, Echnatons neuer Hauptstadt in Mittelägypten, gehörten Statuen von König und Königin zur Ausstattung des in den Privatgräbern dargestellten Großen Aton-Tempels. Auch auf Tempelwänden finden sich Abbildungen von Statuen als Ergänzungen zu flachbildlichen Darstellungen von Architektur. Um nur ein Beispiel zu nennen, so enthalten zwei Szenen auf der Wand des I. Hofes im Tempel von Luxor die Abbildungen von zwei kolossalen Sitzstatuen Ramses' II. vor einem Pylon. Es handelt sich dabei um die beiden Sitzfiguren, die noch heute den Tempeleingang flankieren.

Zur Dekoration der Göttertempel gehörten im Neuen Reich auch in anderen Kontexten Abbildungen von königlichen Statuen. Amenophis III. war im Tempel von Luxor zu sehen, wie er eine Anzahl seiner eigenen Statuen dem Dienst des Amun weihte. Aus der Zeit dieses Königs sind ferner Statuen bekannt, die ihrerseits Statuen nachbilden. Das schönste und am besten erhaltene Exemplar ist eine überlebensgroße Quarzitstatue des Königs selbst, die erst 1989 aus der sogenannten Cachette des Tempels von Luxor zutage kam.

Das Bildprogramm königlicher Totentempel des Neuen Reiches enthielt auch Statuendarstellungen. Abbildungen von Statuen, die im königlichen Totenkult eine wichtige Rolle spielten, sind von Thutmosis II., Hatschepsut und Tutanchamun bekannt, um nur einige betroffene Herrscher der 18. Dynastie zu nennen. Die Reliefs des Totentempels von Königin Hatschepsut in Deir el-Bahari boten unter anderem die Darstellung einer an ungewöhnlichem Ort aufgestellten Statue. Heute ist diese Abbildung in den Reliefs bis zur Unkenntlichkeit beschädigt. Es ist aber klar, daß es sich um eine im Fremdland von Punt aufgestellte Statue handelt, in jenem Land also, zu dem die Königin eine Expedition geschickt hatte, um Weihrauch und andere exotische Güter nach Ägypten bringen zu lassen.

Eine Szene aus dem Neuen Reich in einem in Aniba, weit im Süden in der unternubischen Provinz, gelegenen Privatgrab zeigt eine Statue Ramses' VI. anstelle des Pharao selbst. Der König, vertreten durch seine Statue, verleiht hier das Ehrengold an den Grabbesitzer. Eine andere königliche Statue, die eine ähnliche Funktion ausübte, ist in einem Relief im Tempel von Karnak dargestellt, wo in Gegenwart einer Statue Ramses' IX. die Ehrung eines Hohenpriesters des Amun stattfindet.

Darstellungen von königlichen Statuen kommen nicht nur auf den Wänden von Tempeln und in den Dekorationen von Privatgräbern vor, sondern auch auf Stelen und selbst in Felsinschriften. Das berühmteste Beispiel für letzteres ist in einem Steinbruch in Assuan zu sehen. Das Relief zeigt einen der beiden Memnonskolosse, wie man die bekannten kolossalen Quarzitstatuen nennt, die Amenophis III. am Eingang zu seinem Totentempel auf dem thebanischen Westufer aufstellen ließ. Im Bild steht die Figur des für die Herstellung der Kolossalfigur verantwortlichen Bildhauers namens Men vor der Sitzstatue und verehrt den in ihr verkörperten Herrscher. Aus der Beischrift erfahren wir, daß der Name der Statue „Herrscher der Herrscher" lautete. Diese in einem besonderen Maße als göttlich geltende Manifestation Amenophis' III. genoß während der Lebenszeit des Königs einen Kult. In ähnlicher Weise wurden später auch Statuen Ramses' II. kultisch verehrt. Eine dieser Statuen mit dem Beinamen „Month in den Beiden Ländern", ist häufig auf Stelen abgebildet, die Privatleute in der Ramsesstadt, der damaligen Hauptstadt im Delta, als Votivgaben aufstellen ließen.

Eine Serie von Dyaden, die Ramses II. thronend oder schreitend zeigen und zwar jeweils in Begleitung eines anderen Gottes, ist auf Reliefblöcken abgebildet, die vermutlich aus Saqqara kommen. Über dem Kopf des Königs schwebt in den Darstellungen eine Sonnenscheibe, und die Beischrift identifiziert den jeweiligen begleitenden Gott als zum König „gehörend". Mehrere Statuen dieser Art wurden ausgegraben, aber es bleibt umstritten, was genau ihre Funktion war. In diesen Dyaden tritt uns Ramses II. wahrscheinlich als Verkörperung des Sonnengottes Re entgegen. Eine Phrase in der Titulatur dieses Königs, die ihn als „Re, Schöpfer der Götter" bezeichnet, mag sich darauf beziehen, daß er während seiner langen Regierungszeit ungezählte Götterstatuen in Auftrag gegeben hat.

Königliche Handwerker der ramessidischen Epoche mit Ämtern im Kult des vergöttlichten Paares Ameno-

Abb. 26: Herstellung einer Statue aus dem Grab des Ti, Saqqarah (nach: Epron - Wild, Tombeau de Ti, Tafel CLXXIII, Ausschnitt)

phis I. und seiner Mutter Ahmose-Nefertari, haben häufig Statuen dieses Paares in ihren eigenen Gräbern abgebildet. Das Kultbild Amenophis' I. ist somit zwar häufig belegt, aber man kann keine einheitliche Vorstellung von seinem Aussehen gewinnen. Wie wir im Fall der Statuendarstellungen des Alten Reiches erfahren haben, so müssen wir auch hier einsehen, daß die Darstellungen späterer Epochen das Aussehen von Statuen nicht in detaillierter und verläßlicher Weise wiedergeben.

Nicht nur bei den vergöttlichten Herrschern, sondern auch im Fall der ursprünglichen Götter stellen Statuendarstellungen den Interpreten vor Schwierigkeiten. Fallweise läßt sich die Darstellung seiner Statue nicht vom Abbild des Gottes selbst unterscheiden. Eines der frühesten sicheren Beispiele für die Darstellung einer Götterstatue kommt aus dem nördlich von Saqqara liegenden Sonnentempel von Nuiserre, einem Herrscher der 5. Dynastie. Es handelt sich um die kleinformatige Figur eines hockenden Falkengottes mit Doppelkrone, den in einer Prozession ein Priester auf ausgestreckten Armen trägt.

Aus dem Neuen Reich sind von dem als Verkörperung des Sonnengottes Harmachis verehrten Großen Sphinx von Giza Darstellungen auf Stelen bekannt, die fromme Besucher seinerzeit aufgestellt haben. Diese Abbildungen zeigen regelmäßig einen schreitenden König zwischen den Vordertatzen der Sphinxfigur, und tatsäch-

lich ist an entsprechender Stelle ein Sockel vorhanden, der für eine Statue bestimmt gewesen sein dürfte. Spuren an der Brust der Löwenfigur lassen sich als Rest einer „Brücke" zwischen der Statue auf dem Sockel und dem Sphinx deuten. Diese archäologischen Daten und die Stelendarstellungen sind in der neuesten, mit Hilfe eines Computers erstellten und für die 18. Dynastie gültigen Rekonstruktion des Sphinx-Ensembles kombiniert, bei der eine kolossale Schreitstatue Amenophis' II. zwischen den Tatzen der Sphinxfigur steht.

Die spätesten flachbildlichen Darstellungen von nichtköniglichen Statuen sind aus thebanischen Gräbern vom Beginn der 26. Dynastie bekannt. Die Dekoration dieser Gräber ist sowohl stilistisch als auch thematisch durch sehr viel frühere Grabdekorationen beeinflußt, die auch die Prototypen für Szenen mit Statuen geliefert haben. Die Darstellungen von königlichen Statuen dagegen schmückten die Tempelwände noch bis in die römische Zeit, wie Beispiele aus Dendera belegen.

Lit.: M. Eaton-Krauss, „Ramesses – Re Who Creates the Gods," in: Fragments of a Shattered Visage: The Proceedings of the International Symposium on Ramesses the Great, E. Bleiberg-R. Freed, Hrsg. (Memphis: Monographs of the Institute of Egyptian Art and Archaeology 1, im Druck). – Id., "Statuendarstellungen", Lexikon der Ägyptologie V (W. Helck - W. Westendorf, Hrsg.; Wiesbaden: Harrassowitz 1984), 1263–65. – M. Lehner, „Computer Rebuilds the Ancient Sphinx", National Geographic 179: 4 (April 1991) 32–9. – M. El-Saghir, „Das Statuenversteck im Luxortempel", Antike Welt, 1991 Sondernummer, 21-7

KATALOG

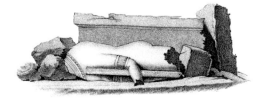

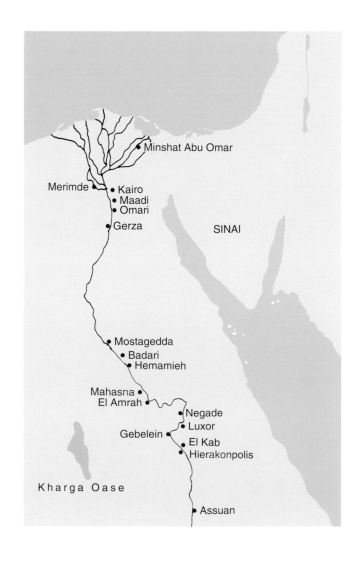

Minshat Abu Omar

Merimde

Kairo
Maadi
Omari

Gerza

SINAI

Mostagedda
Badari
Hemamieh

Mahasna
El Amrah

Negade
Luxor
Gebelein
El Kab
Hierakonpolis

Kharga Oase

Assuan

PRÄDYNASTISCHE ZEIT – REICHSEINIGUNG – FRÜHZEIT

Auch wenn seit einigen Jahrzehnten die ersten Spuren menschlicher Tätigkeit in Ägypten fast zwei Millionen Jahre zurückverfolgt werden können, so treten die ersten rundplastischen Bildwerke im Nilstromland erst rund 5000 v. Chr. auf. Das auf das Primitiv-Paläolithikum folgende Altpaläolithikum um 500.000 v. Chr. weist bereits zweiseitig bearbeitete Geräte auf, deren Formen die bewußte Gestaltung verraten. So zeigen Handäxte und Faustkeile eine die gesamte Oberfläche umfassende Bearbeitung. Im nachfolgenden Mittelpaläolithikum um 200.000 v. Chr. kommen vermehrt Abschläge mit facettierter Basis auf, außerdem erweitern Messerstichel und Schaber das Geräteinventar. Das von etwa 40.000 bis 13.000 v. Chr. dauernde Jung- oder Spätpaläolithikum ist durch einen weiteren Anstieg des Typenreichtums charakterisiert, bei einer gleichzeitigen auffallenden Minderung der Gerätegröße. Allmählich bildeten sich durch die Austrocknung weiter Savannen- und Steppengebiete verschiedene von Wüstengebieten getrennte, regional beschränkte Werkzeugindustrien aus, unter denen die Kultur von Wadi-Halfa im heutigen Sudan eine der ältesten gewesen sein dürfte.

Eine um 13.000 v. Chr. ansetzende Phase hoher Nilüberschwemmungen leitete zum Endpaläolithikum über, in dem es zur Herausbildung einer lokal begrenzten proagrarischen Experimentierphase in Esna und Toschke kam, die um 10.000 v. Chr. durch neuerliche Jäger- und Sammlerkulturen abgelöst wurde. Die darauffolgende Zeitspanne von rund 4000 Jahren wird als Epipaläolithikum bezeichnet und gehört immer noch zu den dunkelsten Abschnitten der ägyptischen Vorgeschichte. So läßt sich bereits für die Mitte des sechsten Jahrtausends

v. Chr. eine entwickelte Bauern- und Viehzüchterkultur nachweisen, die als oberägyptische Badari-Kultur ein eigenständiges Profil zeigte und sich auch in ihrer weiteren Entwicklung bis rund 4000 v. Chr. deutlich von zeitgleichen Kulturen im südlichen Deltagebiet unterschied. Neben der für diese lokal begrenzte Kultur charakteristischen Keramik, die an der Außenseite eine fein ornamentierte Riefelung aufweist, sind ihr auch die ersten menschlichen Tonfigürchen zuzuweisen, die zusammen mit dem zum Anreiben von roter (Ocker) und grüner (Malachit) Augenschminke verwendeten Paletten, Speerspitzen, Muschel- und Steinperlen, Elfenbeinlöffel und sogenannten Amulettstäben ein reichhaltiges, verhältnismäßig hochstehendes Kulturinventar aufwies.

In der nachfolgenden Negade I-Zeit, die auch nach dem Fundort El-Amrah genannt wird und etwa von 4000 bis 3500 v. Chr. zu datieren ist, fällt die Reichhaltigkeit der Grabbeigaben auf, unter denen nun neben Speerspitzen, Messern und Kratzern aus Flint, Schminkpaletten, Kupfermessern, Schmuckperlen und Elfenbeinamuletten in Menschengestalt, auch vorwiegend weibliche Tonstatuetten nachweisbar sind. In diesen zum Teil auch aus Elfenbein gefertigten Figürchen tritt uns das Menschenbild der altägyptischen Kunst erstmals entgegen.

Unterägypten nahm vorerst seine eigene Entwicklung. So bildete sich zeitgleich mit der El Badari-Kultur Oberägyptens im restlichen Nildelta die Merimde-Beni-Salame-Kultur heraus (4900 bis 4200 v. Chr.), die älteste Kultur dieses Gebiets, die durch einen mehr oder weniger entwickelten Ackerbau und vor allem eine Reihe domestizierter Tiere charakterisiert ist. Dem Ende der

Merimde-Zeit entstammt eine der frühesten Rundplastiken ägyptischer Kunst, ein etwa 10 cm hohes, aus gebranntem Ton gefertigtes und gemaltes Menschenköpfchen ungeklärter Funktion. Ob Grabbeigabe oder religiöses Idol – es stellt einen der frühesten Versuche der ägyptischen Kunst dar, das menschliche Antlitz rundplastisch wiederzugeben.

Während die lokal begrenzte Fundgruppe von Omari-A auf die Merimde-Zeit Unterägyptens gefolgt ist, läßt sich in der auf das Negade I folgende Negade II-Zeit (3500 bis 3100 v. Chr.) ein erstes deutliches Ausgreifen des oberägyptischen Kulturgutes nach Norden feststellen, wobei die Wandlung des Formenbestandes allmählich erfolgte und nicht alle Kulturerscheinungen in gleicher Weise betraf. So ist die für Negade I typische schwarzgeschmauchte „black topped"-Ware nur mehr vereinzelt nachweisbar und wird von einer hellgelb bis grauen Ware abgelöst, deren Bemalung in braunroter Farbe auch Tiere und Menschendarstellungen umfaßt, die bisweilen mittels Standlinien zu Gruppen szenischer Kohärenz zusammengefaßt werden. Die Schminkpaletten werden vermehrt in Tiergestalt geschnitten und teilweise mit reliefierten Darstellungen versehen. Waren die Funde menschlicher Darstellungen in der Negade I-Zeit vorwiegend jene aus Elfenbein gefertigten „bärtigen Männer" und nur selten Tonfigürchen, treten in Negade II vorwiegend sogenannte Tonidole auf, deren plastische Ausgestaltung bereits die gekonnte Handhabung dreidimensionaler Umsetzungen verrät. Ob diese „Idole" Fruchtbarkeitsgottheiten, Spielzeug, Erinnerungsfigürchen, Konkubinen oder Ersatzfiguren für die Toten gewesen sind, läßt sich nicht verallgemeinernd beantworten.

Die Übergangsphase zur geschichtlichen Zeit Ägyptens wird als Reichseinigungszeit bezeichnet, die heute von rund 3200 bis 3000 v. Chr. angesetzt wird. Die in langwierigen, zum Teil wohl auch kriegerischen Auseinandersetzungen vollzogene Vereinigung der beiden Landeshälften Ober- und Unterägypten unter die Zentralgewalt eines Gottkönigs schuf die Voraussetzung für die in der ägyptischen Frühzeit, der 1. und 2. Dynastie, kulminierenden endgültigen Ausformung der altägyptischen Kunst und Kultur. Diese Reichseinigungszeit, deren sinnfälligste Veranschaulichung die sogenannte Narmer-Palette vermittelt, die heute im ägyptischen Museum in Kairo aufbewahrt wird, muß in ihrer Einschätzung aufgrund neuer archäologischer Unternehmungen vor allem im Deltagebiet, aber auch durch neue Funde im Königsfriedhof von Abydos heute mehr denn je einer neuerlichen Diskussion und Einschätzung unterzogen werden. So hat es den Anschein, als ob die Negade II-Kultur in bisher ungeahntem Ausmaß bereits um 3200 v. Chr.

weite Teile des Ostdeltagebietes vereinnahmt hat, sodaß heute von einer Ober- und Unterägypten in gleicher Weise umfassenden Negade III-Kultur gesprochen werden kann, die sich zum Teil mit der Reichseinigungszeit zeitlich überlagert.

Die Einführung von Schrift und Kalender, der Aufbau eines umfassenden Verwaltungssystems mit streng hierarchisch gegliedertem Beamtenapparat, die Ausweitung des Handels als Monopol des Königs und vor allem die Entwicklung neuer künstlerischer Ausdrucksformen sind die besonderen Leistungen der ägyptischen Frühzeit. Der von Oberägypten ausgegangene Einigungsprozeß führte schließlich zu einem Einheitsstaat unter der Gewalt eines mit dem Himmelsgott Horus gleichgesetzten „Königs von Ober- und Unterägypten". Sein überweltlicher Anspruch findet seinen Ausdruck in den gewaltigen Königsgräbern von Abydos, den ersten Monumentalbauten Ägyptens.

Skorpion, Narmer und Menes gehören zu den ersten historisch nachweisbaren Königen dieser heute als 0. Dynastie bezeichneten Konsolidierungsphase, der aufgrund der jüngsten Grabungen des Deutschen Archäologischen Instituts in Abydos eine ganze Reihe weiterer ephemerer Könige unsicherer Namenslesung zugeordnet werden muß.

Die bereits erwähnte Herausbildung und Vollendung neuer künstlerischer Ausdrucksformen in Relief und Rundplastik entspricht einer perfekten Umsetzung in politischen und kultischen Zusammenhängen und wird als Propagandamittel des Staates zu einem sichtbaren Zeichen königlicher Macht. Der hohe Stand handwerklicher Fertigkeiten zeigt sich im Überwiegen der kunstvollen Hartstein- und Alabastergefäße dieser Zeit, vor allem aber, und in unserem Zusammenhang wichtig, in dem Auftreten rundplastischer Tier- und Menschendarstellungen aus Stein, die ihre Verwurzelung in den ersten Anfängen der Negade-Zeit nicht verleugnen lassen. Hierakonpolis und Abydos, Sakkara und Negade sind die großen politischen und religiösen Zentren dieser Zeit. Die weitläufigen Grabanlagen der Könige der 1. Dynastie in Abydos mit den zahlreichen Nebenbestattungen geben ein Abbild von der hierarchischen Struktur der ägyptischen Gesellschaft. Die Speisung des Königs über den Tod hinaus wird zu einem wirtschaftsbestimmenden Faktor. Schrift und Bildnis ersetzen oder ergänzen die Realität: Scheintüre und Speisetischszene werden zu integrierenden Bestandteilen der als „Mastaba" bezeichneten Gräber dieser Zeit. Die in Lehmziegel geformte Grabarchitektur in Abydos und Sakkara findet ihre Vollendung in der steinernen Umsetzung in der Stufenpyramide von Sakkara aus der 3. Dynastie, die gleichsam den Beginn des Alten Reiches verkündet.

Zeittafel, Dynastienliste

Vorgeschichtliche Zeit:

       El-Badari-Kultur um 5500–4500 v. Chr.
       Negade-I-Kultur um 4500–3500 v. Chr.
       Negade-II-Kultur um 3500–3200 v. Chr.
       Negade-III-Kultur um 3200–3000 v. Chr.

Reichseinigungszeit:

       um 3100–2950 v. Chr.
       König Skorpion
       König Ka
       König Narmer

Frühzeit:

1. Dynastie: um 2950–2770 v. Chr.
       Aha - Menes
       Djer
       Wadji
       Den
       Anedjib
       Semerchet
       Quaa

2. Dynastie: um 2770–2650 v. Chr.
       Hetepsechemui
       Raneb
       Ninetjer
       Peribsen
       Chasechemui

1
Elfenbeinfigur

Hildesheim, Roemer-Pelizaeus Museum, Inv.-Nr. 6106
Elfenbein, Höhe 4,1 cm, Breite 1,8 cm
Herkunft unbekannt
Prädynastisch, Negade I/II, um 3500 v. Chr.

Die aus Elfenbein, Knochen, Horn oder Ton gefertigten figürlichen Darstellungen von Menschen und Tieren des prädynastischen Ägypten entziehen sich zwar auch heute noch weithin einer schlüssigen Deutung, zeigen aber dessen ungeachtet einen formalen Gestaltungswillen, der sich bis ins 5. Jahrtausend vor Christus zurückverfolgen läßt. Die vor allem aus Gräbern Oberägyptens stammenden Figürchen, die auf Grund der Durchbohrungen oder Einkerbungen als Anhänger bzw. Amulette bezeichnet werden, zeigen eine Vielfalt unterschiedlicher Ausprägungen und Entwicklungslinien, die oftmals von regionalen Sonderformen geprägt sind. Das von Uneinheitlichkeit, regionaler Begrenzung und von schwer faßbaren fremdländischen Einflüssen charakterisierte Bild der ägyptischen Vorgeschichte hat durch wichtige Grabungen der letzten Jahre, vor allem im Delta, aber auch durch jüngst erfolgte sensationelle Entdeckungen in der frühgeschichtlichen Nekropole von Abydos weitreichende Veränderungen erfahren, deren Auswirkungen auf unsere bisherige Vorstellung von der Entstehung des altägyptischen Staates und ihrer chronologischen Abfolge noch kaum abzuschätzen sind. Insgesamt kann jedoch davon ausgegangen werden, daß die vom 6. bis an das Ende des 4. vorchristlichen Jahrtausends reichende Periode des ägyptischen Neolithikums, das an manchen Orten wie etwa in Edfu oder Kom Ombo freilich noch viel weiter in das Epipaläolithikum zurückzureichen scheint, von der Ausbreitung der nach dem namengebenden Fundort Negade bezeichneten Negade-Kultur gekennzeichnet ist, die in drei Phasen von ursprünglich regionaler Begrenzung ausgehend, allmählich ganz Ägypten erfaßt hat. Daneben stehen keineswegs jüngere und ebenfalls äußerst ausgeprägte Regionalkulturen etwa des Deltagebietes, die vor allem in Merimde in den letzten Jahren Funde von großer Eigenständigkeit zu Tage gebracht haben. Ohne hier das komplizierte Ineinandergreifen dieser teils regionalen, teils weite Flächen und Gebiete umfassenden Kulturen im Detail entschlüsseln zu wollen, ist es wichtig darauf hinzuweisen, daß bereits seit dem 5. Jahrtausend rundplastische Menschendarstellungen nachweisbar sind. Neben dem Fund eines aus Ton gefertigten Kopfes eines männlichen Idoles (?) in Merimde, der bis ins 5. Jahrtausend zurückdatiert werden kann, müssen hier vor allem jene zwischen Flachrelief und Rundplastik stehenden, stark abstrahierenden Figürchen angeführt werden, die zum Teil in größerer Anzahl als Grabbeigaben gefunden und aus diesem Grund gerne als Amulette bezeichnet wurden. Der auch hier vorliegende Typ des „Bärtigen Mannes" gehört zu den am häufigsten vertretenen Darstellungsformen dieser Fundgattung und tritt zeitgleich und häufig in stärker rundplastisch modellierten Wiedergaben auf.

Auch wenn davon ausgegangen werden kann, daß am Beginn der altägyptischen Menschendarstellung schon aus ökonomischen Gründen ihre zweidimensionale Umsetzung gestanden hat, die auf Wand- oder Mauerflächen, Felswänden oder Gefäßoberflächen ohne besondere technische Vorbereitung angebracht werden konnte, so fällt dennoch auf, daß das Darstellungsrepertoire bestimmter dreidimensionaler Belege in zweidimensionalen Darstellungen fehlt. Gewisse Zwischenformen zwischen zweidimensionaler und dreidimensionaler Wiedergabe finden sich bei verzierten Elfenbeinkämmen, sogenannten Schminkpaletten oder Aufsatzfiguren am Rand von Gefäßen.

Wie bereits eingangs erwähnt, ist die Funktion des hier gezeigten „Amuletts" letztlich nicht mehr erschließbar. Eine bereits auf Flinders Petrie zurückgehende Deutung sieht darin Weissagungsinstrumente, die vom Priester in die Luft geworfen und je nach ihrer Lage ausgedeutet wurden.

Lit.: Unveröffentlicht; vgl. W. M. F. Petrie, Prehistoric Egypt, Corpus Vol. I, pl. II, 1, 2

2
Elfenbeinfigur

Brüssel, Musées Royaux d'Art et d'Histoire,
Inv.-Nr. E. 2841
Elfenbein, Höhe 8,1 cm, Breite 2,7 cm, Tiefe 0,7 cm
Herkunft unbekannt
Prädynastisch, Negade I/II, um 3500 v. Chr.

In ähnlicher Weise wie Kat.-Nr. 1 aber etwas ausgeprägter und in rechteckiger Form, zeigt auch dieses Elfenbeinfigürchen den schematisch abstrahierten Umriß einer menschlichen Figur, ohne daß Körperdetails oder Geschlechtsmerkmale besonders betont wären. Die dekorativ wirkenden Einkerbungen an den beiden Seitenrändern des Oberkörpers lassen sich funktional kaum einordnen, sind aber für derartige Amulettfigürchen charakteristisch. Bemerkenswert sind die senkrechten und waagrechten Einkerbungen am Kopf, die vielleicht eine Andeutung von Haaren vermuten lassen. In gewohnter Weise zeigt auch dieses Figürchen inkrustierte Augen,

doch fehlen alle sonstigen Gesichtsdetails, die vielleicht einmal aufgemalt waren. Auffallend sind die spitz auf der Brust zusammenlaufenden, parallelen Linien, die in der Schulterpartie beginnen und fast als Gewandandeutung aufgefaßt werden können. Typisch ist die dreieckige Gesichtsform, deren untere Ecke ohne weiteres als „Bart" gedeutet werden könnte. Die eingekerbte Basis diente sicher zur Befestigung der Figur als Anhänger oder, folgt man der Deutung Petries, zur Befestigung einer Wurfschnur.

Lit.: Unveröffentlicht

3
Amulett in Form einer menschlichen Figur

Berlin-Charlottenburg, Ägyptisches Museum,
Inv.-Nr. 23414
Elfenbein, Höhe 11,6 cm
Aus Matmar, Grab 2682
Prädynastisch, Negade II, um 3350 v. Chr.

Die stark stilisierte Figur zeigt im Oberteil ähnliche Darstellungsmerkmale wie die Kat.-Nr. 2, wenn auch mit größerer Detailgenauigkeit. So sind die spitz nach unten zulaufenden, parallelen Linien nicht nur eingekerbt, sondern mit einer schwarzen Paste inkrustiert. Besonders auffallend sind die ausgeformten Ohren sowie die großen ebenfalls inkrustiert zu denkenden Augen, die dem Antlitz einen fast tierhaften Charakter verleihen.

Die eingeschnürte Taille, die breite Hüfte und der bis zur Basis reichende, rockartige Unterteil der Figur lassen an die Darstellung einer Frauenfigur denken. Die aus einem Grab in Matmar (Oberägypten) stammende Figur wurde zusammen mit drei ähnlichen Figürchen zusammengebunden in einer Holzschachtel gefunden.

Lit.: G. Brunton, Matmar, London 1948, p. 20, pl. XVI, 19; Ägyptisches Museum Berlin, Katalog 1967, Nr. 61

4
Horn in Menschengestalt

Brüssel, Musées Royaux d'Art et d'Histoire,
Inv.-Nr. E. 2331A
Elfenbein (?), Höhe 10,1 cm, Breite 2,1 cm, Tiefe 3,2 cm
Herkunft unbekannt
Prädynastisch, Negade I/II, um 3500 v. Chr.

Dieses hier erstmals veröffentlichte Figürchen zeigt in eindrucksvoller Weise alle jene Darstellungsdetails wie sie für die aus Horn oder Elfenbein gefertigten Menschendarstellungen der Negade I/II-Zeit charakteristisch sind. In seltener Detailgenauigkeit sind hier die Gesichtsdetails wie Augenbögen, Augenlid, ja sogar die Pupille, die feingeschwungene Nase, die Mundpartie und der spitze Bart wiedergegeben. Die in dem hochaufragenden Haarschopf angebrachte Durchbohrung weist die Figur der oben bereits erwähnten Gruppe von Anhängern oder Amuletten zu, die vielleicht zusammen mit ähnlichen Figuren als Körperschmuck um den Hals getragen wurden. Während die Ohren leicht plastisch ausgearbeitet sind, ist der Oberkörper der Figur unbearbeitet belassen und entspricht ganz der natürlichen Krümmung des Horns, dessen vorgegebene Form eine rundplastische Ausmodellierung, wie sie auch von paläolithischen Schnitzereien bekannt ist, geradezu herausfordert. Diese dem Typ des „Bärtigen Mannes" zugehörige Figur dürfte wohl an das Ende der Negade II-Zeit gehören und steht somit am Übergang bzw. am Beginn einer sich allmählich voll entwickelnden rundplastischen Menschendarstellung, wie sie wohl als frühestes Beispiel in dem sogenannten MacGregor-Mann aus dem Ashmolian Museum in Oxford belegt ist (Kat.-Nr. 6).

Auch dieses Figürchen, dessen nähere Fundumstände nicht bekannt sind, stammt mit Sicherheit aus einem Grab Oberägyptens. Während sich die Kulturen von Badari (5500–4000 v. Chr.) und Negade I (4000–3500 v. Chr.) fast ausschließlich über den oberägyptischen Raum erstreckten, findet mit Negade II (3500–3100 v. Chr.) allmählich ein Ausgreifen der oberägyptischen Kulturen bis in das Delta Unterägyptens statt. So findet das Land am Nil schon einige Jahrhunderte vor der eigentlichen Reichseinigung und Staatsgründung allmählich ein kulturell einheitliches, ja homogenes Erscheinungsbild einerseits, etwa auf dem Gebiet der Orientierung der Gräber und der Totenhaltung, wird jedoch andererseits durch in ihrem Ursprung letztlich noch unklare Einsprengsel vielleicht mesopotamischer Kulturelemente aufgelockert. Abgesehen von den Veränderungen des Formenbestandes und der Herstellungstechnologie der Keramik ist es vor allem die Oberflächendekoration, die erstmals mittels sogenannter „Standlinien" zusamengefaßte Figurengruppen mit szenischer Kohärenz aufweist. Das beste Beispiel und gleichzeitig die älteste Wandmalerei überhaupt findet sich im bemalten Grab von Hierakonpolis.

Neben der Wandmalerei in den Gräbern sowie den bemalten Gefäßoberflächen muß hier als für die Herausbildung sowohl des Reliefs als auch der Rundskulptur bedeutsames Artefakt die sogenannte Schminkpalette erwähnt werden. Als ein bis in das 5. Jahrtausend vor Christus zurückreichendes tafelartiges Gebrauchsgerät zum Anreiben von Augenschminke wurde es vornehmlich aus Schiefer aber auch aus anderen Gesteinsarten gefertigt und durfte in keiner besseren Grabausstattung fehlen. Die ursprünglich rechteckige, rhomboide und schildförmige Ausformung der Palette nahm bereits in der Negade I-Periode oft die Gestalt verschiedener Tiere wie von Antilopen, Elephanten, Schildkröten, Fischen oder Vögeln an oder wurde mit eingeritzten oder einreliefierten Tierszenen versehen. Von hervorragender Bedeutung freilich wurden erst die sogenannten Prunk- oder Kultpaletten, die weniger zum praktischen Gebrauch bestimmt waren, sondern vielmehr als Votivgaben im Tempelkult Verwendung fanden und dementsprechend mit besonderen mythologisch-historisierenden Darstellungen versehen wurden. Insofern sind die Schminkpaletten nicht nur für die Erforschung der Anfänge der altägyptischen Hochkultur von besonderer Bedeutung – exemplarisch hierfür ist die Prunkpalette des Königs Narmer, auf dem die sogenannte Reichseinigung, also die Vereinigung Ober- mit Unterägypten, wiedergegeben ist, sondern auch für die Herausbildung des sowohl für den Reliefstil als auch die Rundplastik verbindlichen Proportionskanons mit seinen Standlinien und anderen Ordnungsprinzipien.

Lit.: Unveröffentlicht

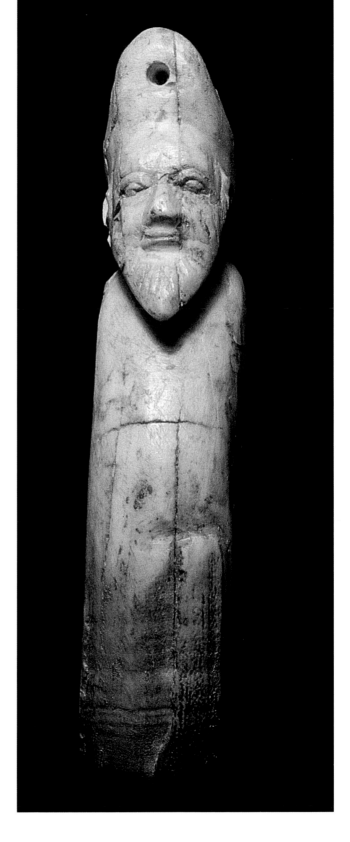

5
Frau mit Kind

Berlin-Museumsinsel, Ägyptisches Museum,
Inv.-Nr. 17600
Elfenbein, Höhe 6,5 cm
Herkunft unbekannt
Um 3000 v. Chr.

Wie bei den meisten prädynastischen und frühgeschichtlichen Menschenfigürchen sind auch bei dieser Darstellung einer Frau mit Kind Herkunft und Fundumstände unbekannt. Freilich geben die rund 200 aus oberägyptischen Gräbern der Badari-Negade I- und Negade II-Zeit stammenden Statuetten genügend Anhaltspunkte, um auch die Herkunft dieser Figur in einem oberägyptischen Grab zu vermuten, wenn freilich auch aus dem Ende der prädynastischen Periode. Die in rundplastischer Ausgewogenheit, mit großer Detailgenauigkeit und Gefühl für die schwellenden Formen des Frauenkörpers eindrucksvoll gestaltete Mutterfigur hält vor sich das zappelnde, nach den Brüsten der Mutter greifende Kind. Mögen auch die summarischen Gesichtsdetails, wie vor allem der nur mit einer leicht geschwungenen Linie eingekerbte Mund, in einem gewissen Gegensatz zur plastischen Ausmodellierung der Gesamtfigur stehen, so ist dennoch der Gesamteindruck dieser Figurenkomposition von stimmiger Ausgewogenheit und Proportionalität gekennzeichnet. Die stämmigen Beine tragen einen kräftigen, etwas fettleibig wirkenden Oberkörper mit fleischigen Armen und großen Händen; der oben abgeflachte Kopf wird von zwei großen Ohren bestimmt, ein am Hinterkopf befindliches Zapfenloch diente vielleicht der Aufnahme eines Zopfes. Das Sujet, die bewußte Betonung der weiblichen Körperformen und das Geschlecht lassen in dieser Figur die bewußte Darstellung der mütterlichen Fruchtbarkeit vermuten, wie sie – wahrscheinlich oft zu Unrecht – für die meisten der vorgeschichtlichen Frauenfiguren bisher angenommen wurde: neuere Untersuchungen haben jedoch gezeigt, daß die rund 230 bekanntgewordenen rundplastischen Menschendarstellungen der vorgeschichtlichen Zeit kaum eine gemeinsame Erklärung als „Fruchtbarkeitsidol" zulassen. Abgesehen von den deutlich geschlechtsspezifischen Unterscheidungsmöglichkeiten zwischen männlichen und weiblichen Darstellungen gibt es keine auffälligen Belege dafür, daß etwa bei männlichen Grabbelegungen jeweils eine weibliche „Konkubine" bzw. ein Fruchtbarkeitsidol beigelegt worden ist. Neben religiösen oder magischen Zielsetzungen sind vielmehr auch profane Deutungen als Modelle, Spielzeug oder Erinnerungsobjekte denkbar. Vor allem das völlige Fehlen von Mutter-Kind-Darstellungen bei den vorgeschichtlichen Menschenfigürchen läßt eine einheitliche Deutung als „Magna Mater" keineswegs zu. Insofern kommt dem hier gezeigten Sujet eine besondere Bedeutung zu, da es sich um eine der frühesten bekannten Darstellungen des Mutter-Kind-Themas in der Kunstgeschichte überhaupt handelt. Erst im Mittleren Reich der ägyptischen Geschichte werden vergleichbare Figurengruppen als Grabbeigabe wieder Verwendung finden.

Lit.: Ägyptisches Museum, Katalog Berlin-Museumsinsel 1991, Nr. 5

6
Statue eines bärtigen Mannes

Oxford, Ashmolean Museum, Reg.No. 1922.70
Basalt, Höhe 39,5 cm
Herkunft unbekannt
Prädynastisch, Negade I–III, um 3300 v. Chr.

Diese Basaltstatue gehört zu jenen herausragenden Beispielen altägyptischer Kunst, die aufgrund ihrer Einzigartigkeit einerseits wenig Vergleichsmöglichkeiten
bieten, andererseits uns gerade dadurch die Lückenhaf-
tigkeit unserer Kenntnis der Entwicklung der ägyptischen Kunst stets vor Augen führen. Die nach ihrem ersten Besitzer häufig als „McGregor-Mann" bezeichnete
Statue läßt sich nur aufgrund stilistischer Vergleiche mit
den bekannten Elfenbeinfigürchen aus der Negade I-
Zeit in Beziehung setzen (s. Kat.-Nr. 1–4). Das von einer
dünnen Umrißlinie abgegrenzte rundliche Gesicht wird
durch zwei reliefartig herausgearbeitete Augen und
einen kaum betonten Mund unter der zerstörten Nase gekennzeichnet. In der Seitenansicht wird deutlich, daß
den Kopf nicht eine Kappe bedeckt, wie immer wieder
zu lesen ist, sondern sich vielmehr der über der Stirn beginnende Haaransatz über den Hinterkopf nach unten bis
zu dem spitz zulaufenden Bart fortsetzt, ohne daß eine
besondere Gliederung dieser Haarpartie angegeben
wäre. Deutlich sind die übergroßen Ohren zu beiden
Seiten des Kopfes herausmodelliert. Die Figur ist mit
eng zusammenstehenden Beinen wiedergegeben, die
Arme sind an die Oberschenkel angelegt. Das einzige
Kleidungsstück der Figur besteht aus einer von einem
breiten Gürtel gehaltenen Gliedtasche, die in ihrer Form
an jene des als Kat.-Nr. 7 gezeigten Gottes erinnert. Die
ohne Zweifel bestehende Ähnlichkeit zu den Elfenbeinfigürchen einerseits, die letztlich jedoch technologisch
hochstehende Oberflächenmodellierung und Ausarbeitung der Körperdetails machen eine genauere Datierung
problematisch, solange weitere Vergleichsobjekte
fehlen. Auf alle Fälle aber steht fest, daß es sich hierbei
um die älteste Hartsteinstatue der ägyptischen Kunstgeschichte handelt, die in ihrer Zwischenstellung zwischen
der ausgehenden Negade I-Kultur und der beginnenden
Reichseinigungszeit von erheblicher Aussagekraft ist.
Gerade die Unsicherheit in der Zuordnung und Datierung dieser männlichen Figur hat auch schon an der
Echtheit der Figur zweifeln lassen, eine Ansicht der wir
uns freilich nicht anschließen können.

*Lit.: C. Aldred, Old Kingdom Art in Ancient Egypt, 1949, p. 27, Pl. 1; P. J.
Ucko, The Predynastic Cemetery N 7000 at Naga-ed-Der, CdE 42, 1967,
p. 352, 353; W. St. Smith, HESPOK, Reprint 1978, pp. 6–8, pl. 1b*

DAS ALTE REICH

Mit der Grabstatue des Königs Djoser, die in seinem Totentempel nördlich der Stufenpyramide von Sakkara in einer eigenen Statuenkammer, dem Serdab, aufgestellt war, tritt uns die ägyptische Rundplastik in bereits vollendeter Form entgegen. In dem Bestreben, das jenseitige Weiterleben des Königs zu garantieren, kam von nun an den Pyramidenanlagen und ihrer wirtschaftlichen Versorgung wie auch dem Königsbildnis als rundplastischer Vergegenwärtigung und Ersatzfigur eine immer größere Bedeutung zu. Den Höhepunkt fand die Entwicklung in der von König Snofru begründeten 4. Dynastie, der wohl bedeutendsten der ägyptischen Geschichte überhaupt.
Ihr gehören neben König Snofru vor allem Cheops, Mykerinos und Chephren an, die berühmten Pyramidenbauer des Alten Reiches. Bis heute verwirklicht König Cheops mit seiner riesigen, ursprünglich 148 m hohen Pyramide auf dem westlichen Wüstenplateau von Giza ein monumentales, unvergängliches Zeugnis des religiös begründeten Absolutheitsanspruchs des ägyptischen Königsdogmas. Die im Umkreis der Grabanlage des Königs – gebildet aus Taltempel, Aufweg, Totentempel und eigentlicher Pyramide – angelegten Gräber der hohen Beamten und Priester seiner Zeit entsprechen in ihrer Anordnung zum Pyramidenzentrum dem hierarchisch streng abgestuften Bild der ägyptischen Gesellschaft. Auch die Nachfolger des Königs Cheops, Djedefre, Chephren und Mykerinos, versuchten in ihren Pyramidenanlagen Gleiches zu veranschaulichen, auch wenn es nicht allen Königen gegönnt war, ihr Werk zu vollenden. Auf Djedefre, der wohl nicht länger als neun Jahre regiert hat, folgt sein jüngerer Bruder Chephren auf den Thron. Er kehrt mit seiner Pyramidenanlage wieder in die Nähe seines Vaters auf das Gräberfeld von Giza zurück, wo er eine nur um einen Meter niedrigere Grabpyramide errichten läßt. Die in ihrem Taltempel gefundene Dioritstatue des „Falken-Chephren" kann als das größte Meisterwerk der ägyptischen Kunstgeschichte betrachtet werden. Unter Mykerinos ist eine gewisse Aufweichung des unter seinen Vorgängern so deutlich eingesetzten monumentalen strengen Stils zu vermerken, die nicht zuletzt einer wirtschaftlichen Ab-

wärtsbewegung, die unter seiner Regierungszeit einsetzte, zuzuschreiben war. Unter Mykerinos treten die ersten Statuengruppen auf, die ihn im gemeinsamen Umgang mit verschiedenen Gottheiten zeigen: Entweder wird der König mit der Himmelsgöttin Hathor und verschiedenen Personifikationen von Gaugottheiten wiedergegeben oder aber auch mit seiner Gemahlin. Dies erweist nicht nur die steigende Bedeutung, die den Königinnen dieser Zeit zukam, sondern vor allem auch ein neues Verhältnis des Königs zu den ihn umgebenden und schützenden Gottheiten. Bis dahin mehr oder weniger ausschließlich als „lebender Horus auf Erden" anerkannt, tritt nun in stärkerem Umfang die gottgegebene und damit der göttlichen Gnade anheimgestellte Legitimität des Königtums und seines Trägers in den Vordergrund. So endet die 4. Dynastie letztlich in Thronwirren, in deren Verlauf verschiedene Usurpatoren vergebens ihr Glück versuchten. Nach der kurzen Regierungszeit des Königs Schepseskaf, eines Sohnes des Mykerinos, endet offensichtlich die direkte Linie der 4. Dynastie.
Die mit König Userkaf einsetzende 5. Dynastie ist vor allem durch eine besondere Betonung des Sonnenglaubens gekennzeichnet, die sich darin äußerte, daß die meisten seiner Nachfolger nicht nur für sich selbst kleinere Pyramiden als die Herrscher der 4. Dynastie errichten ließen, sondern vor allem eigene, ebenfalls den königlichen Grabdenkmälern ähnliche Sonnenheiligtümer erbauten.
Rege Handelsbeziehungen, die in den Expeditionsreliefs, etwa im Totentempel des Königs Sahure, überliefert sind, erweisen die noch bestehende wirtschaftliche Blüte dieser Zeit. Die allmähliche Dezentralisierung der königlichen Verwaltung führte letztlich zur Gründung bzw. zum Ausbau der Gauverwaltungen. Neben ihrer vermehrten wirtschaftlichen Selbständigkeit kam den Pyramidenstädten der verstorbenen Könige, deren Priester, Beamte und Handwerker von Abgaben an den lebenden König befreit waren, insofern eine wachsende Wirtschaftskraft zu, als die zugehörigen Wirtschaftsgüter bzw. landwirtschaftlichen Abgaben nicht mehr dem ägyptischen Staate gehörten, sondern ausschließ-

lich dem toten König. Mit König Unas, dem letzten König der 5. Dynastie, kommt es nochmals zu dem Versuch, die königliche Zentralgewalt zu stärken, wenn auch ohne großen Erfolg. In seiner Pyramidenanlage werden die Wände erstmals mit den sogenannten Pyramidentexten beschriftet, einer Sammlung von Ritualsprüchen unterschiedlicher Herkunft, die dem König sein jenseitiges Fortleben gewährleisten sollen, auch wenn der tägliche Totenkult nicht mehr praktiziert werden sollte.

Ab dem Beginn der 6. Dynastie ist der Niedergang des Alten Reiches vorgezeichnet. Unter den Königen Teti, Pepi I. und Pepi II. erfährt die Kunst einen sichtbaren Niedergang, der sich sowohl in der Verwendung billiger und leichter zu bearbeitender Materialien niederschlägt, wie auch in einer deutlich sinkenden Qualität. Das zentrale Staatsgefüge wird in immer stärkerem Umfang zentrifugalen Tendenzen ausgesetzt. Der anwachsende Besitz der Pyramidentempel, die dem steuerlichen Zugriff des regierenden Herrschers entzogen sind, und die Verselbständigungstendenzen der lokalen Gaufürsten führen letztlich zu Versorgungsproblemen, die zusammen mit Naturkatastrophen das Land an den Rand eines Abgrunds heranführen.

In der 94 (?) Jahre dauernden Regierungszeit des Königs Pepi II. vollzieht sich der endgültige Niedergang des Alten Reiches. Die nun nahezu unabhängigen Gaufürsten setzen sich der zentralen Verwaltung entgegen, die daraus rührenden wirtschaftlichen Probleme münden in Revolten der unteren Volksschichten. Es kommt zu Aufständen und letztlich zum Erliegen des Außenhandels. Der Zusammenbruch des Alten Reichs war einerseits ein historisches Ereignis, das uns in einer verhältnismäßig dichten literarischen Überlieferung faßbar wird, andererseits aber mehr: es war der erlebte Niedergang einer für gültig erkannten kosmischen Weltordnung, als deren oberster Garant der ägyptische Pharao fungierte. Nun waren die Gaufürsten herausgefordert, für den ihnen anvertrauten Gau die bisher königlichen Rechte und Pflichten zu übernehmen und für ihre Untertanen zu sorgen. Die Plünderung, ja Zerstörung der königlichen Gräber ist eines jener Symptome des Niedergangs, die gemeinsam mit der erlebten Umkehrung der gesellschaftlichen Werte zu den am lautesten artikulierten „Vorwürfen an Gott" zählen, wie sie etwa in den „Ermahnungen eines Weisen" in den Wirren der Ersten Zwischenzeit formuliert und bis heute schriftlich überliefert sind. Daß der Kunst als Abbild der gesellschaftlichen, religiösen und politischen Wirklichkeit keine tragende Rolle mehr zukam, versteht sich von selbst. Vorbildlos und ohne entsprechende Werkstätten versinkt sie in Bedeutungslosigkeit.

Zeittafel, Dynastienliste
(fettgedruckt die in der Ausstellung vertretenen Pharaonen)

3. Dynastie: um 2650–2575 v. Chr.
                 Nebka
                 Djoser
                 Sechemchet
                 Huni

4 Dynastie: um 2575–2465 v. Chr.
                 Snofru (2575–2551)
                 Cheops (2551–2528)
                 Radjedef (2528–2520)
                 Chephren (2520–2467)
                 Mykerinos (2490–2471)
                 Schepseskaf (2471–2467)
                 Thamphthis (2467–2465)

5. Dynastie: um 2465–2325 v. Chr.
                 Userkaf (2465–2458)
                 Sahure (2458–2446)
                 Neferirkare (2446–2427)
                 Niuserre (2427–2420)
                 Menkauhor (2396–2388)
                 Djedkare-Isesi (2388–2355)
                 Unas (2355–2325)

6. Dynastie: um 2325–2155
                 Teti (2325–2293)
                 Pepi I. (2393–2259)
                 Merenre (2259–2250)
                 Pepi II. (2250–2155)

7
Statue einer Gottheit

New York, Brooklyn Museum, Charles Edwin Wilbour
Fund, 58.192
Gneis, Höhe 21,4 cm, Breite 9,7 cm, Tiefe 8,9 cm
Herkunft unbekannt (vielleicht aus Saqqara)
Altes Reich, 3./4. Dynastie, um 2575 v. Chr.

Gemessen an der Vielzahl überlieferter prädynastischer Menschendarstellungen und im Vergleich zu den unzähligen Grabstatuen, die uns zumindest seit der Mitte der 4. Dynastie aus dem Alten Reich überliefert sind, sind aus jener so entscheidenden Periode der sogenannten Reichseinigungszeit und den daran sich anschließenden ersten drei Dynastien nur wenige auch in qualitativer Weise herausragende Rundplastiken überliefert. Eine verschwindend geringe Anzahl von Königsstatuen, wie jene beiden des Königs Chasechemui aus der 2. Dynastie und das Sitzbild des Königs Djoser aus dem Totentempel seiner Stufenpyramide, umschreibt fast den ganzen Bestand an Königsplastik dieser Zeit, sieht man von kleinformatigen Elfenbeinfigürchen ab, deren genauere Zuordnung nicht gesichert ist.

Nicht viel besser ist der Überlieferungsstand auf dem Gebiet der rundplastischen Götterdarstellung. Sieht man von dem rätselhaften MacGregor-Mann aus dem Ende der prädynastischen Zeit ab (s. Kat.-Nr. 6), so steht am Anfang der rundplastischen Götterdarstellung eine ursprünglich in einer Luzerner Privatsammlung befindliche Figur eines Stadtgottes. Sie verkörpert erstmals den mit geschlossenen Füßen, in statischer Verhaltenheit wiedergegebenen Typus der „Standfigur", bei der die hier erstmals nachweisbare Basisplatte zur bewußt eingesetzten Grundlage eines lotrecht um die Mittelachse zentrierten tektonischen Aufbaues geworden ist. Die hier wiedergegebene Statue einer männlichen Gottheit aus Anorthositgneis ist zwar rund 300 Jahre jünger, kann aber dennoch als eine direkte Weiterentwicklung des am Beginn der historischen Zeit vorgeprägten Typeninventars der Menschendarstellung angesehen werden. Trotz der fehlenden Basisplatte, mit der zusammen die Statue eine Gesamthöhe von rund 29 cm aufwies, verkörpert sie in eindrucksvoller Weise die „Standfigur", die in einen von Rückenplatte und Basis bestimmten architektonischen Raum eingeschrieben war. Deutlich ist die leichte, durch das vorgesetzte linke Bein angedeutete Pseudoschrittstellung zu erkennen, wie sie allen männlichen Standfiguren zueigen ist: gleichmäßig ruht das Gewicht des Körpers auf beiden Beinen. Es wird weder Bewegung noch Stehen angezeigt, die Haltung ist

gleichsam ohne zeitliche Dimension. Das ruhige Verhaltensein steht neben latenter Aktivität, die noch verstärkt wird durch die geballten Fäuste, von denen die rechte ein nach vorne gerichtetes Messer trägt.

Eine halbkugelförmige, voluminöse Perücke umschließt den Kopf und überragt etwas die fast die gesamte Breite des Körpers abdeckende Rückenplatte, die die Form einer oben abgerundeten Stele aufweist. Sie ist wahrscheinlich die Andeutung eines mit gewölbtem Dach versehenen Statuenschreins. Vor diesem steht nun die nur mit Perücke, Götterbart, Gürtel und Phallustasche bekleidete Gestalt, die aufgrund dieser Attribute als Gottheit identifiziert werden kann. Die in ihrer gesamten Erscheinungsform trotz ihrer geringen Größe monumental wirkende Standfigur läßt sich aufgrund stilistischer Merkmale der 3. Dynastie zuweisen. Die kräftige muskulöse Modellierung des Körpers, der übergroße Kopf mit der ausladenden Kugelperücke, die hieroglyphisch nebeneinandergesetzten Augen, die breiten Lippen und die fülligen Wangenpartien sind dafür ebenso Datierungskriterien wie die überproportionale Betonung des Kopfes. Auch wenn die Datierung in die 3. Dynastie gesichert erscheint, bleibt die Zuordnung dieser Darstellung an einen bestimmten Gott ungewiß. Verschiedene ikonographische Details machen jedoch eine Identifizierung mit den Gaugottheiten des 8. oberägyptischen oder des 7. unterägyptischen Gaues, Onuris oder Ha, wahrscheinlich. Vielleicht war diese Statue ursprünglich in einem Statuenschrein des Sed-Fest-Hofes im Bereich der Stufenpyramide des Königs Djoser in Sakkara aufgestellt. Dieses auch für den toten König im Bereich seines Totentempels zu vollziehende Fest anläßlich des dreißigjährigen Jubiläums seiner Thronbesteigung wurde in Gegenwart des gesamten Landes bzw. der es vertretenden Gaugottheiten gefeiert.

Lit.: D. Wildung, *Two Representations of Gods from the Early Old Kingdom,* in: *Miscellanea Wilbouriana I,* pp. 145–160; R. Fazzini, *Images of Eternity, Egyptian Art from Brooklyn and Berkeley,* Katalog 1975, No. 12; W. St. Smith, *The Art and Architecture of Ancient Egypt,* 1981², p. 61, Fig. 46; J. Romano et al., *Neferut net Kemit, Egyptian Art from the Brooklyn Museum,* Katalog Tokio 1983, No. 11; R. Fazzini et al., *Ancient Egyptian Art in the Brooklyn Museum,* 1989, No. 7

8
Frauenstatue („Dame de Bruxelles")

Brüssel, Musées Royaux d'Art et d'Histoire,
Inv.-Nr. E. 752
Kalkstein, Höhe (restauriert) 74,5 cm, Breite 18,6 cm,
Tiefe 16,5 cm
Herkunft unbekannt
Altes Reich, 3. Dynastie, um 2600 v. Chr.

Neben der aus Abydos stammenden weiblichen Figur, die heute in der Staatlichen Sammlung Ägyptischer Kunst in München aufbewahrt wird und zeitlich in die 1. Dynastie, um 2900 v. Chr., eingeordnet wird, stellt die vom Darstellungstyp absolut vergleichbare „Dame de Bruxelles" den ältesten rundplastischen Beleg einer stehenden Frauenfigur dar. Der übergroße Kopf mit den hieroglyphisch eingesetzten Augen, betonter Nasenpartie und Mund, der über der Stirn gescheitelten, in zwei breiten nach unten auseinanderstrebenden Strähnen versehenen Perücke, der kurze Hals, der der Statue einen geduckt wirkenden Ausdruck verleiht, die plump wirkende Modellierung des Oberkörpers und die aus dem Gesamtvolumen sich kaum herauslösenden Arme, von denen der rechte eng an den Körper gelehnt ist, der linke abgewinkelt auf der Brust ruht, verleihen der Figur eine archaische, aber dennoch von Eindringlichkeit bestimmte Wirkung. Entsprechend der bereits in der zweidimensionalen Menschendarstellung auf Wandmalereien oder Gefäßoberflächen gefundenen statuarischen Grundhaltung der stehenden Frauendarstellung mit nebeneinander gesetzten ruhenden Beinen zeugt auch dieses Bildnis von statischer Verhaltenheit. Nur die abgewinkelte Armhaltung und die großen, weit geöffneten Augen mildern die ernste Strenge des Ausdrucks, die durch einen fast lächelnden Mund noch weiter abgeschwächt wird.

Die Dame ist in ein eng anliegendes, offensichtlich durchscheinendes Gewand gehüllt, dessen Wirkung ursprünglich vielleicht durch eine heute verlorengegangene Bemalung verstärkt worden war. Noch ist die Gesamtposition wenig ausgewogen, noch überwiegen die hieroglyphisch neben- und übereinandergesetzten Körperdetails, die jedoch in ihrer Gesamtheit bereits die plastische Modellierungskunst des Alten Reiches vorausahnen lassen. Ein streng statuarisch wirkendes, dem Regelsystem von Geradansichtigkeit bzw. Frontalität sich unterwerfendes Frauenbildnis, dessen Faszination trotz starker Restaurierungsspuren sich kaum ein Betrachter zu entziehen vermag.

Funktion und Aufstellungsort dieser unbeschrifteten Skulptur bleiben ungeklärt.

Lit.: La collection égyptienne, 1980, S. 48; R. Tefnin, Statues et statuettes de l'ancienne Égypte, Brüssel 1988, pp. 16,17, No. 1; Van Nijl tot Schelde – Du Nil à l'Escaut, Katalog Brüssel 1991, no. 51

9
Sitzstatue der Prinzessin Redi

Turin, Museo Egizio, Inv.-Nr. 3065
Diorit, Höhe 83 cm
Herkunft unbekannt
Altes Reich, 3. Dynastie, um 2600 v. Chr.

Seit der 2. Dynastie zählt zum kanonischen Darstellungsrepertoire der ägyptischen Rundplastik die „Sitzfigur". Sie fand sowohl bei Frauen- als auch Männerdarstellungen Verwendung und war in den älteren Beispielen meist mit einer Rückenplatte versehen, die in ähnlicher Weise wie bei der Standfigur aus Brooklyn (Kat.-Nr. 7) zusammen mit der Basisplatte den architektonischen Rahmen vorgab. Die als „Königstochter Redi" bezeichnete Prinzessin entspricht ihrer Bekleidung und Handhaltung nach ganz der „Dame de Bruxelles" (Kat.-Nr. 8). Allerdings sitzt sie in majestätischer Haltung auf einem mit einer niedrigen Rückenlehne versehenen Thron, dessen vier Beine mit einem gebogenen Innenrahmen versehen sind und somit dem würfelförmigen Hocker fast ein modernes Aussehen verleihen. Die übergroßen Füße der Prinzessin ruhen fest auf einer leicht nach vorne gewölbten Basisplatte, die links und rechts jeweils mit dem Titel „Königstochter" bzw. dem Namen „Redi" hieroglyphisch beschriftet ist. Redi ist in ein eng anliegendes Gewand gehüllt, das die Körperformen deutlich hervortreten läßt. Ihr rechter Arm ruht auf dem rechten Oberschenkel, während der linke Arm abgewinkelt unterhalb der Brust angelegt ist. Das breite, offen wirkende Gesicht wird von einer gescheitelten Strähnenperücke eingerahmt, die in zwei Teilen bis über die Brust herabfällt und an den Enden jeweils zweifach zusammengebunden ist. Die weit geöffneten Augen zeigen sorgfältig abgesetzte Augenlider, über denen sich ein ebenfalls plastisch angedeuteter Augenbogen wölbt.

Unterhalb der beschädigten Nase ist ein breiter, mit zarten Stegen umrandeter Mund eingesetzt. Die rundliche Schädelform tritt überdeutlich aus der umgebenden Haartracht hervor und wirkt dadurch besonders betont. Die Handgelenke sind mit breiten Armreifen verziert, ein dünnes Halsband, das bis zur Brust herabreicht, trug ein heute nicht mehr erkennbares Schmuckstück oder Amulett.

Der statuarisch verhaltene Charakter wirkt archaisch, enthält aber gleichzeitig alle jene stilbildenden Elemente, wie sie für die weitere Entwicklung der Rundplastik des Alten Reiches von Bedeutung blieben. Die auf dem Würfel aufbauende architektonische Grundhaltung der sitzenden Figur ist von überzeitlichem, überindividuellen Anspruch: entsprechend der Funktion dieser wohl im Grab der Redi aufgestellten Statue galt sie gleichsam als Ersatz für den mumifizierten Leichnam der Toten, um ihre Unvergänglichkeit für alle Zeiten sicherzustellen. Entsprechend dem Rang der Dargestellten als Tochter eines Königs, wohl der 3. Dynastie, wurde diese Statue aus einer der härtesten Gesteinsarten, aus schwarzem Granit (Asanith), gefertigt.

Lit.: A. Fabretti, F. Rossi, R. V. Lanzone, Regio Museo di Torino, Catalogo generale, Vol. I, 1882, p. 421; E. Scamuzzi, L'Art Égyptien au Museé de Turin, Turin 1966, pls. IX, X; H.-W. Müller, Ägyptische Kunst, 1970, S. XII, XIII, Abb. 20; W. St. Smith, The Art and Architecture of Ancient Egypt, 1981 p.67, Fig. 55; S. Curto, L'antico Egitto nel Museo Egizio di Turino, Turin 1984, p. 60,61; A. M. Donadoni Roveri (Hrsg.), Egyptian Civilization. Daily Life, 1988, Figs. 5 und 169; A. M. Donadoni Roveri (Hrsg.), Egyptian Civilization. Monumental Art, 1989, Fig. 152; Il senso dell'arte nell'antico Egitto, Katalog Bologna 1990, No. 2

10
Sitzstatue des Anch

Paris, Louvre, Inv.-Nr. A 39
Diorit, Höhe 62,5 cm, Breite 20,5 cm, Tiefe 32,5 cm
Herkunft unbekannt
Altes Reich, 3. Dynastie, um 2600 v. Chr.

Der überlieferte Statuenbestand aus der Frühzeit des Alten Reiches, der mit ziemlicher Sicherheit der 3. Dynastie zugewiesen werden kann, ist äußerst gering und daher überschaubar. Unter den nur sieben erhaltenen Sitzfiguren dieser Zeit lassen sich vier aufgrund ihrer qualitätvollen Ausführung, ihres Materials und ihrer Herkunft aus dem höchsten gesellschaftlichen Bereich miteinander vergleichen. Dazu zählen vor allem die Sitzstatue aus rotem Granit des Werftenbesitzers Anchwa, die sich heute in London befindet, die unter Kat.-Nr. 9 angeführte Prinzessin Redi in Turin, sowie zwei Sitzstatuen des Anch, von denen sich eine heute in Leiden und die zweite, die hier abgebildet ist, im Louvre befindet. Bei einem Vergleich fällt auf, daß alle vier Statuen aus härtestem Gestein, nämlich Granit oder Diorit, gefertigt sind, die dargestellten Personen jeweils auf einem ähnlich gestalteten würfelförmigen Sockel sitzen und die Gestaltung so mancher Körperdetails, wie etwa der in allen Beispielen übergroß geratenen Füße, die auf der vorkragenden Basisplatte aufruhen, große Ähnlichkeit aufweist. Besonders auffällig jedoch ist der Umstand, daß trotz der geringen Anzahl zeitlich und herstellungsmäßig vergleichbarer Beispiele alle vier Sitzstatuen eine letztlich unterschiedliche Darstellungsform bzw. Varianten des in der darauffolgenden Zeit so standardisierten Darstellungstypus der „Sitzfigur" aufweisen. Während Anchwa seine rechte Hand zwar in kanonischer Form auf dem rechten Oberschenkel aufruhen läßt, hält er in der linken eine Zimmermannsaxt, die schräg über seine linke Brust nach oben zeigt. Während die zweite Statue des Anch in Leiden in der später üblichen Handhaltung mit dem auf dem rechten Oberschenkel aufruhenden rechten Arm und dem vor der Brust abgewinkelten linken Arm wiedergegeben ist, eine Besonderheit jedoch durch die Bekleidung des Dargestellten mit einem Pantherfell aufweist, ist die hier wiedergegebene Sitzstatue aus dem Louvre in einer nur hier belegten Handhaltung wiedergegeben: Die beiden Hände des Dargestellten sind locker ineinandergelegt und ruhen auf dem nur bis zu den Knien reichenden kurzen Schurz auf. Eine bis zu den Schultern herabreichende Strähnenperücke umrahmt ein von einer geraden Nase und markant geschnittenen Augen gekennzeichnetes Gesicht. Ähnliche Darstellungsdetails wie vor allem die fein gezeichneten Augenlider und die geschwungenen Augenbögen finden sich auch an der in Leiden befindlichen Statue des Anch. Die zu beiden Seiten der Unterschenkel eingravierten Hieroglyphen nennen den Namen des Dargestellten sowie verschiedene Amtstitel, deren genaue Deutung sich uns heute noch entzieht. Jedenfalls kann davon ausgegangen werden, daß Anch ein hohes Amt in unmittelbarer Nähe des Königs bekleidet hat. Er war Totenpriester und außerdem zuständig für das Ankleiden und vielleicht auch für die Betreuung des königlichen Szepters.

Durch die Nennung von Titel und Name wird nicht nur die Identität der Sitzstatue mit dem Dargestellten sichergestellt, sondern auch gewährleistet, gleichsam ohne zeitliche Begrenzung, wie es der Unvergänglichkeit des verwendeten Materials entspricht, stellvertretend für den mumifizierten Leichnam in der Grabkammer die für sein jenseitiges Weiterleben notwendigen Opfergaben entgegenzunehmen.

Auch wenn für die beiden Statuen des Anch kein Fundzusammenhang überliefert ist, kann etwa nach dem Beispiel der Sitzfigur des Meten (Berlin), der nur wenig jünger ist und in einem Grab in Abusir aufgefunden wurde, davon ausgegangen werden, daß es sich auch hier um eine Grabstatue handelt. Ihre ausschließlich religiöse Zweckbestimmung, die ein Betrachtetwerden durch einen etwaigen Besucher des Grabes von vornherein ausschloß, da die Grabstatuen in der Regel in kleinen unzugänglichen und nur durch einen oder zwei Schlitze mit der Kultkammer verbundenen Statuenraum, dem sogenannten Serdab, aufgestellt waren, ist letztlich für die meisten Skulpturen der ägyptischen Kunst vorauszusetzen. Letztlich war es ihre Zielsetzung, als für die Ewigkeit bestimmtes Abbild die Unvergänglichkeit und damit die Weiterexistenz des Dargestellten zu garantieren bzw., wie es bei den sogenannten Tempelstatuen seit dem Mittleren Reich der Fall war, in einer Art Mittlerfunktion die stete Teilnahme des Dargestellten am Gottesopfer im Tempel zu ermöglichen. In beiden Fällen kann davon ausgegangen werden, daß die Verwendung von Privatstatuen im nichtköniglichen Bereich auf Vorbilder im königlichen Bestattungsritual bzw. Tempelkult zurückzuführen ist.

Lit.: J. Vandier, Manuel I, Fig. 661; J. Vandier, Manuel III, p. 64 n. 11, p. 126 n. 2

11
Ersatzkopf

Wien, Kunsthistorisches Museum, Inv.-Nr. ÄS 7787
Kalkstein, Höhe 27,8 cm, Breite 17,2 cm, Tiefe 24,5 cm
Aus Giza, Mastaba G. 4350
Altes Reich, 4. Dynastie, um 2500 v. Chr.

Die Verwendung von mit Namen und Titel des Darge-stellten versehenen Grabstatuen in den Gräbern hoher Beamter geht letztlich auf das Vorbild im königlichen Ritualbereich zurück. So ist unter König Djoser in der 3. Dynastie erstmals die Grabstatue als Repräsentant des toten königlichen Grabherrn in der Pyramidenanlage nachweisbar, und diese Sitte dürfte alsbald auch auf die Privatgräber übergegriffen haben. Doch bereits unter König Cheops, dem Erbauer der größten Pyramide zu Beginn der 4. Dynastie, verschwindet die private Grab-statue wieder, was vermutlich auf einen Erlaß des ab-solut regierenden Herrschers zurückzuführen sein dürfte. An ihrer Stelle tritt in den Gräbern der Hofbe-amten, die in der Nähe der königlichen Grabanlagen nach einem vom König vorgegebenen festen Schema entsprechend dem Rang der zu Bestattenden Grund-stücke, Material und Hilfe aus den königlichen Werk-stätten zugewiesen bekamen, der sogenannte Ersatzkopf bzw. Reservekopf auf. Er wurde im Gegensatz zu den äl-teren und auch später wieder gebräuchlichen Grabsta-tuen nicht in einer eigenen Statuenkammer, dem Serdab, im Graboberbau und in der Nähe der Kultkammer bzw. der Opferstelle aufgestellt, sondern aller Wahrschein-lichkeit nach tief unten im Grabschacht, in unmittelbarer Nähe der Grabkammer. Vielleicht waren sie in dem Ver-bindungsgang zwischen Grabschacht und der eigentli-chen Sarkophagkammer aufgestellt.

Wie bei der Grabstatue muß auch bei den Ersatzköpfen – und dies erklärt auch die merkwürdig anmutende Be-zeichnung dieser Skulpturen – das Bestreben des Grab-herrn zugrundegelegen haben, für den trotz der Mumifi-zierung letztlich vergänglichen Körper einen Ersatz zu schaffen, der durch die Seele des Toten belebt, stellver-tretend an den Totenopfern teilnehmen konnte. Da die ganzfigurigen Grabstatuen bereits vor den Ersatzköpfen nachweisbar sind, kann es sich hierbei nur um eine später entwickelte Sonderform der Grabstatue handeln, der eine ähnliche oder gar identische Funktion zuzu-sprechen ist. Für das plötzliche Auftreten dieser Skul-turengruppe lassen sich verschiedene Erklärungsver-suche anführen: zum einen fällt auf, daß die Reser-veköpfe zum selben Zeitpunkt nachweisbar werden, als der bis dahin übliche Grabtypus – die sogenannte Ma-staba – plötzlich Veränderungen aufweist und keine In-nenkapellen, Statuennischen oder Scheintüren mehr zeigt. Ob hier tatsächlich ein vom König, vielleicht sogar von Cheops, ausgehendes religiös-architektoni-sches Konzept verwirklicht wurde, das sich bewußt an älteren Vorbildern orientiert und der in manchen Grab-statuen der Hofbeamten sich zeigenden Selbstherrlich-keit Einhalt gebieten will? Jedenfalls fällt auf, daß die Verwendung von Ersatzköpfen ausschließlich auf die Regierungszeit der Könige Cheops und Chephren be-schränkt ist und die entsprechenden Gräber, in denen Reserveköpfe gefunden wurden, in der Mehrzahl in jenem Friedhofsbereich lagen, die von Hofstaat und Baumeistern der Cheopspyramide angelegt wurden.

Insgesamt sind heute 32 Ersatzköpfe bzw. Fragmente davon belegt, 22 davon stammen aus dem West-Friedhof der Cheopspyramide. Auch der Wiener Ersatzkopf stammt aus dieser Totenstadt, wo er in den Zwanziger-jahren im Rahmen einer von der Akademie der Wissen-schaften durchgeführten Grabung in der Mastaba G 4350 ausgegraben wurde. Die in der Regierungszeit des Königs Chephren errichtete Grabanlage, die durch einen kleinsteinigen Mantel und einen großsteinigen Grabkern gekennzeichnet ist, enthielt als einzige Beson-derheit den Wiener Reservekopf. Er lag auf der linken

Seite, das Gesicht zur Grabkammer gerichtet, direkt am Eingang der vom Grabschacht zur Kammer führt. Die beiden Ohren sind abgestoßen, auch vom Hals fehlt ein kleines Stück. Wie auch bei den übrigen Ersatzköpfen ist das verwendete Material ein feiner weißer Kalkstein. Der Kopf ist in Lebensgröße wiedergegeben, der Hals schließt entsprechend der beabsichtigten Aufstellung des Ersatzkopfes im Zwischengang zwischen Grabkammer und Grabschacht mit einer glatten Basisfläche ab. Wie in allen vergleichbaren Beispielen ist der Schädel kahl rasiert, der Haaransatz nur durch eine leichte Erhöhung von der Stirne abgesetzt. Die beiden großen Augen werden von feingeschnittenen Lidrändern umgrenzt, eine kräftig geformte gerade Nase läuft in harmonisch geschwungene Nasenflügel aus. Die leicht erhöhten Backenknochen verleihen der flächigen Linienführung der Wangenpartie und des Kinns einen harmonisierenden Kontrast, in die sich der ernst wirkende, eher schmallippige Mund harmonisch einfügt. Ein Antlitz von unvergleichlicher Gestaltungskraft, ein in harmonischer Vollendung umgesetztes Bild überzeitlicher Individualität. Die immer wieder gestellte Frage nach der Porträthaftigkeit dieser Ersatzköpfe kann nach wie vor nicht schlüssig beantwortet werden und geht vielleicht auch an dem letztlich religiös bestimmten Kunstwollen seiner Schöpfer vorbei. Freilich zeigt ein genauerer Vergleich der am besten erhaltenen Ersatzköpfe sehr wohl deutliche individuelle Unterschiede, die durch die aufgrund der fehlenden Haartracht besonders betonten Schädelformen noch weiter hervorgehoben werden.

Das Fehlen jeglicher Beschriftung mit Titel und Namen, wie sie für die Grabstatuen der vorhergehenden und nachfolgenden Zeit charakteristisch gewesen ist, aber auch verschiedene Auffälligkeiten wie die bisweilen zu beobachtende sekundäre Bearbeitung der Ohrenpartie, haben immer wieder zu neuen Deutungen der Reserveköpfe Anlaß gegeben. Während an unserem Beispiel die Ohren ursprünglich aus demselben Werkblock herausgearbeitet wurden, waren sie bei anderen Beispielen aus Stuck aufgesetzt oder fehlten ganz. Bisweilen dürften sie auch gewaltsam schon vor der eigentlichen Aufstellung des Ersatzkopfes im Grab beseitigt worden sein. Dies und der Umstand, daß manche Ersatzköpfe über der Stirn und auf der Rückseite der Köpfe eine Einkerbung in Art einer Symmetrielinie aufweisen, hat auch zu der Vemutung geführt, daß sie als Vorlagen oder Gußmodelle anzusehen sind, mit deren Hilfe nach der Mumifizierung für den Toten Stuckmasken angefertigt wurden, die das Gesicht des Toten bedecken und beschützen sollten. So bleibt die letztliche Bestimmung einer der wichtigsten Skulpturengruppen der altägyptischen Kunst nach wie vor ungeklärt, auch wenn die letzte religiöse Zielsetzung in einer wie auch immer gearteten Ersatzfunktion für den vergänglichen Körper des Bestatteten vorausgesetzt werden kann.

Lit.: H. Junker, Giza I, Wien und Leipzig 1929, S. 198, Taf. IXb und XII; J. Leclant (Hrsg.), Ägypten I. Das Alte und das Mittlere Reich, München 1970, S. 285, Abb. 292; H. Satzinger, Ägyptische Kunst in Wien, S. 11, 12; museum. Ägyptisch-Orientalische Sammlung Kunsthistorisches Museum Wien, 1987, S. 21; Kunsthistorisches Museum Wien. Führer durch die Sammlungen, Wien 1988, S. 20; C. Delacampagne - E. Lessing, Immortelle Égypte, Paris 1990, p. 129; R. Tefnin, Art et Magie au temps des Pyramides, Brüssel 1991, p. 127, 128, Pls. XXVIII, XXIXa, b;

Zum Grab: PM III/1², S. 126; Zu den Ersatzköpfen: M. A. Shoukry, Die Privatgrabstatue im Alten Reich, Suppl. ASAE, Cahier No. 15, 1951, S. 45–52; A. L. Kelley, Reserve Heads: A Review of the Evidence for their Placement and Function in Old Kingddom Tombs, JSSEA V, 1974, pp. 6–12; C. Vandersleyen, LÄ II, 1977, s. v. Ersatzkopf; N. Millet, The Reserve Heads of the Old Kingdom, FS Dows Dunham, Boston 1981, pp. 129–131; R. Tefnin, Art et Magie au temps des Pyramides, Brüssel 1991

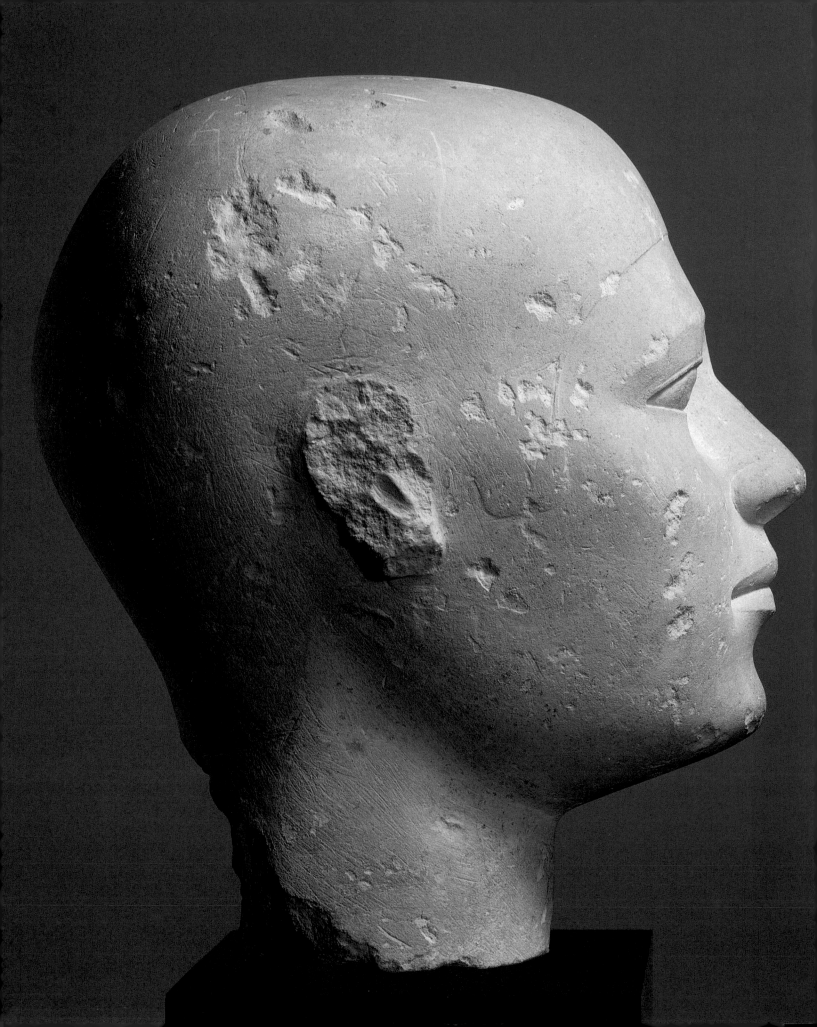

12
Ersatzkopf

Boston, Museum of Fine Arts, Museum Expedition,
Inv.-Nr. 14.717
Kalkstein, Höhe 26,3 cm
Aus Giza, Grab 4140
Altes Reich, 4. Dynastie, um 2500 v. Chr.

Der 1913 ebenfalls im Westfriedhof von Giza in der Mastaba G 4140 gefundene Ersatzkopf zeichnet sich durch eine besonders feine Oberflächenmodellierung aus, wenn auch der Gesamteindruck dieser Skulptur nicht jenen von stiller Größe und gesammelter Ruhe gekennzeichneten Eindruck vermittelt wie das Wiener Beispiel. Die stark hochovale Gesichtsform, die nur durch die Reste der beiden aus demselben Werkblock herausgearbeiteten, aber stark beschädigten Ohren, unterbrochen wird, umschließt ein kräftiges, von sorgfältig modellierten Augen, einer kräftigen geraden Nase und einem etwas unregelmäßig geformten Mund charakterisiertes Gesicht. Der längliche Eindruck wird durch den langen, mit einer waagrechten Standfläche versehenen Hals verstärkt. Auffallend sind die beiden reliefartig hervorgehobenen Augenbrauen. Leichte Beschädigungen des linken Bogens und Augenlides mindern jedoch kaum den von einer gewissen verhaltenen Expressivität gekennzeichneten Gesichtsausdruck. Der Ersatzkopf wurde zusammen mit dem Reservekopf der Prinzessin Meritites im selben Grab gefunden. Die stark unterschiedliche Schädelform der beiden Ersatzköpfe sowie die deutlich weiblichen Gesichtszüge des Prinzessinnenkopfes geben einmal mehr Hinweis auf die beabsichtigte Porträtähnlichkeit, die ja gerade dadurch eine gewisse

Wahrscheinlichkeit bekommt, als das Fehlen einer namentlichen Beschriftung eine über den Namen gegebene Identifizierung mit dem entsprechenden Toten nicht erlauben würde. Die Zuordnung des weiblichen Ersatzkopfes, der im Schutt der Grabkammer gefunden wurde, ergibt sich aus der im Oberbau der Mastaba befindlichen Speisetischszene mit Opferliste, auf der die Prinzessin Meritites im Relief wiedergegeben ist und mit Namen und dem Titel einer Königstochter bezeichnet wird. Die Mastaba, die ursprünglich nur einen Grabschacht und eine Grabkammer aufwies, wurde offensichtlich später für die Beisetzung des Gemahls der Prinzessin erweitert. Allerdings wurde auch der männliche Ersatzkopf im Hauptschacht der Prinzessin gefunden. Da sämtliche Gräber, in denen Ersatzköpfe gefunden wurden, mehrfach beraubt bzw. zerstört wurden, lassen sich nur in den allerwenigsten Fällen sichere Rückschlüsse auf den ursprünglichen Aufstellungsort der Ersatzköpfe ziehen.

Lit.: G. A. Reisner, Accessions to the Egyptian Department during 1914, BMFA XIII, No. 76, 1915, pp. 32, 33, fig. 5; G. A. Reisner, A History of the Giza Necropolis, Vol. I, 1942, p. 462, pls. 46c und 52a; W. St. Smith, Ancient Egypt as represented in the Museum of Fine Arts, Boston 1960, p. 35, fig. 13; W. St. Smith, HESPOK, Reprint 1978, p. 25, pl. 7b; D. Spanel, Through Ancient Eyes: Egyptian Portraiture, Katalog Birmingham (Alabama) 1988, No. 4; R. Tefnin, Art et Magie au temps des Pyramides, Brüssel 1991, p. 100, 101, Pl. V

Zum Grab: PM III/I², 1974, p. 124

13
Gesichtsfragment einer Statue des Königs Chephren

Boston, Museum of Fine Arts, Museum Expedition,
Inv.-Nr. 21.351
Kalzit („Alabaster"), Höhe 20,5 cm
Aus Giza, nahe der Mastaba G. 5330
Altes Reich, 4. Dynastie, um 2500 v. Chr.

Während von König Cheops, dem bedeutendsten König der 4. Dynastie und Erbauer der größten aller Pyramiden, nur ein kleines, 5,5 cm hohes Elfenbeinfigürchen erhalten ist (Museum Kairo), sind von König Chephren, seinem Sohn, mehrere lebensgroße Sitzbilder und zahlreiche kleinere Statuen überliefert. König Chephren folgte in der Thronfolge seinem älteren Bruder Djedefre nach und errichtete auf dem Pyramidenplateau von Giza wie sein Vater eine gewaltige, nur um 3 m niedrigere Grabpyramide. Heute noch zählen die architektonischen Bauelemente der gesamten Anlage – Pyramide, Totentempel, Aufweg und Taltempel – zu den eindrucksvollsten Beispielen altägyptischer Monumentalarchitektur. Die erst vor wenigen Jahren freigelegte „Pyramidenstadt", in der die im Pyramidenbezirk des Chephren tätigen Handwerker, Beamten und Arbeiter lebten, ist mit ihren spärlichen Resten ein seltenes Beispiel für die Profanarchitektur des Alten Reiches.

König Chephren regierte rund 26 Jahre und hinterließ der Nachwelt nicht nur seine gewaltige Pyramidenanlage, die im Gegensatz zu den meisten königlichen Grabdenkmälern des Alten Reiches mehr oder weniger vollendet wurde, sondern auch eine lebensgroße Sitzstatue aus Diorit, die nicht zu Unrecht als das Hauptwerk der ägyptischen Kunstgeschichte überhaupt bezeichnet worden ist. Diese heute im ägyptischen Museum in Kairo befindliche Königsdarstellung zeigt Chephren auf einem mit dem Symbol für die Vereinigung der beiden Länder verzierten Throne sitzen, auf dessen Lehne der Horusfalke hockt und mit seinen ausgebreiteten Schwingen das Königskopftuch umfängt. Diese aus dem Taltempel des Königs stammende Sitzstatue kann gleichsam als Ikone des ägyptischen Königsdogmas angesehen werden, wie es in seiner absoluten Form in der Regierungszeit der Könige Cheops, Chephren und auch noch Mykerinus in absolutester Weise verkörpert wurde. Der König als menschgewordene Verdinglichung der göttlichen Institution des Königtums wird beschützt und behütet von dem Himmelsgott Horus, dem Falkengott, der als der Königsgott schlechthin die lebende Königs-

macht symbolisiert. König und Falke, irdische Manifestation und göttliche Institution sind hier zu einer untrennbaren Einheit miteinander verschmolzen. Dementsprechend ist das Gesicht des Königs überzeitlich, überindividuell, idealisiert und einer zeitbedingten Porträthaftigkeit fast zur Gänze entzogen. Dennoch finden sich bei einem Vergleich der erhaltenen Königsbildnisse immer wieder Anhaltspunkte für porträthafte Details, die eine Identifizierung des Dargestellten auch ohne Namensbezeichnung ermöglichen.

So läßt auch dieses Gesichtsfragment aus Alabaster (Kalzit) mit seinen weitgeöffneten Augen, den abgesetzten Lidern und den eng zwischen oberem Augenlid und dem Stirnband sich einschmiegenden, breiten Schminkstreifen der Augenbrauen für Chephren typische Details erkennen, wie es die kräftige, von kleinen Labionasalfalten begrenzte Nase und der in subtiler Plastizität herausmodellierte Mund, der ein feines, in sich ruhendes Lächeln anzudeuten scheint, zum Ausdruck bringen. Am Kinn ist noch deutlich der Ansatz des Königsbartes zu erkennen, oberhalb des Stirnbandes erhebt sich der Oberkörper der Uräus-Schlange, das Wappentier des Königtums. Das im Pyramidenbereich des Königs Chephren gefundene Statuenfragment gehörte zu weit über 100, vielleicht sogar 200 Statuen, die im Taltempel und Totentempel des Königs Chephren aufgestellt waren und zum allergrößten Teil nur in größeren oder kleineren Fragmenten überliefert sind. Jedenfalls reichen die gefundenen Belege aus, um individuelle Gesichtszüge des Königs zu erkennen und aufgrund unterschiedlicher, stilistischer Anhaltspunkte zwei oder mehreren Künstlern zuzuweisen. Mit Hilfe der zahlreichen Königsbildnisse, die vor allem im Totentempel aufgestellt wurden, sollte sichergestellt werden, den König über den Tod hinaus an den für sein Weiterleben im Jenseits notwendigen Opferungen teilhaben zu lassen.

Lit.: BMFA Vol. XXIII, No. 140, 1925, p. 72; H. Ranke, The Art of Ancient Egypt, pl. 54; W. St. Smith, Ancient Egypt as represented in the Museum of Fine Arts, Boston, 1960, Fig. 21; PM III/I², 1974, p. 24; C. Vandersleyen (Hrsg.), Das Alte Ägypten, Propyläen Kunstgeschichte Bd. 15, 1975, Abb. 125; W. St. Smith, HESPOK, Reprint 1978, p. 34, pl. 12a

14

Kopf einer Statue des Königs Mykerinus

Brüssel, Musées Royaux d'Art et d'Histoire,
Inv.-Nr. E. 3074
Grauwacke, Höhe 24,2 cm, Breite 11,5 cm, Tiefe
16,5 cm
Aus Giza, Totentempel des Königs Mykerinus
Altes Reich, 4. Dynastie, um 2480 v. Chr.

Von König Mykerinus, dem Sohn und Nachfolger des Königs Chephren, also dem 5. König der 4. Dynastie des Alten Reiches, sind über 40 Statuen oder Statuenfragmente erhalten geblieben. Die meisten Skulpturen des Königs wurden in seinem Pyramidenbezirk in Giza gefunden, wie auch der vorliegende Königskopf aus Brüssel. Eine eigene Gruppe bilden die als Bildhauermodelle zu bezeichnenden Sitzstatuen des Königs, die aus dem Taltempel stammen und die verschiedenen Entwicklungsschritte bei der Herstellung einer Rundplastik in eindrucksvoller Weise veranschaulichen (s. Kat.-Nr. 187, 188).

König Mykerinus kam nach der kurzen Zwischenherrschaft eines kaum bekannten Herrschers als Sohn des Chephren auf den Thron und regierte entweder 18 oder 28 Jahre. Er ist der Erbauer der dritten Pyramide von Giza, die nur 66 m hoch und damit wesentlich niedriger ist als die beiden Bauten seines Vaters und Großvaters. Wohl nicht zu Unrecht wird der geringere Umfang seiner Pyramidenanlage, die erst von seinem Nachfolger Schepseskaf vollendet worden ist, mit einer allmählichen Minderung des Absolutheitsanspruchs königlicher Machtausübung in Bezug gesetzt.

Als Besonderheit im Darstellungsrepertoire dieses Herrschers treten erstmals sogenannte Statuengruppen oder Königstriaden auf, die den König zusammen mit der Göttin Hathor, der Herrin der Sykomore, – eine Göttin die stets mit dem Königtum in enger Verbindung stand –, sowie einer Gaugottheit zeigen. War man früher davon ausgegangen, daß durch die Aufstellung von insgesamt rund 30 Statuengruppen dieser Art gleichsam

das ganze Land im Taltempel der Grabanlage des Mykerinus repräsentiert werden sollte, so haben neuere Untersuchungen ergeben, daß es sich ursprünglich wahrscheinlich um nur acht Königstriaden gehandelt hat, die in acht Kapellen im Vorhof des Taltempels aufgestellt waren, wobei nur solche Gaue verkörpert wurden, die eine besondere Beziehung zur Göttin Hathor aufwiesen. Heute sind insgesamt vier vollständige und zwei fragmentarische Statuengruppen bekannt sowie einige nicht mehr zuzuordnende Fragmente.

Der hier gezeigte Königskopf aus Brüssel zeigt einen König mit der oberägyptischen weißen Krone. Der rundliche Kopf, die starke Betonung der Augenpartie, vor allem aber die plastisch herausgearbeiteten Wangen und der fest entschlossene Mund, unter dem ein rundes Kinn das Gesichtsfeld abschließt, zeigen so deutliche stilistische Bezüge zu den beschrifteten Königsporträts des Mykerinus, daß auch an der Identifizierung dieses Kopfes kein Zweifel bestehen kann. Mit aller Vorsicht und ohne einer Überinterpretation stattgeben zu wollen, scheint der in den Bildnissen des Königs Chephren bezeugte überindividuelle, idealisierte Porträtcharakter bei Mykerinus einer stärkeren individuellen Ausprägung gewichen zu sein, die nicht zuletzt auf historische Erfahrungen und Bezüge zurückgeführt werden kann. P. Gilbert konnte nachweisen, daß dieser Kopf einem in Boston befindlichen Triadenfragment zugeordnet werden kann.

Lit.: R. Tefnin, Statues et statuettes de l'ancienne Égypte, Brüssel 1988, pp. 18,19, No. 2; Pierre éternelle, Katalog Brüssel 1990, pp. 203 ff, No. 99; Van Nijl tot Schelde – Du Nil à l'Escaut, Katalog Brüssel 1991, pp. 54ff, No. 53

15
Statuengruppe des Königs Sahure mit Gottheit

New York, Metropolitan Museum of Art, Rogers Fund,
1917, Acc. no. 18.2.4
Gneis, Höhe 62,9 cm
Vermutlich aus Koptos
Altes Reich, 5. Dynastie, um 2450 v. Chr.

Die Statuengruppe des Königs Sahure ist eine der seltenen Königsplastiken, die aus der 5. Dynastie überliefert sind. König Sahure war der zweite König dieser Dynastie, die auf die in Thronwirren zu Ende gegangene 4. Dynastie anschließt und durch eine besondere Betonung des Sonnenglaubens gekennzeichnet ist. Die Pyramidenanlagen dieser Könige werden nicht mehr in Giza, sondern weiter südlich, vor allem in Abusir angelegt, ohne auch nur annähernd den monumentalen Umfang der Pyramiden der 4. Dynastie zu erreichen. Gleichzeitig entstehen sogenannte Sonnenheiligtümer, die in ihrer Anlage zwar den königlichen Grabdenkmälern ähnlich sind, anstelle der Pyramide jedoch einen offenen Hof mit einem freistehenden Obelisken aufweisen. Sie sind ausschließlich dem Sonnenkult gewidmet und wurden jeweils von dem regierenden Herrscher neu errichtet.
König Sahure erbaute seine Pyramide in Abusir und stattete die Wände des Toten- und Taltempels der Pyramide mit prächtigen Reliefs aus, darunter die Darstellung von Fremdvölkern sowie von Expeditionen nach Asien und Libyen. Das von ihm errichtete Sonnenheiligtum ist zwar namentlich bekannt, wurde jedoch bisher nicht gefunden.
Die Statuengruppe des Sahure führt die Tradition der Statuengruppe, wie sie in den Triaden des Königs Mykerinus erstmals verwirklicht wurde, fort. Sie zeigt den König auf einem würfelförmigen, nach vorne leicht abfallenden Thron mit hoher Rückenlehne sitzend, bekleidet mit dem gefalteten Königskopftuch, dessen beide Lappen rechts und links des Kopfes waagerecht gefältelt sind. Über der Stirn erhebt sich die Uräus-Schlange, unter dem Kinn trägt der König den geflochtenen Zeremonialbart umgeschnallt. Er ist nur mit dem kurzen Königsschurz bekleidet, seine rechte Faust, in der er die Schleife der Wiedergeburt hält, stützt sich auf das rechte Knie, die Linke ist flach auf den linken Oberschenkel gelegt. Auf der Vorderseite des Throns sind Name und Titel des Königs in Hieroglyphen eingemeißelt: „Der Horus Nebchau („Herr der Erscheinungen"), der König von Ober- und Unterägypten Sahure".

Rechts neben dem König steht, deutlich kleiner wiedergegeben, die Gestalt eines Mannes, dessen Identität als Gaugottheit durch die beiden Hieroglyphen auf der Rückenplatte ermöglicht wird. Sie zeigen zwei auf Sitzstangen hockende Falken, die den 5. oberägyptischen „Gau der beiden Herren" verkörpern, dessen Hauptort die Stadt Koptos gewesen ist. In reliefierten Darstellungen tragen die Gaugottheiten ihr entsprechendes Zeichen direkt auf dem Kopf, was bei dieser Rundplastik aus technischen Gründen nicht zu veranschaulichen war. Die deutlich kleiner als der König und damit vom Rang zurückgenommen wiedergegebene Gaugottheit lehnt sich leicht an den rechten Oberarm des Königs und zeigt in der linken geöffneten Hand, die auf dem Thronsitz des Sahure aufruht, das Lebenszeichen. In der rechten Hand trägt die mit einem kurzen, gefältelten Schurz bekleidete Figur den Schen-Ring, ein Symbol des Schutzes und der Regeneration. Eine weit ausladende Strähnenperücke umgibt den Kopf der Gaugottheit, deren göttlicher Charakter durch den geschwungenen, nach unten spitz zu laufenden Götterbart unterstrichen wird. Auf der Basisplatte neben den Füßen ist noch der Beginn einer an den König gerichteten Anrede zu lesen: „Ich habe Dir jegliches Opfer gegeben, das es in Oberägypten gibt. Mögest Du in Ruhm erscheinen als König von Ober- und Unterägypten in Ewigkeit!"
Die Herkunft dieser Statuengruppe dürfte aufgrund der dargestellten Gaugottheit Koptos sein. Der statuarisch-monumentale Charakter wird durch die offensichtlich unpoliert gebliebene Oberfläche des harten Diorits unterstrichen. Die zum Teil unproportioniert wirkenden Gliedmaßen und die etwas großflächigen, nur eine geringe Spannung zeigenden Gesichtszüge lassen eine Herkunft aus der königlichen Bildhauerwerkstätte in Memphis (Abusir) als eher unwahrscheinlich erscheinen. Allerdings gibt es für diese Zeit kaum Hinweise auf Bildhauerwerkstätten außerhalb der Königsresidenz, etwa in Oberägypten bzw. in Koptos. Das hier gezeigte Nebeneinander von Standfigur (Gaugottheit), die mit dem vorgesetzten linken Bein jene zwischen statischer Verhaltenheit und Dynamik changierende Grundhaltung der ägyptischen stehenden Figur veranschaulicht, mit der statisch wirkenden und von Verhaltenheit und Würde geprägten Sitzfigur des Königs gibt der Gruppenskulptur ihren besonderen Reiz, der durch die ungewöhnliche Größenordnung der beiden Figuren zueinander noch weiter erhöht wird.

Lit.: W. C. Hayes, The Scepter of Egypt I, New York 1953, fig. 46, p. 71; S. Donadoni, L'Egitto, 1981, p. 190; A. Kozloff, Weserkaf, Boy King of Dynasty V., BCMA, September 1982, p. 214, Fig. 11; P. Dorman, Egypt and the Ancient Near East in The Metropolitan Museum of Art, New York 1987, no. 6, pp. 16, 17

16
Sitzstatue der Königin Anchnesmerire II. mit ihrem Sohn Pepi II.

New York, Brooklyn Museum, Charles Edwin Wilbour Fund, 39.119
Kalzit („Alabaster"), Höhe 39,2 cm, Breite 17,8 cm, Tiefe 24,9 cm
Herkunft unbekannt, vielleicht aus Saqqara
Altes Reich, 6. Dynastie, um 2200 v. Chr.

Die Anzahl überlieferter rundplastischer Königsdarstellungen aus dem Ende der 5. sowie aus der 6. Dynastie ist verschwindend gering. Parallel zum Niedergang des Alten Reiches, das schließlich zu seinem völligen Zusammenbruch führen sollte, zeigt sich auch in der Kunst der 6. Dynastie ein fortschreitender Auflösungsprozeß. Eine geringere technische Fertigkeit, die Auswahl weicherer, also billigerer Gesteinssorten und stilistische Entgleisungen kennzeichnen das Ende der 6. Dynastie. Da aus dem königlichen Bereich keine Großplastiken überliefert sind, ist unsere Kenntnis auf kaum eine Handvoll von Bildwerken dieser Zeit beschränkt. Das herausragendste und aufgrund der besonderen formalen Gestaltung einzigartige Königsbild ist freilich die hier gezeigte Alabasterstatue der Königin Anchnesmerire II. mit dem König Pepi II. Anchnesmerire II. war wie ihre gleichnamige Schwester die Tochter eines Fürsten aus dem oberägyptischen Abydos, dem mythischen Begräbnisort des Osiris, sowie zweite Gemahlin des Königs Pepi I. Auf der Statue aus Brooklyn wird Anchnesmerire als „Königsmutter und Tochter des Gottes" bezeichnet, eine Titelfolge wie sie für Regentinnen, also für solche Königinnen charakteristisch war, die für ihre noch minderjährigen Söhne eine Zeitlang die Regentschaft geführt haben oder führen mußten. So dürfte Pepi II. bereits mit 6 Jahren nach dem plötzlichen Tod seines Halbbruders auf den Thron gekommen sein und nach schriftlicher Überlieferung 94 Jahre (vielleicht verderbt aus 64) regiert haben. Schon aus Altersgründen dürfte er also die ersten Jahre unter der Regentschaft seiner Mutter gestanden haben. Seine lange Regierungszeit bedeutete gleichzeitig die allmähliche Auflösung der Zentralgewalt des ägyptischen Königs und damit den Niedergang des Alten Reiches, das schließlich in den Wirren der ersten Zwischenzeit enden sollte. Sieht man ab von den frühdynastischen Elfenbeinfigürchen, die eine Mutter mit Säugling wiedergeben (s. Kat.-Nr. 5), handelt es sich bei dieser Statuengruppe um die erste Darstellung einer Mutter mit Kind, wie sie erst im Mittleren Reich vor allem am Beispiel der Figuren-

gruppen der Isis mit ihrem Sohn Horus häufig vertreten ist. Auffallend ist die hier deutliche formale Gestaltung der Gruppenstatue, die von Frontalität, Geradansichtigkeit, rechtem Winkel und strengem lotrechten Aufbau gekennzeichnet ist. Die Königin sitzt auf einem Thronsessel mit kleiner Rückenlehne, ihre Füße ruhen auf einer dicken Basisplatte, auf deren vorderen Rand der Name der Königin eingraviert ist. Die überschlanke, gelängte Figur wird von einer schweren Strähnenperücke, die sowohl auf den beiden Schultern aufliegt als auch zum Rücken hinabführt, nach oben abgeschlossen. Deutlich ist in den geflochtenen Haaren ein Lebenszeichen eingraviert, das die scheinbar dem Leben entnommene Darstellung von Mutter und Kind in eine überzeitliche, mythische Sphäre verweist. Die Königin hält vor sich die im rechten Winkel zu ihrer Körperachse nach rechts geschwenkte kleinformatige Figur des jungen Königs Pepi II., dessen Königstitulatur unterhalb der Basisplatte in einer senkrechten Schriftzeile hieroglyphisch aufgeführt ist. Er wird hier als „König von Ober- und Unterägypten – vollendet ist der Ka des Re –, geliebt von Chnum, mit jeglichem Leben versehen wie Re in alle Ewigkeit" bezeichnet. In der seit König Chephren kanonischen Form liegt seine rechte Faust aufrecht auf dem rechten Oberschenkel, die linke auf der länglichen Rechten seiner Mutter. Als König ist er nicht nur durch seine Titulatur gekennzeichnet, sondern auch aufgrund des auf beide Schultern herabfallenden Königskopftuches Nemes und der über der Stirn sich aufbäumenden Uräus-Schlange. In ähnlicher Weise wurde der hohe Rang seiner Mutter durch den Kopf der oberägyptischen Kronengöttin Nechbet angezeigt, deren Geierkopf oberhalb der Stirn befestigt war, wo heute nur mehr ein kleines Dübelloch zu sehen ist.
Die formale Gestaltung dieser Statuengruppe, die aus einem einzigen Werkblock herausgearbeitet ist, der innovatorische Charakter des Sujets und das streng beibehaltene Prinzip der Geradansichtigkeit verleihen dieser Skulptur trotz ihrer stilistischen Schwächen eine besondere Bedeutung. Das Nebeneinander traditioneller Formensprache und innovatorischer Durchbrüche ist gleichsam kennzeichnend für die Ablöse der über Jahrhunderte gefestigten und tradierten Werte durch neue Ideen, die nicht zuletzt dem Einfallsreichtum der Künstler und Handwerker dieser Zeit zu verdanken sind.

Lit.: T. G. H. James, Corpus of Hieroglyphic Inscriptions in the Brooklyn Museum, Vol. I, 1974, p. 28, No. 68; R. Fazzini, Images of Eternity, Egyptian Art from Brooklyn and Berkeley, Katalog 1975, No. 19; W. Seipel, LÄ I, 1975, s. v. Anchnesmerire I. und II.; A. Eggebrecht, Das Alte Ägypten, 1984, S. 58; E. Martin-Pardey, Nofret – die Schöne, die Frau im Alten Ägypten, 2: „Wahrheit und Wirklichkeit", Katalog Hildesheim 1985, Nr. 105; R. Fazzini et al., Ancient Egyptian Art in the Brooklyn Museum, Brooklyn 1989, No. 15

17
Statue eines Mannes

Berlin-Museumsinsel, Ägyptisches Museum,
Inv.-Nr. 1122
Anorthositgneis, Höhe 34,5 cm
Aus Memphis
Altes Reich, 5. Dynastie, um 2400 v. Chr.

Das für die Herstellung dieser Statue verwendete Gestein, Anorthositgneis oder „Chephrendiorit", der über tausend Kilometer entfernt von der Residenz des Alten Reiches im unternubischen Niltal gewonnen wurde, war eigentlich das Material von Königsstatuen. Nur hochrangige Beamte, die meist in unmittelbarer Nähe des Königshofes beigesetzt wurden, konnten sich Grabstatuen aus härtestem Gestein leisten. Dementsprechend kann davon ausgegangen werden, daß die Herstellung der Statue in königlichen Werkstätten, vielleicht sogar im Auftrag des Königs vorgenommen wurde, der auch den Steinblock zur Verfügung stellte, um damit seine Verbundenheit oder seinen Dank zum Ausdruck zu bringen.

Die Standfigur, die nur in der linken Kopfpartie und unterhalb der Knie beschädigt bzw. abgebrochen ist, verkörpert in idealer Weise das Kunstwollen altägyptischer Skulptur. Nicht nur die dem verwendeten Gestein innewohnende Ausdruckskraft, die von der leicht körnigen Oberflächenstruktur und der gesprenkelten, zwischen weißlich und dunkelgrau mit rötlichen Farbtönen changierenden Farbgebung getragen wird, sondern vor allem das in der besonderen Proportionalität der Geradansichtigkeit begründete Erscheinungsbild eines jeglicher Zeitlichkeit enthobenen Menschen verleihen dieser Statue ihre besondere Würde. Keineswegs dazu bestimmt, von einem bestimmten Betrachter wahrgenommen zu werden, sondern in einer dunklen, vielleicht nur durch zwei kleine Sehschlitze mit der Kultkammer verbundenen Statuenkammer eingeschlossen, erfüllte diese Statue ihre vorgegebene Zielsetzung: unveränderliches Abbild zu sein und Garant für die Teilhabe des Toten am Opferlauf. Die wie kaum in einem anderen Bildnis umgesetzte ikonenhafte Wiedergabe überzeitlicher Permanenz eines letztlich persönlichen Schicksals kann als der künstlerische Ausdruck einer nur allzu menschlichen, aber religiös begründeten Sehnsucht nach Unsterblichkeit gedeutet werden.

Der statuarische Charakter der Standfigur wird betont durch seine architektonische Einbindung in das Dreieck von Rückenpfeiler und Basisplatte, die wohl einst Namen und Titel des Dargestellten zeigte. Die auf Frontalität ausgerichtete Darstellungsform des breitschultrigen Mannes zeigt einen muskulösen Körper, der das darunterliegende Knochengerüst deutlich erkennen läßt. Die Arme sind seitlich an den Körper gelegt, die rechte Faust zeigt jenen bisweilen als Schattenstab bezeichneten Füllkörper, der als verkürzte Wiedergabe verschiedener Symbole oder Tücher gedeutet wird, vielleicht aber auch als Andeutung eines bei reliefierten Männerdarstellungen immer vorhandenen Würdestabs aufgefaßt werden kann, der selbstverständlich bei Steinskulpturen nicht herausgearbeitet werden konnte. Der Dargestellte ist in einen glatten, kurzen, über den Knien endenden Schurz gehüllt, über dem breiten Gürtel ist der Nabel angegeben. Das breite Gesicht wird von einer abgestuften Löckchenperücke umrahmt, die Augen sind weit geöffnet und blicken in eine imaginäre Ferne. Ein breiter energischer Mund verleiht dem Gesicht einen gewissen individuellen Zug, dem freilich keine porträthafte Bedeutung zukam. Identifizierbar durch Namen und Titel wurde die Statue mit Hilfe des sogenannten Mundöffnungsrituals magisch belebt und auf diese Weise in die Lage versetzt, stellvertretend für den Toten im Grab anwesend zu sein und an den Opferungen teilzunehmen, als Bild für die Ewigkeit.

Lit.: Ägyptisches Museum, Katalog Berlin-Museumsinsel 1991, Nr. 16

18
Statue des Snofrunefer

Wien, Kunsthistorisches Museum, Inv.-Nr. ÄS 7506
Kalkstein, bemalt, Höhe 78 cm, Breite 23,7 cm, Tiefe 28,5 cm
Aus Giza, Mastaba des Snofrunefer
Altes Reich, 5. Dynastie, um 2400 v. Chr.

Snofrunefer war in seiner Eigenschaft als „Aufseher der Sänger des Hofes" und „Vorsteher der Vergnügungen" ein Hofbeamter, der bei kultischen Veranstaltungen, Begräbniszeremonien, Tempeldienst und Staatsfeiern für die Durchführung der musikalischen und tänzerischen Darbietungen verantwortlich war, aber auch für die Ausbildung der Musikanten, Sänger und Tänzer zu sorgen hatte. Der großen Bedeutung entsprechend, die Musik und Tanz am Königshof innehatten, war auch die gesellschaftliche Stellung dieser Beamten recht angesehen. Nur so läßt sich die Qualität dieser Statue erklären, die zu den vollkommensten Kunstwerken des Alten Reiches gezählt werden kann.

Die Grabstatue repräsentiert in idealer Weise den Typ der Standfigur. Snofrunefer steht auf einer flachen viereckigen Basis, in der sein Name und sein Titel in vertieften Hieroglyphen angebracht sind. Der in Vorderansicht nur als Steg zwischen den Beinen sichtbare Rückenpfeiler gibt der Darstellung ihr stereometrisches Gerüst. Der Aufbau der Figur ist von einer strengen, fast symmetrischen Geradlinigkeit bestimmt, die nur durch die leichte Pseudoschrittstellung gemildert wird. Der Grabherr ist ohne Gewand und ohne Perücke dargestellt. Der in großer Vollkommenheit durchmodellierte Körper zeigt in seiner weichen Linienführung, den nur wenig betonten Hüften und dem vollen Gesicht die Idealgestalt eines jungen Mannes. Die sorgfältige Ausgestaltung der Augen, Ohren und Lippen, aber auch der Daumen- und Fußnägel zeugt von hohem künstlerischen Können. Die braunrote Bemalung des Körpers ist noch teilweise erhalten, auch der von mehreren Perlenschnüren gebildete Halskragen ist erkennbar, während das herabhängende Knotenamulett fast gänzlich verschwunden ist. Die ursprünglich schwarze Bemalung der Stege, die Arme und Körper verbinden, sowie der Vorderseite des Rückenpfeilers sollte das Nichtvorhandensein dieser konstruktionsbedingten Elemente vortäuschen.

Die sonst bei Grabstatuen nur sehr selten anzutreffende Nacktheit des Snofrunefer sollte zusammen mit der Darstellung seines jugendlichen Körpers, die keineswegs dem tatsächlichen Alter des Grabherrn entsprochen haben muß, die für das Jenseits angestrebte Verjüngung des Toten zum Ausdruck bringen. Die Blüte ewiger Jugend war ein auch über das Diesseits hinaus angestrebtes Ziel ewigen Lebens.

Lit.: H. Junker, Giza VII, Wien und Leipzig 1944, S. 38ff., Taf. X; H. Satzinger, Ägyptische Kunst in Wien, S. 15, Abb. 3; museum. Ägyptisch-Orientalische Sammlung Kunsthistorisches Museum Wien, 1987, S. 27; W. Seipel, Bilder für die Ewigkeit. 3000 Jahre ägyptische Kunst, Katalog Konstanz 1983, Nr. 34;

Zum Grab: PM III/1², S. 145f.

19
Statue des Baefba

Wien, Kunsthistorisches Museum, Inv.-Nr. ÄS 7785
Kalzit („Alabaster"), Höhe 50 cm, Breite 16,3 cm, Tiefe
22,5 cm
Aus Giza, nahe Grab Lepsius 40
Altes Reich, 5. Dynastie, um 2400 v. Chr.

Seit unter König Djoser (3. Dynastie) erstmals die Grabstatue als Repräsentant des toten Grabherrn in seiner Pyramidenanlage aufgestellt wurde, griff diese Sitte auch
bald auf die Privatgräber über. Aus dem Bestreben
heraus, die Vergänglichkeit des menschlichen Körpers
zu überwinden, der trotz aller Vorsorge mittels der Mumifizierung vor seinem endgültigen Verfall nicht bewahrt werden konnte, entstand die Idee, in einer aus unvergänglichen Materialien gefertigten Statue einen dauernden Ersatz zu bilden. Diese Ersatz- oder Grabstatuen
wurden in eigenen Statuenkammern, dem sogenannten
Serdab, in unmittelbarer Nähe der Kultkammer mit der
Opferstele aufgestellt. Die Serdabkammer war nur durch
Sehschlitze mit der Kultkammer bzw. dem Opferplatz
verbunden, um auf diese Weise der beseelt gedachten
Statue als Repräsentant des Grabherrn die Mitwirkung
bzw. Teilhabe an der Opferung zu ermöglichen. Ein eigenes Belebungsritual, das sogenannte Mundöffnungsritual, sollte der Statue die dafür notwendigen Lebens-
funktionen zuweisen.
Der überzeitliche Anspruch, den diese „Bilder für die
Ewigkeit" zu erfüllen hatten, bedingte die Ausformung
bestimmter kanonischer Darstellungsweisen, die in der
Sitzfigur und der Standfigur ihren bis ans Ende der
ägyptischen Kunstgeschichte unveränderten Grund-
typus fanden. Während die Individualität des in der
Grabstatue zu repräsentierenden Grabherrn vor allem
durch die Beschriftung der Statue mit dem Namen bzw.
den Titeln des Dargestellten gewährleistet wurde, blieb
die Andeutung individueller Gesichtszüge, bestimmter
Körpermerkmale oder der Größenverhältnisse stets im
Hintergrund des künstlerischen Schaffens, galt es doch
die überindividuelle Wesenheit der Person in eine kanonische Form einzugießen und sie auf diese Weise der
Vergänglichkeit zu entreißen. Aus diesem Grund erscheinen die meisten Bildnisse des Alten Reiches idealisiert, ohne besondere Kennzeichnung einer bestimmten
Altersstufe, es sei denn, daß durch die bewußte Gegen-
überstellung von Alters- und Jugendbildnis der zyklische Ablauf des sich auch im Jenseits wiederholenden
Lebenskreises zum Ausdruck gebracht werden sollte.

Die Standfigur des Baefba weist alle Merkmale der klassischen Standfigur des Alten Reiches auf. Die Figur ist
eingebunden in das kanonische Regelwerk von Basisplatte und Rückenpfeiler, die durch das vorgesetzte linke
Bein angedeutete Schrittstellung, der jedoch von der
rechten Figurenseite nicht entsprochen wird, gibt ein dy-
namisch-transitorisches Moment an, das die Figur in ein
Übergangsfeld zwischen Ruhe und Bewegung ein-
bindet. Jede allzu offenkundige Andeutung von Bewe-
gungsvorgängen stünde im Widerspruch zur beabsichtigten Manifestation überzeitlicher Dauer. Der muskulöse, athletisch wirkende Oberkörper ergibt zusammen mit den etwas kurz geratenen Beinen eine gedrungene Wirkung der Figur, die mit dem typischen
„Galaschurz" bekleidet ist: ein kurzer von einem Gürtel
gehaltener Schurz, dessen rechtes Wickelende plissiert
ist und dessen Ende aus dem Gürtel herausragt. Seine
Hände sind geschlossen und halten einen gern als Schattenstab bezeichneten Wulst, der bisweilen als abgekürzte Wiedergabe der im Flachbild deutlicher zu se-
henden „Schleife der Wiedergeburt" oder auch als
Schweißtuch interpretiert werden kann. Bekleidet ist
Baefba mit der üblichen abgestuften Löckchenperücke.
Das breite offene Gesicht zeigt keine Gemütsbewegung
und blickt leicht nach oben in eine imaginäre Ferne.
Die Statue des Baefba wurde mit verschiedenen anderen
Statuenfragmenten unter einem Trümmerhaufen innerhalb seiner Mastaba gefunden, die ihn aufgrund der dort
aufgefundenen Inschriften als „Graf und Vorsteher aller
Arbeiten des Königs" bezeichnen. Besonders sei noch
auf das hier verwendete Material, Kalzit, verwiesen, das
im nichtköniglichen Bereich für Grabstatuen nur sehr
selten belegt ist.

*Lit.: H. Junker, Giza VII, Wien und Leipzig 1944, S. 155, 156, Taf. XXX,
XXXI; E. Komorzynski, Das Erbe des Alten Ägypten, Wien 1965, Abb. 19;
museum. Ägyptisch-Orientalische Sammlung Kunsthistorisches Museum
Wien, 1987, S. 25; Kunsthistorisches Museum Wien. Führer durch die
Sammlungen, Wien 1988, S. 22; W. Seipel, Ägypten. Götter, Gräber und die
Kunst. 4000 Jahre Jenseitsglaube, Katalog Linz (Bd. I) 1989, Nr. 34;*

Zum Grab: PM III/I², S. 155f.

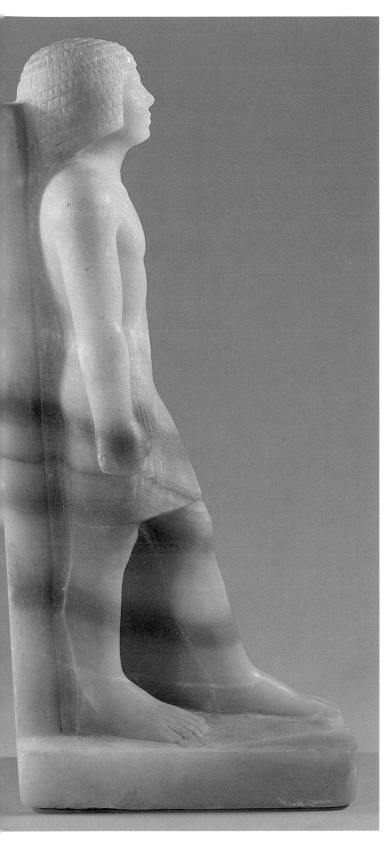
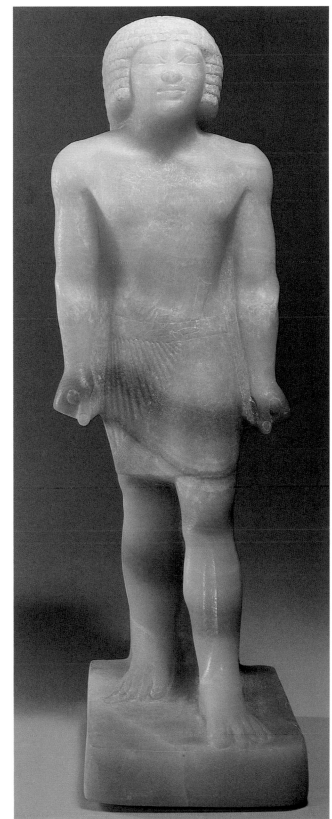

20
Kopf einer Statue des Baefba

Wien, Kunsthistorisches Museum, Inv.-Nr. ÄS 7786
Kalzit („Alabaster"), Höhe 13,3 cm, Breite 11 cm, Tiefe
12 cm
Aus Giza, nahe Grab Lepsius 40
Altes Reich, 5. Dynastie, um 2400 v. Chr.

Aus demselben Grabe stammend wie Kat.-Nr. 19 gehörte dieser aus Kalzit (ägyptischer Alabaster) gefertigte
Kopf zu einer verlorenen Statue. Ohne Zweifel ist hier
ebenfalls der Grabherr Baefba dargestellt, dessen Name
als „seine Lebenskraft ist der Ba (heiliger Widder)"
übersetzt werden kann. Aufgrund seines gesellschaftlichen Status als hoher Beamter bzw. Adeliger am Hof
eines Königs der 5. Dynastie verfügt er über eine entsprechende Statuenausstattung. Dabei fällt auf, daß auch
das zweite Statuenfragment aus Kalzit gefertigt ist, ein
Material, das im nichtköniglichen Bereich sehr selten
gebräuchlich ist. Ein Vergleich dieses Statuenkopfes mit
der vollständig erhaltenen Standfigur des Baefba (Kat.-
Nr. 19) läßt auf den ersten Blick kaum Ähnlichkeiten erkennen, obwohl es sich ja um denselben Auftraggeber
gehandelt hat. Im Gegenteil, trotz der teilweise zerstörten Gesichtspartie steht der Statuenkopf auf einem
künstlerisch bedeutend höheren Niveau als die eher glatt
und schematisch ausmodellierte Standfigur. Anstelle der
die beiden Ohren verdeckenden Löckchenperücke in der

stehenden Darstellung zeigt der Kopf nur eine eng anliegende, kappenförmige Stufenperücke, vor der die
beiden Ohren deutlich hervortreten. Einen besonderen
Akzent bekommt der Statuenkopf durch die tiefen Augenhöhlen, die darauf hinweisen, daß Augen und Iris mit
anderen Materialien eingesetzt waren. Eine besondere
Ausstrahlung geht von der weichgeglätteten Wangenpartie und dem fast sinnlich anmutenden Mund aus, der,
deckt man die obere Gesichtshälfte der Abbildung ab, in
seiner eleganten Modellierung eine subtile, ja lebens-
nahe Ausstrahlung vermittelt. So weisen Oberflächenbehandlung und plastische Details, wie die Ausformung
des Mundes und der Ohren, auf eine Meisterschaft hin,
die sicher einem anderen Künstler zu verdanken ist als
die zwar vollständig erhaltene, aber in ihrer Wirkung
keineswegs vergleichbare Standfigur des Baefba.

Lit.: H. Junker, Giza VII, Wien und Leipzig 1944, S. 156, Taf. XXXIIa, b; E.
Komorzynski, Altägypten, S. 15, Abb. 11; E. Komorzynski, Das Erbe des
Alten Ägypten, Wien 1965, Abb. 20;

21
Sitzstatue eines Mannes

Paris, Louvre, Inv.-Nr. A 40
Diorit, Höhe 60 cm, Tiefe 30 cm
Herkunft unbekannt
Altes Reich, 5. Dynastie, um 2400 v. Chr.

Während die wenigen erhaltenen Statuen der Frühzeit und der 3. Dynastie durch eine, gemessen an der Gesamtzahl, verhältnismäßig große Variationsbreite gekennzeichnet sind, die sowohl die überlieferten Königsbildnisse als auch die Privatskulptur umfaßt, so setzt sich in der 4. Dynastie die klassische Grundform des Sitzbildes durch, das seit der Sitzstatue des hohen Beamten Hemiunu (Museum Hildesheim) erstmals im nichtköniglichen Bereich auftritt und in der hier gezeigten Statue verdeutlicht wird. Charakteristisch für diese Grundform ist die seit der 4. Dynastie nur mehr in Ausnahmefällen variierte Haltung der beiden Hände, von denen die rechte Hand mit aufgestellter Faust auf dem rechten Oberschenkel ruht, während die linke flach auf dem linken Oberschenkel liegt.

Die aus Diorit gefertigte Statue, ein Material das nur in Ausnahmefällen für private Grabstatuen nachweisbar ist, war ursprünglich bemalt. Entsprechend dem rauhen Oberflächencharakter dieses Materials sind Farbspuren bei Hartsteinstatuen nur in seltenen Fällen noch erhalten, müssen aber immer vorausgesetzt werden – ein Umdenkungsprozeß, der in ähnlicher Weise wie bei der bemalten griechischen Tempelarchitektur das Erscheinungsbild der altägyptischen Plastik in entscheidender Weise bestimmt hat, heute jedoch kaum mehr in die Betrachtung miteinbezogen wird. Nur bei Kalkstein- oder den seltenen Sandsteinskulpturen lassen größere oder kleinere Farbreste das ursprünglich bunte Erscheinungsbild erahnen.

Die abgestufte, knappe kappenartige Perücke läßt die beiden Ohren frei und schließt mit einem scharfen Rand zur Stirnpartie ab. Eine scharf geschnittene Nase und detaillierte Augenlider sowie fein gezeichnete Lippen charakterisieren das Antlitz, das, frei von jeglicher Individualität, ein Idealporträt veranschaulicht. Es entzieht sich der individuellen Zuordnung, der zeitlichen Bestimmtheit. Nur der Aufstellungsort der Statue, die auch namenlos geblieben ist, läßt ihre Zielsetzung erkennen: als Ersatzstatue die Vergänglichkeit des Grabherrn zu überwinden. Dementsprechend ist auch die Sitzform in einer über die alltägliche Körperhaltung hinausgehenden Weise zu interpretieren. Entsprechend der gleichgestalteten Hieroglyphe, die einen thronenden Mann darstellt und für die nähere Bezeichnung des verklärten Toten verwendet wurde und soviel wie „heilig, ehrwürdig, erhaben" bedeutet hat, ist auch dieser Grundform der Sitzfigur eine kultisch determinierte Funktion zuzuschreiben. Entsprechend zahlreich sind vor allem in den Reliefs der Gräber des Alten Reiches und natürlich auch danach die Darstellungen des sitzenden Toten vor dem Opfertisch, die ihn bei der Entgegennahme der Opfergaben zeigen.

Der kubistisch-statuarische Charakter der Sitzfigur zeigt sich nicht nur in dem würfelförmigen Hocker oder Thron, sondern auch in den zahlreichen rechtwinkeligen Grundformen, die vor allem in der Seitenansicht deutlich werden: Fast rechtwinkelig knickt das Gesäß von der senkrechten Rückenlinie in die Waagrechte ab, genauso abrupt der rechte Winkel der Kniebeuge, der von den auf der waagrechten Basisplatte aufruhenden großen Füßen in die Gegenrichtung weitergeführt wird. Nur leicht weichen die herabhängenden Oberarme aus der Senkrechten nach vorne ab. Seitenflächen, Rückfläche oder Vorderseite – die Verlängerung der vier Würfelseiten nach oben – umschließen einen länglichen kubischen Raum, der sich dem Betrachter gleichsam von selbst aufdrängt.

Sitzstatue und Standfigur sind nicht nur die statuarischen Grundformen der ägyptischen Skulptur, sondern verkörpern in der für den ägyptischen Ganzheitsbegriff so wesentlichen Zweiheit die Gesamtzahl menschlicher Darstellungs- und Haltungsformen, deren unendliche Vielzahl zwischen Gehen, Schreiten, Laufen und Sitzen somit auf zwei kanonische Erscheinungsweisen reduziert ist.

Lit.: J. Vandier, Manuel III, p. 65 n. 3, p. 101 n. 5, pl. XLI, 5; Ägyptische und moderne Skulptur. Aufbruch und Dauer, Katalog Leverkusen - München 1986, Nr. 21;

22
Sitzstatue des Redief

Wien, Kunsthistorisches Museum, Inv.-Nr. ÄS 8018
Kalkstein, bemalt, Höhe 38 cm, Breite 15,1 cm, Tiefe
23,6 cm
Aus Giza, Grab D 200
Altes Reich, 6. Dynastie, um 2250 v. Chr.

Die Sitzstatue des Redief entspricht in ihrer Grundform
dem kanonischen Darstellungstyp wie er seit der 4. Dynastie gebräuchlich geworden ist. Dennoch ermöglicht
die stilistische Ausführung eine Datierung in das ausgehende Alte Reich, in die 6. Dynastie. Dieser zeitliche
Ansatz wird durch die archäologischen Fundumstände
bestätigt, da die fast völlig unversehrte Statue 1914 in
der Statuenkammer eines Grabes in Giza zum Vorschein
kam, das aufgrund seiner Lage und Struktur ebenfalls
dem späten Alten Reich zuzuordnen ist.
Redief sitzt auf einem würfelförmigen Hocker, dessen
Sitzfläche etwas nach vorne geneigt ist. Er ist mit dem
üblichen kurzen, ungefälteten Schurz bekleidet und hat
seine beiden Hände in typischer Form auf die Oberschenkel gelegt. Sein muskulöser Körper wird von
einem runden, teigig modellierten Kopf bekrönt, in dem
eine knollige Nase, ein kräftiger Mund und zwei verhältnismäßig sorgfältig ausmodellierte Augen sitzen.
Insgesamt ist die plastische Durcharbeitung des Körpers
ohne größere Verzerrungen, die Details von Armen,
Beinen, Knien und Knöchel, der Hände und Zehen sind
sorgfältig herausgearbeitet. Bemerkenswert ist das
Fehlen einer Perücke, wie es in der Regel nur für jugendliche Personen oder bei Darstellungen von Dienern
und Landarbeitern der Fall ist (vgl. z. B. Kat.-Nr. 17).
Diese Ausnahmefälle beschränken sich auf Personen,
die den Grabinhaber als wohlgenährten, ehrwürdigen
Beamten zeigen, der ebenso wie Schmuck und Galaschurz auch die wohl lästige Perücke abgelegt hat. Vielleicht aber ist das Fehlen der Perücke hier auch ein Zeichen für die Entstehung dieser Statue am Ende des Alten
Reiches.

Insgesamt wirkt die Statue mehr oder weniger alltäglich,
nicht übertrieben idealisiert und weit entfernt von den
von statischer Ruhe und Verhaltenheit gekennzeichneten
Beamtendarstellungen des mittleren Alten Reiches.
Vielleicht hat sich das in vielerlei Weise gegen Ende des
Alten Reiches durchsetzende Selbstbewußtseins- und
Persönlichkeitsempfinden auch in dieser Statue Ausdruck verschafft, der fernab von dem kultisch-religiös
bedingten Ernst, wie er das Antlitz der Statue in der 4.
Dynastie gekennzeichnet hat, hier einen bieder-zufrie-
denen, in gewisser Weise fast selbstgerecht wirkenden
Eindruck vermittelt und damit in jenen nur schwer defi-
nierbaren Übergangsbereich zum Individualporträt
führt.
Die Individualität des Dargestellten wird freilich noch
unterstrichen durch die rechts und links seiner Unterschenkel auf der Vorderseite des Throns angebrachte
Beschriftung mit dem Namen und dem Titel des Redief.
Jeweils zu Beginn der von oben nach unten zu lesenden
Inschriftenzeile wird sein Amtstitel aufgeführt: „Der
Aufseher der Kornmesser der Gutshöfe". Als Abschluß
folgt auf beiden Seiten sein Name „Redief", was soviel
bedeutet „Er gibt" oder „Er gab". Dieser Satzname ist
verhältnismäßig selten und will besagen, daß das Kind
von einem Gott (Er) den Eltern als Geschenk gegeben
wurde. Entsprechende Satznamen mit einer Gottesbe-
zeichnung als Objekt sind zu allen Zeiten der ägyptischen Geschichte häufig belegt.

*Lit.: H. Junker, Giza IX, Wien und Leipzig 1950, S. 98ff, Taf. VIIa; E. Ko-
morzynski, Das Erbe des Alten Ägypten, Abb. 23; 5000 Jahre Ägyptische
Kunst, Katalog Wien 1961/62, Nr. 52; PM III/I², 1974, p. 115; museum.
Ägyptisch-Orientalische Sammlung Kunsthistorisches Museum Wien,
1987, S. 28*

23
Sitzstatue des Henka

Wien, Kunsthistorisches Museum, Inv.-Nr. ÄS 74
Kalkstein, bemalt, Höhe ca. 53 cm, Breite 16,3 cm, Tiefe
ca. 34 cm
Herkunft unbekannt, vermutlich aus Dahschur
Altes Reich, 5. Dynastie, um 2400 v. Chr.

Henka sitzt auf einem würfelförmigen Hocker mit ge-
neigter Sitzfläche und leicht schräger Vorderseite, die
Füße ruhen auf einem vorgelagerten Sockel. Der breite
Körper, auf dem noch Reste der rotbraunen Bemalung
vorhanden sind, Arme und Beine sind sparsam modelliert. Sein rundes Gesicht, in dem trotz der starken Zerstörung noch die Ähnlichkeit mit seinen beiden Schreiberstatuen (Kat.-Nr. 24 und 25) erkennbar ist, wird von
einer kurzen Löckchenperücke umrahmt. Henka trägt
die feierlichste Tracht im Alten Reich, den Galaschurz,
der deshalb auch besonders häufig bei Grabstatuen verwendet wird. Das Kleidungsstück besteht aus einer
rechteckigen Stoffbahn, die von links nach rechts um die
Hüften geschlungen wird. Das eine Stoffende wird, um
das Material am Rutschen zu hindern, hinter dem Gürtel
hochgezogen, wo es am Bauch als stilisierter Zipfel zu
sehen ist.
Beide Hände der Statue ruhen auf den Oberschenkeln:
die linke flach ausgestreckt, die rechte einen „Steinkern"

umschließend. Dieses noch immer nicht restlos geklärte
Detail an ägyptischen Statuen ist vermutlich als verkürzte Darstellung der Würdezeichen Stab und Szepter
oder einer Wiedergeburt verheißenden Schleife zu
deuten.
Eine ausführliche Titelreihe auf der Vorderseite von Sitz
und Sockel nennt hohe Verwaltungsämter, in denen
Henka tätig war. Er wird hier unter anderem als „Vorsteher aller Arbeiten des Königs" und „Größter der Zehn
von Oberägypten" bezeichnet, doch nicht mit seinem
wohl höchsten Rang eines „Vorstehers der Pyramiden-
städte des Snofru", der auf einer seiner Schreiberstatuen
(Kat.-Nr. 25) genannt ist. Die Aufgaben, denen er als
hoher Beamter in besonderem Maße nachgekommen ist,
erläutert eine lange Reihe von mit der Rechtssprechung
verbundenen Titeln.

*Lit.: PM IV, S. 96; J. Vandier, Manuel III, p. 65 n. 3; N. Strudwick, The Ad-
ministration of Egypt in the Old Kingdom, 1985, p. 118, No. 97*

E. R.

24
Schreiberstatue des Henka

Wien, Kunsthistorisches Museum, Inv.-Nr. ÄS 75
Kalkstein, Höhe 52,5 cm, Breite ca. 35 cm, Tiefe ca.
30 cm
Herkunft unbekannt, vermutlich aus Dahschur
Altes Reich, 5. Dynastie, um 2400 v. Chr.

Die vielfältigen Aufgaben der allgegenwärtigen ägyptischen Bürokratie ermöglichten dem Schriftkundigen realistische Möglichkeiten zu sozialem Aufstieg. Die Beherrschung der Schrift stand in so hohem Ansehen, daß sich zu allen Zeiten selbst hohe und höchste Würdenträger gerne schreibend oder lesend darstellen ließen. Der dafür in der 4. Dynastie geschaffene Statuentyp stellt in stereotyper Weise einen mit untergeschlagenen Beinen Sitzenden dar, auf dessen Schurz ein Papyrus ausgerollt ist. Das Schreibgerät in der rechten Hand ist eine Binse, deren Ende zugespitzt und zu einem Pinsel zerkaut wird.

Diese unbeschriftete Schreiberstatue wurde gemeinsam mit der Sitzfigur des Henka (Kat.-Nr. 23) im Jahre 1873 erworben und stammt laut Aktenvermerk auch aus demselben Grab „aus der Ruinenstätte des alten Memphis", also aus dem langen Nekropolengürtel in der Wüste, westlich der damaligen Hauptstadt Ägyptens. Für eine Zuordnung an Henka können weiters die auffallenden stilistischen Übereinstimmungen mit seiner zweiten

Schreiberstatue in Berlin (Kat.-Nr. 25) herangezogen werden. Bis auf die Haartracht, bei der für dieses Stück die ebenfalls populäre kinnlange Perücke gewählt wurde, zeigen beide Statuen große Gemeinsamkeiten: Abgesehen von der extrem breiten Oberlippe und der Gestaltung der großen Augen fällt besonders die fast identische, seltene Art, wie beide Schreiber den Papyrus festhalten, auf.

Meißelspuren, besonders auf Sockel und Schurz, die noch fehlende Beschriftung und die Finger, die noch nicht einzeln ausgearbeitet sind, zeigen an, daß die Statue die Werkstatt in unfertigem Zustand verlassen hat. Trotzdem, und dies ist ein häufig anzutreffendes Phänomen Altägyptens, erfüllten auch unfertige Bildwerke, denen der letzte Schliff fehlte, allein durch ihr Vorhandensein ihre Funktion.

Lit.: J. Vandier, Manuel III, p. 69 n. 6, p. 70 n. 1;

E. R.

25
Schreiberstatue des Henka

Berlin-Charlottenburg, Ägyptisches Museum, Inv.-Nr. 7334
Kalkstein, Höhe 40 cm
Herkunft unbekannt, vermutlich aus Dahschur
Altes Reich, 5. Dynastie, um 2400 v. Chr.

Henka sitzt in der klassischen Schreiberpose mit unter-geschlagenen Beinen auf einem Sockel, der vorne ge-rade geschnitten ist, auf Seiten und Hinterseite jedoch, entsprechend der Kontur des Sitzenden, einen Halbkreis bildet. Die linke, mit dem Rücken aufliegende Hand klemmt mit dem Daumen das Ende eines Papyrus nieder, der aufgerollt auf seinem Schoß liegt. Die rechte Hand hält mit Daumen und Zeigefinger eine Schreib-binse, die anderen drei Finger sind so abgespreizt, daß sie den Beginn der Rolle niederhalten. Henka ist in dem Moment wiedergegeben, in dem er ansetzt, die ersten der in Kolumnen angeordneten Zeichen auf eine Papy-rusrolle zu schreiben. Möglicherweise, wie von anderen Schreiberstatuen bekannt, war auch ein heute nicht mehr vorhandener Text mit Farbe auf dem Papyrus aufge-zeichnet, der Namen und Titel des Dargestellten nannte. Das runde Gesicht wird von den großen Augen und dem breitlippigen Mund bestimmt. Die Tracht besteht aus einer besonders sorgfältig gearbeiteten Löckchen-perücke und einem glatten, knielangen Schurz.
Die Hieroglyphenzeile am vorderen Sockelrand be-zeichnet Henka als „Vorsteher der beiden Pyramiden-städte des Snofru" und belegt somit Dahschur, südwest-lich von Memphis, als Wirkungsbereich des Henka. Dort gründete Snofru, der Vater des Cheops, für seine beiden Pyramiden je eine Siedlung, in denen die Handwerker und Arbeiter wohnten, die gleichzeitig ihrem Amt als Totenpriester für die Versorgung des toten Königs nach-gingen. Eine Reihe von Privilegien, die den Bewohnern solcher Pyramidenstädte gewährt wurden, wie das Nut-zungsrecht der zur Stiftung gehörigen Äcker und Gärten quasi im Eigentum, machte Ämter und Würden darin zu begehrten Zielen. Henka erlangte seine Stellung unge-fähr 150 Jahre nach dem Tod des Snofru, als es zu einer auch aus anderen Quellen erschließbaren Reorganisa-tion des Kultes des Königs kommt. Sehr wahrscheinlich ließ er sich auch sein Grab nahe bei seinem Wirkunsbe-reich anlegen, auf alle Fälle aber wurden seine drei Sta-tuen in einer der Werkstätten von Dahschur hergestellt: Von einem Mann namens Duare, der kurz vor oder nach Henka als Leiter der beiden Pyramidenstädte von Dah-schur fungierte, sind zwei Schreiberstatuen genau des gleichen Typs im Taltempel der Knickpyramide ge-funden worden.

Lit.: PM IV, p. 95; Ägyptisches Museum Berlin, Katalog 1967, Nr. 231; Ägyptisches Museum Berlin, Katalog 1980, Nr. 7; N. Strudwick, The Ad-ministration of Egypt in the Old Kingdom, 1985, p. 118, No. 97

E. R.

26
Statue eines Sitzenden

Wien, Kunsthistorisches Museum, Inv.-Nr. ÄS 7442
Rosengranit, Höhe 38,5 cm, Breite 27,3 cm, Tiefe
21,1 cm
Aus Giza, Mastaba D 106
Altes Reich, 6. Dynastie, um 2250 v. Chr.

Neben die kanonischen Darstellungsformen von Sitz-
und Standfigur tritt seit der Mitte der 4. Dynastie ein zu-
sätzlicher Darstellungstyp: der Schreiber. Ursprünglich
im königlichen Bereich ausgebildet, wo sich vor allem
die Söhne des Königs als Gelehrte und Schriftkundige in
der auch heute noch im Orient zu findenden Schreiber-
haltung darstellen ließen – mit untergeschlagenen Beinen am Boden sitzend, die aufgerollte Papyrusrolle auf
dem Schoß, in der rechten Hand die Schreibbinse –,
sollte diese Darstellungsform bald in den privaten Bereich übernommen werden. Nicht nur die individuelle
Person des Dargestellten sollte in der Schreiberstatue
verewigt werden, sondern auch seine berufliche Funktion, die mit seiner gesellschaftlichen Stellung untrenn-
bar verbunden war. Welche besondere Bedeutung man
diesen Statuen beimaß, zeigt der bei diesem Statuentyp
im Verhältnis zu den übrigen Grabstatuen bevorzugte
Hartstein, der nicht nur schwerer zu bearbeiten war, sondern auch eine längere Unversehrtheit garantierte.
Die Wiener Statue zeigt eine Variante des Schreibertyps.
Neben den Darstellungen des Schreibenden oder auch

nur Lesenden ist die davon abgeleitete Figur eines Sitzenden ohne Papyrusrolle ebenfalls verbreitet. Der tek-
tonische Aufbau der Schreiberfigur kommt dem Bestreben der ägyptischen Rundplastik nach Geradlinigkeit, klarem Aufbau und geometrisch bestimmter Form-
gebung sehr entgegen.
Die anatomisch kaum mögliche Verschränkung der
Beine vor dem Gesäß (die Fußsohlen zeigen nach oben)
bildet die waagrechte Basis des senkrecht aufsteigenden
Oberkörpers, der mit der Grundfläche gleichsam eine
Pyramide bildet. Die Hände ruhen locker auf dem durch
die Beinhaltung gestrafften Schurz. Das auch in seiner
plastischen Durchformung befriedigende Sitzbild, von
dessen Bemalung noch Spuren erhalten sind, strahlt die
überzeitliche Ruhe und Würde aus, die der Auftraggeber
für sein jenseitiges Leben in Anspruch nehmen wollte.

*Lit.: H. Junker, Giza IX, Wien und Leipzig 1950, S. 100ff., Taf. VIIb; H. Sat-
zinger, Ägyptische Kunst in Wien, S. 17, Abb. 5; W. Seipel, Bilder für die
Ewigkeit. 3000 Jahre ägyptische Kunst, Katalog Konstanz 1983, Nr. 41;*

Zum Grab: PM III/1², 1974, p. 114

27

Statuengruppe des Kaipuptah und der Ipep

Wien, Kunsthistorisches Museum, Inv.-Nr. ÄS 7444
Kalkstein, bemalt, Höhe 56 cm, Breite 28 cm, Tiefe 22,3 cm
Aus Giza, Mastaba des Kaipuptah
Altes Reich, 5. Dynastie, um 2400 v. Chr.

Die aus dem mittleren Alten Reich stammende Statuengruppe eines Ehepaares findet ihre inhaltliche Bestimmung in der schon im Alten Reich verbreiteten Begräbnissitte, auch im Totenkult den Familienzusammenhang zu dokumentieren. Die Einbeziehung der Grabstatue von Frau und Kindern, die zumeist auch in demselben Grab beigesetzt wurden, in den Kultbereich des Grabherrn, bisweilen sogar in dieselbe Statuenkammer, belegt das für die ägyptische Kultur bezeichnende innige Familienverhältnis. Schließlich ist auch im Flachbild der Grabherr oft von Ehefrau und Kindern begleitet.

Die aus einem stehenden Mann und einer stehenden Frau – Ehefrau, Schwester oder Mutter – zusammengesetzte Statuengruppe vereinigt die beiden geschlechtsspezifischen Grundformen der männlichen und weiblichen Standfigur. Auf einer gemeinsamen Basisplatte und eingeschrieben in den von der senkrechten Rückenplatte begrenzten architektonischen Raum werden in der hier gezeigten kanonischen Form der Mann stets in der Pseudoschrittstellung, die Frau stehend, mit nebeneinandergesetzten Füßen wiedergegeben. Während der Mann wie hier in den meisten Fällen auf der rechten Seite der Gruppenstatue in kanonischer Form mit zu beiden Seiten des Körpers herabhängenden Armen wiedergegeben und in dieser Form gleichsam auch als isolierte Standfigur denkbar ist, trifft dies für die Frauendarstellung nur bedingt zu. Während in isolierter Darstellung die Frau ihre Arme zu beiden Seiten des Körpers herabhängen läßt, umgreift sie hingegen als Bestandteil einer Statuengruppe mit der Rechten die Hüfte des Mannes und berührt mit ihrer linken Hand seine linke Armbeuge. Die dadurch zum Ausdruck kommende innige Verbundenheit der beiden dargestellten Personen entspricht dem familiären Idealbild, dessen Transzendierung in das jenseitige Leben ebenfalls mit dieser Darstellungsform beabsichtigt war.

Die hier gezeigte Statuengruppe des „königlichen Vertrauten Kaipuptah", ein Name, der soviel wie „Ptah ist meine Seele" bedeutet, und seiner Gattin wurde 1914 von der österreichischen Grabung in Giza gefunden und kann dem Ende der 5. Dynastie zugewiesen werden. Neben der geschlechtsspezifisch bedingten unterschiedlichen Darstellungsform von Mann und Frau in Schrittstellung bzw. mit geschlossenen Beinen zeigen die Reste der einstigen Bemalung ein weiteres Unterscheidungsmerkmal: Während das Inkarnat des Mannes eine rötlich-braune Färbung aufweist, sind die Hautpartien der Frau in einem Gelblich-Weiß gehalten. Diese unterschiedliche Farbgebung findet sich selbstverständlich auch in zweidimensionalen Darstellungen. Während das Gesicht des Kaipuptah ein waches, fast angespanntes Aussehen zeigt, wirkt jenes der Frau eher ausdruckslos und plump. Der Mann trägt die abgestufte Löckchenperücke, seine Brust wurde von einem breiten Schmuckkragen geschmückt, sein kurzer glatter Schurz wird unter dem Nabel mit einem geknoteten Gürtel zusammengehalten, dessen Zipfelende schräg nach rechts oben über den Schurzrand herausragt. Deutlich sind die beiden Schattenstäbe oder Füllungen in den Fäusten zu sehen, die als reduzierte Angabe eines Würdestabs oder eines anderen Attributs aufgefaßt werden können. Die Frau Ipep trägt die in der Mitte gescheitelte Strähnenperücke und ein eng anliegendes weißes Leinengewand, unter dem sich die wohlgerundeten Körperkonturen deutlich abzeichnen. Auch Ipep war mit einem breiten Schmuckkragen geschmückt. Ihre übergroßen Füße sind ein für die 5. und 6. Dynastie charakteristisches Stilmerkmal und vielleicht als Andeutung des damaligen Schönheitsideals aufzufassen. Eine Inschriftenzeile auf der Mitte der Basisplatte enthält Namen und Titel der beiden Dargestellten.

Lit.: H. Junker, Giza VI, Wien und Leipzig 1943, S. 224ff, Taf. XXII; PM III/1², 1974, 129; Kunsthistorisches Museum Wien. Führer durch die Sammlungen, Wien 1988, S. 22

Zum Grab: PM III/1², 1974, S. 129

28
Sitzstatue der Chent mit Sohn Rudju

Wien, Kunsthistorisches Museum, Inv.-Nr. ÄS 7507
Kalkstein, Höhe 53 cm, Breite 26 cm, Tiefe 38 cm
Aus Giza, Mastaba des Nisutnefer
Altes Reich, 5. Dynastie, um 2400 v. Chr.

Die Sitzstatue der Chent wurde in einem kleinen Statuenraum in der Mastaba des hohen Beamten und Würdenträgers Nisutnefer aufgefunden. Diese Grabanlage, die 1913/1914 von der österreichischen Expedition freigelegt wurde, kann aufgrund archäologischer Indizien in die Mitte der 5. Dynastie datiert werden. Sie enthielt zwei Grabschächte, die für die Beisetzung sowohl des Grabherrn Nisutnefer als auch für dessen Frau Chent bestimmt waren. In entsprechender Weise enthält die auf allen vier Seiten reliefierte Kultkammer nicht nur Darstellungen des Ehepaars und seiner Kinder, sondern auch zwei Scheintüren, hinter denen in zwei kleinen Statuenkammern, die als Serdab bezeichnet werden und durch einen schmalen Schlitz mit der Opferstelle vor der Scheintüre verbunden waren, die Grabstatuen aufgestellt waren. In diesen Statuenkammern wurden beide Statuen so gut wie unbeschädigt aufgefunden. Aufgrund heute nicht mehr nachvollziehbarer Überlegungen wurde die Statue des Nisutnefer im Rahmen der Fundteilung zwischen dem Kunsthistorischen Museum in Wien und dem Pelizaeus-Museum in Hildesheim, das in der Person seines Gründers Pelizaeus an der Finanzierung der Ausgrabung maßgeblich beteiligt war, nach Hildesheim, jene der Frau nach Wien gegeben.

Während die Statue des Nisutnefer noch den größten Teil der ursprünglichen Bemalung – rotbraune Hautfarbe, schwarze Haare, weißer Schurz und breiter bunter Halskragen – zeigte, war bei der Figur der Chent die Farbe schon bei der Auffindung größtenteils geschwunden, nur Reste des breiten Halskragens und der Tragbänder des Gewandes waren in Spuren erkennbar. Heute ebenfalls geschwunden ist die bei der Auffindung noch sichtbare Farbe des mit einer hohen Rückenlehne versehenen Stuhls, der ein gelb-schwarzes Muster aufwies, das wohl gemasertes Holz imitieren sollte.

Chent sitzt in der kanonischen Grundform einer weiblichen Sitzstatue auf einem würfelförmigen Sessel mit hoher Rückenlehne. Ihre beiden Hände sind flach ausgestreckt und ruhen auf den Knien. Unter der in der Mitte gescheitelten Strähnenperücke, die bis zu den Schultern herabhängt, sitzt ein rundes, freundlich wirkendes Gesicht mit Resten von Bemalung. Der etwas plump und überbreit wirkende Oberkörper zeichnet sich in einem enganliegenden, durchscheinenden Gewand ab, das bis knapp unter das Schienbein reicht. Die Füße sind ungegliedert und zu groß und entsprechen so ganz den Stilmerkmalen der 5. und 6. Dynastie. Auf der Basisplatte neben dem rechten Fuß steht eine kleine nackte Knabenfigur, die den Zeigefinger an den Mund hält und die seitlich herabhängende Jugendlocke aufweist. Es ist ihr Sohn Rudju, wie er auf der Sitzfläche rechts von seiner Mutter inschriftlich genannt wird. Name und Titel der Chent sind ebenfalls zu beiden Seiten ihrer Oberschenkel in die Sitzfläche eingeschrieben: „Die königliche Vertraute Chent, die Tochter der Chent" sowie „Der königliche Vertraute Rudju, Sohn der königlichen Vertrauten Chent". Die Darstellung des kleinen Rudju kann übrigens als Ursache dafür angesehen werden, daß die Symmetrieachse der Chent aus der Mitte der Sitzfläche nach rechts verschoben ist. Nach den in der Kultkammer überlieferten Inschriften und Titel hatten Nisutnefer und Chent insgesamt 8 Söhne und 9 Töchter. Nisutnefer war einer der höchsten Beamten seiner Zeit, der sich Gauverwalter, Festungskommandant, Vorsteher des Palastes, Priester des Chephren usw. nannte. Vor allem die letztgenannten Titel weisen darauf hin, daß Nisutnefer auch für die Verwaltung der Pyramidenstadt des Königs Chephren zuständig war und deren Priesterdienste zu beaufsichtigen hatte. Chent selbst, die mit vollem Namen Chentka hieß, was soviel wie „Die Erste der Lebenskraft" bedeutet, war auch Priesterin der Hathor sowie Priesterin der Neith.

Lit.: H. Junker, Giza III, Wien und Leipzig 1938, S. 185–7, Taf. XIVb; 5000 Jahre Ägyptische Kunst, Katalog Wien 1961/62, Nr. 44 (mit Abb.); E. Komorzinski, Das Erbe des Alten Ägypten, Wien 1965, Abb. 17; PM III/1², 1974, p. 144; H. Satzinger, Ägyptische Kunst in Wien, S. 16, Abb. 4; Kunsthistorisches Museum Wien. Führer durch die Sammlungen, Wien 1988, S. 21

Zum Grab: PM III/1², 1974, pp. 143, 144

29
Statuengruppe des Itjef mit Frau und Kindern

Wien, Kunsthistorisches Museum, Inv.-Nr. ÄS 8410
Kalkstein, Höhe 88,8 cm, Breite 63 cm, Tiefe 60 cm
Aus Giza, Mastaba des Itjef
Altes Reich, 6. Dynastie, um 2250 v. Chr.

Die Statuengruppe zeigt in formaler Ausgewogenheit eine aus Ehepaar und Kindern bestehende Familiengruppe. Rechts neben dem Vater steht der Knabe, der in üblicher Weise nackt, mit der Jugendlocke und dem Zeigefinger im Mund wiedergegeben ist. Links von der Mutter steht seine Schwester, ein kleines nacktes Mädchen, das ebenfalls mit Jugendlocke als kleines Kind ausgewiesen ist, ganz abgesehen natürlich von den Größenverhältnissen, die sich hier freilich auch an der vorgegebenen Höhe der Sitzbank orientieren.
Die Gesamtmodellierung der Figurengruppe, die aufgrund archäologischer Indizien aus der Grabanlage in die 6. Dynastie datiert werden kann, kann als qualitativ einwandfrei bezeichnet werden. Die sorgfältige Heraus-

arbeitung der Muskelpartien des Oberkörpers des Mannes, die unterschiedliche Wiedergabe der Armmuskulatur entsprechend der unterschiedlichen Armhaltung ist ebenso getroffen wie die Proportionierung des weiblichen Körpers, der sich unter dem enganliegenden Leinengewand deutlich abzeichnet. Beachtenswert ist die detailgetreue, ja liebevolle Behandlung bei der Herausarbeitung der kleinen Kinder des Ehepaars.

Lit.: PM III/1², 1974, p. 217; H. Junker, Giza X, Wien und Leipzig 1951, S. 98ff., Taf. XIIIc, d; 5000 Jahre Ägyptische Kunst, Katalog Wien 1961/62, Nr. 53 (mit Abb.); Kunsthistorisches Museum Wien. Führer durch die Sammlungen, Wien 1988, S. 23;

Zum Grab: PM III/1², 1974, pp. 216, 217

30
Statue des Memi

Hildesheim, Roemer-Pelizaeus Museum, Inv.-Nr. 2
Kalkstein, bemalt, Höhe 87 cm
Aus Giza, Mastaba D 32
Altes Reich, 6. Dynastie, um 2250 v. Chr.

Die der 6. Dynastie entstammende Standfigur des Memi ist mit Ausnahme der Nase und leichter Beschädigungen an Mund und Kinn fast vollständig und einschließlich der Bemalung erhalten. Sie wurde 1905 in einer kleinen Mastaba im Gräberfeld von Giza gefunden. Aufgrund einer beschrifteten zweiten Statue aus demselben Grab, die sich heute in Leipzig befindet, ist zu ersehen, daß Memi die Funktionen eines königlichen Reinigungspriesters ausgeübt hat. Seine Statue vereinigt in sich in eindrucksvoller Weise die kanonische Grundform der Standfigur mit den stilistischen Ausführungsmerkmalen der mittleren 6. Dynastie: Memi steht auf einer überhohen Basisplatte vor einem nur bis knapp unter den Halsansatz reichenden Rückenpfeiler, der wie die Basisplatte zwischen den Unterschenkeln schwarz bemalt ist, um auf diese Weise gleichsam das Nichtvorhandensein dieser beiden architektonischen Ordnungselemente anzudeuten. Sein linkes Bein ist leicht nach vorne gestellt, in einer Pseudoschrittstellung, die jenen zwischen Stehen und beginnendem Ausschreiten nicht entscheidbaren Zustand wiedergibt. Memi hat seine beiden Arme eng an den Körper gelegt, in den zur Faust geballten Händen hält er jenes allbekannte Füllsel, das auch gerne als Symbol oder Stoffstreifen aufgefaßt wird, dessen Bedeutung im Zusammenhang mit der Wiedergeburt des Toten steht; aber auch auf die mögliche Auffassung als abgekürzte Wiedergabe eines Würdestabs bzw. eines Szepter wurde schon hingewiesen. Ein kurzer, mit gemustertem Überschlag versehener Schurz wird unter dem Nabel von einem breiten Gürtel mit detailliert gezeichneter Gürtelschließe zusammengehalten. Das bestens erhaltene, direkt leuchtende Rotbraun seines Inkarnats wird nur von dem weißgefärbten Schurz und dem breiten, ursprünglich wohl detaillierter bemalten Schmuckkragen unterbrochen. Besondere Aufmerksamkeit verdient das Gesicht des Memi, das von einer schwarzen Löckchenperücke umrahmt wird. Seine weit geöffneten Augen unter schwarz geschminkten Augenbrauen sind leicht nach oben gerichtet, ohne bewußtes Gegenüber, sondern vielmehr in Andeutung seiner Verklärung. Ein modischer kurzer Schnurrbart über dem leicht geschwungenen Mund unterstreicht den persönlich wirkenden Gesichtsausdruck. Der Name des Memi ist ohne Titel auf der Oberseite der Basisplatte in vertieften Hieroglyphen angegeben.

Lit.: H. Kayser, Die ägyptischen Altertümer, S. 46; Das Alte Reich, Katalog Hildesheim 1986, Nr. AR 25; E. Martin-Pardey, Plastik des Alten Reiches, Teil 1, CAA Hildesheim, Lief. 1, 1977, S. 1, 9–15

ZUM Grab: PM III/1², 1974, p. 110

31
Statue des Schepsesptah

Wien, Kunsthistorisches Museum, Inv.-Nr. ÄS 7499
Kalkstein, bemalt, Höhe 46,9 cm, Breite 13,9 cm, Tiefe
17,7 cm
Aus Giza, Mastaba des Schepsesptah
Altes Reich, 6. Dynastie, um 2250

Die Nachfolger der Erbauer der Pyramiden von Giza
legten ihre Grabdenkmäler weiter im Süden, in Abusir
und Saqqara, an. Gleichzeitig errichteten die hohen Beamten und Würdenträger der 5. und 6. Dynastie ihre
Grabanlagen in den neuen Residenzfriedhöfen, bedeutete doch die Nähe zum gottgleichen König im Tod eine
besondere Auszeichnung sowie eine wesentliche Be-
günstigung für den gefahrlosen Übertritt in eine jenseitige Existenz.
In Giza blieb in neugegründeten Ansiedlungen am
Fruchtlandrand eine Gemeinschaft von Leuten wohnen,
die für den Totenkult von Cheops, Chephren und Mykerinos eingesetzt war. Der Opferdienst bestand im Bereiten und Heranbringen von Lebensmittelopfern, die
täglich den Statuen der Könige in ihren Totentempeln
dargebracht wurden, eine unabdingbare Voraussetzung
für das Fortleben des toten Herrschers im Jenseits.
Zur Zeit des Schepsesptah, mehr als dreihundert Jahre
nach den großen Königen der 4. Dynastie, hatte sich in
diesen Pyramidenstädten schon eine sehr differenzierte,
arbeitsteilige Gesellschaftsform herausgebildet. Einzelne Abteilungen waren zwar im monatlichen Wechsel
zum Priesterdienst für den toten König eingesetzt, ver-
dingten sich aber oft zusätzlich als Totenpriester von Privatleuten. Die handwerklichen Fähigkeiten konnten
neben den nicht besonders umfangreichen Arbeiten für
den König ebenfalls in den Dienst anderer Bevölke-
rungsgruppen gestellt werden.
Auch Schepsesptah arbeitete sowohl als Priester als
auch als Handwerker: Er war „Aufseher der Totenprie-

ster" und „Hersteller des Flagellums". In seinem ansonsten recht einfachen Grab, das, wie für die späte Beleg-
zeit von Giza üblich, rücksichtslos in Nachbarbauten
einschnitt, entdeckte man 1913 in zwei Räumen mehr
als ein Dutzend Statuen. Die Vielfalt der Rundbilder, für
die ein Mann in solch bescheidener Stellung wie Schepsesptah beziehungsweise seine Nachkommen die Mittel
aufbrachten, entspringt dem Verlangen, gleich dem
König durch eine möglichst große Anzahl von Statuen
als Opferempfänger für das Jenseits bestens ausgerüstet
zu sein.
Diese inschriftenlose Statue zeigt Schepsesptah in der
für Männer üblichen Schrittstellung, wobei der linke
Arm der Vorwärtsbewegung des linken Beines folgt. Die
Tracht besteht aus kurzer Löckchenperücke und knie-
langem Schurz, dessen Stoffüberschuß vorne zu einer
großen Quetschfalte gelegt und an seinem oberen Ende
hinter die Gürtung gesteckt wird. Die noch in Resten erhaltene Bemalung der Statue entspricht der kanonischen
Farbgebung: Rotbraun für die Hautfarbe bei Männern,
Weiß für den Schurz, Schwarz für Perücke, Lider und
Brauen sowie Rückenpfeiler, Sockel und Verbindungs-
stegen zwischen Armen und Körper.

Lit.: H. Junker, Giza VII, Wien und Leipzig 1944, S. 103 und 105, Taf. XXIIa; PM III/I², S. 151; E. Komorzynski, Altägypten, S. 16, Abb. 14

Zum Grab: PM III/I², S. 151

E. R.

32
Statue des Schepsesptah

Wien, Kunsthistorisches Museum, Inv.-Nr. 7508
Kalkstein, Höhe 50,8 cm, Breite 12,8 cm, Tiefe 21,5 cm
Aus Giza, Mastaba des Schepsesptah
Altes Reich, 6. Dynastie, um 2250 v. Chr.

Das Grab des Schepsesptah war mit einer verhältnismäßig großen Anzahl von Statuen ausgestattet. Der Grabherr ist jeweils mehrere Male, in verschiedenen Trachten, als Standfigur (Kat.-Nr. 31), als Doppelstatue mit seinem Ka, der unsterblichen Lebenskraft (Kat.-Nr. 33), mit seiner Frau Nisiredi und als Lesender abgebildet. Außerdem sorgten Figuren von Dienern bei ihrer Arbeit für die Versorgung des Grabherrn im Jenseits (Kat.-Nr. 35). Vielleicht bestellte Schepsesptah seine Grabausstattung noch zu Lebzeiten. Wahrscheinlicher aber wurde dieses Repertoire an Plastiken nach seinem Tod von den Erben gemäß dem Wunsch des Verstorbenen aus den fabriksmäßig vorgefertigten Statuen einer der Bildhauerwerkstätten von Giza eilig zusammengestellt. Dafür spricht, daß nur zwei der Statuen aus seinem Grab durch die Beschriftung mit Namen und Titeln des Schepsesptah der Anonymität entrissen sind. Außerdem wiederholen sich die Züge des runden Gesichts mit den großen, weit auseinanderstehenden Augen, der kurzen breiten Nase und dem vollippigen Mund bei allen im Grab gefundenen Rundbildern, auch bei den Dienerfiguren (vgl. Kat.-Nr. 31, 33 und 35), eine Ähnlichkeit, die

der Hand ein und desselben Künstlers zuzuschreiben ist, und damit wohl eher zufällig eine nicht unwillkommene Porträthaftigkeit hervorruft.

Auf dieser Statue, die noch Bearbeitungsspuren aufweist, trägt Schepsesptah eine im Vergleich zur Standfigur Kat.-Nr. 31 unterschiedliche, doch im ausgehenden Alten Reich ebenfalls populäre Tracht: eine schulterlange, in der Mitte gescheitelte Perücke, die die Ohrläppchen freiläßt, und den kurzen Galaschurz mit gefälteltem Überschlag auf der rechten Seite.

Die Figur gehört zu den seltenen Beispielen, bei denen der Grabherr nicht, wie bei Männern sonst vorgeschrieben, mit ausschreitendem linken Bein dargestellt ist, was Dynamik und Aktionsfähigkeit ausdrücken soll. Er hat hier die Beine geschlossen, eine Haltung, die im allgemeinen für Frauen verwendet wird.

Lit.: H. Junker, Giza VII, Wien und Leipzig 1944, S. 103 und 105, Taf. XXIc; PM III/1², S. 151; E. Komorzynski, Altägypten, S. 16, Abb. 15; E. Komorzynski, Das Erbe des Alten Ägypten, Abb. 27

Zum Grab: s. Kat.-Nr. 31

E. R.

33
Doppelstatue des Schepsesptah

Hildesheim, Roemer-Pelizaeus Museum, Inv.-Nr. 2144
Kalkstein, bemalt, Höhe 39,3 cm, Breite 22 cm, Tiefe
11,5 cm
Aus Giza, Mastaba des Schepsesptah
Altes Reich, 6. Dynastie, um 2250 v. Chr.

Die in der Ägyptologie als „Pseudogruppe" bezeichnete
Verdoppelung der einfachen Standfigur wurde in der
Statuenkammer der Grabanlange des Schepsesptah (vgl.
Kat.-Nr. 31 und 32) aufgefunden, so daß trotz des Fehlens einer Beschriftung eine Identifizierung möglich erscheint. Ohne daß es bisher gelungen ist, eine einleuch-
tende Erklärung für dieses Phänomen der Verdoppelung
zu finden, muß wohl davon ausgegangen werden, daß es
sich bei diesem seit der 5. Dynastie auftretenden Statuentyp, der sich übrigens auch in der Königsplastik nachweisen läßt, um eine aus welchen Gründen auch immer
beabsichtigte Doppelung der Statue des Grabherrn handelt. Die Aufspaltung der ägyptischen Vorstellung vom
Menschen in verschiedene Bereiche bzw. Wesensbilder,
wie das sichtbare Erscheinungsbild, die Lebenskraft
(KA), die „Seele" (BA), der Name und der „Lichtgeist",
der vor allem im jenseitigen Bereich den Toten verkörpert (ACH), macht die Vermutung wahrscheinlich, daß
zwei der genannten Seinsweisen des Menschen hier repräsentiert werden sollen.
Der strukturelle Aufbau der Statuengruppe entspricht
jenem der kanonischen Standfigur, die von dem vorgesetzten linken Bein und den an beiden Seiten des Körpers herabhängenden Armen sowie der senkrechten
Rückenplatte gekennzeichnet ist. Die übliche Tracht:
Strähnenperücke mit Mittelscheitel und Kurzschurz mit
grob gefälteltem Überschlag, dessen Zipfel über dem
Gürtel herausschaut, sind ebenso typisch wie das in den
Händen gehaltene symbolhaltige Amulett, ein Hinweis
auf die jenseitige Funktion dieser Figurengruppe. Auffällig bleibt jedoch der Umstand, daß die rechte Figur
eindeutig größer ist als ihre linke Verdoppelung. Das rotbraune Inkarnat und die Reste der schwarzen Bemalung
der Perücken geben der Gruppe ein buntes Aussehen.
Basisplatte und Rückenpfeiler waren schwarz gemalt,
womit ihre ausschließlich konstruktiv bedingte Notwendigkeit angedeutet wurde.

Lit.: E. Martin-Pardey, Plastik des Alten Reiches, Teil 1, CAA Hildesheim,
Lief. 1, 1977, S. 1, 126–132; W. Seipel, Ägypten. Götter, Gräber und die
Kunst. 4000 Jahre Jenseitsglaube, Katalog Linz (Bd. I) 1989, Nr. 37;

Zum Grab: s. Kat.-Nr. 31

34
Figur eines Bierbrauers

Hildesheim, Roemer-Pelizaeus Museum, Inv.-Nr. 18
Kalkstein, bemalt, Höhe 36 cm
Aus Giza, Grab des Djascha
Altes Reich, 6. Dynastie, um 2250 v. Chr.

Seit dem Ende der 4. Dynastie treten in den Gräbern der mittleren Beamten Statuengruppen auf, die sich dem kanonischen Regelwerk von tektonischem Aufbau und Frontalität, wie es in den Grabstatuen verwirklicht wurde, entziehen. Die auf den Reliefs der Gräber dargestellten landwirtschaftlichen oder handwerklichen Szenen sind in ihnen zu rundplastischen Momentaufnahmen reduziert. Die Vielfalt der darstellungswürdigen Verrichtungen führte zu einem entsprechenden Themenreichtum dieser „Dienerfiguren": Bierbrauer, Töpfer, Schlächter werden ebenso dargestellt wie Bäcker, Bauern, Schmiede, Musikanten oder spielende Kinder. In manchen Gräbern wurden bis zu 26 Einzelfiguren gefunden, deren Aufgabe es war, die Versorgung des Grabherrn mit den entsprechenden Nahrungsmitteln sicherzustellen. Brot und Bier waren die Grundnahrungsmittel der alten Ägypter, die jedem offiziell zugestandene Mindestration betrug im Neuen Reich 5 Brote und 2 Krug Bier. Dementsprechend gehören Bierhersteller neben kornmahlenden Frauen (Kat.-Nr. 35) zu den häufigsten Dienerfiguren.
Die hier gezeigte Dienerfigur eines Bierbrauers stammt aus dem Grab des Djascha, in dem insgesamt 15 Figürchen dieser Art gefunden wurden. In erfrischender Lebendigkeit und spielerischer Ungebundenheit ist eine auf einer runden Basisplatte stehende männliche Figur

abgebildet, die mit leicht angewinkelten Knien und vorgebeugtem Oberkörper die gärende Maische durch ein großes Korbsieb streicht. Das Sieb liegt auf einem großen Tongefäß mit Ausguß, in dem sich der eigentliche Gärungsprozeß vollzog. Wie bei fast allen Dienerfiguren ist der Bierbrauer ohne Perücke, nur mit glattem Haar wiedergegeben. Er trägt einen einfachen kurzen Schurz. Sein übergroßer Kopf zeigt ein großflächiges, etwas plump gestaltetes Gesicht mit breiter Nase, weit nach außen gezogenen Augen und wulstigen Lippen.
Befreit von dem statuarischen Regelwerk der Stand- oder Sitzfigur ist auch diese Dienerfigur ein Beispiel für die spielerische Phantasie der „Künstler" dieser Zeit, die im Auftrag der adeligen Dienstherren und hohen Beamten auf diese Weise auch zu unkanonischen Darstellungsformen vorstoßen konnten. Dabei kann kein Zweifel bestehen, daß die so vielfältige Palette unterschiedlicher Darstellungsformen der Dienerfiguren letztlich auf ebenfalls von Phantasie und Einfallsreichtum gekennzeichnete Darstellungen in den Grabreliefs zurückzuführen ist.

Lit.: H. Kayser, Die Ägyptischen Altertümer, S. 42, Abb. 29; H. Kayser, Das Pelizaeus-Museum in Hildesheim, Abb. 15; E. Martin-Pardey, Plastik des Alten Reiches, Teil 1, CAA Hildesheim, Lief. 1, 1977, S. 1, 47–52; museum. Pelizaeus-Museum Hildesheim, 1979, S. 87; S. Donadoni, L'Egitto, 1981, p. 57; Das Alte Reich, Katalog Hildesheim 1986, Nr. AR 33;

Zum Grab: PM III/1², 1974, pp. 111f.

35

Kornmahlende Dienerin

Wien, Kunsthistorisches Museum, Inv.-Nr. 7500
Kalkstein, bemalt, Höhe 18,5 cm, Breite 7,8 cm, Länge 29,5 cm
Aus Giza, Mastaba des Schepsesptah
Altes Reich, 6. Dynastie, um 2250 v. Chr.

In ähnlicher Weise wie der Bierbrauer aus Hildesheim (Kat.-Nr. 34) entspricht auch diese Darstellung dem gängigen Sujet aus dem weiten Themenbereich der Brot- und Bierherstellung. Die schlanke Frauenfigur mit überlangem Oberkörper kniet auf einer schmalen Basisplatte und stützt sich mit ihren Händen auf einen ovallänglichen Reibstein. Um sich vor dem Mehlstaub zu schützen, hat sie die Haare unter einem über dem Nacken verknoteten Tuch verborgen. Ihr etwas grob wirkender mürrischer Gesichtsausdruck ist für die meist in lokalen Werkstätten hergestellten Dienerfiguren dieser Zeit charakteristisch.

Lit.: H. Junker, Giza VII, Wien und Leipzig 1944, S. 110, Taf. XXb; PM III/I², 1974, p. 152; H. Satzinger, Ägyptische Kunst in Wien, S. 18, Abb. 6; Osiris, Kreuz und Halbmond, Katalog Stuttgart - Hannover 1984, Nr. 84; A. Eggebrecht, Das Alte Ägypten, 1984, S. 298; Kunsthistorisches Museum Wien. Führer durch die Sammlungen, Wien 1988, S. 45; W. Seipel, Ägypten. Götter, Gräber und die Kunst. 4000 Jahre Jenseitsglaube, Katalog Linz 1989 (Bd. I), Nr. 49

Zum Grab: s. Kat.-Nr. 31

36
Statue des Tjeti

London, Britisches Museum, Reg. No. 29594
Holz, Höhe 75,5 cm, Breite 14 cm, Tiefe 37 cm
Herkunft unbekannt, vermutlich aus El-Hawawish
Altes Reich, 5. Dynastie, um 2400 v. Chr.

Die nicht aus einem einzigen Holzblock, sondern aus mehreren Einzelteilen zusammengesetzte Standfigur des Beamten Tjeti, dessen Name auf der rechteckigen Basisplatte eingeschrieben ist, ist ein eindrucksvolles Beispiel für die Holzskulptur des Alten Reiches. Der ausgezeichnete Erhaltungszustand dieser Grabstatue, deren genaue Herkunft nicht bekannt ist, macht sie zu einem Musterbeispiel für die hohe Kunst der Statuenherstellung der 5. Dynastie. Sieht man die augenscheinliche Fragilität der Statue, ihre Feingliedrigkeit und zieht auch in Betracht, daß es sich hier um eine aus Holz gefertigte Statue handelt, die ganz anders als die aus härtestem Diorit oder zumindest aus Kalkstein herausgearbeiteten Grabstatuen dem Zahn der Zeit kaum Widerstandsfähigkeit entgegenzusetzen hatte, so ist ihr fast perfekter Erhaltungszustand umso erstaunlicher. Und hier öffnet sich dem Betrachter auch eine neue Dimension in der Auseinandersetzung mit der ägyptischen Skulptur. Das aufgrund des Überlieferungszustandes vornehmlich an steinerne Skulpturen gewöhnte und geschulte Auge ist hier plötzlich konfrontiert mit einer von der Geschmeidigkeit des Materials ermöglichten plastischen Oberflächengestaltung, die sich dem schweren Druck des Steins befreiend entgegenstellt. Es ist nicht nur die Ausgewogenheit der Körperformen, nicht die überraschende Nacktheit, nicht der nachdenklich freundliche Gesichtsausdruck, der die heitere Leichtigkeit, die von diesem Standbild ausgeht, vornehmlich bestimmt. Es ist mehr! Es ist das in seltener Einheitlichkeit gelungene Zusammenspiel aller dieser Faktoren, seiner harmonischen Gesamtleistung, die ohne Anstrengung in spielerischer Gelassenheit erzielt wurde.

Die schon aufgrund ihrer Nacktheit in ewiger Jugendlichkeit aufzufassende Grabfigur des Tjeti, der in seiner Linken einen (modern ergänzten) Würdestab trägt, ist in der Grundform der Standfigur wiedergegeben. Doch das Gewicht ruht diesmal noch weniger als in den bisher gezeigten Beispielen auf dem rechten Standbein, sondern ist vielmehr ausgewogen verteilt auf eine gedachte Senkrechte zwischen Standbein und zum Schritt vorgesetzten Spielbein. Der zart modellierte Körper, dessen Muskulatur und formale Details in unglaublicher Subtilität aus dem Holz herausmodelliert sind, ist von jugendlicher Schönheit. Einen besonderen, unvergleichlichen Akzent bekommt die Statue durch das eindrucksvolle von den beiden weitgeöffneten Augen bestimmte Antlitz. In den aus Kupfer eingelegten Lidern sind Augäpfel aus kristallinem Kalkstein sowie Pupillen aus Obsidian eingesetzt. Unter der leicht geschwungenen Nase und den sorgsam gewölbten Wangenpartien, unter denen die Backenknochen leicht hervortreten, schwingt sich ein leicht lächelnder Mund. Über den Haaren sitzt eine schwarze Löckchenperücke, die über die Ohren herabreicht. In der Faust der rechten Hand dürfte ein Würdeszepter zu ergänzen sein, wie es dem Rang der dargestellten Figur, die vermutlich ein Mitglied der Gaufürstenfamilie des 9. oberägyptischen Gaues repräsentiert und möglicherweise aus einem Grab in der Nekropole von el-Hawawish stammt, entsprochen hätte.

Lit.: E. Brovarski, Akhmim in the Old Kingdom and First Intermediate Period, Mélanges Gamal Eddin Mokhtar I, 1985, 127, 143 n. 64; N. Kanawati, The Rock Tombs of Hawawish Bd. VII, 1987, p. 57, pl. 17; Treasures of the British Museum, Katalog Japan, p. 63

37
Oberteil einer Statue eines Mannes

London, Britisches Museum, Reg. No. 47568
Holz, Höhe 43 cm,
Aus Assiut
Altes Reich, 6. Dynastie, um 2250 v. Chr

Die fragmentarische Büste, deren Herkunft aus einem Grab in Achmim in Oberägypten ebenso feststehen dürfte wie ihre Datierung in das ausgehende Alte Reich, in die 6. Dynastie, ist trotz aller Unvollständigkeit und Zerstörung von ganz besonderer Eindringlichkeit. Als Teil einer ursprünglich wohl über einen Meter großen Standfigur läßt das Fragment noch etwas von der fast realistisch anmutenden Durchmodellierung des Gesichtes erahnen, das durch die einst aus anderen Materialien eingesetzten Augen und Augenbrauen ähnlich wie die Statue des Tjeti (Kat.-Nr. 36) von besonderer Eindringlichkeit und Ausdruckskraft gewesen sein muß. So wenig auch von dem Mund erhalten sein mag, so reicht es aus, um eine Vorstellung von der gekonnten und einprägsamen plastischen Gestaltung zu geben. Reste der Bemalung deuten einen aufgemalten breiten Schmuckkragen an, die Arme waren wie bei den meisten Holzstatuen separat gearbeitet und angedübelt: ein zwar fragmentarisches, aber nichts desto trotz besonders eindrucksvolles Bildzeugnis von der Menschendarstellung des alten Ägypten.

Lit.: A General Introductory Guide to the Egyptian Collections in the British Museum, 1930, p. 27, Fig. 11; J. Malek, The „Altar" in the Pillared Court of Teti's Pyramid-Temple at Saqqara, Pyramid Studies (FS für I. E. S. Edwards), 1988, 29 n. 14

38
Frauenstatue

London, Britisches Museum, Reg. No. 55723
Holz, Höhe 40 cm, Breite 11 cm, Tiefe 9 cm
Aus Sedment
Altes Reich, 6. Dynastie, um 2250 v. Chr.

Das hölzerne Figürchen stellt die Frau des Merire-aschetef dar, deren Grab in Sedment in Mittelägypten freigelegt wurde. Während die ebenfalls aus Holz gearbeitete Standfigur des Grabherrn, die ihn als nackten Jüngling in ähnlicher Form wiedergibt wie die Statue des Tjeti (Kat.-Nr. 36), ist die Statuette seiner Frau von naiver Schlichtheit ohne künstlerischen Ausdruck. Es ist eine schematische Reduktion auf die kanonische Grundform einer weiblichen Standfigur ohne jeglichen Versuch einer darüber hinausgehenden freieren Ausgestal-

tung und Plastizität. Die von einer Symmetrielinie in zwei Hälften geteilte Frau hält die beiden Arme an die Seiten gelegt. Das von einer kugeligen Perücke umrahmte Gesicht ist schematisch und puppenhaft ausgestaltet. Das wie ein geometrischer Bezugspunkt gezeichnete Schamdreieck aber verstärkt den schematischen, ja geradezu abstrakten Gesamteindruck.

Lit.: W. M. F. Petrie - G. Brunton, Sedment I, 1924, pp. 2, 3, pl. XI, 3, 7; PM IV, 1934, p. 115

DIE ERSTE ZWISCHENZEIT, DAS MITTLERE REICH
UND DIE ZWEITE ZWISCHENZEIT

War die Zeit der 7. und 8. Dynastie durch eine Reihe innerer Wirren bzw. kurzzeitig regierender Herrscher charakterisiert, deren Machteinfluß jedoch kaum über Memphis und den dazugehörigen Gau hinausgereicht haben dürfte, so bildete sich in der 9./10. Dynastie in der am Eingang zum Fajjum gelegenen Gauhauptstadt Herakleopolis eine mittelägyptische Territorialherrschaft heraus, die rund 18 Könige umfaßte, von denen jedoch keine Denkmäler bekannt sind. Da es ihnen kaum gelingt, ihren Herrschaftsbereich weiter nach Süden, etwa über Hermopolis und Assiut hinaus, auszudehnen, kommt es in der Gauhauptstadt Theben erstmals zur Herausbildung eines Machtzentrums. Allmählich gelingt es den Gaufürsten von Theben, dem heutigen Karnak, ihren territorialen Machtanspruch nach Norden und Süden auszudehnen, bis es schließlich unter Mentuhotep II. Nebhepetre zu einer erneuten Einigung ganz Ägyptens und damit zur Begründung des Mittleren Reiches kommt. Mentuhotep II. errichtet sich im Talkessel von Deir el-Bahari, westlich der Hauptstadt, eine gewaltige Grabanlage, deren feine Reliefs, vor allem aus den Grabkammern seiner Frauen und Töchter, den gelungenen Neuanfang des ägyptischen Flachbildes bekunden. Aber auch die Statue des Königs, die in einem eigenen Statuengrab im Vorhof seines Totentempels gefunden wurde, zeigt trotz aller Plumpheit und archaischen Schwere einen Neubeginn auch in der Rundplastik. Unter seinem Nachfolger Mentuhotep III. kommt es zu einer regen Bautätigkeit im ganzen Land, doch führt sein vorzeitiger Tod Ägypten neuerlich in eine Zeit der Unruhe.

Mit Amenemhet, der als königlicher Vezier den Thron usurpiert hat, beginnt schließlich die 12. Dynastie, die den Höhepunkt des Mittleren Reiches bedeutet. Amenemhet I. gründet die unweit der Residenzstadt des Alten Reiches Memphis gelegene neue Hauptstadt Itjtaui, was soviel wie „Die Herrscherin der beiden Länder" bedeutet und deren Lage bis heute nicht mit Sicherheit feststeht. In einer weisen Selbstbeschränkung knüpft das Königtum der beginnenden 12. Dynastie einerseits an die Vorstellungen des Alten Reiches an, versucht gleichzeitig jedoch der erkämpften Selbständigkeit der Gaufürsten nur behutsam Einhalt zu gebieten. Der so entwickelte lokale Reichtum ermöglicht eine rege Bautätigkeit, die in den reichen Gaufürstengräbern, wie etwa in Assiut, Hermopolis oder Beni Hassan ihren Niederschlag fand. Die Könige selbst greifen auf die Architekturform der Pyramide des Alten Reiches zurück, auch wenn ihre Grabmäler nun nicht mehr aus gewaltigen Steinblöcken, sondern, zumindest was das Füllmaterial anbelangt, aus luftgetrockneten Lehmziegeln bestehen.

Amenemhet I. fällt einem Mordanschlag zum Opfer, doch gelingt es seinem Sohn Sesostris I. den Aufstand niederzuschlagen und den Thron zu besteigen. Unter ihm erfolgt die Eroberung und dauernde Kolonisierung Nubiens bis weit in den Süden, bis zum zweiten Katarakt. Die in Lischt befindliche Pyramidenanlage des Königs war mit zahlreichen Reliefs sowie mit Statuen geschmückt, die ihn als Totenherrscher Osiris zeigen. Das „Werden zu Osiris", die Einswerdung des verstorbenen Königs mit dem Totenherrscher Osiris, war letztlich eine der Triebfedern der königlichen Grabarchitektur, die seit dem Ende des Alten Reiches in einer Art Demokratisierungsprozeß auch in die private, also nichtkönigliche Bestattungssitte übernommen wurde. Die im ganzen Land erneuerten oder neu errichteten Tempel werden von nun an mit den Statuen der Könige versehen, um deren permanente Anwesenheit sicherzustellen. Auch höchsten Beamten dieser Zeit war es bisweilen gestattet, ihre Statuen in bestimmten Tempeln aufzustellen, um auf diese Weise an den täglichen Opfern teilnehmen zu können. Unter den nachfolgenden Königen kommt es nicht nur zu der allmählichen Urbarmachung und Kolonialisierung der sumpfigen Niloase Fajjum, sondern auch zu einer verstärkten Betonung des königlichen Zentralismus. Unter Sesostris III., dem machtvollsten Herrscher der 12. Dynastie, wird der Einfluß der Gaufürsten noch weiter zurückgedrängt. Erfolgreiche Feldzüge, vor allem nach Nubien und Palästina, dienen der endgültigen Sicherung der Grenzgebiete und der Etablierung festungsmäßiger Handelsfaktoreien, so zum Beispiel südlich des dritten Katarakts in Kerma. Amenemhet III. ist der letzte bedeutende Herrscher der 12. Dynastie, unter dem die Kolonialisierung des Fajjums vollendet wird. Er errichtet erstmals zwei riesige Kolossalstatuen am Rande des Fajjum-Sees, die als für die breite Öffentlichkeit bestimmtes Propagandamittel seine Allgegenwart und königliche Macht demonstrieren sollen (s. unter Kat.-Nr. 46).

Dementsprechend erreicht die Bildhauerkunst unter Sesostris III. und Amenemhet III. ihren Höhepunkt, gekennzeichnet von einer neuen, realistisch wirkenden Porträthaftigkeit, die in zahlreichen Beispielen dieser Ausstellung dokumentiert wird. Die in verschiedenen Bereichen spürbare Säkularisierung des Königsamtes und die verstärkte Einengung der Bewegungsfreiheit der Gaufürsten, führt zusammen mit den vom Osten allmählich einsickernden semitischen Nomadenvölkern, deren Druck die zu Beginn des Mittleren Reichs errichtete Grenzbefestigung nicht mehr standhalten konnte, zum Niedergang des Mittleren Reichs. Obwohl das Verwaltungssystem der 12. Dynastie noch weit in die 13. Dynastie hinein funktioniert, folgen nun eine Reihe kurz regierender Herrscher, deren Regierung meist in Thronwirren endet. Die erneute Auflösung der Einheit Ägyptens ist vorgezeichnet. Wie bereits am Ende des Alten Reiches erheben sich zahlreiche lokale Usurpatoren gegen die kaum mehr durchsetzungsfähigen Kurzzeitkönige. Das Fehlen einer einheitlichen militärischen Führung schwächt die Verteidigungsmöglichkeit Ägyptens, das den nun verstärkt in das Ostdelta eindringenden Asiaten mehr oder weniger schutzlos ausgeliefert ist. Diese allmähliche, bereits seit der 12. Dynastie nachweisbare Unterwanderung großer Teile Unterägyptens, führt schließlich zur Eroberung der Residenz der 13. Dynastie, Itjtaui bzw. zur Herrschaft der „Hyksos" genannten Herrscher der Fremdländer, ein Titel, den sich diese Könige selbst zulegten. Als letzter Ausläufer einer seit zwei Jahrhunderten von Norden nach Süden sich fortsetzenden Wanderungsbewegung etablieren die asiatischen Söldnerheere ihre Herrschaft schließlich durch die Gründung einer neuen Residenz, Auaris, die heute im Ostdelta vermutet wird. Diese unter die Dynastien 15 und 16 zu subsummierende Herrschaft der Hyksos hinterläßt so gut wie keine archäologischen Zeugnisse oder gar besondere Kunstwerke. In ähnlicher Weise wie in der Ersten Zwischenzeit bedeutet auch die Zeit der Hyksos bzw. die Zweite Zwischenzeit eine Zäsur in der Entwicklung der ägyptischen Kultur, die erst durch eine erneut von Theben ausgehende dritte Reichseinigung abgelöst werden sollte.

Zeittafel, Dynastienliste

(fettgedruckt die in der Ausstellung vertretenen Pharaonen)

Erste Zwischenzeit:

7./8. Dynastie: um 2155–2134 v. Chr.
zahlreiche lokale Herrscher

9./10. Dynastie: um 2134–2040 v. Chr.
18 Könige in Herakleopolis

Mittleres Reich:

11. Dynastie: um 2134–1991 v. Chr.
Intef I. (2134–2118)
Intef II. (2118–2069)
Intef III. (2069–2061)
Mentuhotep II. (2061–2010)
Mentuhotep III. (2010–1998)

12. Dynastie: um 1994–1782 v. Chr.
Amenemhet I. (1994–1975)
Sesostris I. (1975–1933)
Amenemhet II. (1933–1901)
Sesostris II. (1901–1882)
Sesostris III. (1882–1843)
Amenemhet III. (1843–1799)
Amenemhet IV. (1799–1785)
Sebeknefru (1785–1782)

13. Dynastie: um 1782–1650 v. Chr.
über 50 Könige

14. Dynastie: um 1715–1650 v. Chr.
zahlreiche Kleinkönige im Delta

Zweite Zwischenzeit:

15./16. Dynastie: um 1650–1540 v. Chr.
Hyksosherrschaft: Salitis
Scheschi
Yakobher
Chian
Apophis
Chamudi
zahlreiche Vasallen der Hyksos

17. Dynastie: um 1650–1551 v. Chr.
zahlreiche Könige in Theben, darunter
Intef
Taa I.
Taa II.
Kamose (1555–1551)

39
Kopf einer Königsstatue

New York, Metropolitan Museum of Art, Fletcher Fund and the Guide Foundation, Inc. Gift, 1966, Acc. no. 66.99.3
Kalkstein, Höhe 18 cm, Breite 20,3 cm
Herkunft unbekannt
11. Dynastie, um 2000 v. Chr.

Sind schon aus dem Ende des Alten Reiches bzw. der 6. Dynastie so gut wie keine repräsentativen Beispiele für die königliche Skulptur überliefert, sieht man ab von einer einzigen lebensgroßen Bronzestatue des Königs Pepi I., einer weiteren kleineren Bronzestatue und den zwei Alabasterfiguren Pepis II. (siehe Kat.-Nr. 16), so ist das Belegmaterial für die Königsplastik der Ersten Zwischenzeit und der 11. Dynastie verschwindend gering. Erst von König Mentuhotep II. Nebhepetre sind einige Tempelreliefs, vor allem aber auch mehrere Statuen und Statuenfragmente erhalten, die zum Teil entlang des Aufweges seiner Grabanlage in Deir el-Bahari aufgestellt waren. Die bekannteste Darstellung dieses Herrschers, der auch in späteren Zeiten als Reichseiniger besonderes Ansehen und Verehrung genoß, wurde in einem Statuengrab vor seinem Totentempel gefunden und zeigt den König im weißen Sedfest-Mantel und mit roter unterägyptischer Krone. Aus dem thebanischen Fürstengeschlecht stammend, gelang es ihm, der Aufsplitterung des ägyptischen Niltales ein Ende zu bereiten, das Land neuerlich zu einen und diese zweite „Reichseinigung" der ägyptischen Geschichte in seine Darstellungsform programmatisch aufzunehmen. Dementsprechend wird er auf dem Relief einer Tempelkapelle bereits mit der Doppelkrone Ober- und Unterägyptens wiedergegeben. Die um 2040 v. Chr. abgeschlossene Unterwerfung Mittel- und schließlich auch Unterägyptens bedingte die Entwicklung bzw. Kanonisierung eines neuen Hofstils, der noch ganz durch die Unbekümmertheit und Ungebundenheit einer fernab der im Alten Reich bindenden Residenzvorlagen entwickelten Darstellungsform charakterisiert ist. Während sich in den Statuen Mentuhoteps II., die zum Teil schwerfällig, ja plump und in den Gliedmaßen unproportioniert wirken bzw. gewisse Anleihen an sicher auch in Theben vorhandene Rundbilder des ausgehenden Alten Reiches nicht verleugnen lassen, bieten die Königsbildnisse von

Mentuhotep III. Seanchkare Weiterentwicklung und Abschluß eines künstlerischen Lernprozesses, der letztlich die Grundlage legen sollte für die klassische Kunst der 12. Dynastie.

Neben einigen wichtigen Reliefdarstellungen des Königs Mentuhotep III., die sich durch eine besonders feine, fast graphisch zu nennende Linienführung, einen strengen, von den Regeln des Achsensystems und des Proportionskanons bestimmten Aufbau auszeichnen, werden diesem König aufgrund stilistischer Anhaltspunkte zwei Statuenköpfe zugewiesen, von denen sich der eine in Basel, der andere, der hier abgebildet ist, in New York befindet.

Die auf J. D. Cooney zurückgehende Zuordnung des New Yorker Königskopfes, die heute allgemein anerkannt wird, basiert auf stilistischen Anhaltspunkten, die eine Datierung des Kopfes in die 11. Dynastie ermöglichen: dazu gehören die siebenfach gewundene Uräus-Schlange auf dem Königskopftuch, die charakteristische Strichzeichnung des Königskopftuchs mit den schmalen Seitenlappen und die verhältnismäßig energische Lippenbildung. Individuelle Details, die hier in einer realistischen Detailgenauigkeit wiedergegeben sind, wie sie im Alten Reich, aber auch in der 11. Dynastie weder in den Reliefs noch in den wenigen Beispielen der Königsplastik Mentuhoteps II. nachweisbar sind, dennoch aber in einer gewissen Entwicklungslinie zu den älteren Königsskulpturen stehen, sprechen für eine Zuordnung dieses Kopfes an Mentuhotep III. Seanchkare: Vor allem die fast naturalistische Behandlung der leicht schräg gestellten Augen, deren Lidstrich bis fast an die Schläfen zurückführt, die fleischig muskulöse Wangenpartie, die zum Mund hin von leichten Labionasalfalten abgeschlossen wird, und der von zwei Kerben eingegrenzte Mund sind individuelle Details, die nicht nur das Frühstadium eines Neubeginns, wie es in der 11. Dynastie zu erwarten ist, hinter sich gelassen haben, sondern wie wir meinen, auch eine direkte Entsprechung in einem Tempelrelief des Königs aus Armant finden (heute in New York, Brooklyn Museum). Aus Armant stammen auch zwei Köpfe von Osirisstatuen, die ebenfalls Mentuhotep III. Seanchkare zugewiesen werden können.

Lit.: J. Cooney, Egyptian Art in the Collection of Albert Gallatin, JNES 12, 1953, S. 3, 4, No. 7; H. G. Fischer, The Gallatin Egyptian Collection, BMMA, March 1967, p. 258, fig. 5; C. Aldred, Some Royal Portraits of the Middle Kingdom in Ancient Egypt, MMJ 3, 1970, pp. 33, 34, figs. 9–12; Do. Arnold, Amenemhet I and the Early Twelfth Dynasty at Thebes, MMJ 26, 1991, S. 29, 30, fig. 42

40
Kopf einer Königsstatue

Paris, Louvre, Inv.-Nr. E 10299
Grauwacke, Höhe 27 cm, Breite 22 cm, Tiefe 22,3 cm
Herkunft unbekannt
Mittleres Reich, Ende 11./Anfang 12. Dynastie, um 2000 v. Chr.

Das mit einem breiten Stirnband über der Stirn abschließende Königskopftuch, dessen Seitenteile rechts und links abgebrochen sind, schließt sich eng an die Schädelkalotte an und beschreibt nur an den beiden Außenseiten eine leichte sinusförmige Schwingung. Sorgfältig ist die Fältelung des Kopftuchs herausgearbeitet, das unterhalb des Haaransatzes zu einem flachanliegenden Knoten zusammengebunden ist. In der Mitte des Stirnbandes ist noch der Ansatz der zerstörten Uräus-Schlange zu sehen, die sich in sieben Windungen über die Schädelmitte fortsetzt und schließlich in gestreckter Form parallel zu den Tuchfalten knapp oberhalb des Kopftuchknotens endet. Ebenso wie der Königsuräus ist auch die Nase des Gesichts abgesplittert. Leichte Beschädigungen weist auch die linke Augenbraue auf, die wie die rechte ursprünglich in Bronze eingelegt war. Die besondere Faszination dieses Gesichtes ergibt sich aus den zum Teil erhaltenen (linkes Auge), zum Teil rekonstruierten, eingelegten Augen, deren Pupillen wie der gesamte Kopf aus Grauwacke, die Hornhaut aus Kalkstein eingelegt sind. Die waagrechten, leicht mandelförmigen Augen setzen sich in Form von ebenfalls eingelegten Lidstrichen bis zur Schläfenpartie des Gesichtes fort. Eine besondere Akzentuierung erfährt das Gesicht durch den leicht aufwärts gekrümmten, lächelnden Mund, dessen Oberlippe von der umgebenden Hautpartie leicht vertieft abgesetzt ist, während die Unterlippe eine stegförmige Abgrenzung aufweist. Der Mund sitzt in einem bewegt wirkenden, von einem runden Kinn, deutlichen Labionasalfalten und wellig herausmodellierten Wangen gekennzeichneten Gesichtsfeld.

Eine sichere Zuordnung dieses Königskopfes ist nicht möglich. Der seltene Umstand, daß bei diesem Kopf das linke Auge noch die ursprünglichen Einlagen aufweist, sodaß eine Rekonstruktion des rechten Auges möglich wurde, gibt uns nicht nur eine Vorstellung von dem tatsächlichen Aussehen der meisten Königsstatuen, deren Augenpartie, wenn schon nicht eingelegt doch zumindest bemalt gewesen ist, sondern verstellt letztlich auch den vergleichenden Blick auf mögliche Bezugsobjekte. So sind es vor allem die eingelegten Augen, die so manchen Interpretations- und Zuschreibungsversuch insofern beeinflußt haben, als auch eine heute in Brooklyn befindliche Kniefigur des Königs Pepi I., die ebenfalls aus Grauwacke gefertigt ist, eingelegte Augen aufweist. Der von beiden Statuen ausgehende starre Blick, der durch den starken Kontrast zwischen der dunklen Pupille und dem aus Kalkstein gefertigten Augapfel herrührt und in den Interpretationen des Gesichtsausdruckes gerne als expressiv, übersteigert, ja brutal gedeutet wird, kann freilich als Bezugsmerkmal nicht ausreichen. Dazu kommt noch, daß das identische Ausgangsmaterial – Chloritschiefer bzw. Grauwacke – a priori eine ähnliche Erscheinungsweise der beiden Statuen bedingt und zu falschen Annahmen verleiten könnte. Sicher, es gibt einige Details, die über diese grundlegenden Elemente hinausführen, wie etwa der leicht geschwungene Mund und die oben beschriebene Kubatur des Königskopftuchs, doch muß hier wohl eingewendet werden, daß ein Vergleich von zwei Köpfen so ungleicher Größe – 20 cm bzw. 3 cm – ob seiner Aussagefähigkeit in Frage gestellt werden muß.

Wenn wir hier der Datierung dieses Königskopfes an den Beginn des Mittleren Reiches den Vorzug geben, so vor allem aufgrund der perfekten Oberflächenmodellierung, der unglaublich subtil gestalteten Wangenlandschaft, der Proportionierung der einzelnen Gesichtsdetails in ihrem Gesamtzusammenhang und vor allem aufgrund des ausgeprägten, den Gesichtseindruck bestimmenden, leicht lächelnden Mundes, der in dieser Form nicht am Ende einer Entwicklung gedacht werden kann. Wenn auch verschiedene Details, wie die Fältelung und der Schwung des Kopftuches, eine Beziehung zu Sesostris I. nahelegen, so läßt sich hinsichtlich des lächelnden Mundes eine Identifizierung mit diesem König eher ausschließen. Die Gesichtsmodellierung, ja die gesamte meisterliche Oberflächenbearbeitung, aber auch verschiedene zusätzliche Details, auf die E. Delange hingewiesen hat, setzen diesen Kopf am ehesten in nahe Beziehung zu der als Mentuhotep III. gedeuteten Skulptur in New York (siehe Kat.-Nr. 39), wenn auch das Lächeln dieses Königs weniger ausgeprägt wirkt.

Lit.: E. Delange, Catalogue des statues égyptiennes du Moyen Empire, Paris 1987, p. 36ff.

41
Kopffragment einer Königsstatue

Turin, Museo Egizio, Inv.-Nr. S 2700
Rosengranit, Höhe 25 cm, Breite 24 cm
Aus Heliopolis
Mittleres Reich, 12. Dynastie, um 1950 v. Chr.

Es wäre müßig, dieses Kopffragment einer näheren Diskussion über Zugehörigkeit bzw. Identifizierung zu unterziehen. Die Stilmerkmale des Kopfes freilich, die Reste des Kopftuchs mit angesetztem Uräus, das große Ohr, der kräftige Mund, die merkwürdig verschwommen wirkende Augenpartie lassen jedoch in diesem Bildnis nicht nur einen König erkennen, sondern sichern auch seine Datierung in das Mittlere Reich. Lebensgroße Sitz- oder Standskulpturen von Königen dieser Art müssen zu Hunderten die ägyptischen Tempel geschmückt haben, um die Präsenz des Königs zu gewährleisten. Als oberster Priester des Landes war er für den Vollzug des täglichen Opfers verantwortlich und damit für die Gewährleistung des kosmischen Kreislaufs der Natur.

Lit.: J. Vandier, Manuel III, p. 220 u. 3; A. Roccati, Il Museo Egizio di Torino, Rom 1988, p. 40; A. M. Donadoni Roveri (Hrsg.), Dal Museo al Museo. Passato e Futuro del Museo Egizio di Torino, 1989, p. 169, fig. 6, 7

42
Sphinxkopf einer Königin oder Prinzessin

New York, Brooklyn Museum, Charles Edwin Wilbour Fund, 56.85
Schiefer, Höhe 38,9 cm, Breite 34,9 cm, Tiefe 36,7 cm
Herkunft unbekannt, in der Nähe von Rom gefunden
Mittleres Reich, 12. Dynastie, um 1920 v. Chr.

Form, Stil, Qualität der Ausführung und seine Überlieferungsgeschichte machen diesen Kopf zu einer der faszinierendsten Skulpturen der altägyptischen Kunst. Eine über der Stirn gescheitelte, hinter den Ohren anliegende, zu beiden Seiten des Kopfes herabreichende, feingefältelte Strähnenperücke wird über der Stirn durch eine kleine Uräus-Schlange leicht gebündelt und zurückgeschoben, sodaß der darunterliegende feine Haaransatz deutlich sichtbar wird. Unter einer verhältnismäßig niedrigen Stirn schwingen zwei reliefierte Augenbrauen in elegantem Bogen vom Nasenansatz bis zur Schläfenpartie nach außen. Die beiden darunterliegenden, leicht schräg gestellten Augen waren ursprünglich eingelegt und setzen sich ebenfalls in langausgezogenen Schminkstreifen nach außen fort. Perfekt proportioniert und detailgetreu wiedergegeben sind die beiden unter der Perücke hervortretenden Ohren, deren subtile Modellierung vor allem beim rechten Ohr wie kaum bei einem anderen Beispiel der ägyptischen Skulptur die knöchelige Struktur des Ohrgehäuses wiedergibt. Unter der abgebrochenen Nase schwingt sich ein von zwei deutlich voneinander abgesetzten Lippen umschriebener Mund, dessen besondere Lebendigkeit, die ein Lächeln anzudeuten scheint, der asymmetrischen Gestaltung der Linienführung zu verdanken ist. Die Mundwinkel sind grübchenförmig betont. Das kurze, abgerundete Kinn schließt das von weicher Plastizität gekennzeichnete Gesicht nach unten ab. Die betonte Wangenpartie unter den feinmodellierten Backenknochen unterstreichen den perfekten Eindruck, den dieses Gesicht einer jungen Frau auf den Betrachter ausübt. In zeitloser, idealisierter Form wird in diesem Kopf ein Menschenbild faßbar, dessen klassisch vollendete Form zu keiner Zeit der ägyptischen Kunst wieder erreicht wurde.

Die aufgeführten stilistischen Details lassen keinen Zweifel daran, daß dieser Kopf der ersten Hälfte der 12. Dynastie zuzuordnen ist, eine Datierung, die durch den Fund einer vergleichbaren Darstellung, die mit dem Namen einer Tochter des Königs Amenemhet II. versehen ist, ihre Bestätigung findet. Hierbei handelt es sich um die in Syrien gefundene liegende Sphinx der Prinzessin Ita, deren identische Gesichtszüge und stilistische Details kaum Zweifel an der Identität mit diesem Kopf aufkommen lassen. Daß auch dieser Kopf zu einer liegenden Sphinx gehört hat, zeigt die waagrechte Bruchlinie am unteren Perückenende. Sphinxgestalt und Uräus sind Bestandteile der königlichen Darstellungsform, die in dieser Form seit dem Mittleren Reich auch für Königinnen und Prinzessinnen belegt sind. Die Übertragung von Erscheinungs- und Darstellungsformen des Königs auch auf Königinnen und in Ausnahmefällen auch auf Prinzessinnen läßt sich aus der für die Weitergabe königlicher Legitimität so wichtigen Funktion dieser Frauen am Königshofe erklären. Ursprünglich als ein Abbild des Königs war der Sphinx als Mischwesen zwischen Löwe und Mensch zumindest seit der Zeit des Königs Chephren sinnfälliger Ausdruck für die göttlich-menschliche Natur des ägyptischen Pharao.

Eine zusätzliche Bedeutung erfährt dieser Sphinxkopf durch die Tatsache, daß seine Überlieferungsgeschichte mit Details angereichert ist, die erweisen, daß seine hohe Wertschätzung keineswegs ausschließlich modernem Stilgefühl zu verdanken ist, sondern viel weiter zurückreicht, bis in die Zeit des Kaisers Hadrian. Erstmals wird der Sphinxkopf, der sich eine Zeitlang in schottischem Privatbesitz befunden hatte, bevor er über einige Umwege schließlich im Brooklyn Museum in New York gelandet ist, in der 1764 erschienenen ersten Auflage von Joachim Winckelmanns „Geschichte der Kunst des Altertums" erwähnt. So heißt es hier im Zusammenhang mit der Behandlung stilistischer Eigenheiten ägyptischer Skulpturen: „An einem der ältesten weiblichen Köpfe über Lebensgröße, von grünlichem Basalt, in der Villa Albani, welcher hohle Augen hat, sind die Augenbrauen durch einen erhobenen platten Streif, in der Breite des Nagels am kleinen Finger, gezogen, und dieser erstreckt sich bis in die Schläfe, wo derselbe eckig abgeschnitten ist; von dem unteren Augenknochen geht ebenso ein Streif bis dahin und endigt sich ebenso abgeschnitten. Von dem sanften Profil an griechischen Köpfen hatten die Ägypter keine Kenntnis, sondern es ist der Einbug der Nase wie in der gemeinen Natur; der Backenknochen ist stark angedeutet und erhoben, das Kinn ist alle Zeit kleinlich, und das Oval des Gesichtes ist dadurch unvollkommen …" (S. 53f.) und wenige Seiten weiter (S. 61f.), heißt es in bezug auf die Kleidung und Kopfbedeckung der ägyptischen Figuren: „Weibliche Figuren haben allezeit den Kopf mit einer Haube bedeckt, und dieselbe ist zuweilen in fast unzählige kleine Falten gelegt, wie sie der angeführte Kopf von grünem Basalt in der Villa Albani hat. An dieser Haube ist auf der Stirn ein länglich eingefaßter Stein vorgestellt, und an diesem Kopfe allein ist der Anfang von Haaren über der Stirn angedeutet." Diese sachliche, und zum Teil auch zutreffende Beschreibung – die Umdeutung des Uräus als „eingefaßter Stein", kann Winckelmann kaum zum Vorwurf gemacht werden, da ihm wohl kaum Statuen mit Uräusaufsatz bekannt gewesen sein dürften – läßt freilich jegliche Bewunderung und ästhetische Wertung vermissen, wie es für das Verhältnis zur ägyptischen Kunst im 18. Jahrhundert auch kaum zu erwarten war. Der Umstand freilich, daß der Kopf sich in der Villa Albani befunden hat, läßt darauf schließen, daß seine Geschichte in Europa bereits mit Kaiser Hadrian begonnen hat, der bekanntlich zahlreiche herausragende Kunstwerke in seine Villa Adriana in Tivoli verbracht hatte. Ob der Sphinxkopf auf direktem Wege aus Ägypten nach Rom gekommen ist oder vielmehr, wie es für viele Statuen gerade des Mittleren Reiches belegt ist, bereits im Vorderen Orient sich befunden hat und von dort im Auftrag des Kaisers Hadrian nach Rom verschleppt wurde, läßt sich heute freilich nicht mehr feststellen. Sicher allerdings dürfte sein, daß schon zu diesem Zeitpunkt die Augen nicht mehr eingelegt waren und die beim Entfernen der vielleicht aus kostbareren Materialien, wie Bergkristall, gefertigten Einlagen entstandenen Schäden an den Augenrändern sowie am Kinn und an der Oberlippe von römischen Bildhauern restauriert wurden. Es sei dahingestellt, ob eine auch nur gedankliche Rekonstruktion der eingelegten Augen wie sie z.B. in Kat.-Nr. 40 erhalten sind, ein Mehr an Ausdruckskraft und Faszination bewirken würde.

Lit.: J. J. Winckelmann, Geschichte der Kunst des Altertums, Darmstadt 1972; C. Vandersleyen (Hrsg.), Das Alte Ägypten, Propyläen Kunstgeschichte Bd. 15, 1975, Abb. 160; Ägyptische Kunst aus dem Brooklyn Museum, Katalog Berlin 1976, Nr. 23; J. Romano et al., Neferu net Kemit, Egyptian Art from the Brooklyn Museum, Katalog Tokio 1983, No. 21; E. Martin - Pardey, Nofret – die Schöne, die Frau im Alten Ägypten 2: „Wahrheit und Wirklichkeit", Katalog Hildesheim 1985, Nr. 113; R. Fazzini et al., Ancient Egyptian Art in the Brooklyn Museum, 1989, No. 19

43
Oberteil einer Königsstatue (Sesostris II.)

Wien, Kunsthistorisches Museum, Inv.-Nr. 5776
Anorthositgneis, Höhe 24,8 cm, Breite 22,2 cm, Tiefe 14 cm
Herkunft unbekannt
Mittleres Reich, 12. Dynastie, um 1890 v. Chr.

In den teils überlebensgroßen Statuen des Königs Sesostris I. spiegelt sich das konsolidierte Königtum des Mittleren Reiches wider: Insgesamt zehn Sitzdarstellungen des Königs aus seinem Totentempel in Lischt sind gekennzeichnet von einem stilistischen Rückgriff auf die Königsdarstellung des Alten Reiches, ohne freilich deren inhaltliche Tiefe und Ausdruckskraft zu erreichen. Sie sind zwar von Kontinuität und einem gewissen Traditionsbewußtsein gekennzeichnet, aber dennoch ist die Zäsur der Ersten Zwischenzeit unübersehbar: ein geglättetes, überidealisiertes Königsbildnis, das den Versuch unternimmt, in kanonischer Gestaltungsweise die Institution des Königtums in personifizierter Umsetzung zu präsentieren. Deutlich stehen die Suche nach der Regelhaftigkeit und die Furcht vor „schöpferischen Entgleisungen" im Vordergrund.

Während freilich diese überzeitliche Idealisierung des Königsbildnisses, vor allem im Einflußbereich der Residenz Memphis zu verspüren ist, entwickelt sich gleichzeitig im oberägyptischen Theben, wo bis zum Beginn der 12. Dynastie das Machtzentrum gelegen ist, ein freierer, ungezwungener und letztlich dynamischer Ausdrucksstil, der sich bereits bei einigen Königsbildnissen Sesostris I. ankündigt, seinen ersten Höhepunkt jedoch unter Sesostris II. findet. Dieser vierte König der 12. Dynastie war Sohn und drei Jahre lang Mitregent seines Vaters Amenemhet II. Insgesamt regierte Sesostris II. 19 Jahre. Er ließ sich südlich von Memphis bei el-Lahun eine Pyramidenanlage anlegen, die vor allem durch die daneben gefundene Arbeitersiedlung der Pyramidenbauer von höchstem sozialgeschichtlichen Interesse ist. Die ihm zuweisbaren drei Kolossalstatuen wurden in späterer Zeit von Ramses II. usurpiert. Sie entsprechen in ihrer momumentalen Ausgestaltung bereits dem Typ der Propagandastatue, wie sie später unter Amenemhet III. aus dem Fajjum bekannt und vor allem in der 19. Dynastie zu einem wesentlichen Instrument königlicher Machtpolitik geworden sind. Dies macht auch die Usurpation der Statuen Sesostris' III. durch Ramses II. verständlich.

Zu den aus guten Gründen Sesostris II. zuweisbaren Darstellungen zählt auch der in Wien befindliche Oberteil einer Königsstatue. Trotz der leichten Beschädigungen an der Oberfläche des Gesichtes, vor allem der Nase, läßt sich ein offensichtlich bewußt individuell gestaltetes Königsporträt erkennen. Eingefaßt von einem breitrandigen, weit auf beide Schultern herabreichenden Königskopftuch, dessen Fältelung in den unteren beiden Tuchteilen besonders eng ausgefallen ist, wird das Gesicht von zwei großen, etwas abstehenden Ohren charakterisiert, wie sie für die Plastik der 12. Dynastie sowohl im königlichen als auch im nichtköniglichen Bereich typisch sind. Das Königskopftuch, auf dessen Mitte sich das königliche Symbol der Uräus-Schlange aufbäumt, wird von einem schmalen Stirnband abgeschlossen, das tief bis knapp über den Augenansatz herabreicht. Die verhältnismäßig kleinen, ja schmalen Augen sind nicht ganz symmetrisch einmodelliert und werden durch breit nach rückwärts gebogene Oberlider sowie deutlich angegebene Tränensäcke charakterisiert, was dem Gesamtausdruck des Gesichtes eine gewisse Schwere und Verhaltenheit verleiht. Der Gesichtsschädel ist deutlich ausmodelliert, wobei die fleischige Wangenpartie einen eher rundlichen Ausdruck vermittelt. Über dem weich abgerundeten Kinn sitzt ein schmaler, leicht nach unten gebogener Mund, dessen breite Lippen fest aufeinanderliegen. So vermittelt das Bildnis dieses Königs den Eindruck eines energischen, selbstbewußten, ja fast verschlagen wirkenden Herrschers, der losgelöst vom geglätteten, idealisierten, überzeitlichen Darstellungstyp, wie er in den Königsstatuen Sesostris' I. in Memphis verwirklicht ist, zu einer individuellen Porträthaftigkeit vorgestoßen ist. Damit aber beginnt eine Entwicklung, die sich unter den Königen Sesostris III. und Amenemhet III. zu höchster Vollendung entfalten sollte.

Lit.: B. Jaros-Deckert, Statuen des Mittleren Reichs und der 18. Dynastie, CAA Wien, Lief. 1, 1987, S. 1, 55–59

44
König Sesostris III. als Sphinx

New York, Metropolitan Museum of Art, Gift of Edward
S. Harkness, 1917, Acc. no. 17.9.2
Gneis, Höhe 42,5 cm, Breite 29,3 cm, Länge 73 cm
Herkunft unbekannt
Mittleres Reich, 12. Dynastie, um 1860 v. Chr.

Die seit den Königen des Alten Reiches nachweisbare
Sphinxgestalt als mythisches Mischwesen aus
Löwenkörper und Menschenkopf, für das der auf König
Chephren oder vielleicht auch seinen Vorgänger zurückgehende große, aus dem anstehenden Felsen gehauene
Sphinx bei Giza das eindrucksvollste Beispiel darstellt,
erlebte in der Zeit der 12. Dynastie eine blühende Renaissance. Ausgehend von der im ägyptischen Königsdogma ausformulierten Verknüpfung oder besser Einwohnung der vor allen Zeiten entstandenen göttlichen
Institution des Königtums in den dem Kreislauf von Tod
und Leben unterworfenen Pharao stellt auch die Sphinxgestalt den Versuch dar, Teilaspekte dieser Verbindung
sinnfällig darzustellen. Der Löwe als das mächtigste
aller Wüstentiere, den zu erlegen noch in den propagan-
distischen Königseulogien des Neuen Reiches der
höchste Erweis königlicher Tapferkeit war, verleiht
seine Stärke und Kraft, seine Unbezwingbarkeit dem
menschlichen König. Uralt sind Übertragungstendenzen
dieser Art, sie reichen zurück bis an den Beginn der historischen Zeit, als Könige mit dem Namen „Skorpion",
„Schlange" oder „Wels" in ähnlicher Weise eine im
Namen verwirklichte Identität mit gefährlichen Tieren
anstrebten, um sich deren „übermenschlicher" Kräfte zu
versichern.
Wenn nun seit dem Mittleren Reich der Sphinx als Erscheinungsform des Königs in bewußter Rückbeziehung
auf die Vorbilder des Alten Reiches in das königliche
Darstellungsrepertoire wieder aufgenommen wird, so
gesellt sich zu der ursprünglich theologisch begründeten
Verknüpfung von Tierleib und Menschenkopf eine weitere Zielsetzung, die erstmals in der monumentalen
Sphinxdarstellung des Königs Amenemhet II. (heute im
Louvre) ihre Verwirklichung fand: Entsprechend den
Kolossalstatuen, die in monumentaler Form weithin von
der Allmacht und Würde des Pharao kündeten und daher
nicht mehr ausschließlich im dunklen Tempelinneren
aufgestellt waren, sondern auch in den der Öffentlichkeit
zum Teil zugänglichen Tempelhöfen, wurde auch der
Sphinx zu einer verstärkt der machtpolitischen Selbstdarstellung des Pharao als machtvoller weltlicher Herrscher verpflichteten Erscheinungsform. Eingesetzt bis

zu einem gewissen Grade als Propagandamittel des
Staates unterliegt die Königsskulptur des Mittleren Reiches gewissen säkularisierenden Tendenzen, die in den
Bildnissen Sesostris' III. ihren Höhepunkt finden.
Neben dem Sphinxkopf der Prinzessin Amenemhets II.
(Kat.-Nr. 42), der als das beste Beispiel für die klassische Skulptur des Mittleren Reiches gelten darf, verkörpert der hier gezeigte Sphinx Sesostris' III. wie kaum ein
anderes Beispiel der ägyptischen Kunstgeschichte den
Höhepunkt in der Entwicklung der rundplastischen Königsdarstellung seit ihren Anfängen über tausend Jahre
zuvor. Der auf einer hohen Basisplatte liegende Raub-
tierköper und der mit Königskopftuch und geflochtenem
Königsbart versehene Kopf des Königs Sesostris III.
entsprechen an sich der vorgegebenen ikonographischen
Grundform der königlichen Sphinxgestalt. Aber damit
ist über die eigentliche Zielsetzung und Qualität der vorliegenden Skulptur kaum etwas ausgesagt. Die hier zutage tretende stilistische Gestaltungskraft führt nicht nur
über alle bisherigen Versuche, das Mischwesen
Gott/König – Tier/Mensch – möglichst eindrucksvoll
wiederzugeben, weit hinaus, sondern verleiht der kanonischen Grundform eine neue Aussage, einen neuen Inhalt. Hier ist es nicht mehr der König, der in zeitloser
Form als Träger der gottgegebenen und göttlichen Institution des Königtums in die Gestalt des Tierkörpers
schlüpft, um dem überzeitlichen Anspruch seines Amtes
besser gerecht zu werden und auf diese Weise den
menschlichen und damit zeitlich begrenzten Aspekt
seiner Existenz in den Hintergrund treten zu lassen, sondern hier ist es der König als machtvoller, seiner eigenen
Fähigkeiten und Kräfte bewußter Herrscher, der sich der
Wildheit, ja Brutalität, der Gefährlichkeit und furchtein-
flößenden Wirkung des Löwenkörpers bedient, um auf
seine eigene menschliche Machtvollkommenheit hinzuweisen.
Das im Alten Reich wirksame und in der berühmten
Sitzstatue des Königs Chephren veranschaulichte Königsdogma, das von einem absolut regierenden Herrscher ausging, der als Repräsentant des göttlichen Königtums gleichzeitig Garant und Verwirklicher der Weltordnung, der Maat, gewesen war und der in seinen Darstellungen den überzeitlichen Aspekt dieses Amtes dementsprechend betonte, war in den Wirren der Ersten Zwischenzeit zerbrochen. Der mühsame, von Theben ausgehende Neubeginn führte so einerseits zur Wiederaufnahme traditioneller Denkweisen, die sich zum Teil in
der aus Memphis stammenden Königsskulptur etwa
eines Sesostris' I. widerspiegelt. Die machtpolitischen
Gegebenheiten der Ersten Zwischenzeit jedoch, die den
Gaufürsten und ersten Königen des Mittleren Reiches
eine von der Vorbildhaftigkeit der früheren Residenz un-

abhängige Entfaltungsmöglichkeit boten, aber auch die geistige Auseinandersetzung mit den Erschütterungen der Vergangenheit, führten letztlich zu einem neuen Verständnis der Welt und damit auch des Menschen und des ihn bestimmenden Königtums. Daher suchte auch der König nach neuen Ausdrucksformen seiner neugewonnenen Machtansprüche, die wie nie zuvor von individueller Durchsetzungskraft und persönlicher Entscheidungsfreiheit getragen wurden. Das in der 12. Dynastie beginnende Ausgreifen Ägyptens nach Nubien, aber auch in den Vorderen Orient, vor allem aber die Neuorganisation des Staates, dem eine neue Verwaltungsstruktur angepaßt werden mußte, deren Funktionieren bis weit über das Ende des Mittleren Reiches feststellbar ist und die damit im Zusammenhang stehende Binnenkolonisation, die vor allem die bis dahin unbewohnbare Oase Fajjum urbar machte, geben den weitgestreckten Handlungsspielraum der Könige dieser Zeit wieder. Es ist eben das Individuum, der König als machtvolle Einzelpersönlichkeit, die sich den provinziellen Widerständen im Lande entgegenstemmt und letztlich das Mittlere Reich zur klassischen Periode der ägyptischen Geschichte formt. Die Verkörperung dieses unbändigen Willens ist unter anderem auch der König in Sphinxgestalt, wie es das hier gegebene Beispiel zeigt.

Auf einem überproportional großen Löwenkörper, dessen zottiges Fell zur Aufnahme des Königsnamens über der Brust geglättet ist, ragt der eindrucksvolle Königskopf, dessen individuelle Porträthaftigkeit unübersehbar ist. Es ist das Porträt eines Königs, der sich seiner Macht bewußt ist und sie hier in vollkommener Weise zum Ausdruck bringt. Dennoch, auch hier ist der porträthafte Charakter, der gerne einer psychologisierenden Deutung unterworfen wird (siehe Kat.-Nr. 45), nicht losgelöst zu sehen von einer bewußten Einbindung des Königsporträts in den Kreislauf von Geburt, Alter und Tod. Dem überzeitlichen Aspekt der Königsstatue des Alten Reiches tritt hier die zeitliche Gebundenheit eines Porträts gegenüber, in dem die Selbstdarstellung der irdischen Aspekte des Königtums mit zum Programm erhoben wird.

Lit.: H. G. Evers, Staat aus dem Stein. Bd. I, München 1929, Taf. 78, 79; W. C. Hayes, Royal Portraits of the Twelfth Dynasty, BMMA December 1946, pp. 119–124; W. C. Hayes, The Scepter of Egypt I, New York 1953, fig. 119, pp. 198, 199; C. Aldred, Some Royal Portraits of the Middle Kingdom in Ancient Egypt, MMJ 3, 1970, pp. 43, 44, fig. 25, 26; C. Vandersleyen (Hrsg.), Das Alte Ägypten, Propyläen Kunstgeschichte Bd. 15, Abb. 163; D. Wildung, Sesostris und Amenemhet. Ägypten im Mittleren Reich, 1984, S. 198, Abb. 173; P. Dorman, Egypt and the Ancient Near East in The Metropolitan Museum of Art, New York 1987, no. 27, pp. 42, 43

45
Sphinxkopf des Königs Sesostris III.

Wien, Kunsthistorisches Museum, Inv.-Nr. ÄS 5813
Schiefer, Höhe 21,9 cm, Breite 33,2 cm, Tiefe 32,1 cm
Herkunft unbekannt
Mittleres Reich, 12. Dynastie, um 1860 v. Chr.

Das über der Stirnmitte von einer Uräusschlange gekrönte Königskopftuch, dessen beide Flügel die plastisch herausmodellierten Ohren betonen, umrahmt ein ausdrucksvolles, individuell erscheinendes Antlitz, das trotz der beschädigten Nase nichts von seiner Wirkung verloren hat. Das Knochengerüst des Gesichtsschädels läßt sich deutlich unter dem enganliegenden Stirnband des Kopftuches über die schmale Stirn hinaus verfolgen. Augen, Nase und Mundpartie sind in subtiler Plastizität zu einer untrennbaren organischen Einheit verschmolzen. Die etwas fleischig wirkenden Wangen, die sich zum Kinn in weicher Rundung fortsetzen, stehen im spannungsvollen Kontrast zu dem entschlossenen Mund und den ernsten, wissenden Augen. Trotz aller porträthaften Züge, denen auch die Zuordnung dieses unbeschrifteten Kopfes zu verdanken ist, sind die Darstellungen Sesostris' III. mehr als realistische unverwechselbare Abbilder menschlicher Individualität. Die porträthaften Züge, die sicher dem lebenden Vorbild entsprochen haben, sind vielmehr in das hier erstmals vollkommen verwirklichte neue Konzept königlicher Selbstdarstellung eingebunden. Die irdische Existenz des Königs, die dem Kreislauf von Geburt, Alter und Tod unterworfen ist, drängt hier erstmals nach Selbstäußerung. Die zahlreichen Altersporträts dieses Königs, die oft in unmittelbarer Nähe zu jugendlich zeitlosen Darstellungen zu finden sind, geben ein beredtes Zeugnis dafür. Das Lebensalter, also die bereits seit langem empfundene Vergänglichkeit auch des menschlichen Königs, ist unter Sesostris III. darstellungswürdig geworden, wobei erste Ansätze dazu bereits unter Sesostris II. spürbar geworden sind (siehe Kat.-Nr. 43).

Wie bei kaum einem anderen Königsbildnis ist die Frage des Individualporträts am Beispiel der Bildnisse Sesostris' III. häufig diskutiert worden. Die Wiedererkennbarkeit des Königsbildnisses bzw. die Identifizierung aufgrund stilistischer Anhaltspunkte, – und die meisten Königsbildnisse des Mittleren Reiches entbehren einer absichernden Beschriftung mit dem Namen des Dargestellten – haben immer wieder zur Frage nach Abbildhaftigkeit der ägyptischen Skulptur geführt. Die Beispiele der Königsplastik von Sesostris III., aber auch seines Nachfolgers Amenemhets III., zeigen in überzeu-

gender Weise, daß zumindest für Teilbereiche der ägyptischen Kunstgeschichte eine realistische Porträtähnlichkeit angestrebt wurde, auch wenn mit seiner Umsetzung meist noch zusätzliche Zielsetzungen verbunden waren. Die Individualisierung des ägyptischen Königporträts ging nie so weit, auch nicht in der Zeit von Amenophis IV. – Echnaton, subtile Körperdetails in den Mittelpunkt der Darstellung zu stellen. Immer ist der weitere Umkreis der Königsdarstellung mit in die Wertung des sogenannten Porträts einzubeziehen. Ob Sesostris III., Amenemhet III. oder Echnaton, in allen drei Fällen waren es besondere machtpolitische, ideologische oder philosophisch-geistige Gegebenheiten, die zu diesen so radikalen Veränderungen im Erscheinungsbild des Kö-

nigsporträts geführt haben. Daß in allen drei Fällen jeweils Entwicklungsvorstufen faßbar sind, etwa unter Sesostris II. oder unter Amenophis III., widerspricht dem keineswegs, sondern erweist einmal mehr, daß auch revolutionäre Entwicklungen in Ägypten kaum das Ergebnis individueller Einzelaktivitäten einer oder weniger Personen gewesen sind. Dies trifft zu sowohl für Sesostris III. wie sicher auch für Amenophis IV.

Lit.: B. Jaros-Deckert, Statuen des Mittleren Reichs und der 18. Dynastie, CAA Wien, Lief. 1, 1987, S. 1, 64–71; D. Spanel, Through Ancient Eyes: Egyptian Portraiture, Katalog Birmingham (Alabama) 1988, No. 12

46
Statuenkopf des Königs Amenemhet III.

Berlin-Museumsinsel, Ägyptisches Museum,
Inv.-Nr. 17950
Granit, Höhe 27 cm
Herkunft unbekannt
Mittleres Reich, 12. Dynastie, um 1820 v. Chr.

König Amenemhet III. war der sechste König der 12. Dynastie und direkter Nachfolger Sesostris' III. Mit fast 50 Jahren Regierungszeit kann er als einer der bedeutendsten Herrscherpersönlichkeiten der ägyptischen Geschichte angesehen werden. Unter seiner Regierung erfährt das Mittlere Reich den Höhepunkt des neubegründeten Staatsabsolutismus, der letztlich zur Einschränkung des Privatbesitzes, zur Beschneidung der Macht des Provinzadels, einer verstärkten Arbeitspflicht für die Landleute und einer Abschaffung der Vererbung der Hofämter führte. Der machtpolitisch geprägte Durchsetzungswille dieses Herrschers zeigt sich nicht nur in den Bildnissen Sesostris' III. vergleichbaren Darstellungen, sondern auch in neuen Statuentypen, wie etwa den gewaltigen Mähnensphingen oder den Skulpturen der „Fischopferer". Die Einsetzung der Kunst als Propagandmittel des Staates wird am Beispiel zweier gewaltiger, etwa 15 m hoher Sitzstatuen des Königs deutlich, die auf zwei jeweils 18 m hohen Sockeln inmitten des Fajjum-Sees standen und von denen schon Herodot bewundernd berichtet hat (siehe Kat.-Nr. 122). Als bezeichnendes Dokument für den Zeitgeist der ausgehenden 12. Dynastie bzw. für den machtpolitischen Hintergrund, vor dem sich die Persönlichkeit Amenemhets III. und die ihm eigene Darstellungsform in kontrastierender Weise abheben, sei auf die in ihrer ältesten Fassung eben auf diesen König zurückzuführende „Loyalistische Lehre" verwiesen. In ihr kommt das vom individuellen Machtanspruch des Königs geprägte Königsdogma dieser Zeit in überzeugender Weise zum Ausdruck:

„Verehrt den König im Inneren eures Leibes!
Vertraut euch Seiner Majestät in euren Herzen!
Er ist SIA (Erkenntnis), der in den Herzen ist,
seine Augen, sie durchforschen jeden Leib.
Er ist RE (Sonne), kraft dessen Strahlen man sieht,
ein Erleuchter der beiden Länder, mehr als die Sonne.
Ein Begründender, mehr als eine hohe
Überschwemmung,
er hat die beiden Länder mit Kraft und Leben erfüllt.

Die Nasen erstarren, wenn er in Zorn gerät;
besänftigt er sich, wird wieder Luft geatmet.
Er gibt Nahrung denen, die in seinem Gefolge sind,
und speist den, der seinem Weg anhängt.
Der König ist KA (Lebenskraft),
HU (Nahrung) ist sein Mund;
von ihm hervorgebracht ist alles Seiende.
Ein CHNUM (Schöpfergott) ist er jeden Leibes,
Ein Zeugender, der die Menschheit hervorbringt.
BASTET (gnädige Katzengöttin) ist er, die die beiden
Länder behütet;
wer ihn verehrt, wird von seinem Arm beschützt
werden.
SACHMET (kriegerische Löwengöttin) ist er gegen
den, der sein Gebot verletzt;
wen er haßt, wird im Elend sein.
Kämpft für seinen Namen!
Achtet seinen Eid!
Haltet euch frei von einer Tat, die (ihm) schaden kann!
Wen der König liebt, wird ein (im Jenseits) Versorgter
sein;
kein Grab gibt es für den, der sich gegen Seine
Majestät empört,
sein Leichnam wird ins Wasser geworfen.
Wenn ihr dies tut, wird euer Leib heil sein,
und ihr werdet es für die Ewigkeit (nützlich) finden."

In entsprechender Weise ist das Königsbildnis Amenemhets III. von jener beeindruckenden Aussagekraft, wie sie unserem aus historischen Quellen erschlossenen Königsbild entspricht. Amenemhet ist hier als König von Oberägypten wiedergegeben, bekleidet mit der hohen weißen Krone, die zusammen mit der roten unterägyptischen Krone den Herrschaftsanspruch des Königs über ganz Ägypten symbolisierte. Die Krone geht fast bruchlos, nur durch einen dünnen abgesetzten Rand an der Stirne, in die Kopfform über und kontrastiert auf diese Weise mit ihrem hochaufgerichteten, glatt polierten, länglichen Kronenkörper gegen das zergliederte, ja zerfurchte Gesicht des Königs. Zwei reliefierte, leicht nach außen geschwungene Brauenbögen unterhalb der schmalen Stirnpartie bilden in ihrem eleganten Schwung ein deutliches Gegengewicht zu der knochigen Wangenpartie, der deutlich hervortretenden Mundpartie und der pointierten Nase, deren Flügel durch deutliche Einkerbungen begrenzt werden. Eine tiefe Augenfurche, die schräg unterhalb der Jochbeine, fast diagonal die Gesichtsfläche durchschneidet, verleiht dem Antlitz jene leicht zu Mißdeutungen verleitende schwermütige Betonung, die gerne mit der Last des Amtes in Verbindung gebracht wird. Sicher, letztlich waren es die negativen Erfahrungen des Zusammenbruchs am Ende des Alten

Reichs, waren es die Wirren der Ersten Zwischenzeit und die selbsterfahrene Hilfslosigkeit in der Bewältigung der anstehenden Probleme, die zur Herausbildung des neuen Königsporträts geführt oder dessen Entwicklung zumindest beschleunigt haben. Aber eine psychologisierende Deutung, die modernes ägyptologisches Wissen über den Untergang eines wichtigen Zeitabschnittes der ägyptischen Geschichte einfließen läßt in die Interpretation eines Individualporträts, kann nicht auf das Darstellungswollen der ägyptischen Rundplastik übertragen werden. Die sich in den Königsporträts seit Sesostris II. zeigende Einsicht in die Vergänglichkeit der Welt ist vielmehr vor allem geprägt durch die aus der Situation her bedingte Entwicklung freier schöpferischer Kräfte, die letztlich zu einer machtpolitischen Übersteigerung und zum Niedergang des Mittleren Reiches führen sollte.

Lit.: Bissing, Denkmäler ägyptischer Skulptur, Bd. I, München 1914, Taf. 26a; H. G. Evers, Staat aus dem Stein II, München 1929, § 711; J. Vandier, Manuel III, p. 213 und n. 4, pl. LXVI, 5, 6; Ägyptisches Museum, Katalog Berlin-Museumsinsel 1991, Nr. 31

Der Text der Königseulogie wurde in der Übersetzung von J. Assmann aus „Ägyptische Hymnen und Gebete", erschienen im Artemis Verlag 1975, S. 473f. entnommen.

47
Statuenkopf des Königs Amenemhet III.

London, Britisches Museum, Reg.No. 26935
Schiefer, Höhe 12 cm, Breite 10 cm, Tiefe 6,5 cm
Herkunft unbekannt
Mittleres Reich, 12. Dynastie, um 1820 v. Chr.

Dieses kleine Köpfchen unbekannter Herkunft kann ausschließlich aufgrund der individuellen Gesichtszüge dem König Amenemhet III. zugewiesen werden. Es ist letztlich in jenem Bereich der Königsplastik anzusiedeln, die als weitverbreitete Auftragskunst das Bild des Königs im ganzen Lande verbreiten sollte. Dennoch sind alle charakteristischen Details des Königsbildnisses Amenemhets III. deutlich erkennbar. Abgesehen von den üblichen Königsinsignien wie Kopftuch und Uräus-Schlange zeigt das kleine Köpfchen in den weit abstehenden, übergroßen Ohren oberflächliche Stilmerkmale des Mittleren Reiches, die sich in den engen, schlitzartigen Augen und vor allem in der deutlich hervortretenden Mundpartie zum Antlitz Amenemhet III. verdichten. In ähnlicher Weise wie die großen Propagandastatuen, die dieser König in dem von ihm endgültig urbar gemachten Fajjum aufstellen ließ, kam auch diesen kleinen Statuen eine ähnliche Funktion zu. Sicher waren sie in den Tempeln des Landes aufgestellt, vielleicht aber sogar auch in den Häusern und Villen der oberen Gesellschaftsschicht, die in ihrer Abhängigkeit von der Gunst und dem Wohlwollen des Königs diesem jederzeit und notgedrungen verpflichtet war – das Antlitz ihres Pharaos stets vor Augen.

Lit.: J. Romano, JEA 71, 1985, Rev. Supplement, p. 40

48
Statue des Königs Amenemhet III.

Paris, Louvre, Inv.-Nr. N 464
Schiefer, Höhe 21,4 cm, Breite 10 cm, Tiefe 10,3 cm
Herkunft unbekannt
Mittleres Reich, 12. Dynastie, um 1820 v. Chr.

Dieses aus feinem Chloritschiefer verfertigte Standbild des Königs Amenemhet III. ist trotz seiner geringen Größe von monumentaler Aussagekraft. Ganz anders als das Köpfchen aus London (Kat.-Nr. 47) kann es als ein in jeder Hinsicht qualitativ befriedigendes Meisterwerk der königlichen Rundplastik angesehen werden. Dennoch bedingt die geringe Größe des Kopfes eine auf die „Lesbarkeit" des Porträts reduzierte Detailangabe, die jedoch alle wesentlichen Elemente, die zum Erscheinungsbild Amenemhet III. gehören – Augenform, vortretender Mund, Augenfurche, Labionasalfalte – enthält: ein hieroglyphisches, zeichenhaftes Nebeneinander, denn ein in sich stimmiges Gesamtporträt.

Der König ist stehend wiedergegeben. Er lehnt an einem Rückenpfeiler, der bis unterhalb des Schulterblattes führt und unbeschriftet geblieben ist. Er ist bekleidet mit dem üblichen, rechts und links des Kopfes bis weit auf die Schultern herabreichenden Königskopftuch, über der Stirn erhebt sich die Uräus-Schlange als königliches Symbol der Macht und Göttlichkeit. Die großen, detailliert ausgearbeiteten Ohren stehen kontrastierend vor den beiden Seitenteilen der Perücke und flankieren ein Gesicht, dessen angespannte Haut das darunterliegende Knochengerüst deutlich hervortreten läßt. Die kräftige Nase unter der schmalen Stirn setzt sich nach unten in einer deutlichen Nasolabialfalte fort, ein typisches Kennzeichen der Proträts dieses Königs. Dazu gehören natürlich, wie bereits angegeben, auch die weit auseinanderstehenden Augen, die kantig hervortretenden Backenknochen und die zurücktretende Schläfenpartie,

die dem Schädel insgesamt ein stark akzentuiertes Aussehen verleiht. Die schweren oberen Augenlider und der stark hervortretende, von kleinen Grübchen begrenzte, sehr sinnlich wirkende Mund findet sich auch auf dem Königskopf in Berlin (Kat.-Nr. 46).

Der König steht mit an den Oberschenkeln angelegten Händen und ist mit dem kurzen Königsschurz bekleidet, dessen gefältelte Struktur sorgsam wiedergegeben ist. Der Schurz wird von einem Gürtel zusammengehalten, in dem ein eleganter Dolch steckt, das einzige Beispiel bei einer Statue des Mittleren Reiches. E. Delange hat in diesem Zusammenhang die Überlegung geäußert, ob dieser Dolch vielleicht eine modische Zutat aus der Zeit des Neuen Reiches sein könnte, in der der königliche Prunkdolch zur Standardausstattung der Königsstatuen gehört.

Auch wenn die Herkunft dieser Statue unbekannt ist, dürfte sie aufgrund ihrer besonderen Qualität aus dem Palastbereich oder vielleicht aus dem Totentempel des Königs in Hawara stammen. Die hier am Eingang zur Oase Fajjum angelegte Ziegelpyramide des Königs wurde aufgrund der Größe ihres Totentempels, der unzählige offene Höfe mit zahlreichen Götterkapellen aufwies, in griechischer Zeit als „Labyrinth" bezeichnet. Wahrscheinlich war er eine der größten Tempelanlagen der ägyptischen Architekturgeschichte überhaupt, von dem heute nur mehr spärliche Reste vorhanden sind.

Lit.: E. Delange, Musée du Louvre. Catalogue des statues égyptiennes du Moyen Empire, Paris 1987, p. 33ff. Il senso dell'arte nell'Antico Egitto, Katalog Bologna 1990, Nr. 21

49
Fragment einer Statue des Königs Amenemhet V., Sechemkare

Wien, Kunsthistorisches Museum, Inv.-Nr. ÄS 37
Metasandstein („grüner Schiefer"), Höhe 35 cm, Breite 17 cm, Tiefe ca. 20 cm
Vermutlich aus Elephantine
Mittleres Reich, 13. Dynastie, um 1770 v. Chr.

Der wahrscheinlich bereits 1821 in Ägypten angekaufte und den „Kunsthistorischen Sammlungen des Allerhöchsten Kaiserhauses" einverleibte Königskopf gibt ein gutes Beispiel für das nach wie vor unzureichende Kriterieninventar von Anhaltspunkten, die die Datierung einer namentlich nicht identifizierbaren Königsskulptur mit Sicherheit ermöglichen würden. So wurde auch die hier gezeigte Königsbüste bis zum Jahre 1988 in der Regel als ein Werk der Spätzeit ausgewiesen, ja bisweilen wurde sogar ihre Authentizität in Frage gestellt. Erst nach der Veröffentlichung des Statueninventars aus der Kultkapelle des oberägyptischen Gaufürsten Hekaib in Elephantine (Assuan), das einen bedeutenden Bestand an Skulpturen des Mittleren Reiches umfaßte, wurden auch Fragmente einer Sitzstatue des Königs Amenemhet V. Sechemkare publiziert. Nur kurze Zeit später gelang es B. Fay einen Zusammenhang zwischen den Statuenfragmenten aus Elephantine und dem in Wien befindlichen Königskopf herzustellen. Eine Fotomontage ergab, daß die Bruchlinien exakt zueinanderpassen, die Identität des Wiener Königskopfes war damit endgültig geklärt.

Die auf dem in Elephantine erhaltenen Statuenfragment erhaltene Inschriftenzeile auf der Thronvorderseite und auf der Statuenbasis nennt den König zusammen mit der üblichen Königstitulatur dieser Zeit: „Der vollendete Gott, der Herr der beiden Länder, der Herr der Tat, der König von Ober- und Unterägypten, Sechemkare, der Sohn des Re, Amenemhet, der von Satet geliebt wird, der Herr von Elephantine, mit Leben versehen." Daraus ergibt sich, daß die Statue ursprünglich im Satet-Tempel von Elephantine aufgestellt worden war und erst später in das Hekaib-Heiligtum versetzt wurde. Mutwillige Zerstörungsspuren, vor allem an der Nase, am Uräus und am linken Kopftuchteil dürften bereits in antiker Zeit erfolgt sein und mit der Verlagerung der Statue aus dem Tempel in Zusammenhang stehen.

Der König ist in üblicher Weise mit dem Königskopftuch bekleidet, dessen beide Seitenflügel rechts und links des Kopfes bis weit über die Schulter herabreichen. Auffällig ist das Fehlen eines reliefierten Stirnbandes, das wahrscheinlich nur aufgemalt gewesen war. Darauf weist die aufgerauhte Oberfläche unterhalb des Perückenansatzes hin, um der Farbe einen besseren Halt zu geben. Auch die Augäpfel sind ungeglättet geblieben. Die mandelförmigen Augen stehen verhältnismäßig weit auseinander und werden von einem äußerst sorgfältig aus dem harten Gestein herausmodellierten Oberlid begrenzt. Der knochige Gesichtsschädel zeigt hohe, deutlich hervortretende Backenknochen, unter der zerstörten Nase sind noch die Reste einer deutlich ausgeführten Oberlippenfalte zu erkennen. Der breite, schmale Mund endet in zwei leicht aufwärts gerichteten Mundwinkeln. Ein sanft gerundetes Kinn verleiht zusammen mit dem eher lächelnden Mund dem Antlitz ein freundlich wirkendes Aussehen. Berücksichtigt man auch die stilistischen Merkmale der in Elephantine befindlichen Statuenfragmente, vor allem des Unterkörpers und des Statuensockels, so lassen sich verschiedene deutliche Bezüge zum Königsbildnis Amenemhets III. nachweisen, soweit es sich um Darstellungen handelt, die dem unmittelbaren Einflußbereich der memphitischen Residenz entstammen.

Lit.: E. Rogge, Statuen des Neuen Reiches und der III. ZZ., CAA Wien, Lief. 6, 1990, S. 6, 5–10

Zum König: J. v. Beckerath, Untersuchungen zur politischen Geschichte der zweiten Zwischenzeit in Ägypten, 1965, S. 36–39, 229, 230

50
Statue des Königs Mentuhotep V., Merianchre

London, Britisches Museum, Reg.No. 65429
Schiefer, Höhe 28,5 cm, Breite 6,5 cm, Tiefe 8 cm
Aus Theben
Mittleres Reich, 13. Dynastie, um 1680 v. Chr.

Schon ein oberflächlicher Vergleich dieses Königsstandbildes mit jenem des Königs Amenemhet III. (Kat.-Nr. 48) gibt eine Vorstellung von der unglaublichen Bandbreite und Spannung, die zwischen den einzelnen Leistungen in der ägyptischen Königsplastik bestanden hat. Auch dieser König lehnt an einem bis knapp unterhalb des Schulterblattes reichenden Rückenpfeiler, der jedoch den Namen des Königs enthält und ihn so in die ausgehende 13. Dynastie einordnen läßt. Der König trägt das übliche Königskopftuch, das zu beiden Seiten des Kopfes bis auf die Schultern herabhängt und am Hinterkopf zu einem langen Zopf zusammengebunden ist, der bis zum Rückenpfeiler herabreicht. Der sich aufbäumende Königsuräus, dessen Kopf verloren gegangen ist, crhcbt sich über dem Stirnband und ringelt sich in zwei Windungen über das Kopftuch. Schwere, unregelmäßig geformte Augenlider begrenzen die eher groß geratenen Augen, auch die leicht gebogene Nase ist kurz, aber breit. Ein schmaler Mund, der nicht breiter ist als die Nase, setzt sich nach unten in ein kurzes, abgerundetes Kinn fort. Die Muskulatur des Oberkörpers erweckt einen gedrungenen, kräftigen Eindruck, die beiden Arme, deren Zwischenstege zwischen Oberkörper und Oberarm nicht abgearbeitet sind, hängen an den Körperseiten herab. In den Händen hält der König eine Stoffrolle, wahrscheinlich eine Art Taschentuch. Der König ist in den kurzen Königsschurz gekleidet, der unter dem deutlich sichtbaren Nabel von einem breiten Gürtel zusammengehalten wird.
Über die genaue Einordnung dieses Königs in die Königsabfolge der 13. Dynastie läßt sich nur spekulieren, da sein Name in den offiziellen Königslisten nicht überliefert ist. Außer einer fragmentarischen Stele aus Karnak kann ihm noch eine weitere Statue aus dem Statuenversteck des großen Tempels von Karnak zugewiesen werden. Jcdcnfalls dürfte seine Regierungszeit in das Ende der 13. Dynastie gefallen sein, als es zu einer erneuten Auflösung der Einheit Ägyptens gekommen ist. Zahlreiche Usurpatoren haben in den Städten des ganzen Landes den Versuch unternommen, zumindest die lokale Macht an sich zu ziehen. Die in der Gegend von Memphis ansässige Zentralverwaltung – die genaue Lage der damaligen Hauptstadt Ägyptens mit dem Namen „die Waage der beiden Länder" ist bis heute noch nicht endgültig festgestellt – behauptete zwar den Einfluß über die unmittelbare Umgebung der Residenz, verlor aber immer mehr die Kontrolle über die nördlichen und südlichen Landesteile. Das dadurch verursachte Fehlen einer zentralen Versorgung führte zur Herausbildung kleinerer Lokalfürstentümer, die sich in unablässigen Kleinkriegen gegenseitig zermürbten. Das Fehlen einer intakten Grenzsicherung führte schließlich dazu, daß verschiedene westsemitische Nomadenstämme, die bereits während der 13. Dynastie einen Teil des Ostdeltagebietes in Beschlag genommen hatten, zu einer immer stärkeren Bedrohung Ägyptens wurden. Mit der Eroberung der ägyptischen Residenz durch asiatische Söldnerführer kam es schließlich um 1650 v.Chr. zum Beginn einer Fremdherrschaft, die bis zum Beginn des Neuen Reiches andauerte und eine eigenständige Entwicklung der ägyptischen Kultur weitgehend unterband. Zentraler Mittelpunkt und Residenz dieser „Hyksosherrschaft" war die Stadt Auaris im östlichen Nildelta, die heute mit Tell el-Dab'a verglichen wird, seit nunmehr 30 Jahren Grabungsort des Österreichischen Archäologischen Institutes.

Lit.: I. E. S. Edwards, Cahiers d'histoire égyptienne, Série III, 1, 1950, 42–46; A General Introductory Guide to the Egyptian Collections in the British Museum, p. 43, fig. 15; J. Bourriau, Pharaohs and Mortals, Katalog Cambridge 1988, No. 53;

Zum König: J. v. Beckerath, Untersuchungen zur politischen Geschichte der zweiten Zwischenzeit in Ägypten, 1965, S. 63 und 255, 256

51
Oberteil einer Königsstatue

Brüssel, Musées Royaux d'Art et d'Histoire,
Inv.-Nr. E. 6342
Kristallkalkstein, Höhe 27,5 cm, Breite 12,5 cm, Tiefe
18,7 cm
Herkunft unbekannt (Saqqara ?)
Mittleres Reich, 12./13. Dynastie, um 1770 v. Chr.

Die aus kristallinem Kalkstein verfertigte Königsbüste dürfte an den Übergang von der 12. zur 13. Dynastie zu datieren sein. Sie zeigt einen vom üblichen Königskopftuch bekrönten König mit Uräus-Schlange, Stirnband und einem breiten, offen wirkenden Gesicht, dessen hervortretende Mundpartie dem Antlitz einen entschlossenen, selbstbewußten Ausdruck verleiht. Die stark rundliche Form des Gesichtsschädels, das kurze, nach oben abgerundete Kinn und die über den Augen leicht hervorgewölbte Stirn verstärken den rundlichen Gesamteindruck, der in der Modellierung des breitschultrigen, muskulösen Oberkörpers seine Entsprechung findet. Verschiedene Gesichtsdetails, wie etwa die schweren Augenlider, die hervortretende Mundpartie, die übergroßen abstehenden Ohren, die niedrige Stirn

und der kurze gedrungene Hals erinnern an Königsbildnisse aus der Mitte der 12. Dynastie, ja sogar an das Königsbildnis Sesostris' II. (siehe Kat.-Nr. 43), ohne jedoch deswegen den Anspruch auf eigenständige Gestaltung aufgeben zu müssen. Eine direkte Zuordnung zu einem der zahlreichen Könige, vor allem der beginnenden 13. Dynastie, ist aufgrund des Fehlens eines sicher identifizierbaren Vergleichmaterials kaum möglich. So fehlen von insgesamt 43 Königsstatuen, die aufgrund der Herkunft oder Beschriftung der 13. Dynastie zugewiesen werden können, bei 26 Statuen die Köpfe.

Lit.: Bulletin des Musées Royaux, septembre 1929, p. 92–94; Musées Royaux d'Art et d'Histoire. Department Égyptien, Album, pl. 9; R. Tefnin, Statues et statuettes de l'Ancienne Égypte, Brüssel 1988, p. 28, 29, No. 6; Van Nijl tot Schelde – Du Nil à l'Escaut, Katalog Brüssel 1991, p. 96ff., No. 90

52
Sitzstatuette des Nachti

Brüssel, Musées Royaux d'Art et d'Histoire,
Inv.-Nr. E. 5596
Kalzit („Alabaster"), Höhe 29,1 cm, Breite 12,3 cm,
Tiefe 20,9 cm
Aus Assiut
Mittleres Reich, 12. Dynastie, um 1990 v. Chr.

*Lit.: M. E. Chassinat - Ch. Palanque, Une campagne de Fouilles dans la
nécropole d'Assiout, MIFAO XXIV, Kairo 1911, p. 49, pl. XI, 3; R. Tefnin,
Statues et statuettes de l'ancienne Égypte, p. 25ff., No. 5; E. Teeter, How
many statues of Nakhti?, GM 114, 1990, pp. 101–105, pl. 1;*

Zum Grab: PM IV, 1934, p. 266

und

53
Sitzstatuette eines Beamten

Boston, Museum of Fine Arts, Gift of W. K. Simpson in
memory of W. S. Smith, Inv.-Nr. 1971.20
Kalzit („Alabaster"), Höhe 28 cm
Aus Assiut
Mittleres Reich, 12. Dynastie, um 1990 v. Chr.

Die Ende des vorigen Jahrhunderts in Assiut im Grab Nr.
7 von einer französischen Expedition ausgegrabene
Sitzfigur wurde bisher aufgrund ihrer stilistischen Ausführung in die Erste Zwischenzeit, zumindest aber in die
beginnende 11. Dynastie datiert. Assiut, die Hauptstadt
des 13. oberägyptischen Gaus, am westliche Nilufer gelegen, war nicht nur der Ausgangspunkt einer wichtigen
Karawanenroute, die nach Süden in den heutigen West-
sudan führte, sondern auch aufgrund ihrer strategisch
günstigen Lage eine der bedeutendsten Städte
Oberägyptens. Während der 9./10. Dynastie, der sogenannten Herakleopoliten-Zeit, gehörte sie dem Machtbereich der Kleinkönige dieser Dynastie an, wurde aber
zu Beginn der 11. Dynastie, so wie schließlich das ganze
Land, von Thebanern erobert. Als Gauhauptstadt war es
nicht nur Begräbnisort der Gaufürsten, sondern auch Nekropole der mittleren und oberen Beamtenschicht dieses
Gaus. Eines der aufgrund der zahlreichen Funde und
seines unberaubten Charakters bedeutendsten Gräber
war jenes des Kanzlers Nachti, dessen Lebenszeit bis
vor kurzem in die Erste Zwischenzeit verlegt worden
war. Eine erst unlängst erfolgte Publikation der wichtigsten, in diesem Grab gefundenen Holzstatuen des

Nachti, die aufgrund ihres exzellenten Erhaltungszustands besondere Beachtung verdienen, führte zu einer Umdatierung des Grabes an das Ende der 11. oder Anfang der 12. Dynastie. Vor allem paläographische Anhaltspunkte bei den Sargtexten, aber auch verschiedene Ausstattungsdetails des Grabes, vor allem aber stilistische Hinweise bei den Holzstatuen lassen diese Umdatierung heute jedoch als gesichert erscheinen.

Im krassen Gegensatz zu diesem zeitlichen Ansatz steht jedoch der ebenfalls in diesem Grab gemachte Fund einer Kalzitstatue, die zusammen mit fast identisch gearbeiteten Statuen aus anderen Gräbern Assiuts nicht nur einer gemeinsamen Werkstatt entstammen dürfte, sondern vor allem all jene Merkmale der stilistischen Gestaltung aufweisen, die man gemeinhin als für die Erste Zwischenzeit charakteristisch ansieht: Einerseits wird zwar die Grundform der Sitzstatue, wie sie im Alten Reich und bereits davor als kanonische Darstellungsweise des sitzenden Menschen ausgeprägt und in fast unveränderter Form über Jahrhunderte hin tradiert worden ist, übernommen, aber die stilistische und formale Ausgestaltung läßt sich kaum mit Beispielen aus dem Alten Reich vergleichen. Im Gegenteil, die völlig freie Gestaltung dieser Sitzfigur scheint sich an keinem bestimmten Vorbild, an keiner vorgegebenen bzw. bewußt zugrundegelegten Grundstruktur zu orientieren, sondern vielmehr die Form der Sitzstatue neu tastend zu erfinden. Aber auch die Suche nach Vergleichsobjekten außerhalb von Assiut bleibt ergebnislos. Mit dem Ende des Alten Reiches geht auch die Produktion von aus Stein gefertigten Stand- und Sitzbildern zu Ende. Auch die seit dem Ende der 4. Dynastie aus Kalkstein gefertigten Dienerfigürchen (siehe Kat.-Nr. 34) werden seit der Ersten Zwischenzeit durch hölzerne Figuren ersetzt, die einzeln oder in Gruppen seit der 11. Dynastie zum integrierenden Bestandteil der besser ausgestatteten Gräber gehören. Dazu zählten auch Holzmodelle, in denen die ursprünglich auf den Wandreliefs dargestellten Szenen des täglichen Lebens in kleinformatiger, rundplastischer Form wiedergegeben wurden. Landwirtschaftliche und handwerkliche Tätigkeiten gehörten ebenso zum Darstellungsrepertoire wie marschierende Soldatenkompanien, Viehherden, Schiffe oder etwa die Ziegelherstellung.

Ein Versuch, aus der Ersten Zwischenzeit, also aus dem Zeitraum zwischen 6. und 11. Dynastie, Belegmaterial für aus Stein gefertigte Menschenbilder zu finden, bleibt ergebnislos. Die handwerkliche Fertigkeit und dafür notwendige technologische Kenntnis waren in der Ersten Zwischenzeit offensichtlich verloren gegangen. Das Fehlen von Anknüpfungspunkten, von kanonischen Vorbildern führte letztlich zu einem Entwicklungsvakuum, das bis in die 11. Dynastie gereicht hat. So erklärt sich auch das im Grab des Nachti in Assiut sich bietende merkwürdige Nebeneinander einer lebensgroßen, aus Holz gefertigten Standfigur des Grabherrn, deren formale Geschlossenheit hohe künstlerische Qualität zeigt, und jener Sitzstatue aus Alabaster, die das Sitzen neu zu erfinden scheint. Da eine Fülle stilistischer Einzelheiten, aber auch die Gesamtkomposition der hier und in Kat.-Nr. 53 präsentierten Sitzstatue in Boston noch in insgesamt vier weiteren Sitzbildern dieser Art eine fast identische Entsprechung finden, kann davon ausgegangen werden, daß es sich bei allen um Produkte einer einzigen, in Assiut angesiedelten Werkstatt handelt, die auf Bestellung oder bereits im voraus diesen einen Darstellungstyp anfertigte und damit die Gräber der Würdenträger von Assiut belieferte.

Lit.: D. Wildung, Sesostris und Amenemhet. Ägypten im Mittleren Reich, 1984, Abb. 19; A Table of Offerings, Boston 1987, pp. 6, 7 (mit Abb.)

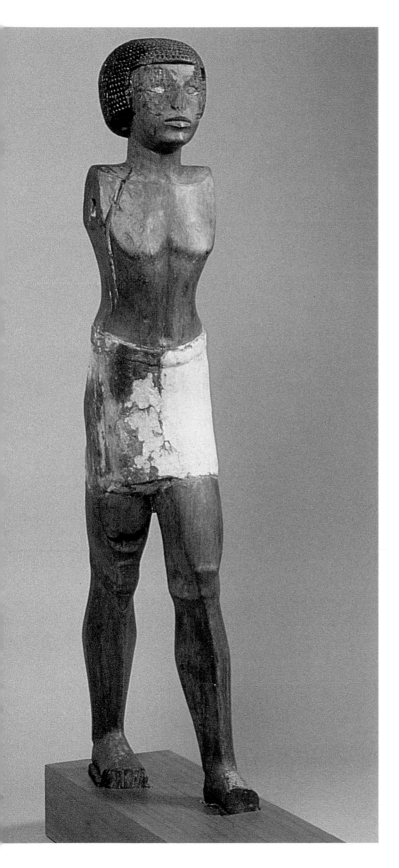

54
Statue eines Mannes

Turin, Museo Egizio, Provv. 319
Holz, bemalt, Höhe 94 cm
Vermutlich aus Assiut
Mittleres Reich, 12. Dynastie, um 1980 v. Chr.

Die hier präsentierte Standfigur eines Mannes stammt
aus einem nicht näher bezeichneten Grab, das 1908 von
der italienischen Expedition unter Schiaparelli in der
mittelägyptischen Gauhauptstadt Assiut freigelegt
wurde. Diese Statue gehört also zu jenem Fundkomplex,
der unter anderem auch das Grab des Nachti mit der in
Kat.-Nr. 52 abgebildeten Steinstatue umfaßt. Die aus
einem Holzblock geschnitzte Figur ist in der üblichen
Pseudoschrittstellung wiedergegeben. Sie ist bekleidet
mit einem kurzen, weiß bemalten, ungegliederten
Schurz und einer schwarzen kugeligen Perücke. Die separat eingesetzten Arme, deren Haltung von vergleichbaren Statuen erschließbar ist, sind verlorengegangen.
Die Basisplatte ist eine moderne Ergänzung. Insgesamt
gibt auch dieser Statuentorso einen kennzeichnenden
Einblick in die technologische Fertigkeit der Holzbearbeitung, die ihre Tradition bis weit in das Alte Reich
zurückführt und ihren Höhepunkt bei der Herstellung
der sogenannten Modellgruppe erfuhr, die beginnend in
der Ersten Zwischenzeit, vor allem aber in der 11. und
beginnenden 12. Dynastie einen wesentlichen Bestandteil der Grabbeigaben ausmachte. Die erst in letzter Zeit
erfolgten Umdatierungen bekanntester Grabanlagen,
wie sie durch E. Delange für das Grab des Nachti in Assiut und von D. Arnold für das Grab des Mektire in
Theben überzeugend vorgenommen wurden, führen allerdings dazu, daß bedeutende Werkgruppen einem nun
doch viel späteren Zeithorizont zuzuweisen sind, als das
die bisherige Forschung angenommen hat. Dadurch aber
wird die Erste Zwischenzeit eines quantitativ und qualitativ wichtigen Teils des bisherigen Belegmaterials beraubt und der ausgehenden 11. und beginnenden 12. Dynastie eine bisher unterschätzte Rolle in der Entwicklung der aus Holz gefertigten Grabskulptur zugemessen.

Lit.: Unveröffentlicht

55
Statue eines Mannes

London, Britisches Museum, Reg.No. 30715
Holz, Höhe 34,5 cm, Breite 10 cm, Tiefe 14 cm
Aus El-Bersheh
Mittleres Reich, 12. Dynastie, um 1900 v. Chr.

Die Holzfigur stammt aus El-Berscheh, ohne daß nähere Fundumstände bekannt sind. El-Berscheh war seit dem frühen Mittleren Reich Begräbnisort der Gaufürsten und hohen Beamten des 15. oberägyptischen Gaus. Die in diesen großen Felsgräbern enthaltenen Wandmalereien sind sowohl aufgrund ihrer Ausführungsqualität als auch wegen des umfangreichen Themeninventars, das in seiner stilistischen Umsetzung gleichsam Neubeginn und Höhepunkt der Malerei des Mittleren Reiches bedeutet, eine der wichtigsten Quellen für die Geschichte des frühen Mittleren Reiches. Während die Gaufürsten zur Zeit der Herakleopoliten eine zumindest teilweise unabhängige Position einnahmen, wurden sie alsbald von den nach Norden vorrückenden Thebanern vereinnahmt und dem schließlich unter Mentuhotep II. wieder geeinten gesamtägyptischen Reich einverleibt. Aber auch nach dieser zweiten „Reichseinigung" konnten die Gaufürsten, die in der Hauptstadt Hermopolis residierten, bis in die Regierungszeit Sesostris III. ein gewisses Maß an Unabhängigkeit beibehalten, die aufgrund textlicher Andeutungen jedoch immer wieder von bürgerkriegsähnlichen Zuständen unterbrochen wurde. Die fast in der Mitte zwischen der Residenz des Alten Reiches Memphis und dem neu entstandenen Zentrum in Theben gelegene Gauhauptstadt war weit genug entfernt, um eine Eigenständigkeit, ja einen eigenen Stil zu entwickeln. So sind die Wandmalereien, die in ihrer stilistischen Qualität, aber auch Einfallsreichtum und Themenvielfalt von kaum einer Gräbergruppe dieser Zeit übertroffen werden, mit ihren für El-Berscheh charakteristischen gelängten Figuren, die bisweilen in fast karikaturhafte Darstellungen überzugehen scheinen, von einer Ausdrucksstärke, die nur aus einem fast völligen Losgelöstsein von bindenden Klischees und traditionellen Vorgaben zu erklären ist. Die einmal erkannten Möglichkeiten schöpferischer Freiheit wurden in El-Berscheh voll ausgespielt, ohne daß deswegen das grundlegende Formprinzip, das die Ordnung der zweidimensionalen Darstellung von allem Anfang an geregelt,

unterteilt bzw. zu zusammengehörenden Szenenblöcken strukturiert hat, aufgegeben worden wäre. Nicht weniger selbständig, ja selbstbewußt ist die ebenfalls in El-Berscheh belegte Gruppe von bemalten Kastensärgen, die sowohl in ihrer äußeren Bemalung als auch aufgrund der zahlreichen eingeschriebenen Sargtexte innerhalb der Religionsgeschichte der 11. Dynastie eine dominierende Rolle einnehmen.

Doch auch das Statuenrepertoire des 15. oberägyptischen Gaus ist von Eigenständigkeit und Selbstbewußtsein geprägt. Die hier gezeigte Standfigur, deren Körper in üblicher Weise aus einem Werkstück herausgearbeitet ist, deren Arme jedoch separat angesetzt wurden, überzeugt auch ohne stilistische Analyse und erweckt den Eindruck von Würde und Entschlossenheit. Während die Grundform dieser Standfigur ihre Herkunft aus dem kanonischen Darstellungsrepertoire des Alten Reiches nicht verleugnen kann, verrät die Gesamtgestaltung deutlich die eigenständige Hand eines selbstbewußten Bildhauers. Der gedrungene, breitschultrige Körperbau korrespondiert auch in seinen Proportionen mit dem stolz erhobenen Haupte, dessen Löckchenperücke kappenartig die Ohren des Dargestellten überdeckt. Die großen geöffneten Augen sind bemalt und erwecken dadurch den Eindruck besonderer Lebendigkeit. Die Arme hängen zu beiden Seiten des Körpers herab, die Hände sind zu einer Faust geschlossen, die anstelle des in der Steinskulptur immer wieder auftretenden „Schattenstabs" einen Hohlraum aufweist, in dem vielleicht einmal ein Würdestab, ein Tuchstreifen oder, wie aus einem anderen Beispiel belegt ist, der Henkel einer Handtasche gesteckt ist. Der namentlich nicht bekannte Mann ist mit einem langen, um die Hüften gewickelten Schurz bekleidet, dessen Zipfel von der oberen Abschlußkante herabhängt. Mit etwas schwerfällig wirkenden Füßen steht der Mann auf einem rechteckigen Holzsockel.

Lit.: Unveröffentlicht

56
Statuenkopf eines Mannes

Berlin-Charlottenburg, Ägyptisches Museum,
Inv.-Nr. 254
Granit, Höhe 16 cm
Aus Theben
Spätzeit, 26. Dynastie, um 600 v. Chr.

Der aus Granit gefertigte, unterlebensgroße Kopf eines Unbekannten, der auf einem äußerst gedrungenen Hals aufsitzt, fällt durch seine asymmetrische Plastizität und die hieroglyphisch nebeneinandergesetzten Gesichtsdetails auf. Die leicht abgeflachte, kappenartige Löckchenperücke läßt die Ohren frei und umschließt in rechtwinkelig kantiger Form die Stirn- und Schläfenpartie. Breite reliefierte Augenbrauen überwölben die von deutlichen Lidrändern begrenzten, leicht schräg stehenden, ungleich ausgerichteten Augen. Eine breite kurze Nase geht in unorganischer Form über eine kantige Labionasalfalte zu einem ausdruckslosen, breitlippigen Mund über. Ein rundes Kinn schließt den Gesichtsschädel ab, der jegliche künstlerische Ausgewogenheit vermissen läßt. Die scharf abgegrenzten Lippen stehen in merkwürdigem Gegensatz zu den vollen Rundungen der Wangenpartie.

Die stilistische Ausgestaltung dieses Kopfes erscheint mehr aus dem Bemühen um Imitation bekannter Vorlagen bestimmt zu sein als von einer freien schöpferischen Entfaltung. Aus diesem Grund wäre auch eine Datierung dieses Kopfes in die 26. Dynastie möglich, ein zeitlicher Ansatz in das beginnende Mittlere Reich dürfte jedoch auszuschließen sein.

Lit.: Ägyptisches Museum Berlin, Katalog 1967, Nr. 305

57
Sitzstatue des Sebekeminu

Wien, Kunsthistorisches Museum, Inv.-Nr. ÄS 35
Granodiorit, Höhe 31,5 cm, Breite 19,7 cm, Tiefe 22,5 cm
Herkunft unbekannt
Mittleres Reich, 12. Dynastie, um 1900 v. Chr.

Versucht man die Entwicklung der ägyptischen Rundplastik einmal ausschließlich unter dem sicher sehr wichtigen, aber nicht allein ausschlaggebenden Gesichtspunkt der gegenseitigen Beeinflußung von königlicher und nichtköniglicher Skulptur zu betrachten, ausgehend von dem über Jahrtausende hin zu beobachtenden Geben und Nehmen dieser beiden, auch in funktioneller und kultisch-religiöser Hinsicht einander allmählich annähernder, ja schließlich fast deckungsgleich werdender Gruppierungen, so war im Alten Reich die Königsskulptur in all ihren Erscheinungsformen das prägende, vorbildhafte Element, das zu Übernahmen nicht nur im formalen Bereich herausforderte und das Erscheinungsbild der Privatplastik dieser Zeit maßgeblich, ja fast ausschließlich beeinflußte. Die für das Mittlere Reich, zumindest bis zur Regierungszeit Sesostris' III. vorauszusetzende Selbständigkeit der Gaufürsten, deren Unabhängigkeit von zentralen Verwaltungssträngen sich in einem frei entwickelten Selbstbewußtsein niederschlug, sollte nicht ohne Folgen auch für die Entwicklung der Rundplastik bleiben. Die bisher in traditionelle Bahnen eingebundene Darstellungsweise, die auf Grundformen des königlichen Darstellungstypus zurückgehenden Übernahmen, wurden allmählich durch eine der persönlichen Erfahrungswelt entnommenen eigenständigen Ausdrucksfähigkeit abgelöst. Dazu kommen freilich auch funktionale Veränderungen, die neben der bisher vorwiegend im Totenkult verwendeten Grabstatue vermehrt die Tempelstatue in den Vordergrund rücken lassen. Die religiöse Auseinandersetzung des Einzelnen und ihre künstlerisch-kultisch geprägte Bewältigung in Form der Grabreliefs und der Grabstatue, ganz abgesehen von den vielfältigen Bestattungsritualen, war in den Wirren der Ersten Zwischenzeit auf eine Barriere der Unbeantwortbarkeit gestoßen. Die Erfahrungen des Zusammenbruchs eines über Jahrhunderte hin stabilen und für allein verbindlich gehaltenen

Weltbildes führte nicht nur zu neuen Fragestellungen nach dem Sinn der Welt, dem Schicksal des Einzelnen und der Zuverlässigkeit königlicher Allmacht, sondern forderten auch zu neuen Lösungsversuchen heraus. Dementsprechend ist seit dem Mittleren Reich ein großer Teil der rundplastischen Bildnisse aus dem nichtköniglichen Bereich nicht länger im Dunkel der Statuenkammern verborgen. Wie die oft monumentale Königsstatue im offenen Tempelhof von der Gegenwart des Pharaos und seiner zwischen Gott und Welt vermittelnden Funktion künden sollte, so war es nun auch privilegierten Angehörigen des Hofes und der Verwaltung vom König erlaubt, kleinformatige Darstellungen ihrer Person im Tempel aufzustellen. Die Tempelstatue war entstanden! Dadurch waren die durch sie dargestellten Personen bei den königlichen Opferungen vertreten und konnten an den dargebrachten Opfergaben partizipieren. Freilich standen diese Tempelstatuen nicht ausschließlich im königlichen Einflußbereich, sondern waren gegenwärtig in den nun überall im ganzen Lande errichteten Opfertempel der Gaugottheiten, die als Schutzgottheit eines entsprechenden Bezirks zum eigentlichen Ansprechpartner, zum Ziel der Wünsche und Sehnsüchte der Gläubigen geworden waren. Zahlreiche neue Namensbildungen, die den Namen einer sonst eher unbedeutenden Lokalgottheit tragen, zeigen diese Rückbesinnung auf die eigene Lebenswelt, die es nun mit eigenen Kräften neu zu gestalten galt. So erfährt auch die seit dem Alten Reich, vor allem in der Form der Schreiberstatue überlieferte Sitzfigur, die damals freilich ausschließlich als Grabstatue zur Perpetuierung des hohen gesellschaftlichen Standes, den die entsprechende Person in ihrer Eigenschaft als hoher Beamter und Schreiber einnahm, dienen sollte, zahlreiche Variationen und eine neue Zielsetzung als Tempelstatue. So sind fast zwanzig unterschiedliche Sitz- und Handhaltungen dieses Darstellungstyps seit dem Mittleren Reich belegt. Die Sitzstatue des Sebekeminu zeigt diesen „Hausvorsteher", der keine besonders hohen Ämter bekleidet hat, auf einem rückwärts abgerundeten, vorne geraden, ringsum beschrifteten Sockel mit untergeschlagenen Beinen sitzend. Deutlich sind zu beiden Seiten die Zehen der Füße zu sehen. Während die rechte Hand locker auf dem rechten Oberschenkel aufruht, hält Sebekeminu die linke schräg an die Brust. Sein breites, nach oben zu stark dreieckig geformtes Gesicht wird von zwei großen Ohren gekennzeichnet, hinter denen die in breiten Strähnen gebündelte Perücke bis zu den Schulteransätzen herabfällt. Seine Augenpartie ist ebenso wenig detailgetreu wiedergegeben wie der zu breite, bis zum Ende des Gesichtsschädels reichende Mund, der leicht nach abwärts gebogen ist und dem Antlitz so ein

58
Sitzstatue des Sobeknacht

London, Britisches Museum, Reg.No. 29671
Diorit, Höhe 14 cm, Breite 8,5 cm, Tiefe 10,5 cm
Herkunft unbekannt
Mittleres Reich, 12. Dynastie, um 1900 v. Chr.

leicht mürrisches Aussehen verleiht. Die kantig abge-flachte Wangenpartie geht in einen breiten Hals über, der auf einem muskulösen, summarisch gearbeiteten Ober-körper aufsitzt. Deutlich sind die beiden Brustwarzen herausgearbeitet, die Hände sind ebensowenig ausmo-delliert wie die unbeholfen wiedergegebenen Unter-schenkel. Der Sitzende ist in einen knielangen, in der Mitte übergeschlagenen Wickelschurz gekleidet, dessen Zipfelende rechts vom Nabel über den Schurzrand her-ausragt. Die auf dem Schurz sowie der Basisplatte ange-brachten Beschriftungen nennen den Namen des Darge-stellten sowie seine Familienangehörigen bzw. genealo-gische Abkunft. Die waagrechte Inschriftenzeile auf der Basisoberkante enthält die Opferformel: „Ein Opfer das der König gibt, ein Totenopfer an Brot, Bier, Fleisch und Geflügel für den Ka des Hausvorstehers Sebekeminu". Der mit dem Namen des Königs Sesostris I. zusammen-gesetzte Personenname seines Bruders gibt einen Ter-minus post quem. Eine Datierung in die erste Hälfte der 12. Dynastie erscheint möglich.

Die nur halb so große, aber von der Ausführung und Haltung her dem Wiener Beispiel Kat.-Nr. 57 vergleich-bare Sitzfigur des Sobeknacht aus London fällt durch eine verhältnismäßig exakte und ausgewogene Ober-flächenbearbeitung auf. Die allerdings kursorische Be-schriftung an der Basisplatte weist auch diese Figur als ein Massenprodukt aus, das im Umkreis der ägyptischen Tempel den Gläubigen zum Kauf angeboten wurde und erst dann mit dem jeweiligen Titel und Namen des Käu-fers versehen wurde. Der Aufstellungsort dieser kleinen Sitzstatuen war sicher nicht das Grab, obwohl die Op-ferformel des Wiener Sebekeminu darauf hinweisen könnte, sondern der Tempel bzw. dafür vorgesehene Sta-tuennischen. Dadurch war die Anwesenheit des Gläu-bigen im Tempel gewährleistet, konnte der auf diese Weise in ehrfürchtiger Pose Dargestellte an den tägli-chen Opferhandlungen teilnehmen. Auch diese fast identisch wie das Wiener Beispiel ausformulierte Sitz-figur kann wohl der ersten Hälfte der 12. Dynastie zuge-wiesen werden.

Lit.: B. Jaros-Deckert, Statuen des Mittleren Reichs und der 18. Dynastie, CAA Wien, Lief. 1, 1987, S. 1, 6–13

Lit.: A General Introductory Guide to the Egyptian Collections in the Bri-tish Museum, 1930, p. 174, fig. 97

59
Statue eines Sitzenden

London, Britisches Museum, Reg.No. 2308
Granit, Höhe 26 cm, Breite 16 cm, Tiefe 17 cm
Herkunft unbekannt
Mittleres Reich, 12. Dynastie, um 1900 v. Chr.

Die unbeschriftete Statue eines Sitzenden ist in fast identischer Weise geformt wie die beiden vorangegangenen
Beispiele und kann wohl ebenfalls als eine zur Aufstellung in einem Tempel bestimmte Beterfigur gedeutet
werden. Bemerkenswert ist der lebendige Gesichtsausdruck, der nicht nur der asymmetrisch geformten Mundpartie, sondern vor allem der noch erhaltenen Bemalung
der Augen zu verdanken ist. Ein typisches Beispiel für
die verhältnismäßig weitverbreitete Rundplastik nichtköniglicher Herkunft.

Lit.: R. B. Parkinson, Voices from Ancient Egypt, 1991, p. 18

60
Sitzfigur des Imeni

London, Britisches Museum, Reg.No. 777
Basalt, Höhe 38 cm, Breite 22 cm, Tiefe 21,5 cm
Herkunft unbekannt
Mittleres Reich, 12. Dynastie, um 1900 v. Chr.

Zu den häufigsten Darstellungsvarianten der Sitzfigur im Mittleren Reich gehört jene der mit untergeschlagenen Beinen auf einer Basisplatte sitzenden Figur, die die beiden Hände flach auf die Knie gelegt hat. Dieser schon in der Schreiberstatue des Alten Reiches belegte Haltungstyp, der entsprechend der Funktion des Schreibers im Alten Reich gespannte Aufmerksamkeit, ja Konzentration zum Ausdruck bringen sollte, kann in den entsprechenden Sitzfiguren des Mittleren Reiches als Geste der Andacht, ja des Gebets gedeutet werden. Eine entsprechende Handhaltung zeigen auch die Beterstatuen Sesostris' III. So handelt es sich auch hier um eine Tempelstatue, die in stellvertretender Weise den Dargestellten – die Statue ist allerdings unbeschriftet geblieben – im Tempel repräsentieren sollte. Eine Datierung in die 12. Dynastie kann als sicher gelten.

Lit.: British Museum. A Guide to the Egyptian Galleries, 1909, p. 56, No. 184 (mit Abb.); J. Vandier, Manuel III, p. 233 n. 3

61
Sitzstatue des Iay

Paris, Louvre, Inv.-Nr. N 870
Schiefer, Höhe 16,7 cm, Breite 9,2 cm, Tiefe 9,8 cm
Herkunft unbekannt
Mittleres Reich, 12. Dynastie, um 1880 v. Chr.

Trotz ihrer geringen Größe von knapp 17 cm ist diese Sitzstatue ein wahres Meisterwerk. Aus hartem Chloritschiefer gefertigt, zeigt sie in beeindruckender Klarheit und liebevoller Detailgenauigkeit das faszinierende Bild eines altägyptischen Schreibers. Die sorgfältig geglättete Oberfläche, die bei bestimmter Beleuchtung fast metallisch glänzend wirkt, verstärkt gleichsam die Ausstrahlung, die von diesem kleinen Meisterwerk auf den Betrachter übergeht. Iay sitzt mit untergeschlagenen Füßen auf einem verhältnismäßig hohen rechteckigen Sockel, der an der Vorderseite und an der vorkragenden Sitzfläche jeweils mit einer Inschriftenzeile versehen ist. Das trotz der Härte des Materials weich und rundlich wirkende Gesicht, das von zwei allzu großen, aber dem Stil dieser Zeit entsprechend geformten Ohren flankiert wird, zeigt ein ausdrucksvolles, von einem breiten Mund und waagrechten, weit auseinanderliegenden Augen gekennzeichnetes Antlitz. Knapp über der Stirn erhebt sich die waagrecht gestreifte Strähnenperücke, die hinter den Ohren in einer dichten Haarfülle bis auf die Schultern herabfällt. Iay ist in einen kurzen Wickelschurz gekleidet, dessen Schurzende über den oberen Rand herausragt; der Nabel ist nicht angegeben. Kleine unregelmäßige Einritzungen deuten über der Bauchpartie Gewandfalten an. Während die rechte Hand auf dem rechten Oberschenkel aufruht, umfaßt die linke eine deutlich sichtbare Papyrusrolle, die über die ganze Schurzfläche bis zur rechten Hand ausgerollt und beschriftet ist. Unter dem Schurz sind die übereinandergelegten Unterschenkel bzw. Schienbeine deutlich erkennbar. Während die Inschriftenzeilen auf dem Statuensockel die Titel und den Namen des Iay nennen – er war Richter, Vorsteher von Nechen (Hierakonpolis), an der Spitze von El-Kab und Aufseher der beiden Schatzhäuser – sowie die Opferformel, enthält das Schriftfeld auf dem Schurz eine sogenannte Opferliste, in der sämtliche Speisen und Getränke aufgeführt sind, die für das jenseitige Wohlerleben notwendig oder erwünscht waren, einschließlich Mengenangaben.

Wie so manche Skulpturen des Mittleren Reiches wurde auch dieses Figürchen bereits in die Spätzeit bzw. auch in das Neue Reich datiert. Prosopographische Anhaltspunkte jedoch, die den Namen des hier genannten Iay mit einer zweiten Person dieses Namens, die auf einer eindeutig in die 12. Dynastie zu datierenden Stele erwähnt ist, gleichsetzt oder zumindest eine familiäre Beziehung herstellt, geben zusätzlich zu stilistischen Argumenten die Gewähr, daß diese Sitzstatue in die Regierungszeit Amenemhets II. oder Sesostris' III. datiert werden kann.

Lit.: E. Delange, Musée du Louvre. Catalogue des statues égyptiennes du Moyen Empire, Paris 1987, p. 96ff.; Il senso dell'arte nell'Antico Egitto, Katalog Bologna 1990, Nr. 18

62
Sitzstatue des Nemtinacht

Genf, Musée d'Art et d'Histoire, Inv.-Nr. 26035
Quarzit, Höhe 22 cm
Herkunft unbekannt
Mittleres Reich, 12. Dynastie, um 1850 v. Chr.

Auch ein unbefangener Beobachter kann sich der Faszination, die von diesem kleinen Meisterwerk ausgeht, nicht entziehen. Obwohl die Statue nur 22 cm hoch ist, vermittelt sie den Eindruck einer ehrwürdigen, hoch angesehenen und bedeutenden Persönlichkeit. Diese Statue, ob sie nun in einem Grab oder in einem Tempel aufgestellt war, entsprach ganz dem Präsentationsbedürfnis der hohen Beamten, Priester und natürlich auch Gaufürsten der 12. Dynastie, die in ihrer zum Teil neugewonnen Selbständigkeit ihrem Persönlichkeitsbewußtsein in entsprechender Weise Ausdruck verschaffen wollten. So ist auch hier die Kunst, die Skulptur, Ausdruck eines gesellschaftlichen Bewußtseins, das sich zwar der tradionellen Bindungen nicht ganz zu entziehen, gleichzeitig jedoch der neuerzielten Selbsteinschätzung, ja Welterfahrung, mit Hilfe verschiedener Neuerungen Ausdruck zu verleihen vermag. So gibt diese kleine Statue ein ideales Beispiel einerseits für die handwerkliche Perfektion, mit der auch härteste Gesteinsarten in der 12. Dynastie bearbeitet wurden, aber vor allem auch für das von subtiler Plastizität, Ausgewogenheit und harmonischer Oberflächengestaltung bestimmte Stilgefühl dieser Zeit.

Die Inschriften auf der Vorderseite des Mantels, sowie auf den beiden Thronwangen geben den Namen des Dargestellten sowie den seiner Frau und seines Sohnes an. Obwohl die Lesung des ersten Namensbestandteiles nicht ganz sicher ist, wird er allgemein als Nemtinacht gelesen, was soviel wie „Nemti ist mächtig" bedeutet und sich auf den kriegerischen Falkengott des 12. oberägyptischen Gaues bezieht, die Herkunft dieser Statue also dort zu suchen wäre. Das Inschriftenband auf der Vorderseite enthält die übliche Opferformel mit dem Namen, die beiden Seitenwangen des Throns sind mit eher kursorisch eingeritzten Darstellungen von Opferhandlungen versehen, die jeweils den Sohn des Nemtinacht beim Vollzug des Totenopfers an seine Eltern zeigen. Entsprechend ist auch die Beschriftung dieser Darstellung auf den Opferkult bezogen. In ihrer nachlässigen Ausführung offenbart sich eine merkwürdige Diskrepanz zur höchst qualitätvollen Ausformung der übrigen Statue.

Nemtinacht sitzt auf einem hochrechteckigen Thron mit abgerundeter Sitzlehne. Seine in üblicher Weise übergroßen, aber fein ausmodellierten Füße stehen auf der vorkragenden Basisplatte, die wie die gesamte Figur aus einem gemeinsamen Werkblock geschnitten ist. Der Dargestellte sitzt in einen anliegenden Mantel gehüllt, wie es bei den „Mantelstatuen" der 12. und 13. Dynastie üblich ist. Während seine linke Hand aus dem mit einem verzierten Saum versehenen oberen Mantelteil herausschaut und auf die rechte Brustseite gelegt ist, hat er mit der rechten den Rand des Mantels gepackt, um ihn zusammenzuhalten. Besonders eindrucksvoll ist der von einer breiten, abgestuften Strähnenperücke umrahmte Kopf des Nemtinacht, dessen waches, ja fast lebendiges Aussehen an die unendliche Distanz erinnert, die die porträthaften Statuen des Mittleren Reiches von den Idealdarstellungen des Alten Reichs trennt. Seine elegant geschwungenen Augenbrauen sind in Form plastischer Lidstriche wiedergegeben. Deutlich sind die von subtil modellierten Lidern eingerahmten Augen herausgearbeitet, die, so wie die beiden so charakteristischen Ohren, nicht ganz symmetrisch ausgeformt sind. Der Gesichtsschädel ist besonders plastisch modelliert, mit seinen betonten Backenknochen, der Wangenpartie und dem breiten geschwungenen Mund. Auffallend ist das zu beiden Seiten des Gesichtes bis zum Kinn verlaufende reliefierte Band, das wohl zur Befestigung eines modischen Kinnbartes gedient hat, der jedoch abgebrochen ist. Nicht nur die perfekte Gesamtmodellierung, sondern auch zahlreiche Ausführungsdetails verleihen dieser Statue ihren besonderen Anspruch, ein Meisterwerk der Kunst des Mittleren Reichs zu sein.

Lit.: J.-L. Chappaz, écriture égyptienne. Musée d'Art et d'Histoire, Genève 1986, p. 20, 21; J.-L. Chappaz, Un chef-d'œuvre du Moyen-Empire, Musées de Genève 294, Avril 1989, p. 13–16

63
Statue des Chnumnacht

Brüssel, Musées Royaux d'Art et d'Histoire,
Inv.-Nr. E. 8257
Kalkstein, Höhe 44,2 cm, Breite 27,5 cm, Tiefe 16,6 cm
Vielleicht aus Meir (Cusae)
Mittleres Reich, 12./13. Dynastie, um 1780 v. Chr.

Die vielleicht aus Cusae stammende Sitzstatue des Chnumnacht aus gelblichem Kalkstein vereinigt alle jene Elemente und Stilformen, die ihre Datierung in das Mittlere Reich außer Frage stellen. Der Dargestellte sitzt in aufrechter Haltung auf einem würfelförmigen Thron mit niedriger Rückenlehne. Seine grobschlächtigen Füße ruhen auf einer weit vorspringenden Basisplatte auf. Das breite abgerundete Gesicht wird von einer senkrecht gestreiften Strähnenperücke umrahmt, die mit ihren spitzen Haarteilen zu beiden Seiten des Halses bis auf die Brust herabreicht. Die großen Ohren, die leicht schräg gestellten mandelförmigen Augen und der deutlich betonte, leicht abwärts gerundete Mund verleihen dem Antlitz eine ausdrucksstarke Wirkung, die dem Betrachter etwas von dem Selbstbewußtsein und der Würde des Sitzenden vermittelt. Ein kurzer gedrungener Hals verbindet den Kopf mit einem nicht besonders breiten, etwas asymmetrisch ausmodellierten Oberkörper. Die rechte Hand bildet eine Faust und hält den Tuchstreifen, der auch als Schleife der Wiedergeburt gedeutet werden kann; die linke Hand ruht flach auf dem Oberschenkel. Chnumnacht ist in einen langen Wickelrock gekleidet, der über dem Schoß übereinandergeschlagen ist. Statuarische Grundform und stilistische Details sind in dieser Sitzstatue eine glückliche Verbindung eingegangen, wie sie für zahlreiche Statuen dieser Art aus der ausgehenden 12. Dynastie charakteristisch ist.

Lit.: Musea Nostra, Brüssel, Bd. 11, S. 19

64
Statue eines Beamten

New York, Metropolitan Museum of Art, Frederick P.
Huntley Bequest, 1959, 59.26.2
Quarzit, Höhe 19,5 cm, Breite 16,2 cm
Herkunft unbekannt
2. Zwischenzeit, 13. Dynastie, um 1750 v. Chr.

Dieses aus rötlichem Quarzit herausgearbeitete Statuenfragment ist ein meisterhaftes Beispiel für die Skulptur des ausgehenden Mittleren Reiches. Ursprünglich zu einer Sitzstatue gehörend, die mit übereinandergeschlagenen Beinen auf dem Boden saß, gibt dieses Statuenfragment in bestechender Klarheit einen Eindruck von den stilbildenden Merkmalen der Kunst dieser Zeit. Abgesehen von dem harten Material, wie es für die Skulpturen der höheren Beamten dieser Zeit gerne verwendet wurde, ist die formale Gestaltung der Statue ein beredtes Zeugnis für den hohen Entwicklungsstand, den die Skulptur noch in der 13. Dynastie innehatte. Während verschiedene Details, wie die übergroßen abstehenden Ohren, die etwas nach vorne tretende Mundpartie mit leicht abwärts gebogenen Mundwinkeln und die weit auseianderstehenden, mandelförmigen Augen, eine summarische Auflistung von Anhaltspunkten für eine Datierung in das Mittlere Reich umschreiben, ermöglicht eine Betrachtung der Gesamtkomposition eine dar-

über hinausgehende Aussage. Auch wenn man davon ausgehen muß, daß zumindest einige Details dieser Statue, wie Augen, Mund, Perücke und Halskragen, bunt bemalt gewesen sind, so ergibt sich die besondere Wirkung dieser Statue auch durch das hier verwendete Gestein, dessen kristalline Oberflächenstruktur die subtile Plastizität der einzelnen Körperformen besonders betont. Dieses Statuenfragment ist ein in sich stimmiges Beispiel für das Endstadium einer Entwicklung, die mit den Individualporträts Sesostris' II. eingesetzt hat. So lassen sich auch in diesem Antlitz noch Spuren des Königsporträts der ausgehenden 12. Dynastie erkennen, ohne daß jedoch von sklavischer Nachahmung oder gar Kopie gesprochen werden kann. Das Königsporträt eines Sesostris' III. oder Amenemhets III. hat zwar seine Wirkung auf die gleichzeitige Privatplastik nicht verfehlt, diese jedoch nie eines eigenständigen Freiraums schöpferischer Gestaltung beraubt.

Lit.: MMA Guide, 1983, p. 98, fig. 26

65
Sitzstatue des Senianch

Wien, Kunsthistorisches Museum, Inv.-Nr. ÄS 61
Granodiorit, Höhe 53 cm, Breite 15,5 cm, Tiefe 33 cm
Herkunft unbekannt
Mittleres Reich, 12./13.Dynastie, um 1780 v. Chr.

Senianch, der in den Inschriften als „Vorsteher der Siegler" bezeichnet wird, sitzt auf einem würfeligen Thron mit niedriger Sitzlehne. Er ist in einen knöchellangen, eng anliegenden Schurz gekleidet, der unter der Brust verknotet ist; deutlich sind die beiden Zipfelenden herausgearbeitet. Die glatte Perücke sitzt knapp auf dem Schädel auf und endet rechts und links des Halses in zwei spitz zulaufenden Enden. Die anliegenden, asymmetrisch ausgearbeiteten Ohren werden von der Perücke ausgespart. Das runde, leicht schräg geneigte Gesicht ist eher summarisch modelliert und weist zwei ungleich große Augen, eine breite Nase und eine deutlich hervortretende Mundpartie auf. Bemerkenswert sind auch die beiden tiefen, von den Nasenflügel abwärts ziehenden Falten, die dem Gesicht einen etwas mürrischen Ausdruck verleihen. Der fast ungegliederte Oberkörper geht ohne Übergang in den zu schmal geratenen Unterkörper über, der in zwei grobschlächtige Füße ausläuft, die auf der beschrifteten Basisplatte aufruhen. Die insgesamt großflächige und wenig gegliederte Modellierung der Statuenoberfläche verleiht ihr ein blockhaftes, vom zugrundegelegten Material kaum losgelöstes Erscheinungsbild.

Vor den Zehen der Figur sind auf der Oberseite des Sockels verschiedene Opfergaben eingeritzt, wie ein Gefäß mit Lehmverschluß in einem Ständer, eine Gemüseart, ein Brot, ein Kalbskopf und ein Rinderschenkel. Rechts und links der beiden Unterschenkel sind senkrechte Inschriftenzeilen in sehr oberflächlicher Weise eingeritzt, die folgenden Text der Opferformel enthalten: „Ein Opfer das der König gibt, dem Osiris Wenennefer, damit er gewähre ein Totenopfer an Brot und Bier, Fleisch und Geflügel, Alabaster und Leinen und an allen guten Dingen, die sich im Himmel und auf Erden befinden, dem Ka des Ehrwürdigen, des Vorstehers der Siegel Senianch, des Gerechtfertigten, den gezeugt hat Werbauptah". Da sich aus der Struktur der vorliegenden Opferformel keine besonderen Datierungskriterien ergeben, läßt die stilistische Ausformung den Zeitpunkt der Statuenherstellung am Ende der 12. oder vielleicht eher noch in der 13. Dynastie vermuten.

Lit.: B. Jaros-Deckert, Statuen des Mittleren Reichs und der 18. Dynastie, CAA Wien, Lief. 1, 1987, S. 1, 14–19

66
Sitzstatue des Nebit

Paris, Louvre, Inv.-Nr. E 14330
Diorit, Höhe 76,5 cm, Breite 24,3 cm, Tiefe 47,5 cm
Aus Edfu
2. Zwischenzeit, 13. Dynastie, um 1750 v. Chr.

Der mit dem „Galaschurz" mit plissiertem Mittelteil bekleidete Nebit sitzt in aufrechter Haltung auf einem Thron mit kurzer Rückenlehne, von der am Rücken des Sitzenden eine rechteckige Rückenplatte bis zum Schulteransatz nach oben führt. Das länglich ovale Gesicht wird von einer breitsträhnigen Perücke umrahmt, deren abgeschrägte Enden locker auf die Schultern herabfallen. Die großen Ohren umrahmen das Gesicht mit einer langen geraden Nase, zwei großen, von zarten Lidrändern eingefaßten Augen und einer leicht hervortretenden, energisch wirkenden Mundpartie. Der Oberkörper ist im Verhältnis zur Gesamtstatue eher schmächtig ausgebildet, die Stege zwischen Oberarmen und dem Körper sind stehengelassen und verstärken so den voluminösen Ausdruck. Die Brustlinie ist in stilisierter, geschwungener Form wiedergegeben, der Nabel durch eine senkrecht stehende Kerbung angedeutet. Die Unterarme des Nebit ruhen auf den Oberschenkeln auf, er berührt mit seinen Händen die über den Schurzrand hinausragenden kräftigen Knie. Die Unterschenkel sind in kantig knochiger Form wiedergegeben und setzen sich in zwei fest auf der Basisplatte aufruhende Füße fort, deren Zehennägel sorgfältig ausgearbeitet sind. An den beiden Thronwangen und an der Vorderseite rechts und links der beiden Unterschenkel ist die Statue beschriftet und enthält zweifach die Opferformel sowie genealogische Angaben. Als Beispiel sei eine der Opferformeln von der Vorderseite des Throns in Übersetzung wiedergeben: „Ein Opfer das der König gibt, für Osiris den großen Gott, den Herrn von Abydos, damit er ein Opfer gebe aus Fleisch und Geflügel, für den Ka des Polizeikommissärs und Vorlesepriesters Nebit, der von Inetites geboren wurde".

Die sorgfältige und ausgewogene Gesamtgestaltung dieser Statue, die vor allem dem Gesicht und seinen Details eine gekonnte Behandlung erfahren ließ, ist ein gutes Beispiel für die Skulptur der 13. Dynastie, in der, aufbauend auf den Entwicklungen der 12. Dynastie, ein noch gebändigter Akademismus, trotz aller Glätte und routinierter Perfektion, ein ansprechendes, ja beeindruckendes Menschenbild geschaffen hat. Die schweren, über weit offenen Augen sich wölbenden Oberlider sind ein stilistischer Zug, der dem Königs-

bildnis der 12. Dynastie zu verdanken ist und der hier ohne nachahmende Übertreibung als bestimmendes Gesichtsdetail ebenso gekonnt eingesetzt ist, wie der sich leicht vorwölbende Mund und die mit sicherer Linienführung eingravierten Labionasalfalten. Ein Meisterwerk, das sich ausgehend von königlichen Vorbildern letztlich seine Eigenständigkeit bewahrt hat und damit auch die Intention des Dargestellten, seine Unabhängigkeit und eigene Würde zum Ausdruck kommen zu lassen, in gelungener Weise umgesetzt hat.

Lit.: E. Delange, Musée du Louvre. Catalogue des statues égyptiennes du Moyen Empire. Paris 1987, p. 72ff.

67
Opfertafel des Nebit

Paris, Louvre, Inv.-Nr. E 14410
Diorit, Breite 49,5 cm, Tiefe 36,5 cm, Höhe 8,5 cm
Aus Edfu
2. Zwischenzeit, 13. Dynastie, um 1750 v. Chr.

Die im Fundzusammenhang mit der Sitzstatue des Nebit gefundene Opfertafel stammt wie diese aus einem kleinen Grab, das 1933 in Tell Edfu von der französischen Expedition freigelegt wurde. Die Sitzstatue wurde in einem aus Kalkstein verfertigten kleinen Naos, einem Statuenschrein, gefunden, an dessen Vorderseite diese Opferplatte mit Mörtel angegipst war. Diese aus demselben Gestein wie die Statue des Nebit verfertigte rechteckige Platte ist an dem umlaufenden erhöhten Rand beschriftet und weist an der einen Längsseite einen Ausguß auf. Die Innenseite ist als Opferbecken gestaltet und leicht vertieft. An der dem Ausguß gegenüberliegenden Seite sind verschiedene stilisierte Opfergaben, wahrscheinlich Gemüsesorten, reliefartig herausgearbeitet. So ergibt sich aus den Fundumständen, daß die Statue des Nebit als Grabstatue aufzufassen ist, die in unmittelbarer Nähe der nicht mehr rekonstruierbaren Mastaba, also des Grabes des Nebit, in einem Schrein aufgestellt war, um stellvertretend für den Grabherrn die vor ihm auf der Opferplatte niedergelegten Opfergaben entgegenzunehmen. Diese Opferungen, die der ägyptischen Sitte nach vor allem von den engsten Anverwandten, den Kindern des Grabherrn, vorgenommen wurden, sind auch der Inhalt der umlaufenden Inschrift der Opferplatte, die ausgehend von dem in der Mitte der einen Längsseite eingeritzten Lebenszeichen „Anch" rechtsläufig und linksläufig die Opferformel enthält. In ihr werden für die Seele (Ka) des Nebit die entsprechenden Totenopfer erfleht.

Lit.: M. Alliot, Fouilles de Tell Edfu (1933), FIFAO T. X, p. 16, pl. XII, 1; PM V, 1937, p. 201

68
Statuengruppe eines Ehepaares

Turin, Museo Egizio, S 1219
Diorit, Höhe 29,5 cm
Aus Theben (Deir el-Medina)
Mittleres Reich, 12. Dynastie, um 1800 v. Chr.

Wenn es je darum ginge, an einem einzigen Beispiel Permanenz und Wandel der ägyptischen Skulptur vom Alten bis zum Mittleren Reich zu veranschaulichen, so bietet sich wie kaum ein anderes die hier gezeigte Statuengruppe eines Ehepaares an. Ein Vergleich mit der Statuengruppe des Kaiputah und der Ipep (Kat.-Nr. 27) aus der 5. Dynastie deckt in faszinierender Weise die dynamische Entwicklungsfähigkeit der ägyptischen Künstler auf, die ein vorgegebenes Darstellungsprinzip, wie es im Alten Reich seit der 4. Dynastie für die Wiedergabe eines Ehepaars Anwendung fand, ohne das grundgelegte Ordnungsgerüst zu verändern in ein völlig neues Erscheinungsbild umgießen. Mann und Frau in der liebevollen Umarmung des Mannes durch die Frau, wie es die memphitischen Statuengruppen veranschaulichen, könnten gleichsam als Ausdruck einer liebevollen Beziehung zwischen den Eheleuten aufgefaßt werden, aber freilich auch als bewußt pragmatische Betonung der Notwendigkeit familiären Zusammenhalts. Ganz anders die Statuengruppe aus dem Mittleren Reich: Bei identischer Grundhaltung, der Mann in Pseudoschrittstellung, die Frau mit nebeneinandergestellten Beinen, eingeschrieben in das rechtwinkelige Dreieck von breiter Rückenplatte und Basis, ist das hier ausgedrückte Beziehungsverhältnis der beiden zueinander weniger nach innen als vielmehr nach außen gerichtet. Der überbreite Abstand zwischen den beiden, die gleichsam an den äußersten Rand ihres Ordnungssystems gerückt sind, betont ihre Individualität, ihre persönliche Freiheit, die in jenem erwachten Selbstbewußtsein ihre Erklärung

findet, die das Mittlere Reich in allen Lebensbereichen ausgezeichnet hat. Dennoch sind es hier keine lose zueinandergefügten Einzelpersonen, sondern die verbindende Handhaltung weist sehr deutlich, fast noch deutlicher als in der oft nur schwer sichtbaren Geste der Umarmung bei den Statuen des Alten Reiches, auf den familiären Status der beiden. Während der Mann mit dem kurzen Vorbauschurz bekleidet ist, der mit einem breiten Gürtel am Körper befestigt ist, trägt seine Ehefrau ein enganliegendes, durchscheinendes Gewand, das in der für die damalige Zeit charakteristischen Mode die Brust freiläßt. Zahlreiche Stilmerkmale weisen auf die 12. Dynastie: die breiten Ohren des Mannes, die kugelige Schädelkalotte, die breite gerade Nase, der hervortretende Mund und die muskulösen, schweren Extremitäten, die in überbreite Hände und Füße auslaufen. Die Frau mit ihrer ungegliederten wallenden Perücke, die ihr zu beiden Seiten über die Schultern fällt, hat die linke Hand fest an die Seite gelegt, während ihr Mann die rechte in Betergestus auf dem unteren Teil seines Schurzes aufruhen läßt. Anders als die Gruppenstatuen des Alten Reiches, die in ihrer statuarischen Überzeitlichkeit vor allem die Zielsetzung des Ersatzes für den Grabherrn zu erfüllen hatten, wirkt diese, übrigens nur hier belegte Darstellungsform eines Ehepaares beim Gebet, aktiv, lebensecht und auf einen bestimmten Handlungsablauf bezogen.

Lit.: J. Vandier, Manuel III, p. 241 n. 2, pl. LXXXIII,1; E. Scamuzzi, L'Art égyptien au Musée de Turin, 1966, pl. XXXV; A. M. Donadoni Roveri (Hrsg.), Egyptian Civilization. Monumental Art, 1989, Fig. 213

69
Statuengruppe eines Ehepaares

London, Britisches Museum, Reg.No. 66835
Quarzit, Höhe 32,5 cm, Breite 16 cm, Tiefe 12 cm
Herkunft unbekannt
2. Zwischenzeit, 13. Dynastie, um 1750 v. Chr.

Ebenso wie die Statuengruppe aus Turin (Kat.-Nr. 68) ist auch hier ein Ehepaar wiedergegeben, das auf einem besonders hohen und ebenfalls unbeschrifteten Sockel steht. Es lehnt in der üblichen Darstellungsform an einer breiten Rückenplatte. Der Mann, der in einen knöchellangen Wickelschurz gekleidet ist, zeigt die übliche Pseudoschrittstellung, seine beiden Arme hängen weit bis zu seinem Unterkörper herab. Er ist bekleidet mit der überbreiten, auf die Schultern spitz zulaufenden, ungegliederten Perücke, die seine breiten, für das Mittlere Reich typischen, ausladenden Ohren freiläßt. Das an der Nase und am Mund beschädigte Gesicht ist abgerundet, läßt jedoch noch eine deutliche Gliederung erkennen. Auffallend ist die besonders betonte Augenpartie mit ihren schweren Augenlidern. Die Ehefrau ist mit einem deutlich schmäleren Körper wiedergegeben, bekleidet mit einem langen, enganliegenden Gewand, das die Brüste deutlich ausspart. Sie hat die Hände eng an den Körper gepreßt und die Beine in üblicher Weise nebeneinandergestellt. Sie ist mit einer überlangen Strähnenperücke versehen, die bis fast zu den Brüsten herabreicht. Ihr Gesicht wird, ebenso wie das des Mannes, von der detailliert wiedergegebenen Augenpartie beherrscht, in der wieder die schweren Augenlider auffallen. Nase und Mund sind beschädigt. Auffallend an dieser Statue ist das verbindungslose Nebeneinander der beiden Figuren, die in isolierter, weit voneinander entfernter Haltung wiedergegeben sind. Hier geht es nicht mehr um die Darstellung des Ehepaares, der Familie, der Verbundenheit, sondern um zwei Individuen, die, als ob sie Einzelfiguren wären, nebeneinander dargestellt sind und deren einziger Kontakt in Rückenplatte und Basis besteht.

Lit.: Unveröffentlicht

70
Statuengruppe des Sehetepibreanchnedjem und des Nebpu

Paris, Louvre, Inv.-Nr. A 47
Quarzit, Höhe 92 cm, Breite 55 cm, Tiefe 30 cm
Herkunft unbekannt, vielleicht aus Memphis
Mittleres Reich, 12. Dynastie, um 1800 v. Chr.

Die im ersten Augenblick schwerfällig, ja blockhaft wirkende Statuengruppe bildet in vielerlei Hinsicht eine Ausnahme unter den Gruppendarstellungen des Mittleren Reiches. Aufgrund der Inschriften aus Memphis stammend, zeigt sie deutlich den Einfluß der königlichen Werkstätten und deren stilistischen Vorgaben. Auf einer breiten Basisplatte stehen zwei, mit breiter, auf die Schultern herabfallender Perücke und kurzem Vorbauschurz bekleidete Männer, deren Körper nicht rundplastisch, sondern nur als Halbrelief aus dem Stein herausgearbeitet wurden. Reste eines Fußes und das Ende einer Beschriftung weisen darauf hin, daß links von den beiden Figuren noch eine weitere Person dargestellt war, die heute abgebrochen ist und fehlt. Beschriftung und Bekleidung der beiden Figuren weisen sie nicht nur als Vater und Sohn aus, sondern auch als Hohepriester des Ptah von Memphis, jenes Gottes also, dessen Verehrung als Gott der Handwerker und Künstler bis in die Frühzeit der ägyptischen Geschichte zurückreicht. Beide Personen sind in einen kurzen Vorbauschurz gehüllt, dessen Vorderteil von einem aus acht Perlenketten bestehenden Gehänge überdeckt wird. Von der linken Schulter führt diagonal nach unten eine breite Schärpe, deren beide Enden unter dem breiten, kunstvoll geknüpften und verzierten Gürtel durchgesteckt sind und auf den Seitenteilen des Schurzes aufliegen. Das besondere Kennzeichen der Ptah-Priester befindet sich auf der Brust der beiden Personen, ein wahrscheinlich aus Bronze bestehender Halskragen, dessen beide Seiten von einem Anubis mit erhobenen Händen sowie einer Falkenmumie begrenzt werden. Während die stilistischen Merkmale, wie überbreite Füße, die ausladende Perücke, die abstehenden übergroßen Ohren und die gesamte Gesichtsbildung in die 12. Dynastie verweisen, wird diese Datierung auch durch die Beschriftung mit den Namen der Dargestellten erhärtet. Von besonderem Interesse freilich ist die Handhaltung der beiden Priester, die ihre Hand mit der Handfläche nach innen, an den

Schurz gelegt haben, eine seit der Zeit König Sesostris III. übliche Geste des Betens. Ebenso wie dieser Betergestus eine Übernahme aus dem königlichen Statuenrepertoire darstellt, dürfte auch die Ausführung der beiden Gesichter mit ihren hervortretenden, breiten Mundpartien, dem plastischen Gesichtsschädel und den von schweren Lidern gekennzeichneten Augen ohne Zweifel Spiegelung des gleichzeitigen königlichen Porträts sein, das, wie so oft in der ägyptischen Kunst, immer wieder seinen prägenden Einfluß auf die gleichzeitige oder nachfolgende nichtkönigliche Skulptur und Relief ausgeübt hat.

Der Aufstellungsort dieser Statue, entweder in einer Tempelnische oder in einem Grab, läßt sich nicht genau feststellen. Auch die verschiedenen Beschriftungszeilen zwischen und rechts von den beiden Figuren sowie auf der Basisplatte, geben darüber keine Auskunft. Mehrfach wird die Opferformel genannt, die den beiden auf ihrem unteren Schurzrand mit dem Namen bezeichneten Personen Teilhabe an den verschiedenen Opferungen, sei es im Tempel oder im Grabe, ermöglichen sollte. Die erste Opferformel beginnt am oberen Abschluß der Rückenplatte und liest sich von rechts nach links wie folgt: „(ein Opfer das der König gibt) bestehend aus Brot und Wein, Fleisch und Geflügel, Alabaster und Stoffen, … Opfer und Nahrung und alle guten Dinge." Die beiden waagrechten Zeilen am Saum der beiden Schurze nennen den bzw. die Nutznießer der Opferformel. Dementsprechend heißt es hier: „Für den Ka des Sieglers des unterägyptischen Königs, des Fürsten und Vorlesepriesters, des Hohepriesters des Ptah Sehetepibreanchnedjem bzw. Nebpu". Von besonderem Interesse ist der Herstellungsvermerk in der rechten senkrechten Schriftzeile, wo es heißt: „Es ist der Hohepriester des Ptah, Nebpu, der (diese Statue) für seinen Sohn, den Siegler des Königs von Unterägypten, den Fürsten und Hohepriester des Ptah, Sehetepibre den Jüngeren, errichten hat lassen". Aufgrund der verschiedenen genealogischen Angaben ist es möglich, diese Gruppe ziemlich genau in die Regierungszeit Sesostris' III. zu setzen.

Insgesamt ist diese Statuengruppe in ihrer deutlich von memphitischen Werkstätten beeinflußten Stilistik ein gutes Beispiel für die unterschiedlichen, ja lokal begrenzten Stile und ihre Werkstätten. Dem freien, von schöpferischer Phantasie und Ungebundenheit, trotz aller formalen Einschränkungen bestimmten Süden, stehen in Memphis traditionelle Umsetzungsversuche gegenüber, die stärker, als dies bei den oberägyptischen Werkstätten der Fall ist, vom Königsbildnis beeinflußt sind.

Lit.: E. Delange, *Musée du Louvre. Catalogue des statues égyptiennes du Moyen Empire*, Paris 1987, p. 81ff.

71
Statuenstele mit Opfertafel des Senpu

Paris, Louvre, Inv.-Nr. E 11573
Kalkstein und Kalzit („Alabaster"), Höhe 20,5 cm,
Breite 18,5 cm, Tiefe 22,4 cm
Aus Abydos
Mittleres Reich, 12./13. Dynastie, um 1780 v. Chr.

Diese aus Abydos stammende Familiengruppe stellt eine kunstvolle Kombination verschiedener, im Begräbniskult gebräuchlicher Ausdrucksformen dar. Während die 5 Personen Familienmitglieder darstellen, die den Grabstatuen entsprechen und so der materiellen Verkörperung des Grabherrn und seiner Familie dienten, symbolisiert die vor der Statuengruppe separat gearbeitete und eingelassene Opferplatte aus Alabaster den eigentlichen Kultort, wie er etwa in den Gräbern des Alten Reiches vor der Scheintüre angelegt war. Die auf der Opferplatte bzw. der Einfassung der Vorderseite und den Seitenteilen angebrachten Schriftzeilen enthalten die üblichen Opferformeln und erfüllen auf diese Weise die Funktion einer Grabstele. So sind in einem einzigen Werkstück Grabstatue, Opferformel und Opferplatz zusammengefaßt.

In der Mitte der Statuengruppe steht der Schatzmeister Senpu, der in einen langen Mantel gehüllt ist, wie er im Mittleren Reich für den neugeschaffenen Statuentyp der Mantelstatue charakteristisch ist. Während er den Mantel mit der Rechten zusammenhält, liegt seine linke Hand auf der rechten Schulter. Als einziger der drei männlichen Personen trägt er eine weite, auf die Schultern herabfallende Perücke und hebt sich dadurch von den beiden außenstehenden Figuren, die als seine Brüder gekennzeichnet sind, deutlich ab. Diese sind nicht nur kahlköpfig wiedergegeben, sondern auch mit dem langen Wickelschurz bekleidet, der den Oberkörper freiläßt. Beide Außenfiguren halten ihre etwas grobschlächtig wirkenden Hände im Betergestus auf die Vorderseite des Schurzes gelegt. Links von Senpu steht seine Mutter Satcherti, links die „ehrwürdige Hausherrin Titiu", die vielleicht seine Großmutter gewesen war. Die umlaufenden Inschriftenzeilen enthalten die üblichen Opferformeln bzw. den Namen des Auftraggebers dieser Stele, Senpu. Ähnliche Texte finden sich auch auf der Front der Basisplatte sowie an den beiden Seitenwangen. Das Mittelfeld der Opferplatte zeigt eine mit feinen Ritzungen angedeutete Strohmatte, darüber verschiedene Opfergaben, wie zwei Rundbrote, ein Kegelbrot und zwei Gefäße. Auf dem vorderen Abschluß der Basisplatte sind verschiedene Opferspeisen in Hieroglyphen wiedergegeben.

In den zahlreichen Opferformeln werden auch die Titel des Senpu wiedergegeben und zeigen, daß er der höheren Beamtenschaft angehört hat: „Ein Opfer, das der König gibt für Ptah, für den Ka des Oberaufseher der Nahrungsverwaltung Senpu, für den Herrn der vollendeten Verehrung, …1000 Brote, Bierkrüge, Fleisch und Geflügel, Alabaster und Weihrauch, Stoffe und Öle …"

An einer anderen Stelle heißt es: „Ein Opfer, das der König gibt für Osiris, den Ersten der Westlichen, damit er die Opfer und Speisen weitergibt dem Ka des Leiters der Verwaltung der Nahrungsversorgung Senpu, der Gerechtfertigte …".

Insgesamt ist dieses Kleinod ägyptischer Skulptur ein charakteristisches Beispiel für den oberägyptischen Stil der ausgehenden 12. Dynastie. Auch wenn der genaue Aufstellungsort dieser Familiengruppe nicht mehr rekonstruierbar ist, kann man davon ausgehen, daß er sich in der Nähe des mythischen Osirisgrabes befunden hat, war es doch Anliegen aller Ägypter, nicht nur einmal nach Abydos gewallfahrtet zu sein, sondern auch über den Tod hinaus, am Grab des Osiris in Form einer Statue präsent zu sein.

Lit.: E. Delange, Musée du Louvre. Catalogue des statues égyptiennes du Moyen Empire, Paris 1987, p. 144ff.; W. Seipel, Ägypten. Götter, Gräber und die Kunst. 4000 Jahre Jenseitsglaube, Katalog Linz 1989, Nr. 97; Il senso dell'arte nell'Antico Egitto, Katalog Bologna 1990, Nr. 29

72
Statue des Sebekemsaef

Wien, Kunsthistorisches Museum,
Inv.-Nr. ÄS 5051/ 5801
Granodiorit, Höhe 150 cm
Vielleicht aus Armant
2. Zwischenzeit, 13. Dynastie, um 1700 v. Chr.

und

72a
Originalbasis der Statue des Sebekemsaef

Dublin, National Museum of Ireland, Reg. No. 1889.503
Granodiorit, Höhe 37,5 cm, Breite 43,75 cm,
Tiefe 63,75 cm
Herkunft unbekannt, vielleicht aus Armant
2. Zwischenzeit, 13. Dynastie, um 1700 v. Chr.

Die Statue des Sebekemsaef ist nicht nur eine der bedeutendsten Skulpturen der Wiener Ägyptischen Sammlung, sondern gehört zu den faszinierendsten Beispielen für die ägyptische Rundplastik des Mittleren Reiches. Sebekemsaef ist in einer, seinem gesellschaftlichen Status und seiner Beamtenwürde entsprechenden Darstellungsform repräsentiert. Mit äußerster Präzision sind die abgerundeten Außenflächen seines voluminösen Körpers dem harten Diorit abgerungen. Seine stattliche Erscheinung wird vor allem in der Seitenansicht deutlich, die eine weit sich vorwölbende Bauchpartie zeigt, die unter einem bis knapp unter die Brust reichenden, langen, glatten Schurz verborgen ist. Der oben mit einem kunstvollen Bortenband abgeschlossene, unter der Brust verknotete Schurz schwingt über den Füßen in einer eleganten Bewegung aus. Sebekemsaef lehnt an einen leicht nach vorne geneigten Rückenpfeiler, der bis zum Ansatz der Schädelkalotte reicht. Seine muskulösen Arme sind nicht senkrecht nach unten gerichtet, sondern vielmehr in der Mitte der Körperkonturen angelegt. Deutlich sind die Finger und Fingernägel ausmodelliert. Besonders eindrucksvoll ist der Kopf des Sebekemsaef, dessen ovallängliche Form ebenso von klassischer Linienführung ist wie die Ausgestaltung seines Antlitzes. Über den weitgeöffneten Augen wölben sich die beiden Augenbrauen, die in einen harmonischen Bogen auslaufen. Die Wangenpartie ist plastisch herausmodelliert, die Backenknochen betont. Ein waagrechter, breiter Mund tritt etwas aus dem unteren Gesichtsfeld hervor und wird von zwei kleinen Kerben begrenzt; deutlich ist das Philtrum über der Oberlippe angegeben. Die Ohren

sind richtig proportioniert und eher anliegend wiedergegeben. Die beschriftete Basisplatte mit den großen, aber eher sorgfältig modellierten Füßen, wurde zu einem heute nicht mehr bestimmbaren Zeitpunkt von der Statue getrennt und landete auf ungeklärten Wegen letztlich im Nationalmuseum von Dublin. Obwohl die Zusammengehörigkeit der Basisplatte mit der Wiener Statue seit 1887 bekannt ist – damals wurde auch die heute noch sichtbare Abformung der Basisplatte angefertigt und mit der Statue vereinigt –, konnten erst anläßlich dieser Ausstellung die beiden zusammengehörigen Teile wieder zusammengeführt werden.

Die von der Ausgestaltung eher kursorische Beschriftung, die in ihrer Ausführung in starkem Gegensatz zu der kunstvollen Modellierung der Statue steht, beinhaltet die Titel, den Namen, die Genealogie des Sebekemsaef sowie die übliche Opferformel. Beginnend mit den beiden senkrechten Inschriftenzeilen auf dem Schurz in der Körpermitte, lautet die Übersetzung der Texte wie folgt: „Der Gouverneur Sebekemsaef, der Gerechtfertigte, den geboren hat Datnefret, die Gerechtfertigte. Das Opfer, das der König gibt dem Month, dem Herrn von Theben, der in Hermonthis wohnt, damit er geben möge ein Totenopfer an Brot und Bier, Fleisch und Geflügel, Alabaster und Leinen, Weihrauch und Salböl, Opfergaben und Speisen, Verklärung und Stärke und alle guten und reinen Dinge, von denen ein Gott lebt, dem Ka des Gouverneurs von Theben Sebekemsaef, des Gerechtfertigten, den gezeugt hat der Größte der Zehn Oberägyptens Dedusobek Bebi, der Gerechtfertigte, der Ehrwürdige".

Aufgrund dieser genealogischen Angaben ist es möglich geworden, Sebekemsaef chronologisch in den Beginn der 13. Dynastie einzuordnen. Aufgrund weiterer Denkmäler mit seinem Namen läßt sich erschließen, daß Sebekemsaef ein Bruder der Großen Königlichen Gemahlin Nebuchaes war, deren Gemahl ein Nachfolger des Königs Sebekhotep IV. gewesen sein dürfte. Da Sebekemsaef auf einer kleinen, in Berlin befindlichen Schreiberstatue nur den unbedeutenden Titel „Vorsteher der Speicher" trägt, kann davon ausgegangen werden, daß er, ursprünglich ärmlichen Verhältnissen entstammend, erst durch die Heirat seiner Schwester mit dem regierenden König zu höheren Ehren gekommen ist und seine Karriere also besonderen familiären Verhältnissen zu verdanken war. Dies ist insofern Kennzeichen für die 13. Dynastie, als die im Alten Reich und noch bis in die Regierungszeit Sesostris' II. nachweisbare Vererbung von Hofämtern unter Sesostris III. abgeschafft worden war und die alten Adelsdynastien kaum mehr Rechte besaßen. So wurden auch höhere Beamtenposten mit „Aufsteigern" besetzt, die am Gipfel ihrer Karriere angelangt, in ebenso großzügiger Weise wie ihre Vorbilder die Kunst bzw. Skulptur als Repräsentationsinstrument einsetzten; und hierfür ist die Statue des Sebekemsaef ein besonders gutes Beispiel.

Lit. B. Jaros-Deckert, Statuen des Mittleren Reichs und der 18. Dynastie, CAA Wien, Lief. 1, 1987, S 1, 39–48; E. Rogge, Statuen des Neuen Reiches und der III. ZZ., CAA Wien, Lief. 6, 1990, S. 6, 187–189

Lit.: siehe Kat.-Nr. 73

73
Statue des Dedunub, Sohn der Senbet

London, Britisches Museum, Reg.No. 58080
Serpentin, Höhe 26,5 cm, Breite 7 cm, Tiefe 13 cm
Aus Khizam
2. Zwischenzeit, 13. Dynastie, um 1750 v. Chr.

Ein Vergleich der Statue des Dedunub mit dem Wiener Sebekemsaef (Kat.-Nr. 72), der wahrscheinlich in dieselbe Zeit zu datieren ist, zeigt nicht nur einen gewaltigen Größenunterschied, der sich schon aus der unterschiedlichen Funktion der beiden Statuen ergeben haben dürfte, sondern vor allem auch eine grundsätzlich andersartige stilistische Ausformung. Die aus hartem Serpentin herausgeschnittene Steinskulptur zeigt Dedunub in andachtsvoller Haltung, die Rechte an den Körper angelegt, die Linke schräg über der Brust. Er ist in einen über den Nabel reichenden, langen Wickelschurz gekleidet, dessen oberer Rand eine angesetzte Borte erkennen läßt und dessen Schlußfalte schräg über die Vorderseite verläuft. Auffallend sind die durch waagrechte Linien gekennzeichneten Felder, die vielleicht auf die Faltung des aufbewahrten Kleidungsstücks zurückzuführen oder als Verzierungen aufzufassen sind. Ausdrucksvoll ist sein runder, kahlgeschorener Schädel mit den beiden enganliegenden großen Ohren und einem offenen Gesicht. Die großen Augen, die sich bis zur Schläfenpartie fortsetzen, eine lange breite Nase und ein großer, fast grimassenartiger Mund verleihen ihm eine lebendige Wirkung. Er lehnt an einem bis knapp unter die Schultern reichenden Rückenpfeiler und steht mit seinen plumpen, aber doch detailgetreu wiedergegebenen Füßen auf einer hohen, rechteckigen Basisplatte, die in flüchtigen Hieroglyphen mit seinem Namen und dem Namen seiner Mutter, Senbet, versehen ist.
Die schlanke Modellierung des Körpers fällt auf und steht in einem gewissen Gegensatz zu der für Beamtenfiguren der 13. Dynastie üblichen Fülligkeit, die im direkten Verhältnis zur vom Dargestellten eingenommenen gesellschaftlichen Position stand. Dementsprechend fehlen auf der Basisplatte auch Amtstitel oder Rangtitel des Dedunub, der sich mit dieser Statue einfach nur in einer Tempelnische für alle Zeit verewigen wollte.

Lit.: J. Bourriau, Pharaohs and Mortals, Katalog Cambridge 1988, No. 47

74
Statue des Nenju

Hildesheim, Roemer-Pelizaeus Museum, Inv.-Nr. 84
Schiefer, Höhe 31 cm
Herkunft unbekannt
Mittleres Reich, 12. Dynastie, um 1780 v. Chr.

Die aus hartem, nur schwer zu bearbeitenden Chlorit-schiefer herausgeschnittene Standfigur war die Grab- oder Tempelstatue eines Min-Priesters namens Nenju. In ähnlicher Weise wie die Figur des Dedunub aus London (Kat.-Nr. 73) steht Nenju in deutlicher Pseudoschrittstellung auf einer rechteckigen, oben leicht abgerundeten Basis und lehnt an einem schmalen Rückenpfeiler, der sich bis zu seinem nach vorne gestellten, linken Bein fortsetzt. Die Füße sind in üblicher Weise groß und ungeschlacht, sie stehen auf einer mit folgendem Text versehenen Basisplatte: „Ein Opfer, das der König gibt, für den Ka des Min-Priesters Nenju, des Sohnes des Inkaef". Nenju ist in einen langen, glatten Wickelschurz gekleidet, der unterhalb der Brust verknotet ist. Der Schurz wölbt sich in elegantem Schwung bis über die Knöchel. Der Dargestellte hat die beiden Hände in Beterhaltung an die Seiten gelegt, unterscheidet sich also hier in der Handhaltung von der aus London gezeigten Figur. Sein abgerundeter, kahlgeschorener Schädel zeigt in Profilansicht scharfgeschnittene Gesichtszüge, die

von vorne jedoch einen etwas kursorischen Eindruck erwecken. Die Augen und auch die Ohren sind verhältnismäßig unregelmäßig und asymmetrisch geformt, unter der kurzen breiten Nase, deren Nasenflügel deutlich ausmodelliert sind, steht ein ebenfalls unregelmäßig geformter Mund. Stilistisch gesehen, gehört auch die Statue des Nenju zu jenen zahlreichen, aus der 13. Dynastie stammenden Darstellungen kleinerer Beamter und Priester, die wohl in großer Zahl im Umkreis der Tempel von eigenen Tempelwerkstätten hergestellt und je nach Käufer kurzfristig mit Namen, Titel bzw. Opferformel versehen wurden. Dies erklärt auch den immer wieder festgestellten kursorischen Charakter der Beschriftung, der sich mit der sonst meist sorgfältig modellierten Gesamtausführung der Statue schwer vereinbaren läßt.

Lit.: G. Roeder, Die Denkmäler des Pelizaeus Museums zu Hildesheim, Berlin 1921, S. 70; H. Kayser, Die ägyptischen Altertümer, S. 54, Abb. 38; H. Kayser, Das Pelizaeus-Museum in Hildesheim, Abb. 18; J. Vandier, Manuel III, p. 227 n. 4; W. Seipel, Bilder für die Ewigkeit. 3000 Jahre ägyptische Kunst, Katalog Konstanz 1983, Nr. 59

75
Statue des Cheti

Boston, Museum of Fine Arts, Egyptian Special
Purchase Fund, Inv.-Nr. 1982.501
Kalkstein, Höhe 30 cm
Vermutlich aus Atfih
2. Zwischenzeit, 17. Dynastie, um 1650 v. Chr.

Die erst 1982 in die Sammlung des Museums gekommene Sitzstatue des Cheti hat in der ägyptischen Kunstgeschichte bisher kaum Beachtung gefunden, obwohl sie zu den beeindruckendsten Beispielen für die zwischen dem Mittleren und Neuen Reich liegende Zweite Zwischenzeit zählt, die auf dem Gebiet der Rundplastik nur mit äußerst wenigen Belegen faßbar wird. In ihr vermischen sich verschiedene traditionelle, aus dem Mittleren Reich übernommene, stilistisch eindeutig zu identifizierende Elemente mit Neuerungen, die erst im Neuen Reich zur vollen Entfaltung kommen sollten. Die Herkunft der Statue kann aufgrund der Titulatur des Dargestellten in Atfih gesucht werden, heißt er doch „Priester der Hathor von Tepichu", dem späteren Aphroditopolis, wie die Hauptstadt des 22. oberägyptischen Gaues später von den Griechen genannt wurde, die Hathor und Aphrodite gleichsetzten. Nur rund 70 km südlich der Residenz des Mittleren Reiches gelegen, entfaltete sich hier offensichtlich ein äußerst lokal begrenzter Stil, der sich kaum mit anderen Statuen dieser Zeit in Beziehung setzen läßt. Cheti sitzt auf einem würfeligen Thron mit niedriger Rückenlehne, seine Füße ruhen auf einer an drei Seiten des Thrones vorkragenden, hohen und zum Teil unbearbeiteten Basisplatte. Er ist in einen mittellangen Schurz gehüllt, der unterhalb des deutlich gekennzeichneten Nabels verknotet ist. Leicht schräg verläuft am rechten Stoffende eine Inschriftenzeile, die ihn als Oberpriester der Hathor ausweist. Seine beiden Hände ruhen auf den Knien, der besonders plastisch herausmodellierte Oberkörper fällt durch eine, fast realistische Angabe der Brust- und vor allem der Bauchfalten auf; die Stege zwischen Oberarmen und Oberkörper sind nicht abgearbeitet.

Besonders faszinierend ist jedoch das Gesicht der Statue. Es wird eingerahmt von einer bis zu den Schultern herabreichenden, breiten Strähnenperücke, wie sie etwa in der 12. Dynastie häufig belegt ist, die die breiten übergroßen Ohren freiläßt und offensichtlich über der Stirn durch ein Tuch oder breites Band zusammengehalten wird. Ihre besondere Faszination jedoch verdankt diese Statue der Ausmodellierung und Stilistik des Gesichtes: Unter der von Falten zerfurchten Stirn blicken den Betrachter zwei, ursprünglich wohl bemalte und noch lebendiger wirkende Augen an, die von einer hohen Krümmung sowohl der Augenbrauen als auch des Oberlides gekennzeichnet sind. Die besonders schmale Nase endet in zwei deutlich eingetieften Labionasalfalten, die einen schmalen strengen Mund begrenzen. Auch das Kinn ist durch zusätzliche Falten herausgehoben, so wie auch die Wangenpartie und die Backenknochen deutlich ausmodelliert sind. Dieser ausdrucksstarke, wohl als schöpferische Einzelleistung zu betrachtende Kopf ruht auf einem verhältnismäßig schmalen, langen Hals, der gegenüber dem breiten, nackten Oberkörper etwas unproportioniert wirkt. Als modische Neuerung sei auf die beiden Sandalen verwiesen, in denen die groben, aber in der Zehenpartie detailliert ausgearbeiteten Füße stecken. Insgesamt stellt diese Sitzstatue eine zwischen Mittlerem und Neuem Reich stehende Meisterleistung eines lokalen Künstlers dar, der in ihr seine schöpferischen Fähigkeiten voll zum Ausdruck bringen konnte.

Lit.: A Table of Offerings, Boston 1987, pp. 22, 23 (mit Abb.); D. Spanel, Through Ancient Eyes: Egyptian Portraiture, Katalog Birmingham, Alabama 1988, No. 17

221

NEUES REICH (18., 19. UND 20. DYNASTIE)

Gegen Ende der in ihrem Machtbereich noch lokal begrenzten 17. oberägyptischen Dynastie, deren Zentrum in Theben lag, einer Stadt, die bereits zu Beginn des Mittleren Reiches eine einigende Rolle gespielt hatte, kam es zu ersten Ansätzen, sich von der zwar weit entfernten, aber dennoch das Gefühl der Unabhängigkeit Ägyptens beeinträchtigenden Fremdherrschaft der Hyksos zu entledigen. Eine literarische Schilderung aus der Ramessiden-Zeit berichtet von dem Versuch des Königs Seqenenre Taa II. sich gegen den in Auaris sitzenden Hyksos-König Apophis zur Wehr zu setzen. Die Realität dieser kriegerischen Auseinandersetzung findet ihre Bestätigung in der von einer asiatischen Streitaxt herrührenden Kopfwunde der Mumie des Königs. Während sein Nachfolger Kamose in einem weiteren Feldzug bis nördlich von Hermopolis vordringt und dort einen Vasallen der Hyksos besiegt, kommt es erst unter dessen Bruder, dem König Ahmose, zur endgültigen Vertreibung der Asiaten. Er erobert Auaris und setzt die Verfolgung der geschlagenen Hyksos bis nach Südpalästina fort. Auch das unbotmäßige Nubien, das an der Seite der Hyksos gestanden war, wird wieder erobert. So gilt Ahmose als erster Herrscher der 18. Dynastie und als Begründer des Neuen Reiches. Sein Sohn Amenophis I. übernimmt ein befriedetes und in sich gefestigtes Land. Er läßt sich als erster Herrscher in einem Tal im thebanischen Westgebirge bestatten und trennt auch erstmals Totentempel und Grab. Zusammen mit seiner Mutter Ahmes-Nefertari gilt er als der Schutzpatron der thebanischen Nekropole. Der Höhepunkt der ersten Hälfte der 18. Dynastie wird durch die Regierungszeit der Königin Hatschepsut und der ihres Stiefsohnes und Nachfolgers Thutmosis III. bezeichnet. Als Thutmosis III. noch als Kind den Thron besteigt, übernimmt seine Tante und Stiefmutter die Regentschaft, läßt sich aber bereits im siebenten Regierungsjahr zum Pharao krönen und übernimmt auch in der Darstellungsform die königlichen Attribute. Sie regiert bis in das 22. Jahr Thutmosis' III. Sie hinterläßt ihrem Neffen, der nicht nur die Regierungsgeschäfte übernimmt sondern auch das Andenken seiner Stiefmutter im ganzen Lande zu verfolgen trachtet, indem er im Rahmen einer weitreichenden damnatio memoriae die Namen der Hatschepsut tilgen läßt, ein in jeder Hinsicht blühendes Land. Der Totentempel der Königin in Deir el-Bahari, nicht weit entfernt von dem monumentalen Grabdenkmal des Gründers des Mittleren Reiches Mentuhotep II., gibt in seinen gut erhaltenen Reliefs und den ebenfalls in großer Anzahl wieder aufgefundenen Tempelstatuen ein eindrucksvolles Zeugnis vom hohen Entwicklungsstand der Kunst dieser Zeit. In den verbleibenden zwanzig Jahren seiner Regierung unternimmt Thutmosis III. eine Reihe von Feldzügen nach Vorderasien und begründet auf diese Weise die Vormachtstellung Ägyptens im östlichen Mittelmeerraum. Unter seinem Sohn und Nachfolger Amenophis II., der in dieser Ausstellung ebenfalls durch zahlreiche beeindruckende Bildnisse vertreten ist, setzt sich die Konsolidierungsphase des Neuen Reiches fort. Gerne rühmt sich der König nicht nur seiner königlichen Macht, sondern auch seiner Leistungsfähigkeit als Sportler, die er in Text und Bild beeindruckend zur Schau stellt.

Unter Amenophis III. wird der absolutistisch regierende Herrscher erneut zum Idealbild. Als der wohl größte Bauherr der ägyptischen Geschichte, zählt man die Anzahl und Monumentalität der Bauten dieses Herrschers zusammen, die wohl noch jene des Cheops und des späteren Königs Ramses II. übertroffen haben, hat er es wie kaum ein anderer Herrscher verstanden, die religiös begründete und daher dogmatische Position des ägyptischen Königs im ganzen Lande zu veranschaulichen. In logischer Fortsetzung dieser Entwicklung finden sich in Nubien bereits Beispiele der persönlichen Vergöttlichung des noch lebenden Herrschers. Das funktionierende, zentrale Verwaltungssystem, dessen Mittelpunkt das Vezierat bildete, die gewachsene Machtposition der Militärverwaltung und das von einem eigenen Vizekönig regierte Kolonialland Kusch im südlichen Nubien waren gleichsam die drei tragenden Pfeiler, auf denen die Blüte der mittleren 18. Dynastie aufbauen konnte. Dazu gesellte sich die in ihrem machtpolitischen Einfluß immer stärker werdende Amun-Priesterschaft, der mittels der dem Amun-Tempel von Karnak zukommenden wirtschaftlichen Potenz eine allmählich wachsende Einflußnahme auch auf das politische Leben ermöglicht wurde. Unter Amenophis IV., der sich kurz nach seinem Regierungsantritt Echnaton nannte, kommt es zur revolutionären Absage an die traditionellen Werte des ägyptischen Amun-Glaubens und zu einer Neubewertung des Pharaos und seiner Aufgaben. Ausgehend von einem individuell geprägten, bis ins Detail ausgefeilten Sonnenglauben dieses Königs, wird Aton in seiner abstrakten Erscheinungsform als von der Sonnenscheibe ausgehenden Wirksamkeit zum alleinigen Gott Ägyptens erklärt. Die Kulte der anderen Götter, vor allem des Amun von Theben, werden verboten, die Tempel geschlossen und ihr Vermögen konfisziert. Nach der Errichtung eines monumentalen Aton-Heiligtums in Karnak verläßt Echnaton Theben und gründet an einer von religiösen Traditionen freien Stelle in Mittelägypten Achet-Aton („Der Horizont des Aton"). In den gewaltigen Heiligtümern für diesen Gott werden Echnaton und seine Gemahlin Nofretete als die alleinigen Mittler des Sonnenglaubens dargestellt. Die immer stärker werdende selbstgewählte Isolation und die sicher zum Teil auch gewaltsame Unterdrückung traditioneller religiöser Vorstellungen, vor allem hinsichtlich des Totenglaubens, führten allmählich zu einer Entfremdung des Königs von seinen Untertanen. Nach knapp siebzehnjähriger Regierungszeit stirbt Echnaton und hinterläßt ein innen und außen zerrüttetes Land. Nach einigen Zwischenkönigen übernimmt Tutanchamun die Regierung und verläßt die Residenz Achet-Aton, das heutige Amarna. Im Restitutionsedikt von Memphis stellt er die Rechte der alten Götter und ihrer Tempel wieder her. Das Erscheinungsbild der Kunst, das in der Amarna-Zeit in einer noch nie dagewesenen Expressivität den übersteigerten Vorstellungen des Königs Echnaton folgen mußte, kehrt trotz verbleibender Einflüsse der Kunst der Amarna-Zeit zur traditionellen Darstellungsweise zurück. Nach dem frühen Tod des Tutanchamun, dessen Grab 1922 bekanntlich unberaubt von Howard Carter entdeckt wurde, besteigt nach einer kurzen Zwischenphase der frühere Truppenbefehlshaber in Palästina Haremhab den Thron. Er läßt sich in Theben krönen und verlegt die Residenz neuerlich nach Memphis. Von nun an bleibt Theben das religiöse Zentrum, wo alle Könige der 18., 19. und 20. Dynastie im Tal der Könige ihre Gräber anlegen ließen. Er selbst setzt den aus dem Delta stammenden Offizier Ramses zum Thronfolger ein. Mit Ramses I. beginnt die 19. Dynastie, in der Ägypten nicht nur wieder seine Großmachtstellung behaupten konnte, sondern auch einem noch nie in diesem Umfang dagewesenen Ansturm von aus dem Westen, aber auch aus dem Norden und Osten eindringender Völkerschaften, ausgesetzt war. Ihren Höhepunkt fanden diese größtenteils kriegerischen Auseinandersetzungen in der von Ramses II. bei Kadesch geschlagenen Schlacht gegen die Hethiter, für die beide Parteien in den entsprechenden Kriegsberichten den Sieg für sich in Anspruch nehmen. Ramses II. gründet eine eigene Hauptstadt im Ostdeltagebiet, die in der Nähe der ehemaligen Hyksosresidenz gelegen ist.

Unter Merenptah, dem 13. Sohn Ramses' II., kommt es zu einem Großangriff der berberischen Libyer, aber auch der sogenannten aus unterschiedlichen Volksstämmen zusammengesetzten „Seevölker". Nach einem kurzen, von Thronkämpfen bestimmten Zwischenstadium übernimmt Sethos II. die Regierung. Unter seinem Sohn und Nachfolger Ramses III. kommt es, wie bereits unter Merenptah, zu einer erneuten Auseinandersetzung nicht nur mit den Libyern, sondern auch mit den Seevölkern, die von der West- und Südküste Kleinasiens sowohl über Palästina als auch zu Wasser entlang der östlichen Mittelmeerküste in das östliche Delta und seine Nilmündungen einzudringen versuchten. Eine Darstellung dieser Schlacht auf der Außenwand des monumentalen Totentempels dieses Königs gibt die Herkunft der einzelnen Seevölkerstämme an. Es sind Scherden, Danuna, Sikarer, Philister und viele andere. So sehr Ramses III. in seinen ersten Regierungsjahren erfolgreich die Bedrohung Ägyptens abwehren konnte, so wenig gelang es ihm, die aufgrund wirtschaftlicher Probleme entstehenden Streiks und Unruhen zu besänftigen. Unter den nachfolgenden Herrschern Ramses IV. bis Ramses XI. kommt es häufig zu Thronstreitigkeiten und Bürgerkriegen. Auch die ausländischen Besitzungen gehen allmählich verloren. Die Einsetzung libyscher Anführer als lokale Militärkommandanten sollte dem schwindenden Machtanspruch des Pharao entgegenwirken, war jedoch in der Zukunft nicht ohne Folgen für die weitere historische Entwicklung. Unter Ramses XI., dem letzten Ramessiden, kommt es ein letztesmal zu einer das ganze Land erfassenden Revolte der hungernden Bevölkerung. Auch der Totentempel des Königs Ramses III. in Medinet Habu wird von der meuternden Masse gestürmt und teilweise zerstört. Erst einem nubischen Söldnerführer, der zum Vizekönig von Nubien ernannt worden war, gelingt es, den Aufstand niederzuschlagen. Während in Unterägypten ein selbsternannter Herrscher namens Smendes von Ramses XI. wohl oder übel anerkannt werden mußte, wurde in Theben Herihor zum Hohepriester des Amun eingesetzt. Bald übernahm er die Regierungsgewalt und regierte über den „Gottesstaat des Amun", wie Oberägypten zu dieser Zeit genannt wurde. Aus einer Inschrift im von Herihor erneuerten Chons-Tempel geht hervor, daß er sich gegen Ende seiner Regierungszeit sogar den inoffiziellen Königstitel anmaßte.

Zeittafel, Dynastienliste

(fettgedruckt die in der Ausstellung vertretenen Pharaonen)

18. Dynastie: um 1552–1306 v. Chr.
Ahmose (1552–1527)
Amenophis I. (1527–1506)
Thutmosis I. (1506–1494)
Thutmosis II. (1494–1490)
Hatschepsut (1490–1468)
Thutmosis III. (1490–1436)
Amenophis II. (1438–1412)
Thutmosis IV. (1412–1402)
Amenophis III. (1402–1364)
Amenophis IV./Echnaton (1364–1347)
Semenchkare (1347)
Tutanchamun (1347–1338)
Eje (1337–1333)
Haremhab (1333–1306)

19. Dynastie: 1306–1168 v. Chr.
Ramses I. (1306–1304)
Sethos I. (1304–1290)
Ramses II. (1290–1224)
Merenptah (1224–1204)
Sethos II. (1204–1196)
Amenemesse
Siptah (1194–1188)
Tausret (1188–1186)

20. Dynastie: 1186–1070 v. Chr.
Sethnacht (1186–1184)
Ramses III. (1184–1153)
Ramses IV. (1153–1146)
Ramses V. (1146–1142)
Ramses VI. (1142–1135)
Ramses VII. (1135–1129)
Ramses VIII. (1129–1127)
Ramses IX. (1127–1109)
Ramses X. (1109–1099)
Ramses XI. (1099–1070)

76
Oberteil einer Statue einer Königin

New York, Metropolitan Museum of Art, Rogers Fund, 1916, 16.10.224
Kalkstein, Höhe 28 cm, Breite 17,8 cm
Aus Theben (Asasif)
Neues Reich, 18. Dynastie, um 1520 v. Chr.

Die unterlebensgroße Büste einer Königin steht hier am Beginn einer an die dreißig Königsporträts umfassenden Entwicklungsreihe, die in der ausgehenden 20. Dynastie endet (s. Kat.-Nr. 114). In ähnlicher Weise, wie zu Beginn des Mittleren Reiches, sollte auch das Neue Reich seinen Ausgang von einer von Oberägypten, von Theben, initiierten Einigungsbewegung nehmen, die in der kriegerischen Eroberung des von den Fremdherrschern, den Hyksos, besetzten Ostdeltagebietes und ihrer Hauptstadt Auaris ihren Höhepunkt fand. Diese thebanische Dynastie, die seit Manetho als die 17. gezählt wird und zeitgleich mit den Hyksos anzusetzen ist, hatte trotz aller, die Zweite Zwischenzeit charakterisierenden Wirren, Plünderungen und Zerstörungen im ganzen Lande ihre Eigenständigkeit bewahrt und ist von einer direkten Einflußnahme der im Norden des Landes residierenden Herrscher mehr oder weniger freigeblieben. Die weite geographische Distanz, die von Theben bis Auaris an die tausend Kilometer betrug, und die vor allem in den Mittelmeerraum hinein orientierte „Außenpolitik" der Hyksos ließen im oberägyptischen Süden einen mehr oder weniger unabhängigen Freiraum entstehen. In ihm entfaltete sich nicht nur ein gewisses künstlerisches, sondern vor allem auch militärisches Potential, das letztlich die kriegerischen Expeditionen zur Vertreibung der Hyksos verwirklichen sollte. So kam es unter den letzten Fürsten der 17. Dynastie, unter Seqenenre und Kamose, zu kriegerischen Auseinandersetzungen, die u. a. zum Tode des Seqenenre geführt haben. So zeigt seine Leiche mehrere tödliche Verletzungen, die durch eine asiatische Streitaxt, die typische Bewaffnung der Hyksosleute, verursacht wurde. Aber erst unter dem Bruder und Nachfolger des Kamose, König Ahmose, kommt es zur Eroberung von Auaris und zur endgültigen Befreiung des Landes. Dementsprechend wird Ahmose auch als erster Herrscher des Neuen Reiches bzw. der 18. Dynastie gezählt. In ähnlicher Weise wie Mentuhotep II., der Begründer des Mittleren Reiches, und König Menes, in der späteren Überlieferung der erste Herrscher der 1. Dynastie, geht auch Ahmose als Reichseiniger in

die Geschichte ein. Wie viele ägyptische Könige folgte er seinem, vielleicht in der Schlacht gefallenen Bruder Kamose noch als Kind auf den Thron (vgl. Kat.-Nr. 16), sodaß seine Mutter Ahhotep für ihn die Regierungsgeschäfte führen mußte. Es fällt auf, daß neben Ahhotep (I.) aus dem Beginn des Neuen Reiches eine Reihe weiterer Frauen bekannt sind, denen ein nicht unerheblicher Anteil an der Etablierung der dynastischen Erbfolge dieser Zeit zuzuschreiben ist. Eine besondere Rolle sollte vor allem Ahmesnofretere spielen, die Gemahlin des Königs Ahmose und Mutter seines Nachfolgers Amenophis I. Als zweite Prophetin des Amun begründete sie gleichsam die später so wirksame Institution der „Gottesgemahlinnen", die nicht nur religiös, sondern auch wirtschaftlich von erheblicher Bedeutung war. Auch sie dürfte für den noch minderjährigen Amenophis I. die Regierungsgeschäfte geführt haben und wurde seit der Mitte der 18. Dynastie bis zum Ende der 20. mit ihm zusammen als Schutzheilige des thebanischen Nekropolenbezirks kultisch verehrt. Obwohl ihr Name auf Stelen, Tempelreliefs und Grabbeigaben überliefert ist, gibt es von ihr keine gesicherte zeitgenössische rundplastische Darstellung, sieht man von dem in Deir el-Bahari gefundenen großen Sarkophag aus Holz ab. Erst aus der 19. und 20. Dynastie sind an die fünfzehn rundplastische Darstellungen der Königin überliefert, die bisweilen durch ein schwarzgefärbtes Inkarnat gekennzeichnet sind und dem modischen Stil dieser Zeit entsprechen (s. Kat.-Nr. 133).

So läßt sich auch diese Büste nicht mit Sicherheit einer der genannten Königinnen aus dem Beginn der 18. Dynastie zuweisen, wenn auch die mit der Geierhaube versehene große Perücke, wie sie in abgeänderter Form in den erwähnten Statuen der Königin Ahmesnofretere in der 19. Dynastie zu finden ist, auf diese Königin hindeuten könnte. Jedenfalls ist eine aus Kalkstein herausmodellierte Frauenfigur wiedergegeben, die vielleicht zu einer Statuengruppe gehört hat, sodaß an ihrer rechten Seite ein König (Amenophis I. oder Ahmose) zu vermuten wäre. Die bereits erwähnte, überproportional wirkende Perücke dieser Königin umschreibt in einem großen Bogen das Gesicht, das trotz einiger Zerstörungen den Blick des Betrachters auf sich zieht. Die übergroßen, wenig schräg gestellten Augen sind durch deutlich herausreliefierte Unterlider und elegant geschwungene Oberlider gekennzeichnet, über denen fein angedeutet die beiden Augenbrauenbögen bis zu den Augenwinkel herabreichen. Trotz der Zerstörung ist noch deutlich der Nasenansatz zu erkennen bzw. die beiden Nasenflügel, die von tief modellierten Labionasalfalten begrenzt werden. Am ansprechendsten freilich ist der Mund der Königin gestaltet, dessen Lippen fest

aufeinanderliegen und dennoch bereits ein feines, schweigendes Lächeln anzudeuten scheinen. Die ganze Gesichtsmodellierung ist bewegt, betont die Wangenpartie, erweckt jedoch dennoch einen ausgewogenen, harmonischen Eindruck. Es ist nicht das Porträt der ausgehenden 12. Dynastie, wie es unter Sesostris III. und Amenemhet III. in neuer expressiver Art und Weise die zeitbezogene, realistische Wiedergabe eines individuellen Herrschergesichtes bedeutet hat, sondern vielmehr die zu Beginn der 12. Dynastie bis etwa Sesostris II. nachweisbare Darstellungsform eines sich seiner königlichen Identität wieder bewußt gewordenen Herrschers. Der zeitliche, zeitbedingte Aspekt ist noch zurückgedrängt zugunsten eines zwar individuell gestalteten, die Würde des Königsamtes jedoch keinen Augenblick außer Acht lassenden Königsbildnisses. Und so steht wie zu Beginn der 12. Dynastie auch am Beginn des Neuen Reiches der erneute Versuch, individuelle Vergänglichkeit mit überzeitlichem Anspruch des Königsamtes zu verbinden. Der königliche Charakter dieser Darstellung wird hier freilich noch betont durch die bereits erwähnte breite Perücke, die nach vornehin von dem feingezeichneten Gefieder eines Geierbalges überdeckt ist und an der Innenseite noch das geflochtene Perückenband erkennen läßt. Der Geierbalg bzw. die Geierhaube ist uraltes Attribut der Königin. Es ist die oberägyptische Königsgöttin Nechbet, die neben der unterägyptischen Kobra, der als Uräus auftretendenden Göttin Wadjet, seit jeher das Erscheinungsbild der Königin bestimmt. Seit dem Neuen Reich häufiger ist die Darstellung der Nechbet mit Schlangenkopf, also mit Uräus, wie das in unserem Beispiel der Fall gewesen sein dürfte; auf diese Weise wird auch in dieser Darstellung der unbekannten Königin das gesamte Land, nämlich Ober- und Unterägypten, durch Geierhaube mit Schlangenkopf repräsentiert.

Die Gestalt der Königin ist in ein enganliegendes Gewand gehüllt, das die mittlere Brustfläche freiläßt, auf der ein fein eingezeichneter Schmuckkragen zu sehen ist. Auch bei dieser Statue ist eine bunte Bemalung vorauszusetzen, von der jedoch so gut wie keine Spuren mehr überliefert sind. Eine gewisse Unausgewogenheit und Unsicherheit in der Angabe der Gesichtsdetails zusammen mit der Tatsache, daß es kaum vergleichbare Bildnisse gibt, haben auch eine Datierung in die Zweite Zwischenzeit vermuten lassen. (E. Lindblad)

Lit.: W. C. Hayes, The Scepter of Egypt II, New York 1959, p. 55, fig. 26; PM I/2², p. 622; J. Leclant (Hrsg.), Ägypten II. Das Großreich, München 1980, S. 281, Abb. 286; E. Lindblad, Royal Sculpture of the Early Eighteenth Dynasty in Egypt, Medelhausmuseet Memoir 5, Stockholm 1984, p. 64

77
Statue der knienden Königin Hatschepsut

New York, Metropolitan Museum of Art, Rogers Fund, 1923, 23.3.1
Rosengranit, Höhe 86 cm
Aus Theben (Deir el-Bahari)
Neues Reich, 18. Dynastie, um 1480 v. Chr.

Lit.: J. Vandier, Manuel III, p. 301 n. 5, p. 302 n. 3; W. C. Hayes, The Scepter of Egypt II, New York 1959, pp. 95–97; PM II², 1972, p. 374; M. Eaton - Krauß, The khat headdress to the end of the Amarna Period, SAK 5, 1977, S. 35; R. Tefnin, La statuaire d'Hatshepsout, Brüssel 1979, p. 89, Pl. XXIIIa

und

78
Statue der knienden Königin Hatschepsut

Berlin-Museumsinsel, Ägyptisches Museum,
Inv.-Nr. 22883
Rosengranit, Höhe 87 cm
Aus Deir el-Bahari
Neues Reich, 18. Dynastie, um 1480 v. Chr.

Hatschepsut war die Tochter des Königs Thutmosis I. und wurde mit dem späteren König Thutmosis II. verheiratet, der als Sohn einer Nebenfrau keine dynastische Legitimität besaß und erst durch seine Verheiratung mit Hatschepsut zum legitimen König wurde. Aus dieser Ehe entsproß als einziges Kind ihre Tochter Nefrure, die nach dem Tode Thutmosis' II. mit ihrem Halbbruder Thutmosis verheiratet wurde, der ebenfalls eine nicht legitimierende Nebenfrau zur Mutter hatte. Über Nefrure jedoch wurde seine Thronbesteigung als Thutmosis III. legitimiert. Aufgrund des noch kindlichen Alters des Herrscherpaares führte Hatschepsut als Tante und Stiefmutter des Königs Thutmosis III. zunächst als „Regentin" die Regierungsgeschäfte, ohne in ihrem Auftreten und ihren Titeln „Königstochter, Königsschwester, Große Königliche Gemahlin" über den Anspruch einer Königin hinauszugehen.

Erst im siebenten Regierungsjahr des damals immer noch jugendlichen Königs Thutmosis III. läßt sie sich zum Pharao krönen und nimmt die volle Königstitulatur an. Sie begründet ihre Legitimität als König u. a. durch die ihr in mehreren Orakeln geoffenbarte Berufung zum König durch den Gott Amun, der seit dem Beginn des Neuen Reiches sehr rasch einen Aufstieg von einer eher lokalen Gottheit des thebanischen Gaus zum Reichsgott ganz Ägyptens erfahren hatte, entsprechend der Ausdehnung des thebanischen Machtbereichs. So bildete der

Reichsgott Amun zusammen mit seiner Gemahlin, der Geiergöttin Mut, und ihrem Sohn, dem Mondgott Chons, bis zur religiösen Revolution unter König Echnaton (s. Kat.-Nr. 97) die thebanische Dreiheit, das legitimierende und stabilisierende Gegenüber des ägyptischen Pharao. Die seit der Krönung der Königin allmählich geringer werdende Betonung der weiblichen Merkmale der Hatschepsut mündet schließlich in eine Darstellungsform, die sie männlich und im vollen Königsornat wiedergibt, ohne daß freilich auf die Angabe des weiblichen grammatikalischen Geschlechts in den Inschriften verzichtet wird.

Die beiden hier gezeigten Kniefiguren der Königin Hatschepsut können, wie R. Tefnin gezeigt hat, aufgrund stilistischer Anhaltspunkte der letzten Phase der Hatschepsutdarstellungen zugeordnet werden, die mit der Feier des Regierungsjubiläums der Königin, des sogenannten Sed-Festes, im 16. Jahr Thutmosis' III. einsetzte. Damals wurden nicht nur die beiden Obelisken zwischen dem vierten und fünften Pylon in Karnak errichtet, sondern auch eine Erweiterung in ihrem Totentempel in Deir el-Bahari durchgeführt und ein entsprechendes Statuenprogramm in Auftrag gegeben, das unter größtem Zeitdruck stand und dementsprechend flüchtig ausgearbeitet wurde. Aufgrund des amerikanischen Ausgrabungsbefundes existierten ursprünglich zwölf Kniefiguren der Königin dieser Größe, die in den Interkolumnien der beiden Jubiläumsfesthallen der zweiten Terrasse ihres Totentempels aufgestellt waren. Fünf dieser Statuen sind heute noch erhalten und auf die Museen in Berlin, Kairo und New York aufgeteilt. Es ist das erstemal seit vielen Jahrzehnten, daß zwei von ihnen, die ursprünglich einen architektonischen Zusammenhang gebildet haben, in dieser Ausstellung wieder vereint sind.

Die beiden Statuen zeigen die Königin Hatschepsut in kniender Form, gelehnt an einen kurzen Rückenpfeiler, der auf einer hohen rechteckigen Basisplatte steht. Während der Rückenpfeiler auf der Berliner Statue die Inschrift „Der vollendete Gott, der Herr des Rituals, Maatkare, geliebt von Amun-Re" aufweist, lautet die Inschrift auf der New Yorker Kniestatue: „Die Tochter des Re Chenem-Imen-Hatschepsut …". In der üblichen Mischform wird sie so einerseits als männliche Gottheit bzw. männlicher König, andererseits aber auch als Frau, als Tochter des Gottes Amun-Re, bezeichnet. Ihre Bekleidung und Darstellungsform hingegen entspricht ganz dem typischen männlichen Königsbildnis: Hatschepsut ist mit dem kurzen gefältelten Königsschurz bekleidet, mit dem geraden Königsbart, der als Abzeichen königlicher Würde für zeremonielle Zwecke umgeschnallt wurde, sowie mit dem wie ein glatter Tuch-

beutel über der Perücke aufliegenden Königskopftuch „Chat". Neben dem eckigen und durch die beiden gefältelten Seitenlappen charakterisierten Königskopftuch „Nemes" ist das „Chat" ebenfalls seit dem Alten Reich in der Königsikonographie belegt, ohne daß eindeutige Funktionsunterschiede erkennbar wären. Erst zur Zeit der Königin Nofretete scheint diese Beutelperücke eine spezielle sakrale Bedeutung zu bekommen. In derselben Weise wie das Nemes-Kopftuch erhebt sich auch hier über der Stirn die Uräus-Schlange als königliches Symbol. Das offene Gesicht der Königin zeigt eine kurze, an der Spitze abgerundete Nase über einem energischen Mund, dessen zusammengepreßte Lippen deutlich von der rauhflächigen Umgebung abgesetzt sind. Die schwarz bemalten Augenbrauen sowie die Augenlider und Pupillen verleihen dem Gesicht einen lebendigen Eindruck und mildern auf diese Weise den sonst eher kursorischen Charakter der Oberflächengestaltung. Hatschepsut hält in ihren beiden nach vorne gestreckten Armen ein rundes Opfergefäß, dessen Öffnung auf der Oberseite allerdings aufgemalt gewesen sein dürfte. Im Gegensatz zu den seit dem Alten Reich bei opfernden Königen belegten Nu-Gefäßen, die viel kleiner und dementsprechend nur von einer Hand gehalten wurden, ist das hier gezeigte kugelige Gefäß groß und schwer. Vor ihm ist zwischen den Knien der Hatschepsut ein Djed-Pfeiler aus dem Stein herausgearbeitet, das Symbol für Dauer und Beständigkeit. Trotz ihrer teilweise flüchtigen Oberflächenbearbeitung bieten beide Statuen ein ausgewogenes, harmonisches Erscheinungsbild, das über den hohen Stand der Rundplastik zur Zeit des beginnenden Neuen Reiches überzeugend Aufschluß gibt.

Die beiden Statuen wurden zusammen mit den übrigen dieses Typs südlich des Tempelaufwegs ausgegraben. Ein Großteil des erhaltenen Statueninventars des Totentempels der Königin fand sich in einer Grube nicht weit von der ersten Terrasse des Totentempels, wo sie auf Veranlassung ihres Stiefsohns und Neffen Thutmosis III. nach dem Tode der Königin verbracht wurden. Verschiedene Anzeichen deuten darauf hin, daß die Statuen nicht nur aus dem Tempel entfernt, sondern auch teilweise mutwillig durch Feuer zersprengt wurden. Auf den meisten Denkmälern wurden die Namen der Königin, soweit sie zugänglich waren, durch die Namen ihres Vaters Thutmosis I. oder dessen Nachfolger ersetzt. Auch das berühmte Barkensanktuar der Königin, die Rote Kapelle im zentralen Bereich des Amun-Tempels von Karnak wurde durch eine Barkenkapelle des Königs Thutmosis III. ersetzt. Die Ursache für die Entfernung der Statuen und die bei allen ihren Denkmälern bemerkbare damnatio memoriae durch Thutmosis III. ist

79
Kopffragment einer Königsstatue

Brüssel, Musées Royaux d'Art et d'Histoire,
Inv.-Nr. E. 7699
Granit, Höhe 21,1 cm, Breite 14,3 cm, Tiefe 12,3 cm
Herkunft unbekannt
Neues Reich, 18. Dynastie, um 1420 v. Chr.

wohl vor allem in der rund zwanzigjährigen Alleinregentschaft der Hatschepsut zu suchen, die seit ihrer eigenmächtigen Krönung den Alleinanspruch auf die Herrschaft erhoben hatte. Die Unvereinbarkeit zweier nebeneinanderlaufender Regierungen, des rechtmäßig als König eingesetzten Thutmosis III. und der sieben Jahre später als regierender Herrscher sich selbst einsetzenden Hatschepsut, mußte notgedrungen zu einem, auch theologisch begründbaren Konflikt führen, dessen notwendige Folge die Zerstörung des Denkmälerbestandes der Hatschepsut und die Tilgung ihres Gedenkens war. Von der Grabausstattung der Königin sind außer einem Kanopenschrein aus Alabaster nur ein kleines Holzkästchen mit ihrer Königstitulatur bekannt sowie ihr Sarkophag.

Trotz des fragmentarischen Charakters dieses Kopffragmentes ergibt sich deutlich die Zuordnung zu einem Königsbildnis. Über der niedrigen Stirn, die von einem Perückenband abgeschlossen wird, über dem sich die mit der Sonnenscheibe gekrönte Uräus-Schlange erhebt, sind noch Teile des gefältelten Königskopftuches erkennbar. Trotz der Beschädigungen, vor allem der Nase und am Mund, übt dieses Gesichtsfragment gerade durch das Fehlen der gewohnten umgebenden Teile eine faszinierende Wirkung auf den Betrachter aus. Ganz abgesehen von der gekonnten Modellierung der Gesichtsoberfläche sind die einzelnen Details, wie Augenbrauen, Schnitt der Augen und vor allem der Mund, aber auch die abgestufte Modellierung der Wangen und die Betonung der Backenknochen von eindrucksvoller Geschlossenheit. Ein stimmiges, harmonisches Antlitz, das einen in sich ruhenden, leicht nachdenklich wirkenden Eindruck vermittelt. Eine sichere Zuordnung dieses Fragments an Hatschepsut oder vielleicht an Amenophis II. ist kaum möglich.

Lit.: J. Vandier, Manuel III, p. 301 n. 5; W. Seipel, LÄ II, 1977, s. v. Hatschepsut I.; PM II², 1972, p. 374; M. Eaton - Krauß, The khat headdress to the end of the Amarna Period, SAK 5, 1977, S. 35; R. Tefnin, La statuaire D'Hatshepsout, Brüssel 1979, p. 88, 89, Pl. XXII; Ägyptisches Museum, Katalog Berlin-Museumsinsel 1991, Nr. 45;

Lit.: R. Tefnin, Statues et statuettes de l'Ancienne Égypte, Brüssel 1988, pp. 34, 35, No. 8

80
Statuette einer Königin

London, Britisches Museum, Reg.No. 54388
Bronze, Höhe 24,5 cm, Breite 6,5 cm, Tiefe 6,5 cm
Herkunft unbekannt
Neues Reich, 18. Dynastie, 1552–1306 v. Chr.

Dieses kleine Bronzefigürchen, dessen ursprünglich separat angesetzte Arme und Füße verlorengegangen sind und dem auch die ursprünglich auf der Perücke aufsitzende Federkrone fehlt, läßt sich auf alle Fälle als Darstellung einer Königin erklären. Die wulstartige, den gesamten Kopf umschließende und bis auf die Brüste herabreichende Strähnenperücke wird von der Geierhaube überdeckt, die als typisches Merkmal von Königinnen seit der 4. Dynastie belegt ist und seit dem Neuen Reich in Verbindung mit verschiedenen Kronen auch auf dem Kopf der verschiedensten Göttinnen und der Gottesgemahlinnen auftritt. Der aus zwei hohen Federn zusammengesetzte Kopfschmuck wird zum Beispiel häufig von der Königin Teje, der Gemahlin des Königs Amenophis III. getragen. Eine individuelle Zuordnung dieses sehr summarisch bearbeiteten Gesichts läßt sich natürlich nicht durchführen. Auffallend ist die sorgfältig tauschierte Bronzearbeit. Während der knöchellange, enganliegende Rock, unter dem die Körperkonturen etwas unproportioniert durchscheinen, mit einem sternartigen Muster verziert ist, ist der obere Teil des Kleides separat angesetzt und mit einem ebenfalls goldtauschierten Streifenmuster verziert. Zwischen den Brüsten ist eine goldtauschierte Darstellung des Gottes Osiris zu sehen.

Lit.: Unveröffentlicht

81
Oberteil einer Statuette einer Göttin

Berlin-Charlottenburg, Ägyptisches Museum,
Inv.-Nr. 23725
Granit, Höhe 15 cm
Herkunft unbekannt
Neues Reich, 18. Dynastie, um 1370 v. Chr.

Das Statuenfragment zeigt den Oberteil einer Königin oder Göttin, eine Zuordnung, die aufgrund der über der langen, dreigeteilten Strähnenperücke aufliegenden Geierhaube mit aufragendem Uräus gesichert ist. Sorgfältig ist das Gefieder des Geierbalgs herausgearbeitet und deutlich sind noch die an ihren Enden zusammengebundenen Haarsträhnen erkennbar, die bis zu den Brüsten herabreichen. Die Träger des Kleides sind ebenso sichtbar wie der breite Oberamreifen und der fünfteilige Schmuckkragen. Das Fragment dürfte ursprünglich zu einer Statuengruppe gehört haben; während die linke Hand herabgehangen sein dürfte, wird die rechte in umarmender Geste um den Körper des neben der Göttin dargestellten Königs oder Gottes gelegt gewesen sein. Der Rest einer Rückenplatte unterhalb der rechten Körperhälfte deutet auf eine Sitzgruppe hin.

Besondere Aufmerksamkeit verdient jedoch vor allem das Gesicht, das von zwei übergroßen, vor der Geierhaube hervortretenden Ohren eingerahmt ist. Eine große, leicht gerundete Nase, die in zwei breite Nasenflügel ausläuft, bestimmt das Antlitz, dessen stiller Ernst von der leicht hervortretenden Mundpartie unterstrichen wird. Die beiden Lippen sind in äußerst feinreliefierter Weise aufeinandergelegt und entbehren jenes Lächeln, das die Skulptur der Thutmosidenzeit so menschlich verbindlich gemacht hat. Dementsprechend ernst wirken auch die großen, waagrecht stehenden Augen, deren stark geschwungenes Unterlid besonders auffällt; die Augenbrauen sind nicht gesondert reliefiert. Eine Zuordnung dieses Statuenfragments an eine bestimmte Königin oder Göttin ist nicht möglich. Die abgeflachte Stelle auf der Schädelkalotte weist darauf hin, daß die Statue ursprünglich noch mit einem Kronenaufsatz versehen war. War es eine Doppelkrone, könnte das Bildnis mit der Göttin Mut geglichen werden, war es eine mit Kuhgehörn und Sonnenscheibe versehene doppelte Federkrone, wäre es eine Darstellung der Göttin Hathor gewesen.

Lit.: J. Vandier, Manuel III, p. 316 n. 3; Ägyptisches Museum Berlin, Katalog 1967, Nr. 552

82
Oberteil einer Statue einer Prinzessin

London, Britisches Museum, Reg. No. 37887
Basalt, Höhe 41 cm, Breite 21 cm, Tiefe 6,5 cm
Herkunft unbekannt
Neues Reich, 18. Dynastie, um 1320 v. Chr.

Dieser bisher unpublizierte Oberteil einer Frauenstatuette ist vor allem durch die ungewöhnlich detailliert wiedergegebene Haartracht gekennzeichnet, die über der Stirn durch ein umlaufendes Band und Lotusblüte zusammengehalten wird. Die zu vier einzelnen Strähnen zusammengedrehten Haare scheinen auf einer weiteren darunterliegenden Perücke aufreliefiert worden zu sein. Den hohen Rang der Dargestellten erweist unter anderem auch der sechsteilige, prunkvoll behängte Schmuckkragen und vor allem der Umstand, daß die Frau in ihrer linken Hand das Sistrum zeigt, ein kultisches Instrument, das aus drei Teilen besteht: dem Griff, dem figuralen Mittelstück und dem Klangkörper, der aus Bogen und den Rasselstäben zusammengesetzt ist. Neben dem hier gezeigten Bogen-Sistrum sind auch die sogenannten Naos-Sistren bekannt, deren Klangkörper aus der Nachbildung eines Naos, einer Kapelle, bestand. Ursprünglich auf kultischen Gebrauch zurückgehend, war das Sistrum der Göttin Hathor, der Göttin der Musik, der Liebe und der Freude heilig. Noch in der Spätzeit waren Kapitelle in Hathortempeln, wie jene in Dendera, in Form eines Naos-Sistrum gebildet. Seit dem Neuen Reich ist das Sistrum Abzeichen von höhergestellten Frauen, wie zum Beispiel der „Sängerinnen des Amun". Dementsprechend stellt diese Statue eine Priesterin oder vielleicht auch eine Prinzessin dar, die in kultischer Funktion mit dem Sistrum gleichsam als Rangabzeichen bedacht wurde. Eine genaue Datierung dieser Statue fällt schwer. Die zarte glatte Oberflächenbehandlung, vor allem aber die feine, geritzte und reliefierte Modellierung der Haartracht und der Geierhaube lassen eher das Ende der 18., ja vielleicht sogar den Anfang der 19. Dynastie vermuten. Die Gesamtmodellierung, vor allem aber das rundliche Gesicht und die schmalen Augen machen eine Datierung in die zweite Hälfte der 18. Dynastie eher wahrscheinlich als ein späterer zeitlicher Ansatz. Der bewußt gestaltete Mund und der daraus abgeleitete Eindruck von stillem Ernst verleihen dieser Statue, die keiner besonderen Personengruppe mit Sicherheit zugewiesen werden kann, ihre besondere Aussagekraft.

Lit.: J. Vandier, Manuel III, p. 439 n. 1 und 2

83
Statuette des Königs Thutmosis III.

London, Britisches Museum, Reg. No. 13354
Steatit, Höhe 20 cm, Breite 7 cm, Tiefe 8 cm
Herkunft unbekannt
Neues Reich, 18. Dynastie, um 1470 v. Chr.

Die Zuweisung dieser kleinen Königsstatuette an Thutmosis III. ist durch die am Rückenpfeiler erhaltene Beschriftung mit dem Horus-Namen dieses Königs gesichert. Aber auch sonst hätten einige stilistische Anhaltspunkte für eine Identifizierung mit diesem König gesprochen, auch wenn das Gesicht stärkere Zerstörungsspuren aufweist. Von der Standfigur des Königs sind Unterschenkel und Basisplatte mit dem angesetzten unteren Teil des Rückenpfeilers weggebrochen. Der König ist in der üblichen Königstracht wiedergegeben, die nur aus Königsschurz und Königskopftuch besteht. Der kurze, von einem breiten Gürtel zusammengehaltene Faltenschurz mit seinem waagrecht plissierten, schräg dreieckigen Mittelteil ist bei den meisten Königsdarstellungen dieser Art zu finden. Dasselbe gilt für das dreieckige, ebenfalls gefältelte Königskopftuch, das, Nemes genannt, seit dem Alten Reich zum kanonischen Bestand eines Königsbildnisses zählt. Auch hier ist über der Stirn die Uräus-Schlange als Wappentier des Königtums zu erkennen. Charakteristisch für Thutmosis III. ist das rundliche Gesicht mit den weitgeöffneten, waagrechten, mandelförmigen Augen. Nase und Mundpartie sind stark zerstört, sodaß das „thutmosidische Lächeln", das die Königsbildnisse von Amenophis I. bis Thutmosis III. gekennzeichnet hat, nur mehr zu erahnen ist. Von den an den Körper angelegten Armen ist nur der rechte Unterarm erhalten geblieben. Die stark zerkratzte Oberfläche zeigt eine äußerst gekonnte Gesamtmodellierung, deutlich ist der Nabel wiedergegeben. Das über die Schultern in zwei nach unten spitz zulaufenden Lappen herabreichende Kopftuch ist am Hinterkopf zu einem langen Zopf zusammengebunden, der bis zum Beginn des Rückenpfeilers herabhängt. Die deutlich geschnittenen Hieroglyphen im Rückenpfeiler werden von dem Bildnis des Horus-Falken bekrönt, der den sogenannten Horus-Namen des Königs einleitet: „Mencheperre", was soviel heißt wie „Es dauert die Erscheinungsweise des Re". Insgesamt umfaßte das königliche Namensprotokoll fünf Titel und damit also auch fünf Namen, was in der Frühzeit der Ägyptologie zu großen Identifizierungsschwierigkeiten der häufig mit unterschiedlichen Königsnamen bezeichneten Denkmäler geführt hat.

Lit.: Unveröffentlicht

84

Oberteil einer Statue des Königs Thutmosis III.

Wien, Kunsthistorisches Museum, Inv.-Nr. ÄS 70
Granodiorit, Höhe 46,5 cm, Breite 30,6 cm, Tiefe (Kopf)
20,3 cm
Herkunft unbekannt
Neues Reich, 18. Dynastie, um 1470 v. Chr.

In den ersten 22 Jahren seiner Regierungszeit mußte Thutmosis III. seinen Machtanspruch mit seiner Tante und Stiefmutter Hatschepsut teilen. Ursprünglich nur als stellvertretende Regentin für den jugendlichen König eingesetzt, ließ sie sich in seinem 7. Regierungsjahr zum ebenbürtigen Pharao krönen (vgl. Kat.-Nr. 77 und 78). Sie entfaltete eine rege Bautätigkeit und gewährte ihrem Mitregenten einen nur geringen Spielraum zu eigener Machtentfaltung. Als sie im 22. Jahr starb, hinterließ sie Thutmosis III. ein zwar im Innern stabiles Reich, die bis dahin kaum ernstgenommenen außenpolitischen Bedrohungen erforderten jedoch nun ein entschlossenes Handeln. In insgesamt siebzehn asiatischen Feldzügen stößt Thutmosis III. nach Palästina und Phönikien vor und überschreitet sogar den Euphrat; die Stadtfürsten dieser Gebiete werden zu ägyptischen Vasallen gemacht. Sein durch die außenpolitischen Erfolge gesteigertes Selbstwertgefühl, das so lange unter der Regierungsgewalt der Hatschepsut zu leiden hatte, konnte sich nun auch in einer umfangreichen Bautätigkeit behaupten. Neben dem Terrassentempel seiner Tante in Deir el-Bahari, deren Andenken er durch die Zertrümmerung ihrer Statuen und Ausmeißelung ihres Namens zu tilgen versuchte, legte er einen nicht weniger prachtvollen Tempel an, der erst in den letzten zwei Jahrzehnten von polnischen Archäologen freigelegt worden ist.
In Karnak errichtete er dem Gott Amun aus Dank für seine Siege einen großen Festtempel, den heiligen Barkenschrein der Hatschepsut ließ er durch einen eigenen Bau ersetzen.
Die bereits unter der Königin Hatschepsut zur höchsten Blüte gelangte Rundplastik fand unter Thutmosis III. ihre ebenbürtige Fortsetzung. Die kanonische, auf das Alte Reich zurückgehende Darstellungsform des thronenden Gott-Königs, die unter Sesostris I. in fast akademischer Strenge das erneuerte Königsdogma repräsentieren sollte, fand unter den Thutmosiden ihren zeitgemäßen Ausdruck. Das Bewußtsein, ein die engen Grenzen Ägyptens weit überschreitendes Reich zu regieren, dessen höfisch bestimmter Mittelpunkt die königliche Residenz war, sollte auch die Selbstdarstellung des Königs beeinflussen. Die in Tempeln aus religiöser Zielsetzung, aber auch zu Propagandazwecken aufgestellten Königsstatuen zeigen wieder die idealisierte Darstellung des durch den König repräsentierten überzeitlichen Königtums.
Das königliche Antlitz, wie es uns in dieser Statue entgegentritt, ist von heiterer, in sich selbst ruhender Gelöstheit, die nichts von der Bürde des Amtes erahnen läßt. Ein Lächeln umspielt die Lippen des jugendlichen Königs, der im traditionellen Königsornat dargestellt ist: mit gestreiftem Königskopftuch, Uräusschlange und gewelltem Königsbart, der mit einem Riemen am Kinn befestigt war. Die weit geöffneten Augen sind ein typisches Merkmal der nach außen, auf einen Betrachter hin ausgerichteten Porträts Thutmosis III., deren individuelle Einzelheiten auch die Identifizierung dieses Statuentorsos ermöglichten. Die stark abgerundeten schmalen Schultern, die flache Brust und die schmale Hüfte erweisen, daß wir hier ein Jugendbildnis des Königs vor uns haben, das aus den ersten Jahren seiner Regierung stammen dürfte.

Lit.: W. Seipel, Bilder für die Ewigkeit. 3000 Jahre ägyptische Kunst, Katalog Konstanz 1983, Nr. 68; B. Jaros-Deckert, Statuen des Mittleren Reichs und der 18. Dynastie, CAA Wien, Lief. 1, 1987, S. 1, 106–111

85
König Thutmosis III. als Sphinx

New York, Metropolitan Museum of Art, Rogers Fund, 1908. 08.202.6
Quarzit, Höhe 23 cm, Breite 10 cm, Länge 33 cm
Herkunft unbekannt, vielleicht aus Karnak
Neues Reich, 18. Dynastie, um 1470 v. Chr.

Von kaum einem anderen König der 18. Dynastie, mit Ausnahme vielleicht von König Amenophis III., sind so viele Skulpturen überliefert wie von Thutmosis III. Über ein Dutzend unterschiedlicher Darstellungsformen sind für diesen König belegt und auch seine Erscheinungsform in Sphinxgestalt kann mit zahlreichen Beispielen aufwarten. Obwohl nur 33 cm lang, vermittelt dieses Bildnis eines liegenden Löwen mit menschlichem Antlitz einen monumentalen Charakter. Auf einer verhältnismäßig hohen, abgerundeten Basisplatte liegt das Raubtier mit angespannten Muskeln, gleichsam zum Sprunge bereit. Die Hintertatzen sind überproportional groß und grobschlächtig ausgeführt, die Läufe erwecken eher einen behäbigen denn gefährlich raschen Eindruck. Dennoch ist die Oberfläche des braunrötlichen Quarzits bemerkenswert fein geglättet. Der im Verhältnis zum Raubtierkörper etwas zu kleine Kopf ist mit dem Königskopftuch und der Uräus-Schlange ausgestattet. Die beiden Seitenlappen des Königskopftuches sind gerippt bzw. reliefiert und reichen bis über den ursprünglich aufgemalten Halskragen des Königs, dessen Oberkörper von der stilisierten Mähne bedeckt wird. Das Gesicht ist vor allem im Nasenbereich leicht beschädigt, zeigt aber alle charakteristischen Details eines Porträts Thutmosis' III. Die nur leicht schräg gestellten großen Augen werden von elegant geschwungenen Augenbrauen überwölbt. Die Wangenpartie ist eher rundlich und ungegliedert, der Mund läßt trotz einer Beschädigung etwas vom Lächeln Thutmosis' III. erahnen. Das Fehlen der Vorderläufe und der darunterliegenden Basisplatte verzerrt die Gesamtkomposition und den ausgewogenen Eindruck, den diese Sphinxgestalt einst geboten haben muß. Die auf der Brust des Königs senkrecht angebrachte Schriftzeile enthält seinen Thronnamen als „Vollendeter Gott, Mencheperre, geliebt von (Amun)". Die Schriftzeichen für den Gott Amun sind getilgt, ein Hinweis darauf, daß diese Sphinxdarstellung des Königs zur Zeit Amenophis' IV. Echnaton öffentlich aufgestellt war und den im ganzen Lande tätigen Aton-Priestern, die überall die Spuren der Götternamen, vor allem jene des bis dahin maßgeblichen Hauptgottes Amun beseitigten, zum Opfer gefallen ist. Wahrscheinlich war der Sphinx im Amun-Tempel von Karnak in einem Bereich aufgestellt, der der Öffentlichkeit zugänglich war, um auf diese Weise den König in seiner gefährlichen Erscheinungsform möglichst vielen Untertanen zur Kenntnis zu bringen.

Ein Vergleich mit der liegenden Sphinxgestalt des Königs Sesostris III. (Kat.-Nr. 44) macht in eindrucksvoller Weise den gewaltigen formalen, stilistischen und inhaltlichen Unterschied zwischen dem Königsbildnis des Mittleren und jenem des Neuen Reiches deutlich. Während die gedrungene Sphinxgestalt des Königs Sesostris III. in unüberbietbarer Weise die machtgeladene Erscheinung des Königs als Raubtier zum Ausdruck bringt, dessen bewußt extrem realistisch gestalteten Gesichtszüge seinen königlichen Anspruch unterstreichen, wirkt der Löwenkörper Thutmosis' III. kaum bedrohend, sondern fügt sich mit dem von der Gesamtgestaltung kaum kontrastierenden Königskopf zu einem mehr oder weniger harmonischen Ganzen. Auch in diesem Königsbildnis zeigt sich die seit der Königin Hatschepsut immer stärker durchsetzende Säkularisierung der Königsdarstellung, die sich zunehmend einem höfisch-modisch orientierten Umfeld anpaßte.

Lit.: J. Vandier, Manuel III, p. 303 n. 11; W. C. Hayes, The Scepter of Egypt II, New York 1959, fig. 63; R. Tefnin, La statuaire d'Hatshepsout, 1979, p. 21 n. 5, p. 79 n. 10, pp. 175, 176

86
König Thutmosis III. als Sphinx

Turin, Museo Egizio, Inv.-Nr. S 2673
Quarzit, Höhe 13,5 cm, Breite 7 cm, Länge 14,4 cm
Aus Heliopolis
Neues Reich, 18. Dynastie, um 1470 v. Chr.

Das 1903 von der italienischen Ausgrabung in Heliopolis gefundene Königsbild zeigt König Thutmosis III. in Sphinxgestalt. Ausgehend von der ersten monumentalen Sphinxdarstellung der ägyptischen Geschichte, dem großen Sphinx von Giza, der aller Wahrscheinlichkeit nach den König Chephren darstellt, sollte die Sphinxgestalt in allen Perioden der ägyptischen Geschichte eine typische Darstellungsform des Königs bleiben. Während im Alten Reich Sphinxdarstellungen verhältnismäßig selten sind, kam es im Mittleren Reich zu einer besonderen Blüte dieses Genres, beginnend mit dem Monumentalsphinx Amenemhets II. Aus dem Neuen Reich sind von fast allen wichtigen Königen Sphinxdarstellungen überliefert, so auch von der Königin Hatschepsut, die sich auch einer weiblichen Erscheinungsform bediente und dabei auf den Typ der „Mähnensphinx" Amenemhets III. zurückgriff. Während für das Alte und Mittlere Reich eine über die klassische Auffassung des Sphinx als Mensch-Tierform des Königs hinausgehende Deutung bzw. Verbindung mit dem „Horizontischen Horus" kaum belegbar ist, trifft dies seit der 18. Dynastie mit Sicherheit zu. So wurde auch der Sphinx von Giza seit Beginn des Neuen Reiches unter dem Namen des Harmachis verehrt, dem, wie der Name „Horus im Horizont" schon sagt, ein besonders solarer Aspekt zukam. Dementsprechend wird auf verschiedenen königlichen Denkmälern des Neuen Reiches der Sphinx von Giza fast ausschließlich als Harmachis bezeichnet. Das besondere Verhältnis der Könige dieser Zeit zum Sphinx von Giza beleuchtet die berühmte Sphinxstele des Königs Thutmosis IV., in der dieser wie vor ihm bereits andere Könige von einem Besuch des Sphinxes berichtet, den er aufgrund eines Traumorakels schließlich vom Sand befreit, um die Königswürde zu erlangen. Der solare Charakter ergibt sich auch aus dem Aufstellungsort des hier gezeigten Sphinx Thutmosis' III. in Heliopolis, dem altägyptischen Iunu, das als Hauptstadt des 13. unterägyptischen Gaues immer ein geistiges und religiöses Zentrum Ägyptens gewesen ist. Und in dem hier befindlichen Tempel des Sonnengottes Re-Harachte war wohl auch diese kleine Sphinxfigur Thutmosis' III. aufgestellt. Der braunrötliche Quarzit wurde übrigens nicht weit von Heliopolis, im heutigen Gebel el-Ahmar, gewonnen. Dieses besonders harte und daher dauerhafte Material war sehr kostbar und wurde seit der Thutmosidenzeit besonders in der Königsplastik verwendet.

Der rückwärtige Teil des Sphinxkörpers sowie die Pranken sind weggebrochen. Umso mehr konzentriert sich das Auge auf die Erscheinungsform des Königskopfes, der mit Nemes-Kopftuch, Uräus-Schlange und Königsbart versehen ist. Besonders ausdrucksvoll ist das detailgetreu wiedergegebene Gesicht mit den weit geöffneten Augen, der langen, nur leicht geschwungenen typischen Thutmosidennase und dem ebenfalls charakteristischen breiten Lächeln. Diese Einzelheiten und ihr Zusammenwirken verleihen dem Gesicht ein so charakteristisches Aussehen, daß die Zuschreibung der Sphinxdarstellung an Thutmosis III. auch ohne die in der Mitte der Brust befindliche Königskartusche mit dem Namen dieses Königs möglich wäre.

Lit.: J. Vandier, Manuel III, p. 303 n. 11; S. Curto, L'antico Egitto nel Museo Egizio di Torino, 1984, p. 222; A. M. Donadoni Roveri (Hrsg.), Dal Museo al Museo. Passato e Futuro del Museo Egizio di Torino, 1989, p. 170 No. 3; A. M. Donadoni Roveri (Hrsg.), Egyptian Civilization. Monumental Art, 1989, Fig. 218

87
Oberteil einer Königsstatuette

Paris, Louvre, Inv.-Nr. E 5351
Jaspis, Höhe 11 cm
Herkunft unbekannt
Neues Reich, 18. Dynastie, um 1470 v. Chr.

In ähnlicher Weise wie die Sphinxform sucht auch der in diesem Beispiel repräsentierte königliche Darstellungstyp die Verbindung von Tierkörper und Menschenbild. Das aus rotem Jaspis gefertigte Figürchen, dessen Herkunft unbekannt ist, zeigt in Vorderansicht die typischen Darstellungsmerkmale eines Königs: gefälteltes Königskopftuch mit geringelter Uräus-Schlange über der Stirn. Die nur in ihrem oberen Teil erhaltene Inschriftenzeile „König von Ober- und Unterägypten, Herr des Rituals [NN..]-Re" ermöglicht ohne zusätzliche stilistische Hilfsmittel keine persönliche Zuordnung zu einem bestimmten König, da alle Könige der 18. Dynastie in ihrem Thronnamen den Namensbestandteil „-Re" führen. Allerdings sind die leicht pausbäckigen Wangen, der sorgsam herausmodellierte, mit fein reliefierten Lippen versehene Mund, die leicht geschwungene Nase und vor allem die besondere Augenform Hinweise auf ein Königsbildnis Thutmosis' III. Ihre Besonderheit freilich erfährt diese Darstellung durch die seltsame Mischform von Falkenkörper und Menschenfigur, wie sie als Kompositstatue nur in der 18. Dynastie belegt ist. Der in der Königstheologie als „lebender Horus" aufgefaßte König, der als mythologischer Sohn des Osiris bei seiner Krönung dessen Herrschaftsnachfolge auf Erden antritt, war an sich Darstellungsthema seit Anbeginn der ägyptischen Geschichte. Ihre überzeugendste Verkörperung freilich fand es in der berühmten Falkenstatue des Königs Chephren, in der ein auf der Sitzlehne des Königsthrons hockender Falke mit seinen Schwingen die Schultern des Herrschers berührt (siehe Abb. 12). Doch während in jener Statue das innige, religiös im Königsdogma begründete Beziehungsverhältnis zwischen dem thronenden König und dem Falken bzw. die ihm zugrundegelegte Identität vom König als lebender Horus gleichsam vorausgesetzt, und diese Gleichsetzung nicht in plakativer Weise zum Ausdruck gebracht wird, ist bei diesem Beispiel in ähnlicher Weise wie bei den Sphinxdarstellungen zwischen Tierkörper und Menschenform eine untrennbare, organische Einheit hergestellt worden.

Lit.: P. Krieger, *Une statuette de Roi-Faucon au Musée du Louvre, RdE XII, 1960, pp. 37–58, Pl. 3, 4; Ägyptens Aufstieg zur Weltmacht, Katalog Hildesheim 1987, Nr. 104; Il senso dell'arte nell'Antico Egitto, Katalog Bologna 1990, No. 37*

88
Kopf einer Königsstatue

Paris, Louvre, Inv.-Nr. E 25399
Kalkstein, Höhe 7 cm
Herkunft unbekannt
Neues Reich, 18. Dynastie, 1552–1306 v. Chr.

Das im Original nur 7 cm hohe Köpfchen fasziniert auch in einer fast dreifachen Vergrößerung. Es ist eindeutig das Porträt eines Königs, der von Königskopftuch, Uräus-Schlange und (weggebrochenem) Königsbart gekennzeichnet ist. Trotz der Kleinheit des Objektes sind die Gesichtsdetails ausführlich wiedergegeben: Fein reliefierte Augenbrauen wölben sich über den von wulstartigen Lidern eingefaßten, schlitzartigen und leicht schräggestellten Augen. Die Wangenpartie und die Backenknochen sind bemerkenswert plastisch herausmodelliert, auffallend ist die verhältnismäßig ausgeprägte Labionasalfalte, die von der oben recht breiten, unten leider zerstörten Nase zu einer bemerkenswert ausmodellierten Mundpartie führt. Der schmale, von plastisch hervorgewölbten Lippen gekennzeichnete Mund wird von zwei kleinen Mundwinkeln begrenzt. Die sanft abgerundete Kinnpartie mündet in den heute weggebrochenen Königsbart. Die beiden, für die geringe Größe des Kopfes hervorragend modellierten Ohren ordnen sich dem Gesamteindruck unter. Insgesamt ein ansprechendes und, bedenkt man die Qualität des verwendeten Kalksteins, meisterliche Leistung für ein Königsbildnis, das in den Umkreis des Königs Amenophis II. datiert werden könnte.

Lit.: Unveröffentlicht

251

89
Mantelpavian mit der Statue eines Königs

Wien, Kunsthistorisches Museum, Inv.-Nr. ÄS 5782
Rosengranit, Höhe 130 cm, Breite 42 cm, Tiefe 61,5 cm
Herkunft unbekannt, vielleicht aus Memphis
Neues Reich, 18. Dynastie, um 1400 v. Chr.

In der Bildsymbolik der ägyptischen Religion bedeutet der Pavian mit erhobenen Händen so viel wie: Anbetung der Sonne bei ihrem Aufgang. Das hat seinen materiellen Grund in einer Naturbeobachtung. Wenn die Mantelpaviane am frühen Morgen ihre Schlafplätze verlassen, gebärden sie sich in der Herde äußerst lebhaft und laut. Der auf Symbolik ausgerichtete Sinn des Ägypters machte daraus ein Begrüßen der aufgehenden Sonne. Das Tagesgestirn ist das große Bild des Werdens und Vergehens, wobei das Werden nicht möglich ist ohne das Vergehen und das Vergehen nicht ohne das Werden. Dazu kommt die Vorstellung von der Nachtfahrt der Sonne durch die Unterwelt: wenn sie auf Erden untergeht, geht sie in der Unterwelt auf. Sie durchzieht diese während der Nacht. Wenn sie die Unterwelt verläßt, geht sie auf Erden auf. Aber Auf- und Untergang sind die kritischen Punkte des Sonnenlaufes – der Übergang von einer Welt in die andere, so viel wie Geburt und Tod = Wiedergeburt. Der Sonnengott bedarf da der ganzen Loyalität seiner Equipe von Göttern und König. Es ist in der Tat von höchstem Verdienst, wenn sich der Pharao in den Dienst dieser Sache stellt – wenn er gleich den „Sonnenaffen" dem Gott assistiert bei diesen kritischen Momenten. Das ist der Sinn und Inhalt dieser Skulptur. Das Generalthema ist die Anbetung der Morgensonne. Der König stellt sich unter dieses Thema.

Der auf den Hinterbeinen aufgerichtete Mantelpavian ist in seiner wuchtigen Plastizität ziemlich summarisch gestaltet. Dies steht natürlich in gutem Einklang mit dem Charakter des spröden Materials Granit. Die Vorderbeine sind aufgerichtet, die „Unterarme" sind entsprechend dem ägyptischen Gestus der Anbetung nach oben gerichtet. Vor dem mächtigen Tier steht eine kleine Gestalt in Königstracht, sie hat nur etwa drei Fünftel seiner Höhe. Den Kopf bedeckt das Kopftuch („Nemes"). Der König trägt den charakteristischen kurzen Schurz mit dem weit vorgestrecktem dreieckigen Vorderteil. Der Oberkörper ist nackt. Der König nimmt mit den vorn flach auf dem Schurz aufliegenden Händen eine kanonische kultische Haltung ein, die als „den Gott viermal anbeten" bezeichnet wird.

Die Gruppe wächst aus einem blockartigen Sockel heraus. Der Pavian hat einen schmalen Rückenpfeiler, wie es bei stehenden menschlichen Statuen die Regel ist. Zwischen Leib und „Armen" des Tieres bleiben Stege stehen, ebenso zwischen Tier und König sowie zwischen den schreitenden Beinen des Königs. Dies ist auf der einen Seite durch die primitiven Bearbeitungstechniken für Hartgestein bedingt; auf der anderen Seite ist es ein eindrucksvolles Stilmittel, das viel zur Eigenart ägyptischer Skulptur beiträgt (die nie verleugnet, aus welchem Material und aus welcher Grundform sie erwächst).

Die Herkunft der Gruppe ist unbekannt. Aus ihrem Charakter möchte man schließen, daß sie von einem Sonnenheiligtums stammt, einer Einrichtung, die man von mehreren Tempeln des Neuen Reiches kennt. Statuen von „Sonnenpavianen" sind ferner von der Basis der großen Obelisken bekannt, wie am Eingang des Luxor-Tempels: auch der Obelisk ist ein Element des Sonnenkultes. Ursprünglich waren es wohl zwei oder – eher noch – vier Paviane: tatsächlich ist eine zweite, ganz ähnliche Gruppe bekannt (Berlin, Museumsinsel), bei der aber der Paviankopf modern ergänzt ist. Die Gruppe stammt sicher aus dem Neuen Reich. Auf der Brust des Königs ist ganz flüchtig ein Königsname graviert, er läßt sich aber nicht sicher lesen und die Gravierung ist wohl auch nicht ursprünglich. Aus Stil, Haltung und Tracht der Königsfigur kommt etwa die Zeit Amenophis' III. in Frage.

Lit.: B. Jaros-Deckert, Statuen des Mittleren Reichs und der 18. Dynastie, CAA Wien, Lief. 1, 1987, S. 1, 132–138; H. Satzinger, Eine Pavianstatue mit Königsfigur (Wien ÄS Inv.-Nr. 5782), SAK, Beiheft 4 (im Druck)

90
Uschebti des Königs Amenophis II.

London, Britisches Museum, Reg. No. 35365
Serpentin, Höhe 29 cm, Breite 9,5 cm, Tiefe 6,5 cm
Herkunft unbekannt
Neues Reich, 18. Dynastie, um 1425 v. Chr.

Die seit der Ersten Zwischenzeit in den Gräbern aller Gesellschaftschichten nachweisbaren mumiengestaltigen Figürchen werden Uschebti genannt, eine ägyptische Bezeichnung, die in sekundärer Umdeutung soviel wie „Anworter" heißt. Sie waren anfangs ausschließlich Ersatzfiguren für den Toten, die durch ihre magische Kraft die Unvergänglichkeit des Bestatteten sicherzustellen hatten. Ihr mumienförmiges, am Totenherrscher Osiris orientiertes Aussehen sollte darüber hinaus die seit dem Ende des Alten Reiches auch im nichtköniglichen Bereich geäußerte Hoffnung auf das „Werden zu Osiris" zum Ausdruck bringen. Mit dieser Identifizierung mit dem Totengott sollte die Einbindung des Bestatteten in den ewigen Kreislauf von Tod und Auferstehung gewährleistet sein.

Seit der 13. Dynastie zeigen die Uschebti einen Text, der bis in die ptolemäische Zeit überliefert ist und als 6. Kapitel in die „Totenbuch" genannte Spruchsammlung Aufnahme fand: „Oh Uschebti, sollte ich verpflichtet werden, irgendeine Arbeit zu verrichten, die dort im Totenreich zu verrichten ist, … dann verpflichte Du Dich zu dem, was dort getan werden muß, um die Felder zu bestellen und die Ufer zu bewässern, um den Sand des Ostens und des Westens überzufahren. „Ich will es tun, hier bin ich" sollst Du sagen." Das hier vorgesehene Einspringen des Uschebti für den Grabherrn bei unangenehmen Arbeiten zeigt eine von den sogenannten Dienerfiguren völlig verschiedene Funktion (vgl. Kat.-Nr. 34, 35). Während diese im Auftrag des Grabherrn arbeiten, müssen die Uschebti die Befehle des Gottes stellvertretend für den Grabherrn ausführen. So wurden gegen Ende der 18. Dynastie bis zu 365 Uschebti ins Grab niedergelegt, sodaß für jeden Tag eine Ersatzfigur zur Verfügung stand.

Beginnend mit der Uschebti-Figur des Königs Ahmose, des ersten Herrschers des Neuen Reiches, sind von fast allen Königen dieser Periode Uschebti überliefert, die sich dem königlichen Auftraggeber entsprechend in Material und künstlerischer Qualität von der sonst üblichen Massenware unterscheiden. Die hier durch den Königsring, die sogenannte Kartusche, mit dem Namen des Königs Amenophis II. bezeichnete Uschebti-Figur zeigt den Herrscher mit Königskopftuch, Uräus und den über der Brust gekreuzten Armen in mumienförmiger Haltung. In den Händen hält er anstelle der sonst üblichen Hacken oder Szepter zwei Lebenszeichen. Die acht umlaufenden Zeilen enthalten eine Textversion des Totenbuchkapitels 6 und unterstreichen so die Funktion dieser Figur. Bemerkenswert ist, daß anders als bei den meisten sonstigen Königs-Uschebti der König nicht mit dem Königsbart, sondern mit dem geschwungenen, allerdings vorne abgebrochenen Götterbart ausgestattet ist, wodurch seine Identität mit dem Totenherrscher Osiris in sinnfälliger Weise zum Ausdruck gebracht wird. Es ist hier nicht mehr der lebende König dargestellt, sondern der zu Osiris gewordene Herrscher. Die aus Serpentin herausgeschnittene Figur ist verhältnismäßig groß und wird nur von den Königs-Uschebti Amenophis' III. übertroffen.

Die Gesichtsdetails dieser Königsdarstellung sind nicht besonders sorgfältig herausmodelliert, lassen jedoch deutlich die gerundete Wangenpartie und den hervortretenden Mund mit aufeinandergepreßten Lippen als besonderes Kennzeichen des Königsbildnisses Amenophis' II. erkennen. Auch die Augen sind für diesen König charakteristisch – verhältnismäßig weiter Augenabstand und geringe Wölbung der Lider.

Lit.: H. R. Hall, Three Royal Shabtis in the British Museum, JEA 17, 1931, pp. 10, 11, Pl. III, 1, 4; T. G. H. James, An Introduction to Ancient Egypt, 1979, fig. 60; H. Sourouzian, A Bust of Amenophis II at the Kimbell Art Museum, JARCE XXVIII, 1991, pp. 70, 71

255

91
Kopf einer Königsstatue (Amenophis II. ?)

London, Britisches Museum, Reg. No. 37886
Granit, Höhe 35 cm, Breite 24 cm, Tiefe 18,5 cm
Herkunft unbekannt
Neues Reich, 18. Dynastie, um 1425 v. Chr.

Der überlebensgroße Kopf eines Königs ist mit gefälteltem Königskopftuch und Uräus-Schlange ausgestattet, der Königsbart fehlt. Unbeschriftet und ohne Herkunftsangabe läßt sich auch dieser Kopf nur aufgrund bestimmter stilistischer Anhaltspunkte einem König zuweisen. Während die Gesamtmodellierung des Kopfes, die Form des Uräus und des Königskopftuches keinen Zweifel an der Datierung in das Neue Reich, ja in die 18. Dynastie lassen, fällt die Zuschreibung an einen bestimmten König viel schwieriger aus. Dennoch gibt es einige verläßliche Anhaltspunkte, die diesen Kopf der Gruppe der Jugendbildnisse des Königs Amenophis II. zuordnen lassen. Die von B. V. Bothmer versuchte Unterteilung der an die vierzig überlieferten Königsbildnisse Amenophis' II. in zwei unterschiedliche, von Alterskriterien her bestimmte Gruppen, eine Unterteilung, der sich auch Vandier angeschlossen hat, erleichtert auch eine Einordnung dieses Königskopfes. So sprechen die dreieckige Gesichtsform, das besonders kurze, aber vorgewölbte Kinn, die breite hervortretende Mundpartie, die waagrecht angeordneten Augen und die zart geschwungenen Brauenbögen für eine Zuordnung in die Gruppe der jugendlichen Darstellungen. Abgesehen von dem nur wenig seitlich ausschwingenden Uräus findet dieser Kopf eine deutliche Entsprechung in dem ebenfalls aufgrund stilistischer Merkmale dem König Amenophis II. zugesprochenen Königskopf aus München (Inv.-Nr. 500), eine Zuordnung, die durch H. W. Müller erfolgt ist. Hier finden sich Übereinstimmungen mit der fast identischen Wiedergabe des Königskopftuches, bei dem besonders die schmal gerieften Seitenteile hervorgehoben seien, vor allem aber der beiden Porträts gemeinsame ernste Gesichtsausdruck, der ihn deutlich von den vorangegangenen Königsbildnissen der Thutmosiden und Hatschepsuts unterscheidet.

König Amenophis II. war Sohn und Nachfolger von Thutmosis III. und der Königin Hatschepsut. In seinen rund fünfundzwanzig Regierungsjahren unternahm er zahlreiche kriegerische Expeditionen in den Vorderen Orient, aber auch nach Nubien. Umfangreich war auch seine Bautätigkeit, die unter anderem die Tempel von Amada und Kalabscha in Nubien umfaßt hat. Als biographische Besonderheit, die freilich dem „ritterlichen Zeitgeist" der mittleren 18. Dynastie entspricht, sei auf sein betont sportliches Auftreten hingewiesen, das er beim Reiten, Bogenschießen und Rudern in propagandistischer Weise öffentlich unter Beweis stellte bzw. sich dementsprechend künstlerisch verewigen ließ.

Lit.: Unveröffentlicht

92
Oberteil einer Statue des Königs Amenophis II.

Berlin-Museumsinsel, Ägyptisches Museum,
Inv.-Nr. 2057
Quarzit, Höhe 17,5 cm
Aus Kumma
Neues Reich, 18. Dynastie, um 1425 v. Chr.

Fragmente einer weiteren Statue, die zusammen mit dem Oberteil dieser Königsstatue gefunden wurden, lassen darauf schließen, daß auch dieses Fragment ursprünglich zu einer Kniestatue eines Königs gehört hat, der beim Darreichen zweier kugeliger Gefäße, den sogenannten Nu-Töpfen, gezeigt wurde. Es handelte sich also um eine Tempelstatue, die die Präsenz des Königs während des Opfers garantieren sollte. Dieses Bruchstück wurde bereits 1844 von der von Richard Lepsius geführten preußischen Expedition in der Nähe des 6. Nilkataraktes gefunden, in einer Stadtanlage aus meroitischer Zeit. Da das ägyptische Territorium auch zu Zeiten seiner größten Expansion niemals so weit südlich gereicht hat, läßt sich der Fund dieser Statue nur dadurch erklären, daß sie zu einem späteren Zeitpunkt von einem ursprünglich näher an Ägypten gelegenen Aufstellungsort hierher verschleppt worden ist. Da im Chnum-Tempel in Kumma, das etwa sechzig Kilometer südlich des 2. Nilkataraktes liegt, eine dritte vollständige Kniefigur dieser Art gefunden wurde, kann man davon aus-

gehen, daß dieser Tempel auch der Aufstellungsort dieser Statue gewesen ist. Das aus silifiziertem Sandstein (Quarzit) verfertigte Königsbildnis zeigt ein eher überindividuelles, fast idealisiertes Antlitz, dessen königliche Bestimmung durch das Königskopftuch und die Uräus-Schlange sichergestellt ist. Dennoch erlauben die Gesichtsdetails wie die Wangenpartie, der weite Augenabstand und vor allem der leicht hervortretende, ernst und geschlossen wirkende Mund eine Zuweisung dieser Statue an Amenophis II. So geringfügig die individuellen Merkmale auch sein mögen, ein Vergleich mit beschrifteten Bildnissen dieses Königs läßt die Zuordnung als mehr oder weniger sicher erscheinen. Anders als das Jugendbildnis des Königs (s. Kat.-Nr. 91) ist das Gesicht nun breiter ausgeformt, die Augen wirken etwas schwerfälliger und der gesamte Gesichtsschädel ist runder und wohlgenährter.

Lit.: Il senso dell'arte nell'Antico Egitto, Katalog Bologna 1990, No. 41; Ägyptisches Museum, Katalog Berlin-Museumsinsel 1991, Nr. 47

93
Sphinxkopf des Königs Amenophis II.

Paris, Louvre, Inv.-Nr. E 10896
Quarzit, Höhe 21 cm
Herkunft unbekannt
Neues Reich, 18. Dynastie, um 1425 v. Chr.

Eine ebenfalls aus Quarzit gefertigte liegende Sphinx, die mit dem Namen des Königs Amenophis II. versehen ist, befindet sich heute in New York. In ähnlicher Weise wie bei dem Sphinx Thutmosis' III. (s. Kat.-Nr. 85, 86) ist hier der Königskopf auf einen Löwenkörper aufgesetzt, ohne daß es jedoch zu einer proportionalen Größenverschiebung gekommen wäre, wie dies bei dem Sphinx Thutmosis' III. der Fall ist.

Der hier gezeigte rötliche Kopf, der aufgrund seines Halsansatzes einem Sphinxkörper zugewiesen werden muß, unterscheidet sich deutlich von dem Königsporträt Amenophis' II. in Berlin. Obwohl der individuelle Gesamteindruck der beiden Statuenfragmente grundsätzlich übereinstimmt und damit einmal mehr der porträthafte Charakter dieser Königsbildnisse deutlich wird, unterscheiden sich die beiden Statuenfragmente sowohl in der Oberflächenbearbeitung als auch in der Ausführung der Details. Ein weiterer Unterschied ergibt sich auch aus der Verwendung unterschiedlicher Sandsteinarten, die sowohl in der Oberflächenstruktur als auch in der Farbgebung voneinander abweichen. Das Königsbildnis aus dem Louvre besticht durch seine harmonische Geschlossenheit und subtile Oberflächenmodellierung, was zusammen mit den auch technisch vollkommen ausgeführten Gesichtsdetails auf die Herkunft dieser Statue aus einer der besten königlichen Werkstätten schließen läßt.

Das an den Ecken leicht gerundete, sonst eckige Königskopftuch ist in deutlichem Faltenwurf der Schädelform angepaßt und wird über der Stirn von einem breiten Band abgeschlossen, über dem sich die zweifach geringelte Uräus-Schlange erhebt. Die kantige Linienführung der Stoffstreifen wie des Bandes entsprechen der scharf reliefierten Zeichnung des Halteriemens für den umgeschnallten Götterbart, der knapp unterhalb des Kinns weggebrochen ist. Die geschwungene Linienführung dieses Halteriemens umschreibt halbkreisförmig das Gesichtsfeld, das von dem Stirnband nach oben abgeschlossen wird, sodaß es auf diese Weise zu einer gleichsam verdichteten, auf die Betonung der Augen, der Nase und des Mundes angelegten Gesamtkomposition des Antlitzes kommt. Mit unnachahmlich ele-

gantem Schwung sind die Augenbrauen aus dem harten Gestein herausreliefiert, darunter liegen die waagrecht angesetzten, leicht mandelförmigen Augen, umgrenzt von abgerundeten, schmalen Lidern, die sich in einem deutlich markierten Lidstrich fortsetzen, der genau unterhalb des Brauenbogens endet. Nur leicht sind die Backenknochen oberhalb der weichen Wangenpartie betont, von der Labionasalfalten von den Nasenflügeln zur Mundpartie führen. Der Mund zeigt mit seinen fest aufeinandergelegten, in ihrer Außenform ebenfalls markierten Lippen jenes schweigsame Lächeln, das für die Porträts Amenophis' II. als charakteristisch angesehen werden kann. Die Umgrenzung dieses ernsten Mundes von zwei markierten Mundwinkeln wird durch ein deutlich angegebenes Philtrum über der Oberlippe ergänzt. Die rundlich weichmodellierten Ohren schmiegen sich in das Dreieck zwischen Gesichtsschädel und seitwärts abstehendem Königskopftuch ein, ohne den Gesamteindruck des Kopfes besonders zu akzentuieren. Insgesamt also ein harmonisches, in sich geschlossenes Bildnis, dessen Ruhe und Anmut, Würde und stiller Ernst von einem König Zeugnis ablegen, dessen Regierung nicht nur zeitlich die Mitte der 18. Dynastie, sondern auch jenes so spannende Übergangsfeld zweier Abschnitte der ägyptischen Geschichte und ihrer geistigen Entwicklung markiert. Auch wenn Amenophis II. in bewußt propagandistischer Art seine sportlichen Fähigkeiten an die Öffentlichkeit trug, um seine physische Leistungsfähigkeit unter Beweis zu stellen, so ist in diesem Bildnis noch jene Selbstbeschränkung und Weisheit königlicher Verantwortung zu verspüren, wie sie unter seinen Vorgängern, vor allem der Königin Hatschepsut und Thutmosis III. in vielfältiger Weise praktiziert und bildnerisch umgesetzt worden ist. Erst mit Amenophis III. kommt es zu einer neuen, den gleichsam apollinischen Charakter der ersten Hälfte der 18. Dynastie ablösenden Entwicklung, die in den revolutionären Tendenzen der Armana-Zeit ihren Höhepunkt und Abschluß fand.

Lit.: C. Boreux, La sculpture égyptienne au Musée du Louvre, pl. XXVI; J. Vandier, Manuel III, p. 323 n. 5

94
Königskopf (Amenophis III.)

London, Britisches Museum, Reg. No. 30448
Quarzit, Höhe 40 cm, Breite 16 cm, Tiefe 17,5 cm
Herkunft unbekannt
Neues Reich, 18. Dynastie, um 1390 v. Chr.

Mit der rund 38-jährigen Regierungszeit Amenophis' III., des Sohnes des Königs Thutmosis IV., erreicht die 18. Dynastie, ja das gesamte Neue Reich seinen Höhepunkt. Auch dieser König kam bereits mit 12 Jahren auf den Thron, sodaß seine Mutter Mutemwia für ihn eine Zeitlang die Regentschaft führen mußte. Schon in der Königstitulatur dieses Herrschers werden in pragmatischer Weise der Rahmen und die Zielvorgabe seiner Regierungszeit formuliert: „Horus, starker Stier, der in Wahrheit erschienen ist, Nebti (die beiden Herrinen), der die Gesetze dauern läßt und die Beiden Länder beruhigt, der Goldhorus, mit großer Kraft, der die Asiaten schlägt, König von Ober- und Unterägypten, der Herr der Maat ist Re, der Sohn des Re, Amenophis (Amun ist zufrieden)." Zu den wesentlichen biographischen Ereignissen zählt seine Hochzeit mit der aus bürgerlicher Familie stammenden Teje, aus welcher Ehe der Sohn und Thronfolger Amenophis IV. hervorging. Mit Hilfe einer gezielten Heiratspolitik gegenüber den asiatischen Nachbarn werden zwei Mitanni-Prinzessinnen in den königlichen Harem aufgenommen und dadurch die gegenseitigen Beziehungen auf eine friedliche Basis gestellt. Eine Reihe wichtiger Ereignisse aus den ersten Regierungsjahren sind auf sogenannten Gedächtnis-Skarabäen überliefert, die sich in fünf thematische Gruppen einteilen lassen. Besonders bedeutend unter ihnen sind die sogenannten Hochzeits-Skarabäen und die Löwenjagd-Skarabäen. Dem friedlichen Charakter seiner Regierungszeit entsprechend, die nur in wenigen Fällen von kleineren Auseinandersetzungen unterbrochen wurde, entfaltete dieser König eine ungeheure Bautätigkeit. So errichtete er auch in Nubien, das als Goldlieferant von besonderer Bedeutung war, eine Reihe von Tempeln, in denen schon zu Lebzeiten des Königs seine Statuen göttliche Verehrung fanden. In Ägypten selbst errichtete er den Luxor-Tempel, in Karnak den dritten Pylon und auf dem thebanischen Westufer seinen gewaltigen Totentempel mit den „Memnonskolossen" und zahlreichen weiteren Kolossalstatuen.

Einen besonderen Charakter bekommt die Regierungszeit Amenophis III. jedoch durch das sich anfangs nur langsam, schließlich immer rascher verändernde Erscheinungsbild der ägyptischen Kunst. Wie kaum unter einem anderen König ist dabei der prägende Vorbildcharakter der königlichen Staatskunst in seiner Wirkung auf die gleichzeitige Privatkunst deutlich. Der hier gezeigte Königskopf zeigt sämtliche Merkmale der Skulptur Amenophis' III., wie sie in der Spätphase seiner Regierungszeit in zahlreichen Bildnissen überliefert sind: Bekleidet mit der blauen Krone, dem Kriegshelm, der ägyptisch „Cheperesch" genannt wurde, und der in schlanker Form über den Helm sich herabringelnden Uräus-Schlange blickt der König in merkwürdig unpersönlicher Weise auf sein imaginäres Gegenüber. Besonders charakteristisch sind die auffallenden, schlitzartigen schmalen Augen, deren Winkel bis weit in die Schläfengegend zurückgezogen sind. Der gekurvte Brauenbogen reicht ebenfalls bis an die Schläfe und endet hinter dem Augenwinkel. Die leicht gerundete, in breite Nasenflügel übergehende Nase weist am Rücken kantige Flächen auf. Sein besonderes Merkmal erhält das Bildnis Amenophis' III. jedoch durch die für seine Regierungszeit ganz spezifische Lippenformung: Ein von scharfkantigen Stegen eingefaßter Mund geht in ein markant herausgearbeitetes Philtrum unterhalb der Nase über. Auch hier scheint der Mund ein Lächeln anzudeuten, doch wirkt der gesamte Gesichtsausdruck weniger persönlich wie bei Thutmosis III. oder Hatschepsut. Der fast expressiv zu nennende Ausdruck dieses Gesichts gibt vielmehr eine deutliche Vorahnung auf eine Entwicklung, die in der nachfolgenden Amarna-Zeit in der nur 17-jährigen Regentschaft seines Sohnes und Nachfolgers Amenophis IV. eine revolutionäre Verwirklichung finden sollte.

Lit.: E. Budge, Egyptian Sculpture in the British Museum, London 1914, pl. XXXIII; A. Weigall, Ancient Egyptian Works of Art, London 1924, p.165 (Abb.); T. G. H. James, An Introduction to Ancient Egypt, 1979, p. 61, fig. 17; PM II², 533; L. M. Berman (Hrsg.), The Art of Amenophis III: Art Historical Analysis, The Cleveland Museum of Art 1987, pl. 23, Fig. 19; B. M. Bryan, Portrait Sculpture of Thutmose IV, JARCE XXIV, 1987, p. 8 ; M. Müller, Die Kunst Amenophis' III und Echnaton, Basel 1988, pp. IV-10, IV-30, IV-32; Treasures of the British Museum, Katalog Japan 1985, p. 69

95
Sitzstatue der Göttin Sachmet

Wien, Kunsthistorisches Museum, Inv.-Nr. ÄS 77
Granodiorit, Höhe 197 cm, Breite 45,9 cm, Tiefe (rekonstruiert) 101,7 cm
Vermutlich aus dem Mut-Tempel in Karnak
Neues Reich, 18. Dynastie, um 1390 v. Chr.

Lit.: B. Jaros-Deckert, Statuen des Mittleren Reichs und der 18. Dynastie, CAA Wien, Lief. 1, 1987, S. 1, 112–116

und

96
Sitzstatue der Göttin Sachmet

Wien, Kunsthistorisches Museum, Inv.-Nr. ÄS 78
Granodiorit, Höhe 186 cm, Breite 46 cm, Tiefe 99,2 cm
Vermutlich aus dem Mut-Tempel in Karnak
Neues Reich, 18. Dynastie, um 1390 v. Chr.

Charakter und Wirksamkeit der Göttin Sachmet sind schon durch ihre Löwengestalt bestimmt. Ihr Name bedeutet soviel wie „Die Mächtige", als die sie in ihrer Eigenschaft als Kriegsgöttin die Feinde der Götter, besonders des Sonnengottes, aber natürlich auch des Königs überwindet. Dementsprechend trägt sie auch die Königsscheibe und den Königsuräus. Als „Herrin der Furcht und des Zitterns", als die „Zerschneidende", die „Reißende", die „Packende" verbreitet sie Angst und Schrecken; und im Kampf vermeinen die Feinde im Ansturm des Königs das Wüten der Göttin selbst wahrzunehmen. Ursprünglich war Memphis ihr Hauptkultort, wo sie mit dem Gott Ptah, dem Schutzpatron der Handwerker, und dem Götterkind Nefertem eine Dreiheit bildete. Erst als Theben zur Residenz des Neuen Reichs aufgestiegen war, wurde sie mit der thebanischen Staatsgöttin Mut, der Gemahlin des Reichsgottes Amun, geglichen. Die aufgrund ihrer Namensähnlichkeit mit dem ägyptischen Wort für „Mutter" gerne als Muttergottheit aufgefaßte Göttin bildete mit Amun und ihrem gemeinsamen Sohn Chons die heilige Dreiheit von Theben. Auch sie erscheint bereits früh als löwenköpfige Göttin, wenn sie auch in ihrer Eigenschaft als Mutter des Königs in der Regel menschengestaltig und mit der Geierhaube dargestellt wurde. Ihre ebenfalls zu beobachtende Beziehung zur Löwengestalt führte jedoch zu der in der ägyptischen Religion häufigen Angleichung zweier Gottheiten, die sich in bestimmten Teilbereichen – zum Beispiel in der Erscheinungsform, der Wirksamkeit, den Attributen usw. deckten, und somit zu einem neuen göttlichen Wesen mit spezifischen Eigenschaften verbunden werden konnten. So wurde schließlich die Löwengöttin Mut mit der Löwengöttin Sachmet gleichgesetzt.

An die 500 Sachmetstatuen, als Sitz- oder Standfiguren, sind heute bekannt, über 100 davon sind verstreut in gut zwei Dutzend Museen der ganzen Welt. Ein Großteil der teils fragmentarischen Statuen jedoch befindet sich heute noch im Mut-Tempel von Karnak, wo sie jedoch wohl nicht ursprünglich aufgestellt waren. Zahlreiche sekundäre Königsinschriften erweisen die Usurpartion der unter König Amenophis III. angefertigten Sachmetstatuen durch nachfolgende Könige. Ursprünglich schmückten diese Statuen einst den gewaltigen Totentempel Amenophis' III., von dessen unerhörter Größe heute nur noch die beiden Memnonskolosse zeugen, Sitzbilder des Königs rechts und links vom Eingangstor seines Totentempels. J. Yoyotte hat unter Heranziehung ptolemäischer Tempelfriese für die große Anzahl der Sachmetstatuen eine überzeugende Deutung geliefert: Sie zählten insgesamt 365 Sitz- bzw. Standfiguren, die jeweils einem Tag des Jahres zugewiesen waren. Durch die mit der Aufstellung der Statuen im Tempelbereich verbundene Möglichkeit der Besänftigung des durch die Gottheiten verkörperten Unheils war es möglich, auch von den einzelnen Tagen des Jahres alle Bedrohung fernzuhalten.

Der raubtierhafte Eindruck des auf einem mächtigen Frauenkörper sitzenden Löwenhauptes wird durch die bis auf die betonten Brüste herabhängende Strähnenperücke abgeschwächt. Die ornamental gestaltete Zottelmähne gibt ein eher würdiges denn furchteinflößendes Löwenantlitz mit knochigem Schädel und stilisierten Schnurrbarthaaren wieder. Auf dem Kopf erhebt bzw. erhob sich die Sonnenscheibe mit dem aufgerichteten Königsuräus und betont so den kosmischen Aspekt dieser tiermenschlichen Erscheinungsform bedrohender Göttlichkeit. Das Gesicht ist jeweils äußerst sorgfältig modelliert und weist kleine, von reliefierten Lidern eingefaßte Augen auf, die ursprünglich bemalt waren. Auch der fünfteilige Halskragen und die Borte des Gewandes waren einst bemalt. In der Grundform der Sitzfigur sitzt die Löwengöttin auf einem würfeligen Thron mit niedriger Lehne, an dessen Frontseite rechts und links neben den Beinen der Göttin eine senkrechte Inschriftenzeile angebracht ist. Der in versenkten Hieroglyphen angefertigte Text heißt in der Übersetzung: „Der Sohn des Re, den er liebt, Amenophis, Herrscher von Theben, geliebt von Ptah, von Sachmet, der Herrin von Tepnef, mit Leben beschenkt" und darunter „Der gute Gott, Herr der beiden Länder, Nebmaatre, geliebt von Sachmet, der Herrin von Tepnef, mit Leben beschenkt" (Inv.-Nr. ÄS 77).

Die ursprünglichen Beschriftungszeilen der zweiten Statue (Inv.-Nr. ÄS 78) wurden abgearbeitet und die ursprünglichen Namen des Königs Amenophis III. entfernt und durch jenen des Königs Scheschonq I. ersetzt. Die kurzen Texte bedeuten: „Der gute Gott, der Herr der beiden Länder, Hedjcheperre, erwählt von Re. Der leibliche Sohn des Re Scheschonq, geliebt von Amun."

Lit.: B. Jaros-Deckert, Statuen des Mittleren Reichs und der 18. Dynastie, CAA Wien, Lief 1, 1987, S. 1, 117–120

97
Kopf des Königs Echnaton

New York, Metropolitan Museum of Art, Gift of Edward
S. Harkness, 1921. 21.9.17
Sandstein, Höhe 12 cm, Breite 9,7 cm
Aus Amarna
Neues Reich, 18. Dynastie, um 1350 v. Chr.

Obwohl es sich bei diesem kleinen Köpfchen wohl nur
um ein Bildhauermodell oder eine Bildhauerstudie handelt, die, aus Sandstein herausgearbeitet, für größere
Darstellungen eine Vorlage bieten sollte, ist in diesem
Antlitz all das zum Ausdruck gebracht, was die frühe
Zeit der Armarna-Kunst kennzeichnet. Ausgehend von
einem neuen revolutionären, religiösen Konzept, einer
ausschließlich von den Ideen und Vorstellungen des Königs Amenophis IV. geprägten Ideologie, deren immer
stärker werdender Machtanspruch allmählich ein für die
ägyptische Religionsgeschichte bis dahin praktiziertes
friedliches Nebeneinander unterschiedlicher Gottesvor-
stellungen unmöglich machte, suchte dieser neue
Glaube trotz aller nachweisbaren Vorstufen nach neuen
Ausdrucksmöglichkeiten. Die expressive Form dieses
künstlerischen Ausdrucks, der zwar in manchen Stilmerkmalen bereits unter Amenophis III. gewisse Vor-
ausprägungen gefunden hat, fand ihren zentralen Ort
letztlich in der Person des Königs Amenophis IV. selbst,
der konsequenterweise seinen Namen von Amenophis
in Echnaton, was soviel wie „Dem Aton wohlgefällig"
heißt, umgewandelt hatte. Schon in seinen ersten Regierungsjahren setzte Amenophis IV. jene baulichen Maß-
nahmen, die in entscheidender Weise eine Abkehr von
traditionellen, religiösen Vorstellungen, aber auch vom
überlieferten Stilinventar bedeuten sollten. In seinem
Bestreben, dem von ihm als absolut gesetzten Gott Aton
einen entsprechenden Kultort zu schaffen, errichtete er
zuerst östlich der großen Umfassungsmauer von Karnak
einen riesigen Aton-Tempel. Die formale Ausgestaltung
der Tempelreliefs und Rundplastiken enthielten eine
derartige Fülle unkanonischer Neuerungen, daß trotz
aller bis in die Mitte der 18. Dynastie zurückzuverfolgenden Tendenzen, auch auf dem Gebiet der Kunst, von
einem revolutionärem Neuansatz gesprochen werden
kann. Katalysator und Mittelpunkt dieser Entwicklung
war Amenophis IV., der es in noch nie erfahrener Weise
verstand, seinen ungewöhnlich stark individuell ge-

prägten religiösen Konzeptionen künstlerischen Ausdruck zu verleihen. In seiner sich selbst zugemessenen
Funktion als alleiniger Mittler zwischen dem Gott Aton
und der übrigen Welt war er darauf angewiesen, eine
Ausdrucksform zu finden, die alles bisherige in den
Schatten stellte und seine Einzigartigkeit betonte. Zu
den eindrucksvollsten Bildzeugnissen dieser frühen Regierungsjahre, also noch vor der im Jahr 4 erfolgten
Gründung der neuen Hauptstadt Achetaton (Amarna),
zählen die einst rund 40 Kolossalstatuen des Königs, die
im Sonnenhof des neuen Aton-Heiligtums in Karnak
aufgestellt waren.
Trotz der geringen Größe vermittelt dieses kleine Bildhauermodell einen faszinierenden Einblick in die revolutionäre Formenwelt der Armana-Zeit. Kaum ein anderes Bild ist besser geeignet, die von Echnaton sich
selbst auferlegte, ja angemaßte besondere Stellung zum
Ausdruck zu bringen, als dieses bis zum Ansatz des
Kopftuchs aller Äußerlichkeiten entkleidete Antlitz.
Und mögen auch manche Details des königlichen Gesichtes auf physiologische Realitäten zurückführbar
sein, die hier vom Bildhauer gefundene, sicher auf ein
königliches Konzept, einen königlichen Auftrag zurückgehende Gesamtform ist die zu fast grotesker Übersteigerung verdichtete Wiedergabe absolut gesetzter Individualität. Es ist die Individualität eines Menschen, dessen
von Emotionen sicher nicht freie, insgesamt jedoch
äußerst abstrakte theologische Weltsicht in Verbindung
mit dem unbändigen Willen, ihr zum Durchbruch zu verhelfen, das Bild einer Epoche bestimmt hat, die allerdings nur 17 Jahre gedauert hat. Die gelängte, durch
Nase und ursprünglich wohl vorhandenen Königsbart
noch weiter gestreckte schmale Gesichtsform wird von
einem abgerundeten Kinn und leicht ausschwingenden
Wangen begrenzt. Während die Rundung der fleischigen
Unterlippe dem tiefen Kinnbogen nachgeformt zu sein
scheint, entspricht die weiter nach außen verlaufende,
geschwungene Oberlippe der Seite eines gleichseitigen
Dreiecks, das sich über die Nasenflügel nach oben fortsetzt. Die so bedingte vertikale Gliederung der unteren
Gesichtshälfte wird durch schlitzartige Augen und symmetrisch geschwungene Brauenbögen verstärkt, die
fließend in die Nase übergehen. Daß trotz dieser formal
anmutenden Stilmerkmale nichts von der packenden Individualität des Gesichtsausdruckes verlorenging, zeigt
von der Meisterschaft der Künstler dieser Zeit. Vielleicht war dieses Bildhauermodell einst Vorbild für eine
der Kolossalstatuen des Königs in Karnak.

Lit.: W. C. Hayes, The Scepter of Egypt II, New York 1959, fig. 171

98
Kopffragment einer Statue des Königs Echnaton

London, Britisches Museum, Reg. No. 13366
Kalkstein, Höhe 23 cm, Breite 12 cm, Tiefe 14 cm
Aus Amarna
Neues Reich, 18. Dynastie, um 1350 v. Chr.

Trotz seines fragmentarischen Charakters zeigt diese Skulptur in eindrucksvoller Weise jene für die Amarna-Kunst so typischen Stilmerkmale, die sie von allen bisherigen Kunstwerken so deutlich unterscheiden. Die schon in den ersten Jahren der Regierung Echnatons einsetzende Verfolgung Andersgläubiger fand in der Tilgung sämtlicher Götternamen in den Tempeln des ganzen Landes ihren Höhepunkt. So übersiedelte Echnaton schließlich auf der Suche nach einem von religiösen Traditionen unbelasteten Terrain in die von ihm gegründete neue Hauptstadt „Horizont des Aton" in Mittelägypten. Mit ihm zogen seine königliche Familie, darunter Nofretete und seine bis dahin bereits geborenen Töchter, sowie ein wichtiger Teil seines Hofstaates aus Theben aus. Von nun an war Achet-Aton das religiöse und wirtschaftliche Zentrum des Landes, von dem freilich auch machtpolitische Unternehmungen gesteuert wurden. Kaum hat es eine Zeit in der ägyptischen Geschichte gegeben, in der so viele Militärs, selbst in den Gräbern der Privaten, abgebildet werden. Die Durchset-zung einer dem ursprünglichen Glaubensgefühl Ägyptens in wesentlichen Bereichen entgegenstehenden Religion konnte sicher nicht ohne Gewalt realisiert werden. Deutlich zeigt die Modellierung des erhaltenen Statuenteils typische Merkmale der Amarna-Kunst. Besonders wird der Blick des Betrachters von den perfekt ausgestalteten Lippen angezogen, wobei die Unterlippe stark gekrümmt ist, wie auf den Kolossalstatuen Echnatons in Karnak, während die in weichem Schwung geformte Oberlippe den exzessiven Charakter der frühen Darstellungen offensichtlich verlassen hat. Und so ist die Kunst der Wandreliefs in den Tempeln von Amarna bereits weitaus gemäßigter als bei der Ausschmückung des Aton-Tempels in Karnak.

Lit.: J. Vandier, Manuel III, p. 336 n. 5; W. M. F. Petrie, Tell el-Amarna, London 1894, p. 7; C. Aldred, Akhenaten and Nefertiti, 1973, p. 90, No. 2; M. Eaton - Krauss, The khat headdress to the end of the Amarna Period, SAK 5, 1977, S. 37; M. Müller, Die Kunst Amenophis' III und Echnatons, Basel 1988, S. I-89, IV-124, 125;

99
Kopf eines Uschebti des Königs Echnaton

Brüssel, Musées Royaux d'Art et d'Histoire,
Inv.-Nr. E. 8050
Kristallkalkstein, Höhe 5,5 cm, Breite 5,7 cm, Tiefe
5,6 cm
Vermutlich aus Amarna
Neues Reich, 18. Dynastie, um 1350 v. Chr.

Das kleine, mit dem Chat-Kopftuch und der Uräus-Schlange ausgestattete Köpfchen dürfte zu einem Uschebti Amenophis' IV. Echnaton gehört haben, zeigt es doch trotz seiner geringen Größe deutlich die charakteristischen Stilmerkmale des Königsporträts, wenn auch in gemilderter Form. Wahrscheinlich stammt dieser Uschebti aus dem Königsgrab, das sich Echnaton in einem tiefen, nach Osten führenden Wâdi, in der Nähe seiner königlichen Residenz anlegen ließ. Die Einbringung eines Teils der traditionellen, also bereits vor Echnaton gebräuchlichen Grabausstattung, wie in den zahlreichen in diesem Grab gefundenen Uschebti-Figürchen des Königs zum Ausdruck kommt, ist bemerkens-

wert. Schließlich war es eines der Hauptmerkmale der Amarna-Religion, sich ganz auf die wärmende, in der Sonnenscheibe des Aton verborgene lebensspendende Kraft zu verlassen und dadurch dem nachtseitigen Aspekt des Lebens, wie er im Osirisglauben verkörpert wurde, eine Absage zu erteilen. Und letztlich war es auch das Vakuum, das der vom König Echnaton außerkraftgesetzte Osirisglauben hinterließ, das letztlich als Achillesferse des Aton-Glaubens dessen baldiges Ende beschleunigen half.

Lit.: C. de Wit, Une tete d'oushebti d'Amenophis IV au Musée du Cinquantenaire, CdE XL,1965, p. 20–27, Figs. 1–4; Le Règne du Soleil. Akhenaton et Nefertiti, Katalog Brüssel 1975, No. 74

100
Kopf der Königin Nofretete

Berlin-Museumsinsel, Ägyptisches Museum,
Inv.-Nr. 21358
Granit, Höhe 23 cm
Aus Amarna
Neues Reich, 18. Dynastie, um 1350 v. Chr.

Wie kaum eine andere Frau des pharaonischen Ägypten ist Nofretete (eigentlich ausgesprochen Nafteta), was soviel heißt wie „Die Schöne ist gekommen", im allgemeinen Bewußtsein verankert. Sie war die Hauptgemahlin Echnatons und Mutter von 6 Töchtern, darunter die späteren Gemahlinnen der Nachfolger Echnatons, Semenchkares und Tutanchamuns. Nofretete ist häufig in den Tempelreliefs von Karnak wie von Amarna wiedergegeben, ihren besonderen Bekanntheitsgrad verdankt sie jedoch der bemalten Kalksteinbüste in Berlin. Die Häufigkeit ihrer Darstellung, vor allem auf den Reliefs, die sie zusammen mit dem König und ihren Töchtern in anbetender Haltung unter den wärmenden Strahlen der Sonnenscheibe zeigen, deuten auf ihre besondere Funktion im Rahmen des Aton-Glaubens hin. Sie ist, wie ihr Gemahl, Repräsentant und kultischer Mittelpunkt. Dementsprechend wird auf den Tempel- und Grabreliefs nicht mehr ein beliebiger Priester beim Vollzug der Opferhandlungen wiedergegeben, sondern das königliche Paar, dessen kultische Aufgaben meist mit der traditionellen Formel „Das Gelobte Tun" umschrieben wird.

Der aus Amarna stammende Kopf ist nicht nur ein beeindruckendes Bildnis der Königin Nofretete, sondern auch ein gutes Beispiel für die in der Amarna-Zeit erfundene Kompositstatue, in der zwar der Gesichtsschädel separat als Einzelstück gearbeitet, die üblichen Attribute, wie Perücken, Kronen usw. jedoch aus anderen Materialien separat aufgesetzt wurden. Dieser Kopf einer Kompositstatue stammt, wie die meisten in Amarna gefundenen Darstellungen der Königin Nofretete und ihrer Töchter, aus einer Bildhauerwerkstätte. Die stilistische Ausformung des Kopfes, der freilich nicht ganz fertiggestellt wurde, wie vor allem an den unausgearbeiteten Ohren und den Augen zu erkennen ist, läßt ihn in die letzte Phase der Regierungszeit Echnatons datieren, die von einem gemäßigten Stilgefühl gekennzeichnet ist und die frühere Expressivität und realistische Übertreibung zugunsten einer stärker idealisierenden Darstellung aufgegeben hat. Deutlich sind die zu den übrigen Darstellungen der Nofretete in Bezug zu setzenden Stilmerkmale und Ausführungsdetails erkennbar. In ihnen zeigt sich jene Porträtähnlichkeit, wie sie seit der 18. Dynastie für das Königsbildnis verbindlich wurde, in der Frühphase der Amarna-Kunst eine expressive Steigerung erfahren hat und letztlich am Ende der 18. Dynastie zu jener harmonischen Ausgewogenheit zurückgefunden hat, die die ägyptische Rundplastik nochmals auf den Zenit ihrer gestalterischen Möglichkeiten geführt hat. So ist das Menschenbild in der ausgehenden 18. Dynastie, wie es sich vor allem in den Darstellungen der Königin Nofretete zeigt, von mit sparsamsten Mitteln erreichter unnachahmlicher Eleganz. Die von dem fast sinnlichen, leicht rötlich gefärbten Mund mit seiner weichen Lippenbildung und den aufgrund ihres wohl noch nicht endgültig fertiggestellten Zustandes verschleiert wirkenden Augen ausgehende verinnerlichte Wirkung von Schönheit, Würde und zeitloser Gültigkeit kann für ein Frauenantlitz eindrucksvoller nicht gedacht werden. Die schwarze Färbung an den Augenbrauen, den Augäpfeln und der Unterkante der Stirn gaben Anhaltspunkte für die weiteren Bearbeitungsschritte.

Lit.: H. Schäfer, Amarna in Religion und Kunst, Leipzig 1931, Taf. 35; C de Wit, La statuaire de Tell el Amarna, Brüssel 1950, No. 38, 41; J. Vandier, Manuel III, p. 340 n. 2, 342 n. 1, 351 n. 4; C. Aldred, Akhenaten and Nefertiti, 1973, p. 44, Fig. 25; S. Donadoni, L'Egitto, 1981, p. 172; Ägyptisches Museum, Katalog Berlin-Museumsinsel 1991, Nr. 68

101
Kopf einer Prinzessin

Berlin-Museumsinsel, Ägyptisches Museum,
Inv.-Nr. 14113
Kalkstein, bemalt, Höhe 13 cm
Aus Amarna
Neues Reich, 18. Dynastie, um 1350 v. Chr.

Zu den herausragenden Stilmerkmalen der Amarna-Zeit, vor allem der frühen Phase, zählt die ausladende Schädelform sowohl bei Darstellungen des Königspaares als auch bei seinen Töchtern. Sowohl im Flachbild als auch in der Skulptur fallen die ungewöhnlichen Schädelformen mit stark ausladendem, weit überlängten Hinterkopf auf, umso mehr als diese Darstellungsform nicht nur auf die Töchter der königlichen Familie beschränkt war, sondern auch bei Darstellungen von Privatleuten bemerkbar ist. Doch nicht nur die Schädelform, die gesamte körperliche Erscheinung des Königs wurde zum Vorbild der Kunst dieser Zeit. Dementsprechend finden sich die überlängten Schädelformen, die gelängten Gliedmaßen, die schlitzartigen Augen und das runde schmale Kinn, die breiten, schwammigen Hüften und die spindeldürren Arme nicht nur in den Bildnissen der königlichen Familie, sondern auch in den Tempel- und Grabreliefs, aber auch den Statuen der übrigen Beamten und Priester. Freilich ist das hier gezeigte Beispiel eines Prinzessinnenkopfes bereits einer Entwicklungsphase der Amarna-Kunst zuzuweisen, die von der expressiven Frühphase weit entfernt ist und die Darstellungsform wieder jenem Ideal anzunähern bemüht ist, wie es für die Zeit der Nachfolger Echnatons charakteristisch ist.

Der kleine Kopf einer namentlich nicht näher bezeichneten Prinzessin gehörte ursprünglich zu einer Standfigur, von der noch der Ansatz des Rückenpfeilers unterhalb des Kopfes zu erkennen ist. Auffallend ist, daß der Kalkstein zur Gänze in einem schönen gelbbraunen Farbton bemalt wurde, während die Lippen rötlich gefärbt, die Pupillen, Lider, Brauen und die Löcher in den Ohrläppchen in Schwarz wiedergegeben sind. Die eher jugendlichen als kindlichen Augen sind schlitzartig geformt und erinnern an die Darstellungen Echnatons. Schwere Augenlider geben dem Blick der Prinzessin ein melancholisches Aussehen, das durch die herabgezogenen Mundwinkel noch verstärkt wird. Einen besonderen Akzent erhält dieses Meisterwerk durch die von den Nasenflügeln zu den Mundwinkeln herabführenden Labionasalfalten, die als einzig gliederndes Element die geschwungenen Wangen von der Mundpartie trennen.

Lit.: L. Borchardt, Der Porträtkopf der Königin Teje im Besitz von Dr. James Simon in Berlin, Leipzig 1911, S. 13, Abb. 11; PM IV, 1934, p. 234; K. Lange, König Echnaton und die Amarna-Zeit; Die Geschichte eines Gottkünders. München 1951, S. 141, Abb. 51; J. Vandier, Manuel III, p. 343, 344; C. Aldred, Akhenaten and Nefertiti, 1973, p. 175, No. 102, p. 175 (Abb.); M. Müller, Die Kunst Amenophis' III und Echnatons, Basel 1988, S. I-97, I-103, IV-65f., Abb. 28a,b; Ägyptisches Museum, Katalog Berlin-Museumsinsel 1991, Nr. 70

102
Hände einer Statuengruppe

Berlin-Museumsinsel, Ägyptisches Museum, Inv.-Nr. 20494
Quarzit, Länge 9 cm
Aus Amarna
Neues Reich, 18. Dynastie, um 1350 v. Chr.

Dieses in einer Villa der Residenzstadt Achet-Aton („Horizont des Aton") gefundene Statuenfragment kann aufgrund erhaltener Vergleichsobjekte einer Statuengruppe zugeordnet werden, die König Echnaton zusammen mit seiner Gemahlin Nofretete zeigt. Die seit dem Mittleren Reich (s. Kat.-Nr. 68) belegte Handhaltung drückt auf den Statuengruppen von Ehepaaren die innige Verbundenheit der beiden dargestellten Personen aus, so auch hier. Offensichtlich hält der König mit der Linken die Hand seiner Gemahlin Nofretete, die Finger beider Hände sind äußerst sorgfältig ausgearbeitet. Deutlich sind Nagelbett und Fingernägel wiedergegeben. Die hier zum Ausdruck gebrachte Vertrautheit eines Ehepaares ist in den Statuengruppen Echnatons und Nofretetes freilich in überhöhtem Sinne zu verstehen. Beiden kommt in der Konzeption der Amarna-Theologie eine besondere, bisher ausschließlich vom König allein oder stellvertretend von seinen Priestern wahrgenommene Mittlerfunktion zu. Die dem Amarna-Glauben innewohnende kosmische Komponente, die ausgehend von der Kreatürlichkeit des menschlichen Lebens und seiner Ausgesetztheit, ja Abhängigkeit von dem wärmenden Licht des in der Sonnenscheibe inne-

wohnenden Gottes Aton, in der Kunst dieser Zeit in der Darstellung der Familie, des vertrauten Umgangs des königlichen Ehepaares, besondere Aufmerksamkeit findet. Dieser private, ja intime Charakter der königlichen Familiendarstellungen, wie sie zum Beispiel auf den in den Villen aufgestellten Hausaltären dieser Zeit zu sehen sind, ist ein besonderes Merkmal für das Diesseits orientierte Weltverständnis der Amarna-Theologie. Der Fundort dieses Statuenfragmentes läßt darauf schließen, daß die dazugehörige Statuengruppe ursprünglich in ähnlicher Weise wie die Hausaltäre in einer privaten Villa Aufstellung gefunden hatte, um das ikonenhafte Darstellungssujet von König und Königin als den Mittlern der von Echnaton als einzig wahr verkündeten Religion ständig vor Augen zu haben.

Lit.: L. Borchardt, *Ausgrabungen in Tell el-Amarna 1911/12, MDOG 50,* 1912, S. 32 und 34, Fig. 25; K. Lange, *König Echnaton und die Amarna-Zeit; Die Geschichte eines Gottkünders.* München 1951, S. 143, Taf. 64; J. Vandier, *Manuel III,* p. 350 n. 1; J. Yoyotte, *Treasures of the Pharaohs; The Early Period, the New Kingdom, the Late Period,* Genf 1968, p. 104 (mit Abb.); C. Aldred, *Akhenaten and Nefertiti,* 1973, p. 159, No. 87, *Nofret – die Schöne, die Frau im Alten Ägypten 2: „Wahrheit und Wirklichkeit",* Katalog Hildesheim 1985, Nr. 147; *Ägyptisches Museum, Katalog Berlin-Museumsinsel 1991,* Nr. 73;

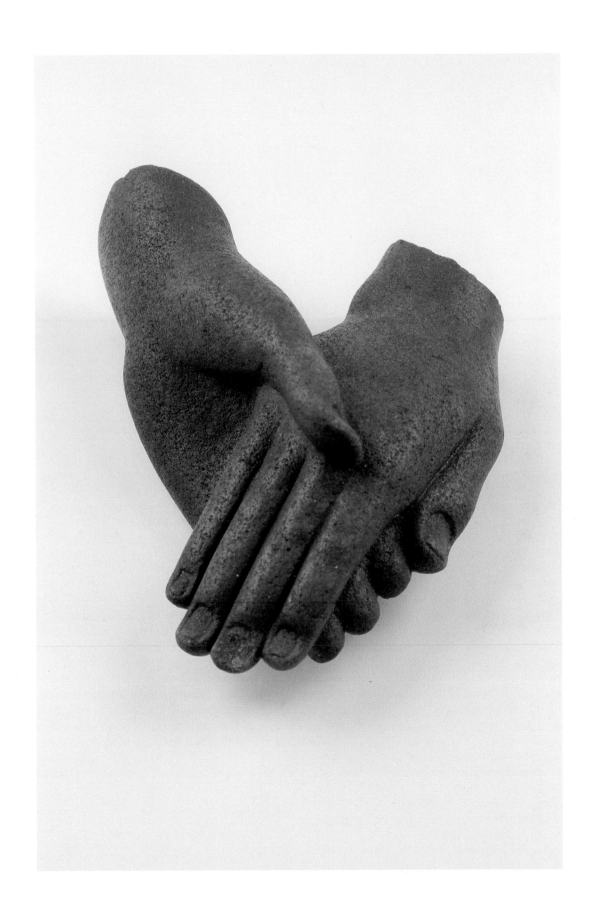

103
Kopf einer Statue des Königs
Tutanchamun

Turin, Museo Egizio, Inv.-Nr. 1398
Kalkstein, Höhe 10 cm
Herkunft unbekannt, vielleicht aus Amarna
Neues Reich, 18. Dynastie, um 1345 v. Chr.

Das kleine, mit dem hohen, eigentlich blaugefärbten Kriegshelm Cheperesch und dem geringelten Uräus versehene Königsköpfchen läßt seine Nähe zur Amarna-Zeit nicht verleugnen. In ähnlicher Weise wie das Prinzessinnenköpfchen in Kat.-Nr. 101 war es wohl Bestandteil einer kleinen Standfigur, von der am Hinterkopf noch ein Rest des Rückenpfeilers zu erkennen ist. Die Gesichtsmodellierung ist von unnachahmlicher Feinheit und Plastizität, die durch den Kontrast zwischen den verschleiert wirkenden Augen und den vollen Lippen noch verstärkt wird. Bemerkenswert sind die durchbohrten Ohrläppchen, die wohl zur Aufnahme von Ohrringen bestimmt waren. Sie sind seit der Zeit Amenophis' III. bei Statuen nachweisbar. Der harmonische, ausgewogene und zurückhaltende Gesichtsausdruck lassen in diesem Antlitz ein Idealporträt höchster Qualität erkennen, dessen bisheriger Zuschreibung an Ame-

nophis IV., Echnaton, wir uns allerdings nicht anschließen können. Gerade die hier feststellbare Zurücknahme des Amarna-Stils läßt eine Datierung dieses Köpfchens nur an das Ende der Amarna-Zeit zu. Es kann aber andererseits kein Zweifel daran bestehen, daß das Antlitz dieses Königs nicht dem eines auch nur dreißigjährigen Mannes entsprechen kann, und Echnaton dürfte am Ende seiner Regierungszeit kaum jünger gewesen sein. Aus diesem Grunde schlagen wir vor, dieses Köpfchen dem König Tutanchamun zuzuweisen, dessen in New York befindliche Darstellung (s. Kat.-Nr. 104) sich als Bezugsobjekt geradezu aufdrängt.

Lit.: A. Fabretti, F. Rossi, R. V. Lanzone, Regio Museo di Torino. Catalogo generale, Vol. I, 1882, p. 109; J. Vandier, Manuel III, p. 336 n. 5, 348 n. 1; S. Curto, L'antico Egitto nel Museo Egizio di Torino, 1984, p. 127; A. M. Donadoni Roveri (Hrsg.), Egyptian Civilization. Monumental Art, 1989, Fig. 172; Il senso dell'arte nell'Antico Egitto, Katalog Bologna 1990, No. 58

104
Kopf einer Statue des Königs Tutanchamun

New York, Metropolitan Museum of Art, Rogers Fund, 1950. 50.6
Kalkstein, Höhe 15 cm
Herkunft unbekannt
Neues Reich, 18. Dynastie, um 1345 v. Chr.

Das Köpfchen läßt sich aufgrund des erhaltenen Fragments einer Statuengruppe zuweisen, die den König vor dem Gott Amun zeigt, der ihm gerade die blaue Krone auf das Haupt setzt. Deutlich ist die rechte Hand des Gottes hinter dem Kopf des Königs erkennbar. In seltener Detailgenauigkeit ist der blaue Kriegshelm mit einem noppenartigen Muster versehen, über der Stirne ringelt sich die Uräus-Schlange, deren Kopf jedoch abgebrochen ist. Die jugendlichen Gesichtszüge des Königs werden deutlich zum Ausdruck gebracht. Noch ganz dem Stil der ausgehenden Amarna-Zeit verpflichtet, ist die Augenbildung leicht schlitzartig. In kühnem Schwung wölben sich die Augenbrauen bis zum Nasenansatz, und der volle Mund weist jene leicht hängenden Mundwinkel auf, wie sie auch auf dem kleinen Köpfchen Kat.-Nr. 103 zu finden sind. Eine weich modellierte Wangenpartie geht fließend in das abgerundete Kinn über. Auch bei diesem Köpfchen dürften die Ohrläppchen durchbohrt gewesen sein. Der Gesichtsausdruck ist von gespannter Aufmerksamkeit und Konzentration und entspricht so in angemessener Weise dem hoheitsvollen Akt der Krönung. Unter Tutanchamun kommt es zu einer Restituierung der traditionellen Werte, die in der Regierungszeit Echnatons in expressiver Übersteigerung entfremdet worden waren. Als letzter Herrscher der 18. Dynastie, der in direkter Nachkommenschaft zur Familie Amenophis' III. und Echnatons stand, kann Tutanchaton, der seinen Namen nach der Aufgabe von Achet-Aton in Tutanchamun – „Lebendes Bild des Amun" umänderte, heute wohl als dessen Sohn gelten. Er regierte rund zehn Jahre und verlegte bereits in seinem zweiten Regierungsjahr die Residenz von Amarna nach Theben. Er war verheiratet mit Anchesenpaaton, die ihren Namen entsprechend der Restituierung des Amun-Glaubens ebenfalls in Anchesenamun umänderte. Aufgrund seines jugendlichen Alters war Tutanchamun den Einflüssen des Hofes, vor allem des Regenten Haremhab und des Gottesvaters Eje, ausgesetzt, die nach ihm die Herrschaft übernehmen sollten. Nach dem frühen Tod des Tutanchamun wurde er von Eje in jenem Grab im Tal der Könige beigesetzt, das 1922 von Howard Carter in fast unzerstörtem und ungeplündertem Zustand entdeckt worden ist.

Lit.: A. Lansing, A Head of Tutʿankhamun, JEA 37, 1951, pp. 3, 4, Pl. I; W. K. Simpson, The Head of a Statuette of Tutʿankhamun in the Metropolitan Museum, JEA 41, 1955, pp. 112–114, Pl. XXII; J. Vandier, Manuel III, p. 361 n. 6, 364 n. 1, 366 n. 4, Pl. CXVII; W. C. Hayes, The Scepter of Egypt II, New York 1959, fig. 186; C. Vandersleyen (Hrsg.), Das Alte Ägypten, Propyläen Kunstgeschichte Bd. 15, 1975, Abb. 200a und S. 252; P. Dorman, Egypt and the Ancient Near East in The Metropolitan Museum of Art, New York 1987, no. 42, p. 62

105
Sitzstatue des Gottes Amun

Karlsruhe, Badisches Landesmuseum, Inv.-Nr. 65/15
Kristalliner Kalkstein, Höhe 111 cm, Breite 29 cm, Tiefe
61 cm
Herkunft unbekannt, vielleicht aus Karnak
Neues Reich, 18. Dynastie, um 1330 v. Chr.

Nur wenige Kultbilder sind uns aus dem alten Ägypten überliefert. Sieht man von den vier aus dem Felsen herausgemeißelten Götterstatuen im Allerheiligsten von Abu Simbel ab, so bleiben einige wenige, aus Stein gefertigte Statuen, denen im täglichen Tempelritual Opferung und Verehrung zuteil wurden. Von den Tausenden aus Edelmetall gefertigten Kultstatuen, die in den zahlreichen Tempeln des ganzen Landes aufgestellt waren, ist freilich so gut wie nichts erhalten. Eine umso größere Bedeutung kommt dieser Sitzstatue des Gottes Amun zu, die trotz der starken Zerstörungsspuren und des Fehlens jeglicher Beschriftung sicher datiert und diesem Gott zugewiesen werden kann. Er sitzt auf einem hohen, schmalen Thron mit leicht abgerundeter kurzer Rücken-lehne, seine fast plump wirkenden Unterschenkel ruhen auf einer hohen Basisplatte auf. Die Stege zwischen den Beinen vor der Front des Sitzes sind nicht abgearbeitet, die Zehen sind zwar deutlich, insgesamt jedoch eher kursorsich ausmodelliert. Die Muskulatur der Unterschenkel und die Übergänge zur Kniepartie sind oberflächlich gestaltet. Der Gott ist in einen eng plissierten kurzen Schurz gekleidet, der über den Knien endet und in einem weichen Bogen unterhalb des Nabels durch einen breiten Gürtel zusammengehalten wird. Die erhaltenen Reste lassen erkennen, daß der Gott seine beiden Arme auf die Oberschenkel gelegt hatte, ohne daß die Handhaltung noch zu rekonstruieren wäre. Oberarme und Brust des Gottes sind mit breiten Armreifen bzw.

einem mehrfach gegliederten Schmuckkragen verziert. Der Oberkörper ist breit und flächig modelliert. Die Stege zwischen den fleischigen Oberarmen und der Körperseite sind nicht entfernt. Ihren besonderen Stellenwert in der ägyptischen Kunstgeschichte allerdings verdankt diese Sitzstatue der Ausformung des Kopfes und vor allem der Gesichtszüge des Gottes, die in unnachahmlicher Feinheit und Subtilität diesem Gott das Antlitz des Königs Tutanchamun verleihen. Die noch leicht schlitzartig verengten und schräggestellten Augen werden von scharfkantigen Unterlidern und sehr weich modellierten Oberlidern umgrenzt. Die Brauenbogen sind nur in einer leichten Ritzung angedeutet. Einen besonderen Blickfang freilich stellt der weich geschwungene, von vollen, plastisch herausmodellierten Lippen geformte Mund dar. Die an der Schläfenpartie beginnende, plastisch ausmodellierte Gesichtslandschaft mit nur ganz leicht betonten Backenknochen und einer von kaum vertieften Labionasalfalten geprägten, weichen Wangenpartie verleiht dem Antlitz ein sanftes, aber dennoch hoheitsvolles Aussehen, das jenseits aller porträthaften Züge, die in diesem Bildnis auf Tutanchamun hinweisen, ein ideales, überzeitliches Götterbildnis zu verkörpern versucht. Die diesem Antlitz innewohnende Schönheit, die sich dem Betrachter auch ohne eingehende Analyse aus dem Gesamtausdruck heraus von selbst ergibt, stellt einen der Höhepunkte der für die ägyptische Kunstgeschichte so charakteristischen Versuche dar, das individuelle, zeitlich Begrenzte des menschlichen Daseins mit dem zeitlosen Anspruch ewig gültiger Göttlichkeit zu verbinden. Daß in diesem Götterbild die Vereinigung zweier an sich unvereinbarer Gegensätze in glückhafter Weise sinnfälligen Ausdruck bekommen hat, erhebt es in die Sphäre des Einzigartigen. Und nicht zuletzt deshalb dürfte das Bildnis im Laufe der Jahrtausende immer wieder der rohen Verfolgung jener Kräfte ausgesetzt gewesen sein, denen der in diesem Bildnis verkörperte Anspruch auf zeitlose Gültigkeit und Schönheit ein Ärgernis gewesen ist. Nur so läßt sich erklären, warum die Statue in wesentlichen Teilen mutwillige Zerstörungen aufweist: So ist die hohe Federkrone des Gottes Amun, eines seiner wichtigsten Attribute, oberhalb des Schädels abgeschlagen, dasselbe gilt für den geflochtenen Götterbart, dem Zeichen seiner göttlichen Würde, und für die abgeschlagenen Arme, dem Ausdruck seiner Handlungsfähigkeit.

Man kann davon ausgehen, daß diese Statue ursprünglich in einem Amun-Tempel, vielleicht in Karnak oder auch in Luxor aufgestellt war, also an jenem Ort, der nach dem Ende der revolutionären Amarna-Zeit durch Tutanchamun wieder neue Bedeutung gewann. Unter seiner Regierung wurde die Residenz von Achet-Aton (Amarna) wieder nach Theben verlegt und der fast zwanzig Jahre unterbrochene Tempelkult in den Heiligtümern des Gottes Amun neu ins Leben gerufen. Von nun an sollte Amun, was soviel wie der „Verborgene" heißt, wieder die zentrale Gottesfigur des altägyptischen Pantheons darstellen. Seit dem Mittleren Reich in Theben als lokale Gottheit belegt, hatte seine Verehrung in der Mitte der 18. Dynastie ihren ersten Höhepunkt erreicht. Die dem Amun-Tempel von Karnak zugehörigen Ländereien und Wirtschaftsgüter verstärkten in zunehmendem Maße den wirtschaftlichen, aber auch politischen Einfluß der Amunspriesterschaft auf die Staatsgeschäfte. Die von König Echnaton vollzogene totale Abkehr vom Amunsglauben, so sehr sie auch durch persönlich individuelle Glaubensinhalte geprägt gewesen sein mag, hatte nicht zuletzt in einer bewußten Abkehr von den religionspolitischen Verflechtungen des Amunsglaubens ihre Ursache. Dennoch sind die Amarna-Zeit und ihre Kunst auch in dieser Statue nicht ohne Nachwirkung geblieben. Der zwar breit und flächig modellierte Körper verrät in seiner etwas schwammigen Modellierung des Unterkörpers, vor allem der Bauchpartie, deutliche Stilmerkmale der Amarna-Kunst. Auch das Gesicht mit der charakteristischen Ausformung der Augen steht der ausgehenden Amarna-Zeit nahe, die in den letzten Regierungsjahren Echnatons ihren vollkommensten, weil von jeglicher übertriebener Expressivität freien, harmonischen Ausdruck gefunden hat. Und in dieser Tradition steht auch diese Sitzstatue des Gottes Amun, die Götterbild und Königsporträt in vollendeter Weise miteinander verbindet.

Lit.: Jahrbuch der Staatlichen Kunstsammlungen Baden-Württemberg 3, 1966, S. 223f.; Jahrbuch der Staatlichen Kunstsammlungen Baden-Württemberg 4, 1967, S. 7ff.; Osiris, Kreuz und Halbmond. 5000 Jahre Religion in der Kunst, Katalog Stuttgart und Hannover 1984, Nr. 23

106
Statuenfragment des Königs Sethos I.

Wien, Kunsthistorisches Museum, Inv.-Nr. ÄS 5910
Metasandstein, Höhe 76 cm, Breite 70 cm, Tiefe 52 cm
Herkunft unbekannt
Neues Reich, 19. Dynastie, um 1300 v. Chr.

Obwohl die erhaltenen Beschriftungsreste auf dem Rückenpfeiler des Statuenfragments insgesamt drei Königen des Neuen Reiches zugewiesen werden könnten, lassen formale Gestaltung und stilistische Ausführung eine Zuordnung an König Sethos I. als gesichert erscheinen. Trotz des fragmentarischen Charakters ist diese Skulptur von einer außergewöhnlichen Perfektion, wie sie nur wenige Skulpturen dieser Zeit aufweisen können. Von Sethos I. sind zwar mehrere Rundbildnisse erhalten, doch weisen die meisten ebenfalls starke Beschädigungen auf. Neben einer Kompositstatue aus dem Statuenversteck von Karnak ist vor allem eine Opferstatue des Königs im Metropolitan Museum in New York zu erwähnen, die in den Gesichtszügen unübersehbare porträthafte Entsprechungen zu dem erhaltenen Gesichtsteil der Wiener Skulptur aufweist. Dieses Statuenfragment, das von der Nasenpartie bis etwas oberhalb des Nabels reicht, zeigt den König in einem dicht plissierten Faltenkleid, dessen Oberhemd schräg über den Oberkörper geführt und unterhalb der rechten Brust verschnürt ist. Mit großer Genauigkeit und Detailgetreue sind die einzelnen Falten, der Faltenwurf und das verknotete Hemdband wiedergegeben. Der König hält in der Rechten das Heka-Szepter, das einzige Zeichen königlicher Würde, das diese Skulptur aufweist. Denn auf dem Kopfe trägt Sethos I. nicht das übliche Königskopftuch, sondern die aus der Privatskulptur bekannte, lange Strähnenperücke, die zu beiden Seiten des Kopfes, die Ohren bedeckend, bis über die Schultern auf die Brust herabfällt. Auch hier sind die einzelnen Haarsträhnen, vor allem die zusammengedrehten Enden, deutlich herausgearbeitet. Der erhaltene Gesichtsteil zeigt volle Wangen und ein deutlich abgerundetes Kinn. Während von der Nase nur mehr Reste des linken Nasenflügels erhalten sind, sind die durch einen feinen, abgerundeten Grat vom Gesicht abgesetzten Lippen noch deutlich erkennbar. Charakteristisch ist der hervortretende gewölbte Mund mit hinaufgezogenen, stark vertieften Mundwinkeln. Es ist dies das Porträt des Königs Sethos I., der als zweiter König der 19. Dynastie seinem Vater Ramses I. auf dem Thron nachfolgte. In energischer Weise verfolgte er eine Erneuerungspolitik, wie sie in seinem pragmatischen Königsnamen „Der die Schöp-fung erneuert" gleichsam als Regierungsprogramm verkündet wird. Unter ihm begann eine neue Ära, die auch der Erneuerung des Königsdogmas große Aufmerksamkeit zuwandte. Nicht nur, daß mit Sethos I. die legitime Thronfolge vom Vater (Ramses I.) auf den Sohn, entsprechend der mythologischen Weitergabe des Herrscheramtes von Osiris auf Horus, wieder zum Tragen kam, bemühte er sich auch in seinem Statuenrepertoire diesem Königsdogma sinnfällig Ausdruck zu verschaffen. So ist es sicher kein Zufall, daß unter den wenigen, diesem Herrscher zuweisbaren Statuen zwei erhalten sind, die den König in Verbindung mit dem Horusfalken zeigen. Während sich eine Statue davon in Kairo befindet – auch hier ist der König sitzend wiedergegeben und ein auf seinem Rückenpfeiler sitzender Falke umfaßt mit seinen Schwingen den Hinterkopf des Königs – ist das zweite Beispiel das Statuenfragment der Wiener Sammlung. In ähnlicher Weise wie bei der berühmten Statue des Falken-Chephren in Kairo, der ersten monumentalen Umsetzung dieses Sujets (s. Abb. 12), ist auch in unserem Fragment der Falke von vorne nicht sichtbar gewesen. Nur die Seitenansicht zeigt, daß der Falke auf einem obeliskenartig zugespitzten Rückenpfeiler aufsitzt und mit seinen fein ausgearbeiteten, weiten Schwingen die Perücke des Königs in umarmender Haltung umfaßt. In ikonenhafter Verdichtung wird auf diese Weise das Verhältnis des menschengestaltigen und damit zeitgebundenen, porträthaft wiedergegebenen Königs zum Königsgott Horus, dem Falkengestaltigen, zum Ausdruck gebracht. Die Geste der Umarmung drückt hier weniger die Identität zwischen dem Falkengott und dem menschengestaltigen König aus, als vielmehr die zwischen beiden bestehende Nähe, ja Vertrautheit, die zwischen Horus als dem sonst so fernen Himmelsfalken und dem der irdischen Vergänglichkeit unterliegenden König als dem Abbild des „lebenden Horus auf Erden" bestand bzw. bestehen sollte.

Lit.: E. Rogge, Statuen des Neuen Reiches und der III. ZZ., CAA Wien, Lief. 6, 1990, S. 6, 67–73

107
Kopf einer Statue des Königs Ramses II.

Hildesheim, Roemer-Pelizaeus Museum, Inv.-Nr. 1882
Granit, Höhe 24 cm
Aus Theben-West
Neues Reich, 19. Dynastie, um 1290 v. Chr.

Nach Haremhab, der später als erster legitimer König nach Amenophis III. angesehen wurde, kam es unter den Ramessiden zu der zweiten Blüte des Neuen Reiches. Paramessu, der Wesir und General unter Haremhab war, wurde dessen Nachfolger und bestieg als Ramses I. den Thron. Sein Sohn Sethos I. unternahm die ersten Schritte zur Zurückeroberung des thutmosidischen Weltreiches und setzte sich auch in Ägypten durch seine Bautätigkeit (Hypostylenhalle in Karnak, Osiris-Tempel in Abydos, Königsgrab im Tal der Könige) ein bleibendes Denkmal. Die 66jährige Regierungszeit seines Sohnes Ramses' II. sollte jedoch alles bisher Dagewesene in den Schatten stellen. Mit ihm beginnt die letzte große Glanzperiode des Pharaonenreiches. Eine erfolgreich durchgeführte Außenpolitik machte Ägypten wieder zu einer Weltmacht, die durch militärische Erfolge und eine geschickte Heiratspolitik stabilisiert wurde. Eine noch nie dagewesene Bautätigkeit in ganz Ägypten, aber auch in Nubien, machte Ramses II. zum größten Bauherrn aller Zeiten. Die von ihm zur Residenz ausgebaute „Ramsesstadt" im Ostdelta wird mit einer Reihe prachtvoller Tempel und Paläste ausgestattet, zu deren Schmuck er Statuen, Stelen und Obelisken aus dem ganzen Land zusammentragen ließ. Die Felstempel von Abu Simbel, sein gewaltiger Totentempel – das Ramesseum –, Einbauten in Karnak und sein Tempel in Abydos sind nur ein Teil der auf ihn zurückgehenden Kolossalbauten.

Das stets mit äußerem Machtanspruch einhergehende Bestreben nach Selbstdarstellung führte zur Entstehung monumentaler Königsstatuen, die als Denkmäler oder besser als Propagandamittel des Königs im ganzen Land aufgestellt wurden. So wie einst Amenophis III. riesige Sitzbilder vor seinem Totentempel aufgetürmt hatte, die

als „Memnonskolosse" schon von den Griechen bestaunt wurden, so errichtete Ramses II. von Nubien bis zum Mittelmeer von sich Kolossalstatuen, um seinen Herrschaftsanspruch zu dokumentieren. Waren die Königsstatuen des Alten Reiches die überzeitliche Darstellung der durch den gottgleichen König repräsentierten göttlichen Institution, so wurden sie nun zum monumental übersteigerten Ausdruck eines persönlichen Machtstrebens, das bis zum Anspruch auf Vergöttlichung führen konnte.

Unterschiedliches Material und mangelnde Ausführungsqualität erschweren meist die Zuordnung eines unbeschrifteten Königsbildnisses. So ist auch die Deutung dieses Kopfes, der bisher Sethos I. zugeschrieben wurde, als Darstellung Ramses' II. nicht absolut sicher zu beweisen. Im Gegensatz zu den Monumentalbildern dieses Königs erweckt der Kopf einen gemäßigten, ja jugendlichen Eindruck. Das von der Uräus-Schlange gekrönte Kopftuch, dessen Streifen ursprünglich gelb bemalt waren, umrahmt ein eher zart modelliertes Gesicht, dessen individuell geprägten Mittelpunkt der kurze, aufwärts gerundete Mund bildet. Die etwas hervortretende volle Unterlippe, die deutlich von der schmaleren Oberlippe abgesetzt ist, verleiht dem Gesicht jenes besondere Lächeln, das vielen späteren Porträts Ramses' II. zu eigen ist. Die – hier allerdings gemilderte – Pausbäckigkeit der oberen Wangenpartie sowie die schmalen Augen können als weitere Kennzeichen für ein Jugendbildnis dieses Königs angeführt werden.

Lit.: H. Kayser, Die ägyptischen Altertümer im Roemer-Pelizaeus Museum in Hildesheim, Hamburg 1966, S. 71, Abb. 60; H. Kayser, Das Pelizaeus-Museum in Hildesheim, 1966, Abb. 26; I. Woldering, Götter und Pharaonen, Fribourg 1967, S. 169, Abb. 84; museum. Pelizaeus-Museum Hildesheim, 1979, S. 44

108
Fußfragment einer Kolossalstatue

Wien, Kunsthistorisches Museum, Inv.-Nr. ÄS 5781
Quarzit, Höhe 61 cm, Breite 97 cm, erhaltene Länge
109,5 cm
Herkunft unbekannt, vermutlich aus Memphis
Mittleres oder Neues Reich

Der rechte Vorderfuß war Bestandteil einer gewaltigen
Königsstatue, die aufgrund der vorgegebenen Dimen-
sionen als Standfigur an die 19 m hoch gewesen sein
muß, während eine Höhe von 13 m bei einer Sitzfigur
vorauszusetzen wäre. Aufgrund des Fundberichtes aus
dem Jahre 1885 wurde sie „gefunden im Palmenwald
zwischen dem Nil und den Pyramiden". Eine äußerst
vage Lokalisierung, die am ehesten nach Memphis verweist, von wo allerdings keine passenden Statuenfragmente aus Quarzit bekannt sind. Einen Lokalisations-
vorschlag, verbunden mit einer Datierung ins Mittlere
Reich, hat vor einiger Zeit D. Wildung geliefert, der das
Fußfragment mit den Kolossalstatuen des Königs Amenemhet III. in Biahmu in der Oase Fajjum in Verbindung
bringen möchte, von denen heute noch die ebenfalls aus
rotbraunem Quarzit gefertigten Statuensockel zum Teil
erhalten sind. Schon Herodot berichtet im zweiten Buch
seiner Historien mit folgenden Worten über den künst-
lich angelegten Moeris-See und die beiden als Pyramiden bezeichneten Statuensockel: „…, doch ein noch
größeres Wunderwerk bietet der sogenannte Moeris-
See, an dessen Ufer dieses Labyrinth errichtet ist (hier
handelt es sich um die Grabanlage des Königs Amenemhet III. in Hawara – s. Kat.-Nr. 46–48). Er hat einen
Umfang von 3.600 Stadien, das sind 60 Schoinen, in
seiner Länge sogar der Meeresküste von Ägypten gleich.
Er erstreckt sich vom Norden nach Süden und hat eine
größte Tiefe von 50 Klafter. Denn in der Mitte des Sees
stehen zwei Pyramiden, die 50 Klafter hoch aus dem
Wasser hervorragen und ebenso tief hineinreichen. Auf
beiden Pyramiden steht ein Kolossalbild aus Stein, eine
auf einem Thron sitzende Figur. So sind die Pyramiden
also 100 Klafter hoch. Diese 100 Klafter bedeuten ein
Stadion von 6 Plethren; denn ein Klafter rechnet 6 Fuß
und 4 Ellen, ein Fuß 4 Handbreiten, die Elle 6 Handbreiten" (II, 149). Wenn auch die hier gegebenen Maße
wohl um das Zehnfache überhöht erscheinen – 100
Klafter würde etwa eine Gesamthöhe von 185 m bedeuten –, so wird auf jeden Fall die gewaltige Monumentalität dieser Königsstatuen inmitten des Sees mit
rechnerischer Akribie zu veranschaulichen versucht. Ein
Vergleich mit den beiden Kolossalstatuen des Königs

Amenophis III., die heute unter der Bezeichnung „Memnonskolosse" von der einstigen Pracht seines riesigen
Totentempels zeugen, ergibt, daß die Sitzstatuen des Königs Amenemhet III. etwa 12 bis 13 m hoch gewesen
sein dürften. Nimmt man den heute noch anstehenden
Sockel von rund 12 m dazu, so ergibt sich eine Gesamthöhe von rund 25 m. Eine sichere Zuordnung unseres
Fußfragments an König Amenemhet III. kann jedoch
nicht vorgenommen werden, wenn auch bei den ramessidischen Kolossalstatuen häufiger Granit oder Kalkstein verwendet wurde als der vor allem im Mittleren
Reich gebräuchliche rotbraune Quarzit. Allerdings sind
auch die beiden 17,9 m hohen Memnonskolosse aus
demselben Material, das in den Steinbrüchen westlich
von Assuan gewonnen wurde, also rund tausend Kilometer von dem Aufstellungsort im Fajjum entfernt.
Wem immer dieses gewaltige Fußfragment zugeordnet
werden kann, es ist ein beeindruckender Beleg für die
seit der Mitte des Mittleren Reiches, genauer seit den
Königen Sesostris III. und Amenemhet III. verbreitete
Sitte, von sich selbst Standbilder nicht mehr ausschließlich in der Grabanlage oder in den Tempeln aufzustellen,
sondern als weithin sichtbares Propagandazeichen königlicher Souveränität und Machtausübung auch im
freien Feld, wie etwa an Verkehrsknotenpunkten oder im
Zusammenhang mit für die Allgemeinheit bedeutenden
Urbanisierungsmaßnahmen, wie sie in Form der
Trockenlegung des Fajjums durch König Amenemhet
III. vollzogen wurden. Daß mit Kolossalstatuen der Könige bevorzugt auch Grenzgebiete, vor allem in der Ramessiden-Zeit, ausgestattet wurden, erweist der Felsen-
tempel von Abu Simbel, dessen Fassade bekanntlich
von vier über 20 m hohen Sitzfiguren des Königs flankiert wird (der rund 35 cm lange Fingernagel einer
dieser Statuen befindet sich in der Ägyptisch-Orientalischen Sammlung des Kunsthistorischen Museums). Daß
in diesem Zusammenhang auch die Usurpation bereits
bestehender Kolossalstatuen durch spätere Könige gang
und gebe war, das zeigen zahlreiche Beispiele aus der
Regierungszeit des Königs Ramses II. So wäre es theo-
retisch auch denkbar, daß dieser König die Statue Amenemhets III. für seine eigenen Zwecke usurpierte und an
einem anderen Ort aufstellen ließ. Dies ist vor allem im
Zusammenhang mit der von Ramses II. im Ostdelta neugegründeten Residenzstadt Per-Ramesse „Ramsesstadt"
häufig der Fall gewesen, da sich der König um eine
möglichst rasche Ausstattung der neuen Stadt mit entsprechenden Statuen, Stelen und Obelisken bemühte.

Lit.: E. Rogge, Statuen des Neuen Reiches und der III. Zwischenzeit, CAA Wien, Lief. 6, 1990, S. 6, 17–19

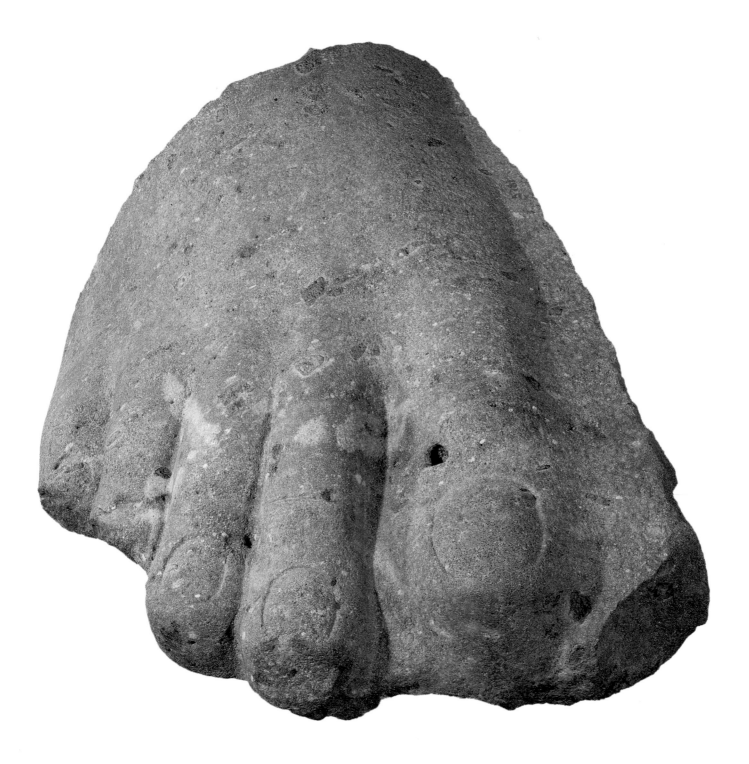

109
Uschebti des Chaemwese

Paris, Louvre, Inv.-Nr. N 478
Graugrüner Stein, Höhe 29,4 cm
Herkunft unbekannt, vermutlich Saqqara
Neues Reich, 19. Dynastie, um 1280 v. Chr.

Die in typischer ramessidischer Tracht gekleidete Figur des Chaemwese mit gefälteltem Vorbauschurz und dem enganliegenden, ebenfalls fein plissierten Obergewand steht in Sandalen auf einer quadratischen Basisplatte, jedoch ohne von einem Rückenpfeiler gestützt zu werden. Auffallend ist die Jugendlocke des Chaemwese, die von der kugeligen Perücke auf die rechte Schulter herabfällt. In der Rechten hält er den Djed-Pfeiler, in der Linken das sogenannte Isis-Blut. Die auf Vorder- und Rückseite des Schurzes eingeschriebenen Worte lauten: „Der Sem-Priester des Ptah, der Königssohn Chaemwese, der geboren wurde von der großen königlichen Gemahlin Isetnofret". Da das Grab des Chaemwese in Saqqara, also südlich von Giza, vermutet werden kann, dürfte auch dieser Uschebti Teil der Grabausstattung des Prinzen gewesen sein und bei der Grabplünderung mit den übrigen Beigaben in alle Winde zerstreut worden sein.

Lit.: P. Pierret, Catalogue de la Salle Historique de la Galerie Égyptienne, Paris 1873, p. 13, No. 16; F. Gomaa, Chaemwese, ÄA Bd. 27, 1973, S. 96 Nr. 109

110
Oberteil einer Statue des Prinzen Chaemwese

Brüssel, Musées Royaux d'Art et d'Histoire,
Inv.-Nr. E. 6721
Basalt (?), Höhe 25,4 cm, Breite 15,5 cm, Tiefe 19,3 cm
Herkunft unbekannt
Neues Reich, 19. Dynastie, um 1250 v. Chr.

Chaemwese war der viertälteste Sohn Ramses' II. und dessen Gemahlin Isisnofret. Als Hohepriester von Memphis spielte er eine bedeutende Rolle in der Residenz, wo er auch den Ptah-Tempel erneuern ließ. Von ihm sind zahlreiche Denkmäler, sowohl in Memphis als auch im übrigen Ägypten, überliefert. Seine hauptsächliche Leistung bestand im Ausbau des Serapeums, der Grabstätte der Apis-Stiere in Sakkara, in deren Umkreis sein bis heute noch nicht entdecktes Grab zu vermuten ist. Als vermutlich der erste Denkmalpfleger der Geschichte ließ er die Pyramiden verschiedener Könige öffnen bzw. ihre Inschriften restaurieren. Seine besondere Bedeutung zeigt sich auch in der Tatsache, daß er in zwei aus dem 3. und 2. Jahrhundert v. Chr. stammenden demotischen Erzählungen gleichsam die Hauptrolle spielt. Zu den zahlreichen, mit dem Namen des Chaemwese versehenen Darstellungen gehört auch das in Brüssel befindliche Statuenfragment aus Basalt. Es zeigt den Prinzen als stehende männliche Gottheit mit Götterbart und einer merkwürdigen, archaisierenden Strähnenperücke, deren Seitenteile separat angesetzt sind. Er hält in den Händen ein nicht näher identifizierbares Objekt, das als Tempelschrein, Blumenstrauß oder Djed-Pfeiler gedeutet worden ist. Die zweizeilige Inschrift auf dem Rückenpfeiler enthält antithetisch denselben Text: „Horus Iunmutef, Sem-Priester, Königssohn Chaemwaset, er möge Leben, Dauer und Gesundheit gewähren." In dieser Erscheinungsform als Horus Iunmutef, die bisweilen noch mit der Jugendlocke und einem kleinen Kinnbart einhergeht, übernimmt Chaemwase eine bedeutende sakrale Rolle, vor allem im Bezug auf das Bestattungsritual. Die Herkunft dieser Statue steht nicht fest. Wahrscheinlich stammt sie aus dem Totentempel des Serapeums.

Lit.: J. Capart, Nefertari, Isisneferet et Khaemouast, CdE No. 33, 1942, 72–82, Fig. 8, 9, 11; C. Aldred, A Statue of King Neferkare⸗ Ramesses IX, JEA 41, 1955, pp. 7, 8 und p. 8 n. 1, 2; KRI II, 893,6; F. Gomaà, Chaemwese, ÄA Bd. 27, 1973, S. 93 Nr. 95, Abb. 33b

111
Uschebti des Königs Merenptah

New York, Metropolitan Museum of Art, Purchase, Edward S. Harkness Gift, 1926, Acc. no. 26.7.1451
Kalkstein, Höhe 18,5 cm
Aus Theben
Neues Reich, 19. Dynastie, um 1220 v. Chr.

Merenptah war der 13. Sohn des Königs Ramses II. und sein Thronfolger. Unter seiner Regierung kommt es zu den ersten Auseinandersetzungen mit den aus dem Mittelmeerraum gegen Ägypten vorstoßenden „Seevölkern", sowie zu einer libyschen Infiltration der westlichen Deltagebiete. Wie sein Vater usurpierte der junge König eine Reihe von älteren Statuen, vor allem des Mittleren Reiches, sodaß von ihm nur wenige Skulpturen überliefert sind, die seine Gesichtszüge wiedergeben. So kann auch das hier gezeigte Uschebti aus New York nur mit Vorbehalt für eine Rekonstruktion des Aussehens des Königs herangezogen werden, auch wenn das Gesicht von erstaunlicher Porträthaftigkeit zu sein scheint. Der König ist in der üblichen mumienförmigen Haltung wiedergegeben, die in den Händen zu vermutenden Lebenszeichen waren mit Sicherheit auf den weißen geglätteten Kalkstein aufgemalt. Er trägt das Königskopftuch mit Uräus-Schlange und den geraden Königsbart. Seine stark schräggestellten Augen und vor allem der breitlippige Mund verleihen ihm ein leben-diges Aussehen. Auf der Vorderseite seines Körpers führt eine senkrechte Inschriftenzeile, deren Zeichen eingraviert und mit blauer Paste ausgefüllt waren, die verschiedenen Königstitel des Merenptah auf: „Der Herr der beiden Länder Baenre Meriamun, der Herr der Kronen Merenptah, der zufrieden ist über die Maat, geliebt von Sokar im Schetat-Schrein, dem Herrn von Rosetau, mit Leben versehen". Das Fehlen des üblichen Uschebtispruchs (s. oben Kat.-Nr. 90) sowie die besonders sorgfältige Ausmodellierung – man beachte zum Beispiel die durchbohrten Ohrläppchen und die porträthaften Züge – weisen darauf hin, daß bei dieser Figur nicht der Uschebticharakter im Vordergrund stand, sondern die Darstellung des Königs als Osiris. Dementsprechend wären anstelle der beiden Lebenszeichen in den Händen die Herrschaftsinsignien dieses Herrschers zu erwarten – Nechech-Geißel und Heka-Szepter.

Lit.: W. C. Hayes, The Scepter of Egypt II, New York 1959, p. 355, fig. 22; PM I/2², 1964, p. 593; J.-F. Aubert – : Aubert, Statuettes Égyptiennes, Chaouabtis Ouchebtis, Paris 1974, p. 115

112
Kopf einer Statue des Königs Amenemesse

New York, Metropolitan Museum of Art, Rogers Fund,
1934, Acc. no. 34.2.2
Quarzit, bemalt, Höhe 44,5 cm
Aus Karnak
Neues Reich, 19. Dynastie, um 1220 v. Chr.

Der etwas überlebensgroße Kopf zeigt einen König, der mit der Blauen Krone bekrönt ist, einer Kopfbedeckung, die allein dem König vorbehalten war und deren flügelartig vorspringende Seitenteile vielleicht aus Leder oder Metall zu denken sind. Von der ursprünglichen Bemalung sind noch einige Reste erhalten, ebenso von den ursprünglich gelben, Gold imitierenden Ringen, die die Außenseite des Helms umgaben. Auch das Stirnband war vielleicht vergoldet bzw. gelb bemalt. Die häufig gebrauchte Bezeichnung dieser Krone als „Kriegshelm", die seit der Zweiten Zwischenzeit nachweisbar ist, ist aufgrund der vielfältigen Verwendungsweisen, wie etwa bei Kulthandlungen, unzutreffend. Es fällt jedoch auf, daß sich Cheperesch und Königsbart offenbar ausschließen.

Die Identifizierung des mit der Blauen Krone versehenen Königs stieß viele Jahre auf Schwierigkeiten, obwohl aufgrund der stilistischen Eigenheiten feststand, daß es sich um ein Königsbildnis handeln muß, das im Umkreis der Könige Sethos I. und Ramses II. entstanden sein mußte. Erst 1973 wurde die Zugehörigkeit zu einer in der großen Hypostylen-Halle im Amun-Tempel von Karnak befindlichen Statue erkannt, deren Beschriftung sie als eine Darstellung des Königs Amenemesse auswies. Amenemesse war der fünfte König der 19. Dynastie und vielleicht ein Enkel Ramses' II. Von ihm sind nur rund fünf Regierungsjahre belegt, sodaß aus seiner Regierungszeit so gut wie keine sicher zuweisbaren Denkmäler überliefert sind. Dazu kommt noch, daß der Nachfolger des Amenemesse, Sethos II., offensichtlich die überlieferten Denkmäler seines Vorgängers usurpiert hat, wie dies auch bei dem in Karnak befindlichen Statuenunterteil der Fall ist. Dennoch oder gerade deshalb ist dieser Königskopf eine bedeutende Leistung in der Skulptur der frühen Ramessiden-Zeit. Die bereits unter Sethos I. einsetzende Perfektion in der Bearbeitung der härtesten Gesteinsoberflächen zeigt sich auch bei der Ausmodellierung und Oberflächenbehandlung dieses Kopfes. Obwohl die Augenpartie merkwürdig roh, ja direkt unfertig aussieht, leidet darunter der Gesamteindruck keineswegs. Die gekonnt fast abstrakt wirkend ausmodellierten Ohren mit durchbohrten Ohrläppchen ragen kaum aus der Gesichtslinie heraus und betonen zusammen mit dem aufgewölbten Helmoberteil den fast stromlinienförmigen Gesamtkörper dieser Komposition, die mit einem aus dem unteren Gesichtsfeld gekonnt herausgearbeiteten, gerundeten Kinn abschließt. Die breiten Oberlider verstärken das schlitzförmige Aussehen der Augen, deren Lidränder in breite Schminkstriche auslaufen. Die gerade, breite Nase, die von deutlich eingekerbten Labionasalfalten begrenzt wird, steht über dem vollendetsten Teil dieser Skulptur – der Mundpartie. In offensichtlicher Angleichung an das Königsporträt Ramses' II. geformt, weist der Mund dennoch deutliche Unterschiede auf, die für eine individuelle Porträthaftigkeit dieses Kopfes sprechen. Das für Ramses II. so typische leichte, bisweilen süffisant wirkende Lächeln ist hier einem eher nachdenklichen, sehr persönlichen Mundausdruck gewichen, der von den beiden eingekerbten Mundwinkeln und der abgerundeten hervorspringenden Unterlippe bewirkt wird. Die Modellierung der Wangenpartie geht von einer verhältnismäßig starken Einwölbung unterhalb der Augenpartie über nicht allzu betonte Backenknochen in eine abgerundete Wangenpartie über. Das Gesicht wirkt in allen seinen Einzelheiten durchdacht, durchmodelliert und in dieser Beobachtung verschieden von den so häufig als Routinearbeiten zu bezeichnenden Darstellungen Ramses' II. Es ist ein Meisterwerk, das einen ansonst kaum bekannten König dem Dunkel der Vergessenheit entrissen hat und uns etwas von jenem Verlust erahnen läßt, den wir aufgrund der Jahrtausende langen Überlieferung in Kauf nehmen müssen.

Lit.: J. Vandier, Manuel III, p. 394 n. 2, 410 n. 5, Pl. CXXVI; W. C. Hayes, The Scepter of Egypt II, New York 1959, fig. 216; P. Cardon, MMJ 14, 1979, pp. 5–14

113
Kopf einer Statue des Königs Ramses III.

Boston, Museum of Fine Arts, Gift of Heirs of Francis
Cabot Lowell, 1875, Inv.-Nr. 75.10
Rosengranit, Höhe 77,5 cm
Aus Karnak
Neues Reich, 20. Dynastie, um 1170 v. Chr.

Ramses III. war Sohn und Nachfolger des Begründers
der 20. Dynastie Sethnacht und eine der bedeutendsten
Herrscherpersönlichkeiten der 20. Dynastie. In seiner
32-jährigen Regierungszeit kam es zu den entscheidenden Auseinandersetzungen mit den aus der westlichen Wüste anstürmenden Libyern und den aus dem
nördlichen und östlichen Mittelmeerraum gegen das östliche Deltagebiet einrückenden Invasionen verschiedener Völkerschaften, die unter der Bezeichnung „Seevölker" bekannt sind. In bewußter Anlehnung an das architektonische Monumentalwerk seines Großvaters
Ramses' II. errichtete Ramses III. in Theben einen riesigen Totentempel, der in seiner Ausrichtung und
Struktur, ja sogar in zahlreichen seiner Reliefs dem Ramesseum, also dem Totentempel Ramses' II., nachgebildet ist. Der heute unter dem Namen Medinet Habu bekannte Totentempel Ramses' III. enthält an seinen
Wänden monumentale Schlachtenreliefs, die von den
Kämpfen gegen die ins westliche Delta eingedrungenen
Libyer in den Regierungsjahren 5 und 11 sowie von den
Abwehrkämpfen gegen die Seevölker in seinem 8. Regierungsjahr künden. In ähnlicher Weise wie auf den Reliefs Ramses' II., die ihn als siegreichen Feldherrn im
Kampfe gegen die Hethiter in der Schlacht von Qadesch
zeigen, präsentiert sich Ramses III. auch hier als der heldenhafte König, der im Vollzug seines göttlichen Amtes
die Feinde besiegt und so das Wohlergehen des Landes
sichert. Diese in den ersten Jahrzehnten seiner Regierung vorauszusetzende wirtschaftliche und machtpolitische Prosperität zeigt sich in einer Reihe weiterer Tempelbauten, die Ramses III. im Bereich des großen Amun-Heiligtums von Karnak beim Luxortempel und im Bereich des Mut-Tempels ausführen ließ. Neben dem Stationsheiligtum Ramses' III. im ersten Hof des Karnak-Tempels, der in seiner Grundstruktur gleichsam den
idealen Tempeltyp der 19. Dynastie verkörpert, interessiert hier der südlich des Heiligen Sees des Mut-Heiligtums errichtete kleine Amun-Tempel Ramses' III.
Auch in diesem Tempel sind die syrischen und libyschen
Kriege Ramses' III. in verschiedenen Reliefs wiedergegeben. Der Eingangspylon dieses Tempels wird heute
noch von den Resten zweier monumentaler Standfiguren des Königs aus Granit flankiert. Neben den
Beinen der westlichen Standfigur ist seine große königliche Gemahlin Isis, die Mutter seines Nachfolgers
Ramses' IV., dargestellt. Von der östlichen Statue
stammt der hier abgebildete Königskopf aus Boston.
Das monumental wirkende Granitbildnis zeigt einen mit
der unterägyptischen Krone und der Uräus-Schlange bekrönten Königskopf (es ist anzunehmen, daß die westliche Statue, deren Kopf verloren ist, mit der oberägyptischen Krone bekrönt war). Das Gesicht wird von
einem auffallenden, asymmetrisch gebildeten Augenpaar gekennzeichnet, über dem zwei halbkreisförmig
gerundete Brauenbögen sich in einem eleganten
Schwung bis zum Nasenansatz fortsetzen. Deutlich sind
die Unterlider stegartig ausgearbeitet. Seinen besonderen Akzent bekommt das Antlitz durch den breiten,
fast sinnlich anmutenden Mund, dessen Lippen aus dem
umliegenden Gesichtsfeld deutlich heraustreten und von
zwei eingetieften Gesichtsfurchen, die sich bis zum
Kinn fortsetzen, begrenzt werden. Insgesamt erweckt
dieser Kopf einen in sich stimmigen, harmonischen Ausdruck, dem jedoch die für die Porträts Sethos' I. und
Ramses' II. typischen Merkmale – betont rundes Gesicht, schmaler, leicht nach oben gebogener Mund – abgehen. So wäre es denkbar, daß sich auch in diesem Porträt ein älteres Königsbildnis zeigt, das von Ramses III.
umgearbeitet oder zur Gänze usurpiert wurde.
Auch wenn für die genaue Errichtungszeit des kleinen
Amun-Tempels im Mut-Bezirk keine genaueren Angaben vorliegen, so wäre es denkbar, daß Ramses III.
diesen erst in der zweiten Hälfte seiner Regierungszeit
errichten ließ. Nach den erfolgreichen kriegerischen Unternehmungen seiner ersten Regierungsjahre kam es
schließlich zu verschiedenen wirtschaftlichen Schwierigkeiten, die in seinen letzten Regierungsjahren in eine
echte Wirtschaftskrise führen sollten. Die Versorgung
der Staatsbevölkerung, vor allem der in der thebanischen
Handwerkerstadt Deir el-Medine tätigen Arbeiter, war
nicht mehr gewährleistet, es kam zu Streiks, Aufständen
und Plünderungen. Ohne in der Lage zu sein, diesen Problemen Herr zu werden, kommt es schließlich zu einer
Haremsverschwörung, der Ramses III. aller Wahrscheinlichkeit nach zum Opfer gefallen ist.

Lit.: J. Vandier, Manuel III, p. 402 n. 3, 410 n. 1, Pl. CXXX; PM II², 1972, p. 273

114
König mit Gefangenem und Löwen

Turin, Museo Egizio, Inv.-Nr. 1392
Sandstein, Höhe 58,5 cm
Herkunft unbekannt
Neues Reich, 20. Dynastie, um 1140 v. Chr.

Die Königsplastik der 19. und 20. Dynastie bereicherte das Darstellungsrepertoire um zahlreiche Novitäten. Ein bereits unter König Merenptah, allerdings nur fragmentarisch nachweisbarer Darstellungstyp, zeigt den König in schreitender Pose, während er mit der linken Hand einen gefangenen Libyer am Haarschopf gepackt hält. Die vollkommenste Ausgestaltung dieses Darstellungsthemas findet sich allerdings erst bei Ramses VI. in der Mitte der 20. Dynastie. Der mit einer hohen Kompositkrone über der Kugelperücke versehene König hält in der rechten Hand eine Axt, die er auf seine rechte Brust gelegt hat und packt gleichzeitig mit der linken einen libyschen Gefangenen, dessen Hände am Rücken gefesselt sind, am Haarschopf. Zwischen den Beinen des libyschen Gefangenen ist ein Löwe als begleitendes Jagdtier wiedergegeben. Die beabsichtigte Aussage dieses Sujets, den König als den Überwinder der Feinde zu repräsentieren, hat eine uralte Tradition, die bis an den Beginn der ägyptischen Geschichte zurückreicht. So ist es von allem Anfang an das „Schlagen der Feinde", das in programmatischer Weise den König als den Überwinder des Bösen, des Chaotischen, eben des Feindes schlechthin zu präsentieren bemüht ist. Die seit dem Beginn der ägyptischen Rundplastik entwickelten Grundformen gaben zwar genug Spielraum zu stilistischen Veränderungen, die in verschiedenen Fällen sogar zu Abweichungen von der zugrundegelegten Grundform führen konnten, waren aber selten in der Lage, dem Bestreben nach der Wiedergabe zeitlich definierbarer Ereignisse Ausdruck zu verleihen. Während die Grabstatue und auch die Tempelstatue in ihrem überzeitlichen Anspruch der Repräsentanz des Grabinhabers oder Auftraggebers die Aufgabe hatten, die in ihnen vertretene Person ohne zeitliche Begrenzung und ohne Aktualitätsbezug zu perpetuieren, forderte das seit dem Neuen Reich neu gewachsene historische Bewußtsein, das zu einem neuen Umgang mit der eigenen Geschichte und ihrer Darstellung führte, zu neuen künstlerischen Umsetzungen heraus. Die von zeitlicher Dynamik gekennzeichneten Schlachtendarstellungen, sei es der Schlacht von Kadesch oder der Seevölkerschlachten unter Ramses II. bzw. Ramses III., waren in dieser Form ausschließlich auf das Relief und zum Teil auch auf die Malerei beschränkt. Sicher, auch dem Schlachtenbild kam eine überzeitliche Aussagequalität zu, die losgelöst vom einmaligen historischen Tatbestand, also über die Aktualität des Ereignisses hinaus, den gefeierten Sieg des Königs über seine Feinde programmatisch für die Zukunft festschreiben wollte. Und in ebensolcher Weise ist auch die hier gezeigte Statuengruppe zu verstehen: der König, der einen Feind am Schopfe packt. In ähnlicher aber natürlich stark variierter Weise, das uralte Thema des „Schlagens des Feindes" wieder aufgreifend, kündet diese Darstellung nicht von einem einmaligen oder in einem bestimmten aktuellen Zusammenhang stehenden Ereignis, sondern erweist den König als den Überwinder des Bösen schlechthin.

Um dieses vorgegebene Sujet in entsprechender Weise umzusetzen, bedurfte es freilich einer gewissen Lockerung der formalen Voraussetzungen. Dementsprechend ist zwar die Standfigur des Königs in gewohnter Weise wiedergegeben – er steht in Pseudoschrittstellung auf einer abgerundeten Basisplatte und wird von einem bis über den Kopf hinaufreichenden Rückenpfeiler gestützt –, doch wird gleichzeitig durch die gebeugte Figur des gefangenen Libyers und des angreifenden Löwen der formale und inhaltliche Rahmen beträchtlich erweitert.

Der König trägt in der rechten Hand eine Axt und packt mit der linken einen libyschen Gefangenen am Schopf. Der König ist mit einer hohen Kompositkrone bekrönt, die aus Widdergehörn, Straußenfedern, Uräus-Schlangen und der Sonnenscheibe besteht. Sie sitzt auf der breiten, bis zu den Schultern herabreichenden Strähnenperücke, auf deren Vorderseite noch der Königsuräus zu erkennen ist. Die Perücke umrahmt ein breites, offenes Gesicht, dessen Pausbäckigkeit und schmaler Mund typisch für die Ramessidenzeit sind. Die großen, von stark geschwungenen Augenbrauen überwölbten Augen sind in schwarzer Farbe gemalt. Der König weist einen kräftigen muskulösen Oberkörper auf und ist nur mit dem kurzen weißen Königsschurz bekleidet. Der gegen den Rückenpfeiler in gebeugter Form sich stützende Libyer mit großen wulstigen Lippen, einer Knollennase und großen Augen wird von der linken Hand des Königs am Schopf gepackt. Er ist in totaler Hilflosigkeit wiedergegeben, sind doch seine Ellbogen am Rücken zusammengebunden. Gleichzeitig wird der Libyer von einem frontal angreifenden Löwen in den linken Oberschenkel gebissen. Der dynamisch bewegte Eindruck, den die Gruppe des Gefangenen mit dem Löwen erweckt, steht in krassem Gegensatz zu der stoischen Ruhe der stehenden Königsfigur. Fast wäre man versucht, in diesem Gruppenbild tatsächlich ein einmaliges Ereignis zu sehen, das sich zu einem genau definierbaren Zeitpunkt abgespielt hat und aufgrund der besonderen Leistung des Königs verewigt werden sollte. Doch dies wäre ebenso ein Mißverständnis, als würde man die Komposition dieser Gruppe mit den belebt und bewegt zu denkenden Dienerfiguren aus dem ausgehenden Alten Reich vergleichen. Wie oben bereits ausgeführt, muß auch bei dieser Gruppe davon ausgegangen werden, daß die Rundplastik hier nicht zum Ausdruck eines flüchtigen Geschehens eingesetzt wird, sondern zur Perpetuierung einer programmatischen Aussage: Der König bzw. das ihn vertretende königliche Tier, der Löwe, ist der Bewahrer von Recht und Ordnung, der den Feind überwindet und das Land sicher und den Gesetzen der Maat, der Kosmischen Ordnung, entsprechend leitet.

Lit.: A. Fabretti, F. Rossi, R. V. Lanzone, Regio Museo di Torino, Catalogo generale, Vol. I, 1882, p. 109; J. Vandier, Manuel III, p. 405 n. 9, 409 n. 15, 411 n. 12, 424 n. 2; E. Scamuzzi, L'Art Égyptien au Musée de Turin, Turin 1966, pl. LXXXV; S. Curto, L'antico Egitto nel Museo Egizio di Torino, 1984, p. 160, 161; A. M. Donadoni Roveri (Hrsg.), Egyptian Civilization. Monumental Art, 1989, p. 169, 170, Fig. 256;

Zum Motiv des Löwen mit Gefangenem: M. Hamza, Excavations of the Department of Antiquities at Qantir (Faqus District), ASAE 30, 1930, p. 47ff.

115
Statuette der Tempelsängerin des Amun, Hatschepsut

Turin, Museo Egizio, Inv.-Nr. 2710
Schiefer, Höhe 14,8 cm
Herkunft unbekannt
Neues Reich, 18. Dynastie, um 1450 v. Chr.

Die als „Sängerin des Amun, Hatschepsut" bezeichnete Dame steht in der typischen Darstellungspose einer Frau mit an den Seiten angelegten Händen und geschlossenen Beinen, die Füße sind weggebrochen. Der flächig modellierte Körper, der nur den Nabel deutlich angibt, ist in ein enges Kleid gehüllt, das die eleganten Körperformen der Hatschepsut gut zum Ausdruck bringt. Sie wird charakterisiert durch eine auf beide Schultern herabfallende Schnecken-Perücke, eine Haartracht, die vor allem für das Mittlere Reich häufig belegt ist und zusammen mit verschiedenen stilistischen Anhaltspunkten früher dazu geführt hat, diese Statue ebenfalls ins Mittlere Reich zu datieren. Die großen, abstehenden Ohren, die weitgeöffneten Augen, die Ausarbeitung der hervortretenden Mundpartie, all dies weist zusammen mit der erwähnten Perücke eigentlich auf das Mittlere Reich als Entstehungszeit dieser Figur hin. Die offensichtlich nicht sekundär angebrachte Beschriftung mit dem Titel und dem Namen der Dargestellten läßt aber keinen anderen Schluß zu, als daß sich Hatschepsut zu Beginn der 18. Dynastie in Form dieser Statue verewigen ließ. Ein von Haltung und Gesichtsdetails ähnliches Erscheinungsbild bietet übrigens die Kalksteinstatuette der Königin Ahhotep, die bekanntlich am Übergang von der 17. zur 18. Dynastie eine bedeutende Rolle gespielt hat. So verkörpert sich in diesen Darstellungen einerseits das Wiederaufleben der künstlerischen Tradition des Mittleren Reiches, die auszugestalten, zu verändern und zu erneuern man zu diesem Zeitpunkt wohl erst tastende Schritte unternahm.

Lit.: J. Vandier, Manuel III, p. 238 n. 1; A. M. Donadoni Roveri (Hrsg.), Egyptian Civilization. Monumental Art, 1989, Fig. 227

116
Statue einer Frau

London, Britisches Museum, Reg. No. 2373
Holz, Höhe 32 cm, Breite 7,5 cm, Tiefe 18 cm
Herkunft unbekannt
Neues Reich, 18. Dynastie, um 1500 v. Chr.

In ähnlicher Weise wie bei der Frauenstatuette der Hat-schepsut (s. Kat.-Nr. 115) gäbe es eine Reihe von Gründen, die hier gezeigte Holzfigur einer Frau dem Mittleren Reich zuzuordnen. Die wie ein großer Schlauch das Gesicht einrahmende Perücke fällt weit auf die Brüste herab. Auffallend ist die starke Taillierung und die sorgfältige Modellierung der Körperoberfläche. Allerdings sprechen die äußerst gelängten Proportionen dieser Figur, sowie der dem Mittleren Reich kaum zuzu-weisende, offene Gesichtsausdruck für eine Datierung an das Ende der Zweiten Zwischenzeit oder an den Be-ginn des Neuen Reiches.

Lit.: H. G. Evers, Staat aus dem Stein, Bd. I, München 1929, Taf. 93; J. Vandier, Manuel III, p. 238 n. 3, 254 n. 5, 255 n. 8, 287 n. 4, Pl. LXXXI, 4, 5; E. Lindblad, Medelhausmuseet Bulletin 23, 1988, p. 17

306

117
Statuette der Taweret

New York, Metropolitan Museum of Art, Purchase, Edward S. Harkness Gift, 1926, Acc. no. 26.7.1404
Kalkstein, bemalt, Höhe 18 cm
Aus Theben, Drah Abul Naga, Grab 51
Neues Reich, 18. Dynastie, um 1500 v. Chr.

Aus der Übergangszeit von der 17. zur 18. Dynastie, mit der das Neue Reich beginnt, gibt es verhältnismäßig wenige, aber kennzeichnende Beispiele für den Versuch, nach den Erschütterungen der Hyksos-Zeit einen künstlerischen Neuanfang zu finden. Wie im Mittleren Reich war auch diesmal die Reichseinigung von Oberägypten ausgegangen, das sich trotz der Fremdherrschaft im Norden immer eine gewisse Unabhängigkeit erhalten hatte. Der seit der Vertreibung der Hyksos allmählich konsolidierte Staat, dessen Mittelpunkt wieder Theben war, bedurfte nun einer erneuerten, künstlerischen Selbstäußerung, die sich in ein weites Feld von traditionell-religiöser bis machtpolitischer Zielsetzung einfügen sollte. Neben dem Königsbildnis der frühen 18. Dynastie, von dem wir nur über wenige sicher zuweisbare Skulpturen informiert sind, gibt es einige bedeutende Schöpfungen aus dem nichtköniglichen Bereich, die dieser Anfangszeit zugewiesen werden können und dennoch bereits einiges von dem vorwegnehmen, was die nachfolgende Privatskulptur über lange Zeit charakterisieren sollte.

War es bei der Statue der Tempelsängerin des Amun, Hatschepsut (Kat.-Nr. 115), die bewußte Anlehnung an das Erscheinungsbild des Mittleren Reiches, mit der der künstlerische Umsetzungsprozeß gleichsam erleichtert werden sollte, so tritt in der Statue der Taweret jener Typus der Frauendarstellung in Erscheinung, wie er seit der Mitte der 18. und dann in der 19. Dynastie in zahlreichen Holzstatuetten seine vollendete Ausformung erfahren sollte (s. Kat.-Nr. 134, 135). In Anlehnung und Rückgriff auf die Darstellungsform der stehenden Frau, wie sie im Alten Reich kanonisiert worden ist, steht Taweret auf einer rechteckigen Basisplatte mit Rückenpfeiler. Anders jedoch als im Alten und Mittleren Reich steht Taweret nicht mit geschlossenen Beinen auf der Basisplatte, sondern ihr linker Fuß ist leicht nach vorne gesetzt. Diese halbe Pseudoschrittstellung, die

eine seltsame Unentschlossenheit des Künstlers verrät, wird sich in Hinkunft ganz der Schrittstellung des stehenden Mannes anpassen. Die Frau ist in ein enganliegendes, weißes Leinenkleid gehüllt, in dem sich die Körperkonturen deutlich abzeichnen. Einen besonderen Akzent erfährt die Skulptur durch die zu beiden Schultern weit herabreichende, geflochtene Strähnenperücke, die auf der Rückseite mit dem Rückenpfeiler abschließt. Diese eher wulstförmige, schwere Haartracht aus geflochtenen und an den Enden zusammengebundenen Haarzöpfen findet sich bei den meisten dieser frühen Frauendarstellungen, wie etwa auf der Sitzfigur der Tetiseneb, die ebenfalls aus dem Beginn der 18. Dynastie stammen dürfte (Hannover, Kestner-Museum, Inv.-Nr. 1935.200.106). Taweret hat ihre rechte Hand an den Körper angelegt, während ihre linke abgewinkelt an der Brust liegt und den Stiel einer Pflanze, wahrscheinlich einer Lotusblüte oder eines Stabstraußes, hält. Ihr offenes, deutlich markiertes Gesicht wird von einem breiten, vollippigen Mund und weit geöffneten Augen bestimmt, die der Dame ein attraktives Aussehen verleihen. Vielleicht läßt sich in ihrem Gesichtsausdruck bereits etwas von jenem thebanischen Lächeln erahnen, das für die späteren Porträts, vor allem auch der Thutmosiden, charakteristisch werden sollte. Die Beschriftung des Rückenpfeilers enthält eine der üblichen Opferformeln, in der Osiris aufgerufen ist, „alle guten und reinen Dinge dem Ka der Taweret zu gewähren". Eine zweite Inschrift an der Basisplatte enthält eine Widmung ihrer Mutter Henutiri, die mit dieser Statue der Taweret „ihren Namen beleben" möchte. Die Statuette wurde im Bereich der Privatgräber in Theben-West 1912 vom Earl of Carnavon gefunden.

Lit.: J. Vandier, Manuel III, p. 438 n. 9, Pl. CXLI; W. C. Hayes, The Scepter of Egypt II, New York 1959, fig. 31; PM I/2², 1964, p. 619

Zum Grab: PM I/2², 1964, p. 617

118
Sitzstatue der Nebin

Turin, Museo Egizio, Inv.-Nr. 3091
Kalkstein, bemalt, Höhe 22 cm
Herkunft unbekannt
Neues Reich, 18. Dynastie, um 1450 v. Chr.

Die wohl ursprünglich als Grabstatue in der Nische ihres Grabes aufgestellte Sitzfigur ist von besonderer Anmut. Die fast vollständig erhaltene Bemalung des weißen Kleides, der schwarzen, in drei Zöpfen zu beiden Seiten des Kopfes herabhängenden Perücke und des Halsschmuckes verleihen der Frauenfigur zusammen mit ihrem fein gearbeiteten Gesicht eine besondere Ausstrahlung. Während der Rückenpfeiler der Figur mit verschiedenen Symbolzeichen beschriftet ist, beginnt die Opferformel auf der rechten Sockelseite und setzt sich auf der linken fort. Sie beinhaltet den Anruf an den To-tengott Osiris, den „Ersten der Westlichen und Herrscher der Ewigkeit", mit der Bitte um entsprechende Opfergaben für die dargestellte Nebin, die Gerechtfertigte. Gesamtgestaltung und Ausführung der Einzeldetails lassen dieses Figürchen mit der Statuengruppe der Idet und der Ruju (Kat.-Nr. 120) vergleichen.

Lit.: J. Vandier, Manuel III, p. 439 n. 7; A. M. Donadoni Roveri (Hrsg.), Egyptian Civilization. Monumental Art, 1989, Fig. 228; W. Seipel, Ägypten. Götter, Gräber und die Kunst. 4000 Jahre Jenseitsglaube, Katalog Linz (Bd. I) 1989, Nr. 460

119
Statuengruppe des Nebneteru und seiner Frau

Turin, Museo Egizio, Inv.-Nr. 3052
Sandstein, Höhe 67 cm, Breite 35 cm
Herkunft unbekannt
Neues Reich, 18. Dynastie, um 1450 v. Chr.

Die seit dem Alten Reich belegten Gruppendarstellungen, in denen Ehepaare oder Verwandte nebeneinander auf einer gemeinsamen Sitzbank dargestellt wurden, fanden im Mittleren Reich so gut wie keine Fortsetzung. Abgesehen von einigen unveröffentlichten Fragmenten ist die Darstellungsform eines sitzenden Ehepaares im Mittleren Reich so gut wie nicht belegt. Das bedeutet aber, daß über einen Zeitraum von sechshundert Jahren, vom Ende des Alten Reiches bis zum Ende der Zweiten Zwischenzeit, diese im Alten Reich bereits kanonisierte Darstellungsform ohne einen nachweisbaren Traditionsstrang zu Beginn der 18. Dynastie plötzlich wieder auftaucht. Es kann kein Zweifel bestehen, daß es eine lohnende Aufgabe wäre, den Ursachen für das Fehlen dieser Darstellungsform nachzugehen, will man es nicht einfach mit modischen Tendenzen in Zusammenhang bringen, für die uns freilich kaum Quellen zur Verfügung stehen. Jedenfalls ist die sitzende Gruppendarstellung seit der 18. Dynastie eine der häufigsten Darstellungsformen, sowohl bei den Grabstatuen – und hier wird der Bezug zu der bis ins Alte Reich zurückführenden Tradition besonders deutlich – als auch bei den Tempelstatuen.
Das auf einem würfelförmigen Untersatz sitzende Ehepaar lehnt sich an eine bis zur Mitte des Kopfes aufra-gende Rückenlehne. Die Frau sitzt, wie es bei derartigen Gruppen häufig der Fall ist, links von ihrem Mann. Sie ist in ein enganliegendes, weißes Gewand gehüllt, ihr eher kursorisch ausmodelliertes Gesicht wird von einer langen, schwarzen Strähnenperücke umrahmt. Während sie die Linke auf ihren Oberschenkel gelegt hat, umarmt sie mit der Rechten ihren Ehemann, eine Handhaltung, die umgekehrt auch von ihrem Ehemann gezeigt wird. Dieser hält in seiner rechten Faust die Schleife der Wiedergeburt. Er ist in einen knöchellangen, ebenfalls weiß bemalten Schurz gekleidet, der über dem Gürtel verknotet ist. Seine elegante, ebenfalls dunkel gefärbte Perücke läßt teilweise seine Ohren frei. Beide Personen sind auf der Vorderseite mit einem senkrecht verlaufenden Inschriftenband versehen, das im Rahmen der Opferformel Namen und Titel der Dargestellten angibt. Nebneteru ist „Schreiber der Viehzählung im Tempel des Amun".

Lit.: A. Fabretti, F. Rossi, R. V. Lanzone, Regio Museo di Torino, Catalogo generale, Vol. I, 1882, p. 417; Alimentazione nel Mondo Antico. Gli Egizi, Katalog Rom 1987, p. 72, 73, No. D 5; A. M. Donadoni Roveri (Hrsg.), Egyptian Civilization. Monumental Art, 1989, Fig. 225

120
Statuengruppe der Idet und Ruju

Turin, Museo Egizio, Inv.-Nr. 3056
Kalkstein, bemalt, Höhe 35,5 cm, Breite 18 cm,
Tiefe 19 cm
Herkunft unbekannt
Neues Reich, 18. Dynastie, um 1400 v. Chr.

Die beiden nebeneinander auf einem gemeinsamen Sitz mit hoher Rückenlehne plazierten Frauenfiguren halten sich gegenseitig in Taillenhöhe umfaßt, ohne sich aber darüber hinaus zu berühren. Ihre jeweils andere Hand ruht ausgestreckt auf dem Oberschenkel. Beide Frauen sind mit einem engen Trägergewand, einem mehrreihigen Halskragen und einer schweren, ungescheitelten Perücke, deren vordere Strähnen zu Zöpfen geflochten sind, bekleidet.

Die Bemalung ist noch ausgezeichnet erhalten, die freien Körperpartien wurden in dem für Frauen typischen gelben Ton ausgeführt, die Gewänder weiß, Augen, Schminkstriche und Perücken schwarz, die Halskragen mehrfarbig und die Inschriften gelb.

Vor den Unterschenkeln befindet sich auf den Kleidern je eine einkolumnige Inschrift. Idet wird hier als „Herrin des Hauses, gerechtfertigt beim großen Gott" bezeichnet und die zweite Frau, möglicherweise ihre Tochter, nur mit dem Namen „Ruju" und dem gleichen Rechtfertigungszusatz, der sich auf den Nachweis beim Totengericht bezieht, entsprechend den ethischen Normen gelebt zu haben. Die in vier Kolumnen ausgeführte Inschrift auf den Seiten des Sitzes beinhaltet die übliche Opferformel, wodurch die Versorgung beider Verstorbener gewährleistet werden soll.

Statuengruppen dieser Art stammen häufig aus Gräbern. Sie wurden im Bereich des Kultraumes aufgestellt oder in einer Nische aus dem direkt anstehenden Gestein herausgearbeitet. Sie sollten Erscheinung und Namen der Toten und damit deren andauernde Existenz im Jenseits bewahren.

Lit.: J. Vandier, Manuel III, p. 444 n. 4, 488 n. 5, Pl. CXLV, 3; A. M. Donadoni Roveri (Hrsg.), Egyptian Civilization. Monumental Art, 1989, Fig. 226; W. Seipel, Ägypten. Götter, Gräber und die Kunst. 4000 Jahre Jenseitsglaube, Katalog Linz 1989 (Bd. I), Nr. 458

121
Statuengruppe des Imenemipet und der Tamerot

Paris, Louvre, Inv.-Nr. N 1594
Serpentin, Höhe 18 cm, Breite 10 cm, Tiefe 10 cm
Herkunft unbekannt
Neues Reich, 18. Dynastie, um 1330 v. Chr.

Die kleine, aus Serpentin gefertigte Statuengruppe des Imenemipet und der „Hausherrin" Tamerot variiert die in fast zwei Dutzend unterschiedlichen Haltungen belegte Darstellungsform von sitzenden Ehepaaren. Während die Frau ihren rechten Arm um die Taille ihres Begleiters gelegt hat und die andere Hand flach auf ihrem Oberschenkel aufruht, hat der Mann seine beiden Hände auf die Oberschenkel gelegt, wobei die rechte geöffnet ist, die linke jedoch den bisweilen als „Schleife der Wiedergeburt" gedeuteten Stoffstreifen hält. Die aus schwarzem Serpentin geschnittene Figurengruppe ist ein gutes Beispiel für die höfisch bestimmte Kleinskulptur in der Blütezeit des Neuen Reiches. Trotz seiner geringen Größe erweckt die mit dichter Detailfülle ausgestattete Gruppe einen fast monumentalen Eindruck. Das Ehepaar sitzt auf einem länglichen, aus Holz geschnitzten Hocker, wobei vergleichbare Beispiele vermuten lassen, daß es ursprünglich zwei getrennte Sitze gewesen sind, die beiden nebeneinanderstehenden Hockerbeine jedoch nicht angegeben sind (vgl. Louvre E 3516). Der ausnahmsweise links sitzende Ehemann ist mit einem mittellangen, vorne gefälteten Schurz bekleidet, dessen Mittelteil mit dem Namen des Dargestellten versehen ist. Sein Oberkörper ist nackt, fällt jedoch durch seine deutlich angegebenen Fettfalten auf, die auf den hohen Rang des Dargestellten verweisen sollen. Seine bogenförmig, um den Kopf angeordnete Strähnenperücke reicht zu beiden Seiten bis auf den ornamentalen Halskragen herab. Das Gesicht ist eher kursorisch ausgearbeitet und läßt keine persönlichen Züge erkennen. Seine beiden Hände ruhen flach auf den Oberschenkeln. Die Ehefrau ist in ein langes, ärmelloses Faltenkleid gekleidet, das unter der rechten Brust von einem Bordürenband zusammengehalten wird. Ihre üppige, in reichen und dichten Strähnen bis tief auf die beiden Schultern herabfallende Perücke umgibt ein ebenfalls eher grob modelliertes Gesicht. Während ihre rechte Hand auf dem rechten Oberschenkel aufruht, umfaßt sie mit der linken den neben ihr sitzenden Mann an der Hüfte. Insgesamt stellt die Gruppe kein besonders qualitativ hochstehendes Kunstwerk dar, ist aber nichts desto trotz ein beredtes Zeugnis für das modisch-höfisch geprägte Leben dieser Zeit und ihrer Menschen.

Lit.:3 J. Vandier, Manuel III, p. 442 n. 6; N. Kanawati, Les acquisitions du Musée Charles X, BSFE 104, 1985, p. 36, pl. III B

122
Sitzstatue des Tjenena

Wien, Kunsthistorisches Museum, Inv.-Nr. ÄS 63
Kalkstein, bemalt, Höhe 56 cm, Breite 15,8 cm, Tiefe
35,7 cm
Herkunft unbekannt, vielleicht aus Theben, Shech Abd
el-Qurna , Grab 76
Neues Reich, 18. Dynastie, um 1400 v. Chr.

Die offensichtlich mutwillig zerstörten Inschriften auf
der Vorderseite der Basis und auf der Rückenplatte
lassen darauf schließen, daß das Andenken an Tjenena
zu einem nicht mehr genau bestimmbaren Zeitpunkt getilgt werden sollte. Aufgrund der spärlichen Inschriften-
reste, die auf der Rückseite noch zu entziffern sind,
lassen sich einige Titel und der Name des Dargestellten
rekonstruieren. So führte Tjenena den recht anspruchs-
vollen Titel eines „Fächerträgers zur Rechten des Königs" und dürfte somit mit dem gleichnamigen Besitzer
des thebanischen Grabes Nr. 76 identisch sein, der noch
eine Reihe weiterer Rang- und Amtstitel trug. So war er
u. a. auch Obergütervorsteher und Schatzmeister des
Königs. Wie bei einer Reihe seiner Amtskollegen läßt
auch das Grab des Tjenena mutwillige Zerstörungen erkennen, ein weiterer Beleg dafür, daß der Grabbesitzer
und der hier dargestellte Tjenena ein und dieselbe
Person waren. Eine Erwähnung des Königs Thutmosis
IV. in den Grabinschriften ermöglicht eine genaue Datierung der Statue.
Die trotz aller formalen Geschlossenheit von Basis,
Sockel und Rückenplatte nicht direkt streng wirkende
Grabstatue ist ein bezeichnendes Beispiel für die Privatplastik der mittleren 18. Dynastie. Tjenena ist in einen
langen, weißen Mantel gehüllt, der nur die rechte
Schulter frei läßt. Sein rechter Arm liegt locker auf dem
rechten Oberschenkel, die linke hält den Mantel zusammen, dessen schräge Bordüre noch Reste der aufgemalten Musterung zeigt. Der lebendige Gesamteindruck
ist von der fast vollständig erhaltenen Bemalung der
Hautflächen, vor allem aber der Augen bestimmt. Auch
der modische Kinnbart war schwarz bemalt, die breit
herabfallende Strähnenperücke dunkelbraun. Die leicht
aufwärts gerichtete Blickrichtung der Augen scheint ins
Jenseits zu führen und unterstreicht damit sinnfällig die
Funktion dieser Grabstatue.

Lit.: H. Satzinger, Ägyptische Kunst in Wien, S. 52ff., Abb. 12; B. Jaros-
Deckert, Statuen des Mittleren Reichs und der 18. Dynastie, CAA Wien,
Lief. 1, 1987, S. 1, 99–105

Zum Grab: PM I/1², 1960, pp. 149ff.; W. Helck, Urk. IV, 1577ff.

123
Statue des Setau

Paris, Louvre, Inv.-Nr. N 4196
Kalkstein, Höhe 26,5 cm, Breite 10 cm, Tiefe 17,5 cm
Herkunft unbekannt
Neues Reich, 18. Dynastie, um 1380 v. Chr.

Bereits im Alten Reich ließ sich der König als oberster Priester in opfernder Haltung darstellen. Wie Stand- und Sitzfigur gehörte auch die davon abgeleitete Kniefigur zum klassischen Darstellungskanon der ägyptischen Skulptur. Die seit dem Mittleren Reich nachweisbare Sitte der Vergegenwärtigung von Privatleuten im Tempelbereich in Gestalt der Tempelstatuen, um an den täglichen Opferungen teilnehmen zu können, sollte im Neuen Reich einen besonderen Aufschwung erfahren. Die mit königlicher Genehmigung aufgestellten Tempelstatuen nahmen bisweilen so überhand, daß zum Beispiel im großen Amun-Tempel von Karnak bisweilen das Statueninventar abgeräumt werden mußte, um neuen Statuen Platz zu schaffen. So enthielt das 1903 entdeckte Statuengrab, das unter dem Namen „Cachette" bekannt ist, über 800 Steinskulpturen und 17.000 Bronzefiguren. Entsprechend ihren unterschiedlichen Zielsetzungen entwickelten auch die Kniestatuen verschiedene Ausformungen, die je nach der dargebotenen Votivgabe Sistrophoren, Naophoren, Stelophoren usw. genannt werden. Zu den besonders bemerkenswerten Ausformungen dieses Typs zählen zwei Statuen, die jeweils eine kniende Figur zeigen, die einen in hohe Windungen gelegten Schlangenleib auf den Oberschenkeln trägt. Es ist dies eine im Brooklyn Museum befindliche Kniestatue des berühmten Günstlings und Architekten der Königin Hatschepsut, Senenmut, von dem rund fünfundzwanzig Statuen überliefert sind, die er sich in den wichtigsten Tempeln des Landes aufstellen durfte und somit entsprechend seiner einflußreichen Position überall präsent war. Allerdings fiel er noch während der Regierungszeit seiner Gönnerin in Ungnade, sodaß seine Statuen entfernt werden mußten, darunter auch die erwähnte Kniestatue mit der Schlangengöttin Renenutet.

Umso erstaunlicher ist es, daß fast das identische Sujet – Kniestatue mit der Schlangengöttin Renenutet auf den Knien – in dieser hier gezeigten Darstellung des Scheunenvorstehers des Amun-Tempels, Setau, wieder auftaucht, denn eine genauere Analyse dieser Statue ergibt, daß es sich bei ihr um eine bewußte Imitation der in der erwähnten Kniestatue des Senenmut gegebenen Vorlage

handeln muß. Setau kniet auf einer vorne abgerundeten Basisplatte; seine Zehen sind durch den Druck seines Gewichtes leicht gespreizt. Sein Rücken lehnt an einen Rückenpfeiler, der bis über die Schulter reicht und mit dem Namen und den Titeln des Setau beschriftet ist. Er ist in ein kurzärmeliges Gewand gekleidet, seine kunstvolle Perücke besteht aus einem Oberteil aus gekräuselten Locken, die strahlenförmig von der Mitte des Schädels nach unten fallen und die Ohren zur Hälfte bedecken. Sie ist in dieser Form erstmals unter Thutmosis III. belegt, wird aber häufig erst seit Amenophis II. verwendet.

Besondere Aufmerksamkeit verdient das Gesicht des Setau, dessen geschwungene Augenbrauen reliefartig herausgearbeitet sind und zu einer langen, geraden Nase überleiten, unter der ein leicht hervortretender, von deutlichen Lippenrändern markierter Mund sitzt. Die Augen sind äußerst schräg eingesetzt, mandelförmig und von einem reliefierten Oberlid begrenzt. Auch diese Merkmale weisen auf einen Zeitpunkt der Herstellung hin, der nicht weit vom Beginn der Regierung des Königs Amenophis III. anzusetzen sein dürfte. Die Besonderheit der Statue jedoch liegt in der „Votivgabe" begründet, die Setau vor sich trägt. Es ist dies eine plastisch durchmodellierte Darstellung des mehrfach gewundenen, breiten Schlangenkörpers der Göttin Renenutet. Diese Schlangengottheit war die Schutzgöttin des Getreides und damit der Ernte, des Wohlergehens und des Glücks. Sie trägt zwischen ihrem aufragenden Gehörn die Sonnenscheibe. Gestützt wird die Schlange von den beiden nach oben zeigenden Händen, die zusammen mit der waagrechten Verbindungslinie das Zeichen für KA bedeuten. Da dies nicht für die Göttin Renenutet in Anspruch genommen werden kann, eine identische Kombination von Ka-Zeichen, Schlange mit Gehörn und Sonnenscheibe nur in der Darstellung des Senenmut belegt ist, kann es sich bei der Statue des Setau nur um eine thematische Übernahme eines Motivs handeln. Mit ihm hatte Senenmut als Gewährsmann und Günstling der Königin Hatschepsut, der seine Statuen auch im Totentempel der Königin in Deir el-Bahari aufstellen durfte, versucht, seine besondere Beziehung zur Königin zu veranschaulichen. Und dies in Form eines Kryptogramms, in dem die drei erwähnten Bestandteile der Votivstatue auch als Angabe des Thronnamens der Hatschepsut „Maat - Ka - Re" gedeutet werden können. Diese ursprünglich von der Statue des Setau ausgehende Interpretation Driotons bedeutet, daß hier der göttliche Name der Königin gleichsam im Tempel dargebracht bzw. verehrt wird – ein Vorgriff auf die erst in der Ramessiden-Zeit belegte Vergöttlichung lebender Herrscher. Mit dieser Deutung wird aber auch die Polyvalenz ägyptischer Kunst und

ägyptischer Schrift eindrucksvoll veranschaulicht. Die Göttin Renenutet als Schlange wird mit der Göttin der kosmischen Weltordnung, der Maat, geglichen, die in ähnlicher Weise wie Renenutet das Gedeihen und Wohlergehen des Landes mitzuverantworten hat bzw. diese Verantwortung über die Institution des Königs bzw. der Königin realisieren läßt. Daß die Schlange gleichzeitig als Königstier, das auf keinem königlichen Porträt fehlen durfte, in diesem Zusammenhang eine bedeutsame Rolle spielt, da sich die hier wie ein Uräus aufbäumende Schlange sehr wohl auf das Königtum der Hatschepsut bezieht, ist eine zusätzliche, dem ägyptischen Denken entgegenkommende Mehrdeutigkeit. Wenn nun die kryptographische Umsetzung des Thronnamens der Hatschepsut durch ihren Günstling Senenmut sehr wohl verständlich ist und darin auch etwas von der geistigen Bindung, die zwischen den beiden bestanden haben dürfte, zum Ausdruck gebracht wird, so erklärt dies keineswegs, wie ein identisches Sujet von Setau in Auftrag gegeben wird, von dem ein direkter Bezug zur Königin Hatschepsut nicht bekannt ist. Dies ist umso mehr auffallend, als Hatschepsut bekanntlich nur bis ins 22. Regierungsjahr Thutmosis' III. gelebt haben dürfte, also schon längst nicht mehr Königin war, als Setau seine Kniestatue herstellen ließ. Ganz abgesehen von dem

Umstand, daß die aufgeführten stilistischen Merkmale, etwa der Gesichtsdetails, weniger in die Thutmosiden-Zeit als vielmehr in die Regierung Amenophis' III. verweisen, wäre auch eine nur kryptische Rehabilitierung der in Ungnade gefallenen und von Thutmosis III. verfolgten Herrscherin nach ihrem Tode unwahrscheinlich bzw. zumindest riskant gewesen (vgl. Kat.-Nr. 77 und 78). Die zweimalige Erwähnung der Kronengöttin Nechbet in den Inschriften auf der Basisplatte und auf dem Rückenpfeiler betont eindeutig den königlichen Aspekt dieser Darstellung, konnte Nechbet doch als zweite Kronengöttin in eben derselben Weise wie Wadjet als Wappentier von Unterägypten als Uräus-Schlange wiedergegeben werden. Ob sich Setau tatsächlich des direkten Bezugs seiner Kniestatue, die aller Wahrscheinlichkeit nach im Amun-Tempel von Karnak aufgestellt war, zur verfemten Königin Hatschepsut bewußt war oder nicht, sei dahingestellt. Man muß jedoch davon ausgehen, daß die Statue wohl erst rund zwanzig Jahre nach dem Tode der Hatschepsut angefertigt wurde. Stilistische und inhaltliche Anhaltspunkte sind in diesem Fall nur schwer in Deckung zu bringen.

Lit.: E. Drioton, Deux cryptogrammes de Senenmout, ASAE 38, 1938, 231f, pl. XXXII; J. Vandier, Manuel III, p. 466 n. 4, 484 n. 7, 497 n. 5, 510 n. 1, 514, Pl. CLVI, 1

124
Stelophor

London, Britisches Museum, Reg. No. 24430
Kalkstein, bemalt, Höhe 26 cm, Breite 11,5 cm,
Tiefe 18 cm
Herkunft unbekannt
Neues Reich, 18. Dynastie, um 1400 v. Chr.

Eine Datierung dieses „Stelenträgers" in die Regierungszeit Amenophis' III. läßt sich stilistisch aber auch mit inhaltlichen Argumenten begründen. Die Ausmeißelung des Namens des Gottes Amun-Re in der dritten Zeile unterstützt diesen zeitlichen Ansatz, der die Amarna-Zeit als terminus ante festlegt. Zu den zahlreichen, im Neuen Reich neu auftretenden Statuentypen gehört auch jener des Stelophoren. Wenn auch die Darstellung kniender Figuren, die immer einen Opfergestus zum Ausdruck bringen will, seit der ägyptischen Frühzeit nachweisbar ist, so kommt es im Neuen Reich zu einer verstärkten Ausprägung dieses Statuentyps, der sowohl kleine Götterfiguren, als auch einen Tempelschrein oder eben eine Stele trägt oder hält. Der kurze Text auf der Vorderseite der Stele, die im oberen Stelenrund die beiden Udjat-Augen, den Schen-Ring als Zeichen der Unvergänglichkeit und Dauer sowie die drei Wasserlinien aufweist, enthält eine Hymne an den Sonnengott: „Lobpreis anstimmen für Re, wenn er aufgeht, für Chepre, wenn er untergeht im Leben ... Er spricht: „Sei gegrüßt Re bei deinem Aufgang, Atum bei deinem schönen Untergang! Ich preise dich bei deinem schönen Untergang. Hoch erhebt sich Re in der Himmelsbarke, wenn er aufgeht am östlichen Horizont und wenn er untergeht am westlichen Horizont – vernichtet sind die Feinde."

Lit.: J. Vandier, Manuel III, p. 472 n. 6; W. Seipel, Ägypten. Götter, Gräber und die Kunst. 4000 Jahre Jenseitsglaube, Katalog Linz 1989 (Bd. I), Nr. 456

125
Sitzstatue des Merimose

Wien, Kunsthistorisches Museum, Inv.-Nr. ÄS 36
Granodiorit, Höhe 69 cm, Breite 16,6 cm, Tiefe 26,5 cm
Herkunft unbekannt, vielleicht aus Assiut
Neues Reich, 18. Dynastie, um 1380 v. Chr.

Merimose sitzt in einen langen, glatten Umhang gehüllt auf einem schmalen, hochrechteckigen Hocker, dessen Rückenlehne sich zu einem beschrifteten Rückenpfeiler verjüngt, der bis zum Hals des Merimose reicht. Merimose trägt eine schulterlange, detailliert wiedergegebene Perücke, die bis auf beide Schultern herabfällt und zum Teil die Ohren bedeckt. Die Löckchen und Strähnen der Perücke sind unregelmäßig, aber detailgenau eingraviert. Der Dargestellte ist mit einem breiten Halskragen geschmückt sowie mit zahlreichen am Oberarm und Unterarm eingravierten Schmuckbändern angetan. Während seine rechte Hand flach auf dem Oberschenkel aufruht, ist seine linke zur Faust geballt und hält das Schweißtuch, das bisweilen auch als Schleife der Wiedergeburt bezeichnet wird (W. Westendorf). Deutlich hebt sich der linke Arm unter dem anliegenden Mantel ab, aus dessen Öffnung die Hand herausragt und an die faltige Brust gedrückt wird. Trotz leichter Beschädigungen erweckt das Gesicht einen sprechenden, ja persönlichen Eindruck. Unter den sorgfältig reliefierten Augenbrauen öffnen sich die beiden mandelförmigen Augen, die von einem kräftigen Oberlid begrenzt werden. Während die Nase ziemliche Zerstörungsspuren aufweist, beeindruckt der von zwei vollen Lippen gebildete, plastische Mund. Arme und Finger der Figur sind schematisch ausgearbeitet. Deutlich zeichnen sich die Konturen des linken Oberarms und Ellbogens unter dem anliegenden Umhang ab. Schriftzeilen auf der Vorderseite des Umhangs, dem Rückenpfeiler und den beiden Seitenwänden des Sitzes enthalten die Opferformel, die sich vor allem an den Wepwaut von Oberägypten wendet, sowie verschiedene Wünsche für den Toten und seine Titel. So wird Merimose als „Königssohn, königlicher Schreiber, Wedelträger zur Rechten des Königs, Ältester der Gerichtshalle" bezeichnet.

Merimose ist der Besitzer des thebanischen Grabes 383. Neben seinen Sarkophagen sind verschiedene andere Denkmäler mit seinem Namen überliefert, die über seine Tätigkeit unter König Amenophis III. Auskunft geben. Die in seiner Titulatur auf der Statue enthaltene Bezeichnung „Königssohn" entspricht keinem tatsächlichen verwandtschaftlichen Verhältnis zu einem regierenden König, sondern ist als Amtstitel aufzufassen, der allen sogenannten „Königssöhnen von Nubien" verliehen wurde. Diese Königssöhne von Nubien waren gleichsam die Vizekönige dieses Landes, das sich von Assuan bis zum Gebel Barkal beim 4. Katarakt erstreckt hat. Neben zahlreichen Felsinschriften mit seinem Namen ist das eindrucksvollste Denkmal eine Triumphinschrift, die er auf eine Stele in Semna, ca. 50 km südlich des 2. Kataraktes, eingravieren ließ. Er erzählt hier von einer Strafexpedition, die der König in seinem fünften Jahr gegen einen aufständischen Stamm unter seiner Führung nach Unternubien unternommen hat. Die ersten Vizekönige Nubiens sind seit dem Ende der 17. Dynastie nachweisbar, in der Regierungszeit des Königs Kamose, also in jenem wichtigen Abschnitt, in dem sich Ägypten von der Fremdherrschaft der Hyksos und dem Einfluß der mit ihnen verbündeten Nubier befreien konnte. Um jedoch einer zukünftigen Bedrohung aus dem Süden zuvorzukommen, kam es zur Einrichtung verschiedener Handelsstationen, wie sie bereits in der Zeit des Mittleren Reiches existiert hatten. Vor allem die wirtschaftlichen Gesichtspunkte gewannen allmählich an Bedeutung, war Nubien doch ein billiger Lieferant, der in Form von Tributen Ägypten mit einer ganzen Reihe von Luxusgütern versorgen mußte. Diese Statue ist die einzige überlieferte Darstellung des Vizekönigs von Nubien Merimose.

Lit.: B. Jaros-Deckert, Statuen des Mittleren Reichs und der 18. Dynastie, CAA Wien, Lief. 1, 1987, S. 1, 92–98;

126
Würfelhocker des Keriten

Turin, Museo Egizio, Inv.-Nr. 3085
Basalt, Höhe 22 cm
Herkunft unbekannt
Neues Reich, 18. Dynastie, um 1380 v. Chr. (?)

Mit der Wiederaufnahme des seit der 12. Dynastie belegten Statuentyps des Würfelhockers zu Beginn der 18. Dynastie wird das Statuenrepertoire dieser Zeit wesentlich erweitert. Auf einem kubisch geformten Körper sitzt mit angezogenen Beinen und über den Knien gekreuzten Armen ein vollplastisch ausgebildeter Kopf. Er allein ragt aus dem würfelförmigen Werkblock hervor, der sowohl der blockhaften Tendenz der ägyptischen Darstellungsweise entgegenkam, als auch als die Umsetzung einer religiösen Vorstellung aufgefaßt werden kann: Die dargestellte, von einem mantelartigen Umhang vollständig umhüllte Gestalt kann gleichsam als Verkörperung des präexistenten Urhügels angesehen werden, aus dem heraus sich der Tote zu einer ewig sich erneuernden Wiedergeburt emporhebt.
Die Würfelhockerstatue des Haushofvorstehers Keriten ruht auf einem verhältnismäßig hohen Sockel auf. Während der kubusartige Körper auf der Vorderseite mit acht Schriftzeilen beschriftet ist, die die Opferformel und einen Anruf an Ptah-Sokar-Osiris enthalten sowie den Stifterhinweis der Statue, die von dem Sohn des Keriten, Amenophis, in Auftrag gegeben wurde, sind Sockel, Seitenteile und Rücken unbeschriftet. Eine besondere Aufmerksamkeit erweckt der tatsächlich wie aus einem Hügel herausragende Kopf, dessen Kinn auf den über den Knien liegenden Händen aufruht. Das breite, kraftvoll wirkende Gesicht mit dem fleischigen Mund, den etwas hochgezogenen Backenknochen und den von weit nach rückwärts gezogenen Augenbrauen und Lidstrichen markierten Augen lassen eine Datierung dieser Statue in die Regierungszeit des Königs Amenophis III. als möglich erscheinen.

Lit.: A. Fabretti, F. Rossi, R. V. Lanzone, Regio Museo di Torino, Catalogo generale, Vol. I, 1882, p. 423; S. Curto, L'antico Egitto nel Museo Egizio di Torino, Turin 1984, p. 166; W. Seipel, Ägypten. Götter, Gräber und die Kunst. 4000 Jahre Jenseitsglaube, Katalog Linz 1989 (Bd. I), Nr. 462; Il senso dell'arte nell'antico Egitto, Katalog Bologna 1990, No. 55

127
Kopf einer Statue eines Beamten

London, Britisches Museum, Reg. No. 63806
Kalkstein, Höhe 25 cm, Breite 16 cm, Tiefe 17 cm
Herkunft unbekannt
Neues Reich, 18. Dynastie, um 1450 v. Chr.

Auch wenn Herkunft und Zugehörigkeit dieses hier erstmals veröffentlichten Kopfes unbekannt sind, läßt sich eine zeitliche Zuweisung in die Zeit Thutmosis' III. mit ziemlicher Sicherheit durchführen. Der lebensgroße, aus Kalkstein gefertigte Kopf weist all jene Merkmale auf, die für das Königsporträt dieser Zeit charakteristisch sind: Die weiche abgerundete Modellierung des gesamten Gesichtes, in dem ein leicht nach oben gebogener, von zwei vollen Lippen gebildeter Mund steht, der jenes eigenartige Lächeln zum Ausdruck zu bringen scheint, das die Bildnisse der Königin Hatschepsut und des Königs Thutmosis III. auszeichnet. Die gegenseitige Beeinflußung, ja Bedingtheit, die Privatplastik und Königsbildnis gerade in jenen Perioden der ägyptischen Geschichte immer wieder zum Ausdruck bringen, ist auch für die Zeit dieser beiden Herrscher charakteristisch. Dies führt zu der begründeten Annahme, daß es gerade jene Epochen sind, in denen starke und damit auch das Kunstschaffen ihrer Zeit prägende Persönlich-keiten für die Regierungsgeschäfte verantwortlich waren. Die harmonisch in die glatte Perücke eingesetzten Ohren geben der Gesamtkomposition ein ausgewogenes Erscheinungsbild. Neben den Augenbrauen, die reliefartig herausgearbeitet sind und das eigentliche Gesichtsfeld nach oben begrenzen, bieten die beiden verhältnismäßig weit voneinander entfernten, waagrechten und leicht mandelförmigen Augen ein für diese Zeit ebenfalls typisches Erscheinungsbild. Nur in Spuren noch sind in den Augen schwarze Farbreste an den Pupillen erkennbar, die der ursprünglich sicher zur Gänze bemalten Statue ein lebendiges Aussehen verliehen haben. Die Nase ist verhältnismäßig lang und nur leicht geschwungen, deutlich sind die beiden Nasenflügel herausgearbeitet. Auf den charakteristischen Mund wurde bereits hingewiesen, das Gesichtsfeld darunter wird von einem weich abgerundeten, unter der Unterlippe leicht vertieften Kinn abgeschlossen.

Lit.: Unveröffentlicht

128
Statue eines Mannes

Berlin-Charlottenburg, Ägyptisches Museum, Inv.-Nr. 14134
Holz, Höhe 31,5 cm
Herkunft unbekannt
Neues Reich, 18. Dynastie, um 1380 v. Chr.

Im Gegensatz zum Alten Reich scheint die männliche Holzstatue in der ersten Hälfte des Neuen Reiches, zumindest bis in die Armana-Zeit, keinen besonderen Stellenwert besessen zu haben. Das ergibt sich einerseits aus der sicher auch durch die Zufälligkeit der Überlieferung bestimmte, geringe Anzahl der bekannten Holzstatuen, zum anderen auch aus der stilistischen Gestaltung dieser erhaltenen Beispiele. Während die frühen Belege aus der Zeit vor Thutmosis III. noch deutlich den Einfluß des Mittleren Reiches aufweisen und dementsprechend schwerfällig und plump wirken, weil sie ohne eigene Gestaltungskraft vor allem auf die Imitation eines bestimmten, übernommenen Darstellungstyps ausgerichtet waren, so scheint sich in der Regierungszeit Amenophis' III. ein bestimmter Wandel durchgesetzt zu haben. In ähnlicher Weise wie in der Steinskulptur kommt es auch in der Holzplastik zu verschiedenen prägenden Stilbildungen, die freilich eher von der Steinskulptur übernommen als eigenständig entwickelt worden sein dürften.

Ein Beispiel dafür gibt diese Holzstatue aus Berlin: Der in Pseudoschrittstellung frei, also ohne Rückenpfeiler, auf einer Basisplatte aufruhende Mann fällt durch eine insgesamt ausgewogene Modellierung auf, die ein harmonisches Körpergefühl verrät und diese Statue zu einer der qualitätvollsten ihrer Zeit macht. Das Gesicht ist abgerundet und verhältnismäßig breit, die Details entspre-

chen in vielem den Stilmerkmalen der Regierungszeit Amenophis' III, ohne daß die Übersteigerungen der Voramarna-Zeit merkbar wären. Der rasierte Schädel, der, wie auch verschiedene andere Körperteile, ursprünglich bemalt gewesen war, ist ein nur selten belegtes Detail, das in dieser Zeit sonst auf die Darstellung von Kindern beschränkt ist. Während die rechte Hand am Körper herabhängt und in der geschlossenen Faust deutlich der Stabansatz, der „Schattenstab", zu erkennen ist, hält der Mann in der linken einen länglichen Gegenstand, der als Wedel oder als ein anderes Würdezeichen aufgefaßt werden kann. Die ergänzenden Teile waren mit Sicherheit auf den Körper gemalt. Bekleidet ist die Figur mit einem mittellangen Schurz, der in der Mitte um ein dreieckiges Ansatzstück erweitert ist, wie es für Militärs dieser Zeit charakteristisch ist. Auch der vom Dargestellten in der Hand gehaltene längliche Gegenstand, vielleicht ein Wedel oder eine Waffe, deren Einzelheiten in ergänzender Weise auf dem Oberkörper des Mannes aufgemalt waren, sprechen für eine gehobene Position, vielleicht als Offizier. Insgesamt erweckt die fast zu elegante Modellierung der Statue einen geglätteten, geradezu modischen Eindruck, dem jene Innerlichkeit fehlt, wie sie für die gleichzeitige Steinskulptur unter Amenophis III. zum Teil charakteristisch ist.

Lit.: J. Vandier, Manuel III, p. 436 n. 1, 481 n. 4, 493 n. 12, 526 n. 5, Pl. CXXXIX; Ägyptisches Museum Berlin, Katalog 1967, Nr. 554a

129
Kopf einer Statue eines Mannes

Brüssel, Musées Royaux d'Art et d'Histoire,
Inv.-Nr. E. 2401
Kalkstein, bemalt, Höhe 26,2 cm, Breite 21,2 cm,
Tiefe 21,4 cm
Herkunft unbekannt
Neues Reich, 18. Dynastie, 1360–1300 v. Chr.

Spärliche Reste eines ursprünglich beschrifteten Rük-kenpfeilers vermitteln zwei Anhaltspunkte: Erstens, daß dieser Kopf ursprünglich zu einer Standfigur gehört hat, zweitens, daß der Dargestellte eine bedeutende Persönlichkeit gewesen sein dürfte. Darüber hinaus ist die Interpretation und vor allem zeitliche Zuordnung dem heutigen Betrachter überlassen, der sich freilich auch ohne zusätzliches Vorverständnis, vergleichendes Belegmaterial bzw. ägyptologischen Grundwissens der Faszination, ja der Schönheit dieses Gesichtes nicht entziehen wird können. Ein harmonisch abgerundetes, eher breites Gesicht wird von einer schwarz bemalten Doppelperücke eingerahmt, deren oberer Teil die Ohren zur Hälfte überdeckt und die angebohrten Ohrläppchen deutlich freiläßt. Die Perücke ist von besonderer Detailtreue: Die Strähnen des oberen Haarteils sind in kleinsten eingeritzten Linien wiedergegeben, während die röhrchenförmigen Locken in dichten Reihen rechts und links des Halses bis zu der Schulter herabfallen. Das Gesicht, dessen Inkarnat an manchen Stellen noch deutlich die rotbraune Bemalung zeigt, besticht durch die ruhige Ausgewogenheit der Details, die dem Antlitz ein verinnerlichtes, in sich gekehrtes Aussehen verleihen. In elegantem Schwung ziehen sich die schwarz betonten Augenbrauen vom Nasenansatz nach außen. Die Augen sind waagrecht angeordnet, Reste der Bemalung vermitteln eine gewisse Vorstellung von der gedachten Belebtheit dieser Statue, die freilich erst über das sogenannte

Mundöffnungsritual kultisch vermittelt werden mußte. Die etwas schweren Augenlider und der fest geschlossene Mund, dessen von zarten Stegen abgegrenzte Lippen den Einfluß der Zeit Amenophis' III. verraten, verstärken den Eindruck von ruhiger Gelöstheit, die freilich nicht frei von Melancholie zu sein scheint. Trotz deutlicher Anklänge an den Zeitstil Amenophis' III. dürfte dieser Kopf vor allem aufgrund der Perückenform erst am Ende der 18. Dynastie entstanden sein. Er ist ein Meisterwerk, das darum bemüht war, ausgehend von dem hohen Stand, den die Kunst bis Amenophis III. erreicht hat, die nachfolgende Amarna-Zeit und ihre Auswirkungen auf das Kunstschaffen so gut wie gänzlich auszuklammern. Die sich in dieser Skulptur zeigende Verinnerlichung ist ein neuer Anfang nach den weitgehend negativen Erfahrungen und Enttäuschungen, die die Amarna-Religion für den Einzelnen notwendigerweise mit sich bringen mußte; und die Absage an den Osirisglauben war nur einer der Gründe dafür. So kristallisierte sich am Ende der 18. Dynastie allmählich ein neues religiöses Weltbild heraus, das dem Einzelnen und seiner „persönlichen Frömmigkeit" einen wichtigen Stellenwert zumaß. Und auch in der Kunst sollte sich dieses neue Bemühen um eine persönliche, geistige Auseinandersetzung, um eine individuelle Zwiesprache mit dem Göttlichen Ausdruck verschaffen.

Lit.: R. Tefnin, Statues et statuettes de l'ancienne Égypte, Brüssel 1988, p. 47, No. 14; Pierre éternelle, Katalog Brüssel 1990, p. 205, No. 100

130
Kopf einer Statue eines Beamten

London, Britisches Museum, Reg. No. 2339
Kalkstein, Höhe 18 cm, Breite 13,5 cm, Tiefe 10 cm
Herkunft unbekannt
Neues Reich, 18. Dynastie, um 1360 v. Chr.

Das leicht unterlebensgroße Köpfchen aus Kalkstein ist von bestechender Detailgenauigkeit. Die sorgfältig gearbeitete, doppelte Strähnenperücke umgibt in weichem Schwung das abgerundete, etwas pausbäckig wirkende Gesicht, die Ohren werden zur Hälfte verdeckt. Deutlich sind die Löckchen des unteren Perückenteils herausgearbeitet, die darüberliegenden Haarsträhnen sind jeweils am vorderen Ende zusammengebunden. Die extrem schmalen Augen werden durch einen reliefartig herausgearbeiteten Schminkstrich bis über die Schläfenpartie verlängert. Auch die reliefierten Augenbrauen, die bereits beim Nasenansatz beginnen, ziehen sich weit nach hinten. Die lange, gerade Nase führt zur deutlich heraus-gearbeiteten Mundpartie, die von zwei vertieften Mundwinkeln begrenzt ist. Ein feiner, leicht erhöhter Steg begrenzt den Mund und setzt ihn vom umgebenden geglätteten Gesichtsfeld ab. Ein würfeliger Ansatz unter dem Kinn läßt darauf schließen, daß der Kopf ursprünglich zu einem Stelophor gehört hat, die Figur also mit einer beschrifteten Stele dargestellt wurde, die über ein stützendes Füllstück mit Hals und Kinn verbunden war. Die schmalen, fast schlitzartigen Augen, die reliefierten Schminkstriche und die Form des Mundes lassen bei einer versuchten Datierung dieses Kopfes an die Regierungszeit Amenophis' III. denken.

Lit.: Unveröffentlicht

131
Kopffragment einer Statue eines Mannes

London, Britisches Museum, Reg. No. 43132
Kalkstein, Höhe 12,5 cm, Breite 6,5 cm, Tiefe 8,5 cm
Aus Deir el-Bahari
Neues Reich, 18. oder 19. Dynastie

Das nur 12,5 cm hohe Köpfchen aus Kalkstein frappiert durch ein realistisches Erscheinungsbild, wie es von Statuenköpfen des Neuen Reiches kaum bekannt ist. Dennoch lassen die Fundumstände keinen anderen zeitlichen Ansatz zu als in die Zeit des Neuen Reiches, in die 18. oder 19. Dynastie. Das Kopffragment wurde zusammen mit anderen, sicher der 18. Dynastie zuzuweisenden Statuenfragmenten im Grabungsschutt des aus der 11. Dynastie stammenden Totentempels des Königs Mentuhotep II. gefunden. Inwieweit auch der hier gezeigte Kopf als Teil einer Votivstatue, die im nahegelegenen Hathor-Heiligtum des Neuen Reiches aufgestellt war, aufgefaßt werden kann oder im Zusammenhang mit den aus der ramessidischen Zeit stammenden zahlreichen Ostraka mit Entwurfszeichnungen als Modell einer Bildhauerwerkstatt aufgefaßt werden kann, kann nicht befriedigend beantwortet werden. Während die Gesichtszüge des Köpfchens an ramessidische Fremdvölkerdarstellungen erinnern, gibt es für die selten vorkommende Haartracht vergleichbare Darstellungen aus der Zeit Amenophis' III. und der 19. Dynastie. Sie findet sich später bei den Darstellungen des Bürgermeisters von Theben und oberägyptischen Vezirs Monthemhet in der 25. Dynastie. Würden nicht die Fundumstände dieses Köpfchens eine Datierung in das Neue Reich fordern, käme die stark durchgearbeitete Porträthaftigkeit dieses Gesichts dem für die 25. Dynastie typischen Realismus sehr nahe. In einem von hohen Backenknochen gekennzeichneten Antlitz sitzen zwei waagrechte, schmale Augen, von denen eine offenbar geschwungene Nase zu einem von breiten, fleischigen Lippen sinnlich geformten Mund führt, der von zwei langen, von der Nasenwurzel bis unter das Kinn führenden Labionasalfalten begrenzt wird. Der hohe, zurücktretende, kahle Schädel wird durch die ringsum in dichten Wellen herabfallende Haarfülle kontrastiert und dadurch besonders betont. Trotz seines fragmentarischen Charakters ist dieses Köpfchen von besonderer Qualität, das sowohl Züge von den Fremdvölkerdarstellungen unter Amenophis III. und Ramses III. verrät, aber auch als Vorwegnahme der realistischen Porträts der Kuschiten-Zeit aufgefaßt werden kann.

Lit.: E. Naville - H. Hall, The XIth Dynasty Temple at Deir el-Bahari, Pt. 3, London 1913, Pl. 18, No. 5; J. Leclant, Montouemhat, BdE XXXV, Kairo 1961, p. 100, Pl. XXIX

Säule mit Hathorkapitell aus dem Tempel von Dendera
(aus: Description de l'Égypte, Antiquités T. IV, Paris 1817, Pl. 12)

132
Hathorkopf

Paris, Louvre, Inv.-Nr. 14389bis
Kalkstein, bemalt, Höhe 38,8 cm, Breite 23,3 cm
Aus Deir el-Medineh
Neues Reich, 18. Dynastie, um 1330 v. Chr.

Das in Deir el-Medineh, der alten Nekropolenstadt in Theben, gefundene Kalksteinfragment zeigt das Antlitz einer Frau, das aufgrund der besonderen Perückenform und der Augengestalt der Göttin Hathor zugewiesen werden kann. Das seit Beginn des Neuen Reiches bestehende, wahrscheinlich von König Thutmosis I. gegründete Handwerkerdorf hatte bis zum Ende des Neuen Reiches Bestand. Hier lebten alle jene Handwerker und Künstler, die für die Anlage, das heißt Ausschachtung und Ausschmückung, der Königsgräber im Tal der Könige zuständig waren. Angelegt am Rande des thebanischen Westgebirges, zwischen der langen Reihe der Totentempel der Könige der 18., 19. und 20. Dynastie und dem steil aufragenden Bergmassiv, hinter dem die Gräber der Könige, Königinnen und Prinzen versteckt waren, ist Deir el-Medineh aufgrund seines verhältnismäßig guten Erhaltungszustandes und der dort gefundenen unzähligen Dokumente, die über das alltägliche Leben des alten Ägypten Aufschluß geben, einer der bedeutendsten Ausgrabungsorte Ägyptens überhaupt, der in der Hauptsache vom französisch-archäologischen Institut erforscht wurde. Heute noch zeigt der vorwiegend ramessidische Gebäudebestand ein von einer Mauer umzogenes Siedlungsgebiet, in dem zahllose kleine Häuser, von engen Gassen getrennt, nach einem bestimmten Ordnungsprinzip angelegt sind. Hier wohnten die Arbeiter für die Königsgräber, die sich als „Diener der Stätte der Maat" bezeichneten. Arbeiter, Vorarbeiter, Steinmetze, Zimmerleute, Bildhauer, Maler und Maurer, alle Berufssparten, die an den Gräbern der Pharaonen zu tun hatten, waren hier versammelt. Der alltägliche Abfall dieser über Jahrhunderte bewohnten Siedlung enthielt unzählige Dokumente des täglichen Lebens, vor allem aber auch Papyri und Ostraka, die uns über das Wirtschafts- und Sozialsystem dieser Zeit genau Aufschluß geben. Auch eine Reihe von Rechtsurkunden und Gerichtsakten, etwa über verschiedene Erbschaftsstreitigkeiten, Lohnauszahlungen, ja sogar über Streiks sind in großer Anzahl erhalten. Die diesem Alltagsleben innewohnende Religiosität, deren Stellenwert mit Sicherheit von großer Intensität gewesen sein muß, bedurfte auch einer Reihe von Kapellen und Tempel, ganz abgesehen von den zahlreichen, reich bemalten Gräbern im Umkreis der Siedlung.

Eine der in dem Nekropolengebiet Theben-West am meisten verehrten Gottheiten war die Göttin Hathor. Bekannt seit ältester Zeit, gehört sie zu den wichtigsten Gottheiten des ägyptischen Pantheons, die in zahllosen Kultorten Ägyptens vom Norden bis zum Süden verehrt wurde und unter deren Namen eine ganze Reihe von lokalen Göttinnen subsummiert wurden. Zentralort dieser Göttin war an sich das in Oberägypten gelegene Dendera, wo heute noch ein gewaltiger Tempel aus ptolemäischer Zeit von der Bedeutung dieser Göttin zeugt. Die Hathor von Theben war freilich eine Nekropolengottheit, deren hervorstechendstes Kennzeichen die Kuhgestalt war. Sie ist die Göttin, die in Kuhgestalt aus der Bergwand des Westgebirges heraustritt, das die thebanische Nekropole begrenzt. Dementsprechend besaß sie unmittelbar im Felsen ein von Thutmosis III. angelegtes Heiligtum. „Hathor, die Kuh aus Gold" wird sie in Texten des Neuen Reiches gerne genannt. Ihre Schutzfunktion für die Toten verbindet sich freilich mit einer sehr bedeutenden kosmischen Komponente, die der Hathor von Anbeginn als Himmelsgöttin zukam. Daneben war sie auch die lebendige Seele der Bäume, sie war die Amme des ägyptischen Königs und vor allem Mutter des Horus und damit auch Schutzgottheit des lebenden Horus auf Erden, des Königs.

Die heute im Ägyptischen Museum befindliche Kalksteinskulptur der Hathor-Kuh, an deren Euter König Amenophis II. trinkend dargestellt ist, ein Sujet, das sich auch in späterer Zeit mehrfach findet und als feines Relief an der Seitenwand der Hathor-Kapelle neben dem Totentempel der Königin Hatschepsut in Deir el-Bahari zu finden ist, gibt Hathor als Kuh ohne menschengestaltige Teile wieder. Während die Hathor von Dendera fast ausschließlich nur mit Kuhgehörn und Sonnenscheibe wiedergegeben wurde, tritt sie als Nekropolengöttin häufig menschengesichtig, mit schwerer Hathor-Perücke und Kuhohren auf. Diese auch bei Kapitellen häufig zu beobachtende Erscheinungsform findet sich wieder in der Gestaltung des Sistrums, jenes Instrumentes also, das als Kult- und Musikinstrument der Göttin heilig war. Neben der bereits erwähnten Hathor-Kapelle der Hatschepsut in Deir el-Bahari gab es mehrere kleinere Hathor-Kapellen in Theben, davon zwei in Deir el-Medineh. Eine kann in die 18. Dynastie datiert werden, die zweite wurde von Sethos I. gegründet. Das hier vorliegende Gesichtsfragment ist ohne Zweifel aufgrund der noch erhaltenen Perückenreste und der eigenartig geformten, nach innen spitzzulaufenden Augen der Hathor zuzuweisen. Aller Wahrscheinlichkeit nach handelt es sich hier um ein Fragment eines Pfeilerkapitells, das in der erwähnten Hathor-Kapelle der 18. Dynastie gestanden hat. Einige wenige Farbspuren beim Kollier

und an der Hautoberfläche lassen erahnen, welch buntes Bild dieses Hathor-Kapitell wohl einst dem Betrachter geboten hat. Unterhalb der von einem fünffachen Band zusammengehaltenen Strähnenperücke, die quer über die Stirn verläuft und ursprünglich in zwei breiten, zusammengebundenen Enden bis über die Schultern herabfiel, zeigt sich ein vortrefflich ausmodelliertes Antlitz. Es bekommt seinen besonderen Akzent von den scharf gezeichneten, leicht schräggestellten Augen, deren spitze Winkel und gratartig geschnittene Lider eine sehr eigenständige künstlerische Hand verraten. Der gerade, fest geschlossene Mund läßt nichts von dem Geist der frühen 18. Dynastie erahnen, sondern läßt, wie auch die noch erkennbare Gestaltung der Wangenpartie, eine Datierung dieses Hathor-Bildnisses an das Ende der 18. Dynastie vermuten.

Lit.: Unveröffentlicht

133
Statue der Königin Ahmesnofretere

Turin, Museo Egizio, Inv.-Nr. 1388
Holz, bemalt, Höhe 40 cm
Herkunft unbekannt
Neues Reich, 19. Dynastie, um 1290 v. Chr.

Königin Ahmesnofretere war die Gemahlin des Gründers des Neuen Reiches Ahmose, vielleicht auch seine Schwester, jedenfalls aber Tochter des letzten Herrschers der 17. Dynastie, Seqenenre Tao II., der im Kampfe gegen die Hyksos gefallen ist. Ihr Sohn war König Amenophis I. Wie häufig in der ägyptischen Geschichte kam auch dieser König bereits als Kind auf den Thron, sodaß seine Mutter für ihn eine Zeitlang als Regentin die Regierungsgeschäfte führen mußte.

Ihre offensichtlich großen Verdienste um die Erneuerung der, während der Hyksos-Zeit verwahrlosten, Tempel und um die Neuordnung der Nekropolenverwaltung zu Beginn des Neuen Reiches, wodurch das gesamte religiöse Leben neuen Auftrieb erhielt, führten dazu, daß seit der Mitte der 18. Dynastie, also bereits kurz nach ihrem Ableben, bis hin zum Ende des Neuen Reiches sowohl Königin Ahmesnofretere als auch ihr

Sohn Amenophis I. in Theben, vor allem in der Handwerkersiedlung Deir el-Medineh göttlich verehrt wurden. Diese über einen Zeitraum von rund vierhundert Jahren belegte kultische Verehrung führte dazu, daß von Ahmesnofretere eine verhältnismäßig große Anzahl von Votivstatuetten erhalten ist, die zum Teil aus Stein, meistens jedoch aus Holz gefertigt sind. Nicht nur der Privatskulptur zugehörig, aber dennoch ein Beispiel für die entwickelte Kunst der Holzbearbeitung, steht dieses Figürchen hier im Zusammenhang mit den zwei nachfolgenden Skulpturen, die einen viel modischeren Charakter zeigen als die mehr oder weniger immer gleichbleibende Darstellungsform der Ahmesnofretere.

Die Königin wird immer in derselben stehenden Haltung wiedergegeben, wobei der linke Fuß vorgesetzt ist und damit im Widerspruch zum kanonischen Standbild der Frauendarstellung steht. Während die linke Hand auf die Brust gelegt ist, hängt die rechte an der Körperseite herab. Aufgrund nur eines Beleges wissen wir heute, daß die Königin in ihrer rechten Faust eine Lotusblume trug, die jedoch bei den übrigen überlieferten Figürchen verlorengegangen ist. In der Linken hält sie in der Regel den Griff eines Wedels, dessen einzelne Teile über ihren Unterarm herunterhängen. Auf der langen, bis über die Brüste herabreichenden, schwarz gefärbten Strähnenperücke trägt die Königin die golden bemalte Geierhaube mit der Uräus-Schlange. Der runde Aufsatz auf dem Kopf diente als Basis für eine hohe, aus zwei großen Federn bestehende Krone, die jedoch bei fast sämtlichen Holzfigürchen der Königin weggebrochen ist. Die kräftige Bemalung des Inkarnats und der Augen, aber auch der Perücke und einzelner Körperteile vermitteln ein prächtiges, buntes Erscheinungsbild der Königin, das sicher dazu bestimmt war, in den kleinen Tempeln und Schreinen im Umkreis der Handwerkersiedlung von Deir el-Medineh aufgestellt zu werden. Diese Handwerkersiedlung, in der die Bauarbeiter und Priester lebten, die für die Ausschachtung und Ausschmückung der Gräber im Tal der Könige zuständig waren, ist eine der interessantesten Ausgrabungsorte Ägyptens. Wie kaum an einer anderen Stelle ist es hier möglich gewesen, aufgrund der unzähligen, in der Siedlung und ihren Häusern gemachten Funde von Inschriften, Ostraka, Papyri, Statuen und unterschiedlichem Hausrat unsere Kenntnis des sozialen Zusammenlebens eines bestimmten Teils der ägyptischen Bevölkerung entscheidend zu bereichern.

Lit.: A. Fabretti, F. Rossi, R. V. Lanzone, Regio Museo di Torino, Catalogo generale, Vol. I, 1882, p. 108; J. Vandier, Manuel III, p. 426f.; A. M. Donadoni Roveri (Hrsg.), Egyptian Civilization. Monumental Art, 1989, Fig. 251

134
Statue einer Frau

London, Britisches Museum, Reg. No. 32772
Holz, Höhe 33,5 cm, Breite 7,5 cm, Tiefe 17,5 cm
Herkunft unbekannt
Neues Reich, 19. Dynastie, um 1290 v. Chr.

Trotz aller kultischen Einbindung und religiösen Zielsetzung, die der ägyptischen Kunst grundsätzlich zu eigen waren, hat es in ihrer Jahrtausende alten Geschichte immer wieder Entwicklungen gegeben, die bei Beibehaltung der von allem Anfang an festgelegten kanonischen Grundstruktur über neue Inhalte zu neuen formalen und stilistischen Lösungen geführt haben. Zu den kanonischen Grundformen der ägyptischen Skulptur zählte seit Jahrtausenden die Standfigur, die in geschlechtsspezifischer Differenzierung den Mann mit Pseudoschrittstellung, die Frau mit geschlossenen Beinen wiedergab. Ausgehend von der ausschließlich für den Totenkult bestimmten Verwendung dieser Grabstatuen, die als Ersatz für den Grabherrn gleichsam stellvertretend an den Opferungen teilnehmen sollten, kam es im Mittleren Reich erstmals zu einer Erweiterung des Anwendungsbereichs der Menschendarstellungen in Form der sogenannten Tempelstatuen. Nun war es den Gläubigen gestattet, sich ihr eigenes Standbild in den Tempeln der großen Götter des Landes aufstellen zu lassen, um auf diese Weise schon zu Lebzeiten an den täglichen Opferungen teilnehmen zu können. Doch in beiden Zeitabschnitten – dem Alten und dem Mittleren Reich – blieb die stilistische Ausgestaltung der natürlich auch in anderen Darstellungsformen vertretenen Skulpturgruppen, sei es als Standfigur, Sitzfigur mit ihren Spielarten, wie Schreiberfigur oder Würfelhocker, auf jene Darstellungsdetails beschränkt, die ihrem kultischen Charakter Genüge taten. Doch der im Neuen Reich sich vollziehende Wandel im Selbstverständnis des ägyptischen Menschen sollte nicht ohne Folgen für

die in der Kunst letztlich angestrebte Selbstdarstellung bleiben. Das im Rahmen der thutmosidischen Expansionspolitik sich allmählich einstellende neue Lebensgefühl, das in Ägypten nun einen integrierenden Bestandteil der östlichen Mittelmeerwelt mit ihren geistig-kulturellen Strömungen und Beziehungen sah, drängte nach außen hin nach Selbstdarstellung, was nur mit Hilfe neuer künstlerischer Mittel zu verwirklichen war. Der höfische Charakter der Lebenswelt unter den Thutmosiden, aber vor allem am Hofe eines Amenophis III. und schließlich in den Palästen der von Ramses II. gegründeten Ramses-Stadt im Ostdeltagebiet, prägte das Leben in all seinen Erscheinungsformen. Die Grabmalereien und Tempelreliefs schwelgten in noch nie gekanntem Ausmaße im Luxus einer imperialen Großmacht, die dank der Unterstützung durch die Militärs und gefördert von einer prosperierenden Wirtschaft, Ägypten zu einer neuen Blüte führte. Die prachtvoll ausgeschmückten Gräber der Adeligen mit ihren unzähligen Darstellungen höfischer Gelage und sportlicher Vergnügungen, denen freilich eine überhöhte religiöse Sinngebung zu eigen war, aber auch die monumentalen Schlachtengemälde auf den Tempelpylonen, die von den kriegerischen Auseinandersetzungen mit den Hethitern oder den Seevölkern kündeten, sowie die gewaltigen architektonischen Leistungen sind die äußeren Zeichen einer wirtschaftlichen und kulturellen Prosperität, die große Abschnitte der 18. und 19. Dynastie auszeichnete.
Der höfisch-modische Charakter dieses neuen Lebensgefühls offenbarte sich natürlich auch in den kleinen hölzernen Grabstatuen, die zwar für die 18. Dynastie

noch recht selten belegt sind, in der 19. Dynastie jedoch umso häufiger auftreten.

Die auf einem rechteckigen, unbeschrifteten Holzsockel stehende Frauengestalt ist in ein enganliegendes, die Körperformen betonendes, stark plissiertes Kleid gehüllt, das auf der Vorderseite eine reich verbrämte Borte aufweist. Bemerkenswert ist die Fußstellung der Dargestellten, die, wie es seit der 18. Dynastie typisch ist, nicht in der traditionellen Darstellungsform mit geschlossenen Beinen, sondern ähnlich wie bei den Männerdarstellungen das linke Bein leicht nach vorne gesetzt hat – allerdings nicht so weit wie es bei den gleichzeitigen Männerfiguren der Fall ist. Seitenansicht und Vorderansicht erwecken einen überschlanken, gelängten Eindruck, der für die Proportionen der ramessidischen Darstellungen sowohl im Flachbild als auch in der Skulptur charakteristisch ist. Während sie in der rechten herabhängenden Hand eine geöffnete Lotusblüte hält, trägt sie in der Hand des abgewinkelten linken Armes, dessen spitzer Ellbogen unter dem gefälteten Überwurf deutlich hervortritt, einen sogenannten Stabstrauß, der aus mehreren ineinandergesteckten Blüten zusammengesetzt ist. Auch hier sind es Lotusblüten, Blumen, die nicht nur als duftendes und schmückendes Element in den Reliefs und Malereien der thebanischen Gräber tausendfach vertreten sind, sondern vor allem aufgrund ihrer symbolischen Bedeutung seit jeher als Zeichen der Auferstehung galten. Der zarte, schlanke Körper der Frau wird von einer schweren, in dichten Locken weit über die Schultern herabfallenden Strähnenperücke bekrönt, die an der Stirn von einem ebenfalls mit Lotusblüten versehenen Blumenband zusammengehalten wird. Das rundliche, freundlich wirkende Gesicht mit weit geöffneten Augen, akzentuierter Nase und einem fast energisch wirkenden Mund wird von der dichten Perücke zur Gänze umrahmt. Unter dem kurzen Hals ist noch ein Teil des ursprünglich bemalten Schmuckkragens zu erkennen.

Die anmutige und detailgetreue, ja liebevolle Gesamtmodellierung dieser Frauenstatuette ist ein klassisches Beispiel für die vom modisch-höfischen Stil der 19. Dynastie bestimmte Darstellungsform der weiblichen Grabstatue. Freilich ist wahrscheinlich, daß diese reizenden Figürchen nicht von vorneherein für eine Aufstellung im dunklen Grab bestimmt, sondern vielmehr noch zu Lebzeiten der Dargestellten in deren Haus öffentlich sichtbar aufgestellt waren.

Lit.: H. R. Hall, Some Wooden Figures of the Eighteenth and Nineteenth Dynasties in the British Museum, Part I, JEA 15, 1929, p. 238, Pl. XLI 3, 4; J. Vandier, Manuel III, p. 438 n. 7; R. Schulman, BiOr. 43, no. 3–4, 1986, Col. 308, n. 22

135
Statue einer Frau

Turin, Museo Egizio, Inv.-Nr. 3105
Holz, bemalt, Höhe 39 cm
Herkunft unbekannt
Neues Reich, 19. Dynastie, um 1290 v. Chr.

Während bei der aus London stammenden Frauenstatuette (Kat.-Nr. 134) der seltene Fall vorliegt, daß beide in
den Händen gehaltenen Objekte erhalten sind, fehlt bei
dieser Figur sowohl der rechte Arm als auch die in der
Linken gehaltene Blume oder Blumenstrauß. In fast
identischer Weise ist hier die Körpermodellierung mit
dem durchscheinenden, in dichte Falten gelegten Gewand und der übervollen, bis weit über die Brust herabfallenden Perücke gestaltet. Auch hier wird das Haar
von einem Blumenband mit Lotusblüten zusammengehalten. Hellwach wirken die weitgeöffneten Augen, und
der leicht geöffnete Mund scheint eine Botschaft vermitteln zu wollen. Es kann nur eine Botschaft sein, die von
dem Streben nach Dauer und Unvergänglichkeit erzählt,
zu deren Erlangung auch dieses Figürchen einen Beitrag
leisten sollte. Vergänglichkeit und Schönheit waren seit
jeher Grundgegebenheiten des menschlichen Daseins,
die in Darstellungen wohl nur in der ägyptischen Kunst
eine so enge Verbindung eingingen. Der Vergänglichkeit
menschlicher Existenz entgegenzuwirken durch eine
auch ästhetisch befriedigende, eben der tatsächlichen
Schönheit angenäherte Darstellung als Bild für die
Ewigkeit, war seit jeher Zielsetzung der ägyptischen
Kunst.

*Lit.: J. Vandier, Manuel III, p. 438 n. 6; E. Scamuzzi, L'Art Égyptien au
Musée de Turn, Turn 1966, pl. LXXI, LXXII; S. Curto, L'antico Egitto nel
Museo Egizio di Torino, Turin 1984, p. 173*

136
Uschebti im Gewand der Lebenden

Wien, Kunsthistorisches Museum, Inv.-Nr. ÄS 1338
Kalzit ("Alabaster"), bemalt, Höhe 19,6 cm,
Breite 7,1 cm, Tiefe 4,2 cm
Herkunft unbekannt
Neues Reich, 19. Dynastie, um 1250 v. Chr.

Der ursprünglich mit Bronze bzw. farbiger Paste eingelegte Uschebti zeigt noch deutliche Farbreste und vermittelt so einen Eindruck von der Buntheit und Frische dieser Figur, wie dies für ein im Totenkult zu verwendendes Objekt kaum zu erwarten wäre. Auf einer runden Basisplatte steht mit geschlossenen Beinen ein betender Mann. Seine Hände sind in der seit Sesostris III. bekannten Geste auf die Oberschenkel gelegt, sein breiter Oberkörper wirkt fast etwas nach vorne gebeugt, um die Beterhaltung zu unterstreichen. Ein äußerst modisches und mit kunstvollen Falten versehenes Gewand, dessen gefältelte Puffärmel einen besonderen Akzent setzen, weist den Dargestellten nicht nur in die 19. Dynastie, sondern sieht in ihm auch einen vornehmen, dem luxuriösen Leben seiner Zeit nicht abgeneigten, hohen Würdenträger, dessen Name und Titel allerdings nicht erhalten sind. Die doppelt abgestufte Perücke, die ursprünglich schwarz bemalt war, die mit Bronze eingelegten Augen und Augenbrauen, sowie die eingeritzten Armbänder deuten auf seinen gesellschaftlichen Status hin.

Uschebtis dieser Art sind erst seit der 19. Dynastie belegt und stellen gegenüber der Masse der übrigen Totenfigürchen eher die Ausnahme dar. Während die „klassischen" Uschebtis stets in Mumienform gestaltet sind und den Toten bekanntlich in stellvertretender Weise bei unangenehmen Verrichtungen im Jenseits vertreten sollten, wobei ihnen Hacke und Tragesack als Werkzeug aufgezeichnet wurde, steht dieser Mann in der Kleidung der Lebenden vor uns. Perücke, Schmuck, kostbare Kleider und der modische Kinnbart veranschaulichen eher den Teilnehmer einer Festgesellschaft als den einer für das Jenseits bestimmten Ersatzfigur. Dennoch soll auch diese Figur in der Vorstellung der Ägypter ihre Aufgaben im Jenseits erfüllen. Nur waren die Jenseitsvorstellungen dieser Zeit nicht unbedingt mit jenen identisch, die am Ende des Mittleren Reiches zur Herausbildung der Uschebti-Figuren geführt haben. Das in dieser Beterhaltung zum Ausdruck gebrachte Bestreben nach einer Zwiesprache mit der Gottheit, aber das ebenso präsente Bestreben, das modisch bestimmte Lebensgefühl und seine Annehmlichkeiten nicht zu kurz kommen zu lassen, auch nicht im Jenseits, sind zwei sich keineswegs gegenseitig ausschließende Elemente des Kunstwollens dieser Zeit.

Lit.: E. Reiser-Haslauer, Uschebti I, CAA Wien, Lief. 5, 1990, S. 5, 51–53

137
Uschebti des Paser

Paris, Louvre, Inv.-Nr. A 75
Diorit, Höhe 46,5 cm
Herkunft unbekannt
Neues Reich, 19. Dynastie, um 1300 v. Chr.

Zu den wenigen, auch in ihrer stilistischen Ausführung kaum veränderten Darstellungsgattungen zählen die seit dem Beginn des Mittleren Reiches nachweisbaren Uschebtis aus Holz, Stein oder Fayence, die in der Regel mumiengestaltig geformt sind, wenn auch seit dem Neuen Reich entsprechende modische Ausnahmen belegt sind (vgl. Kat.-Nr. 136).

Der aus Diorit gefertigte übergroße Uschebti des Paser weist aufgrund seines die gesamte Länge der Figur umfassenden Rückenpfeilers einen direkten Bezug zu den in der Architektur bereits im Mittleren Reich nachweisbaren Pfeilerstatuen auf, die meist in der Form von Osiris-Pfeilern den mumiengestaltigen Gott Osiris in der Erscheinungsform des jeweiligen Königs zeigen, versehen mit der ober- oder unterägyptischen Krone und gelehnt an einen rechteckigen Pfeiler einer Tempelhalle bzw. eines Tempelhofes. Paser hält allerdings in den Händen nicht, wie es bei den Osiris-Pfeilern üblich ist, Geißel und Szepter, sondern statt dessen in der Rechten den Djed-Pfeiler, das Symbol für Unvergänglichkeit und Dauer, in der Linken hingegen ein „Isisblut" genanntes Symbol, dem eine ähnliche Wirksamkeit zugesprochen wurde wie dem Djed-Pfeiler. Die Vorderseite und der Rückenpfeiler sind mit dem Namen und den Titeln des Paser beschriftet, der eine der einflußreichsten Persönlichkeiten seiner Zeit gewesen ist. Paser war unter den Königen Sethos I. und Ramses II. einer der höchsten Beamten des Staates. Als „Vezier der Südstadt" war er vorwiegend in Theben tätig, übte aber verschiedene hohe Funktionen auch in der von Ramses II. gegründeten Ramses-Stadt im Ostdelta aus. In Theben war er unter anderem zuständig für die Versorgung der Arbeiter, die im Tal der Könige tätig waren, außerdem begleitete er regelmäßig den König bei Inspektionen in der Nekropole. Auch als „Festleiter" neben der Götterbarke an der Stelle des Königs ist er in einem Grab abgebildet. Sein eigenes Grab enthält zusätzliche biographische Angaben, aus denen sich ergibt, daß Paser auch Hohepriester des Amun gewesen war und dementsprechend für die Ausstattung dieses gewaltigen Tempels verantwortlich war. So wird er in seinem Grab dargestellt, wie er verschiedene Altargefäße aus Silber und Gold entgegennimmt, die Sethos I. für den Amun-Tempel herstellen ließ. Eine kurze biographische Inschrift aus seinem Grab sei hier in Übersetzung wiedergegeben: „Mein Herr befahl, mich zum Ersten des Palastes einzusetzen, indem er mich zum Kämmerer und zum Priester der Kronen beförderte. Dann ernannte er mich zum Vezier, der in Wahrheit richtet, dem aufgetragen wurde, die Abgaben der südlichen und nördlichen Fremdländer für das Schatzhaus des starken Königs zu empfangen. Ich wurde ausgesandt wegen meiner Vortrefflichkeit, die Abgaben der beiden Länder in den Stadtbezirken von Ober- und Unterägypten zu berechnen".

Lit.: J. Vandier, Manuel III, p. 495 n. 9; W. Helck, Zur Verwaltung des Mittleren und Neuen Reichs, Leiden - Köln 1958, S. 311ff.

138
Hockerstatue des Chaihapi

Wien, Kunsthistorisches Museum, Inv.-Nr. ÄS 64
Gneis, Höhe 49,5 cm, Breite 19,8 cm, Tiefe 31,4 cm
Herkunft unbekannt, vielleicht aus Heliopolis
Neues Reich, 19. Dynastie, um 1200 v. Chr.

Der im Mittleren Reich geschaffene Statuentyp des
Würfelhockers entsprach in seiner formalen Gestaltung
einerseits dem kubischen Raumempfinden der ägyptischen Kunst, bot aber gleichzeitig auch die Möglichkeit,
eine religiöse Vorstellung sinnfällig zu veranschaulichen: den aus dem Urhügel auferstehenden Toten.
Die im Neuen Reich unter der Königin Hatschepsut einsetzende Erweiterung des Typenrepertoires, die vor
allem durch die verbreitete Verwendungsweise der Statuen in den Tempelhöfen beschleunigt wurde, führte
auch zur Herausbildung kombinatorischer Darstell-
lungstypen. Dazu zählen die Pseudowürfelhocker, die
eine detaillierte Wiedergabe des Gewandes und der Füße
zeigen und bisweilen, in Anlehnung an bestimmte Votivstatuen, einen Naos, eine Stele oder ein Sistrum vor sich
halten.
So ist auch die Hockerstatue des Chaihapi eine Mischform von Würfelhocker und Sistrophor. Er hockt auf
einem runden Kissen und stützt seine waagrecht liegenden Arme, die gleichsam die obere Fläche des Würfels bilden, auf das heilige Kultsymbol der Göttin Hathor, das Sistrum. Zusammengesetzt aus einem Frauen-
gesicht mit Kuhohren (s. Kat.-Nr. 132) und einem
kleinen Naos – dem Klangkörper – steht dieses bei kultischen Tänzen verwendete Musikinstrument zwischen
den mit Sandalen bekleideten Füßen des Chaihapi. Über
seine Knie fällt der dicht gefältelte Schurzunterteil
seines Gewandes, unter dem sich seine Körperformen
plastisch abheben. Sehr sorgfältig ist die kurzlockige
Haartracht gearbeitet. Unter dem runden, fast pausbäckigen Gesicht mit einem breiten, dicklippigen Mund
ist ein kurzer Bart angesetzt.
Die auf den Seitenflächen und dem kurzen Rückenpfeiler angebrachten Inschriften enthalten die Titel und
Opfergebete des Dargestellten. Wörtlich heißt es hier:
„Das Opfer, das der König der Hathor Iuesaes, die alles
hört, und Hathor-Nebethetepet gibt, damit sie Leben,
Heil und Gesundheit und ein schönes Alter auf Erden
gewähren, und damit sie ein schönes, vollkommenes
und treffliches Begräbnis in der Nekropole von Heliopolis gewähren nach 110 Jahren auf Erden für den Ka
des Gottesvaters, Geheimrat von Heliopolis, Major-
domus, Tempelschreiber des Hauses des Re, Schreiber

des Speisetisches des Herrn der Beiden Länder und Propheten Chaihapi, des Gerechtfertigten des Sohnes des Nebuihetep vom Haus des Seth, an der Spitze dessen, der in Heliopolis wohnt".

Einen zusätzlichen Reiz bekommt die Statue des Chaihapi durch die besonderen Umstände ihrer Entdeckung. Sie wurde entweder 1798 oder 1800 bei Ausschachtungsarbeiten im dritten Wiener Gemeindebezirk ausgegraben, freilich ohne jeglichen Fundzusammenhang. Da sich an dieser Stelle einst die Zivilstadt des im ersten Jahrhundert angelegten römischen Militärlagers Vindobona befand, muß man wohl davon ausgehen, daß diese Statue ihren Weg nach Wien entweder als Souvenir im Gepäck eines römischen Legionärs oder als Kultstatue eines geplanten Isis- oder Serapisheiligtums gefunden hat.

Lit.: E. Rogge, Statuen des Neuen Reiches und der III. ZZ., CAA Wien, Lief. 6, 1990, S. 6, 126–134

139
Statuengruppe des Hori und der Nefertari

Paris, Louvre, Inv.-Nr. A 68
Rosengranit, Höhe 106 cm, Breite 55,5 cm, Tiefe 39 cm
Herkunft unbekannt
Neues Reich, 19. Dynastie, um 1250 v. Chr.

Zahlreich sind die Darstellungsformen, in denen zwei oder mehrere Personen nebeneinander wiedergegeben wurden. Bei der bereits oben erwähnten Anknüpfung an die Traditionen des Alten Reiches kommt der Gruppenstatue im Neuen Reich wieder eine besondere Bedeutung zu. Vor allem die 19. Dynastie hat eine Fülle kennzeichnender Beispiele überliefert, die nicht nur über das gegenseitige Verhältnis von Mann und Frau, sondern auch über die Mode der Zeit, ihren höfischen Lebensstil und letztlich über das Selbstwertgefühl ihrer Menschen Auskunft geben.

Die aus rosa Granit gefertigte Statuengruppe fällt durch ihre blockhafte Geschlossenheit auf, die vor allem dadurch bedingt ist, daß beide Statuen nicht zur Gänze aus der sie stützenden Rückenplatte herausgearbeitet sind, sondern fast den Eindruck von Halbreliefs erwecken. Auf der mit der Opferformel versehenen hohen Basisplatte steht der „Königliche Schreiber und Siegelbewahrer des Herrn der Beiden Länder Hori". Er ist in den vornehmen, gefälteten Vorbauschurz gekleidet, der ebenfalls mit Namen und Titel des Dargestellten beschriftet ist. Seine beiden Hände hängen am Körper herab, wobei die linke Hand ausgestreckt, die rechte zur Faust geballt ist. Das modische Hemd mit gebauschten Ärmeln ist ein typisches Stilmerkmal dieser Zeit, dem sich auch die Doppelperücke mit den bis auf die Schulter herabreichenden, spitz zulaufenden glatten Teilen einordnet. Das Gesicht ist äußerst oberflächlich und kursorisch wiedergegeben. Dies trifft auch zu für die neben ihm stehende „Sängerin des Amun Nefertari", die in ein elegantes, modisch wirkendes Faltenkleid gehüllt ist, dessen raffinierter Schnitt durch die dreieckige, gefältelte Schoß unterstrichen wird. In der linken, abgewinkelten Hand hält sie ein Sistrum, also jenes Musikinstrument, dem auch im kultischen Bereich eine große Rolle zukam. Als Berufszeichen wurde es vor allem von den „Sängerinnen des Amun" getragen, spielte aber auch eine große Rolle im Kult der Göttin Hathor, die für Musik, Tanz und die Liebe zuständig war.

Lit.: Le Musée du Louvre. Encyclopédie photographique de l'Art, T. 1, pl. 99; J. Vandier, Manuel III, p. 440 n. 5, Pl. CXLII, 6

351

352

140
Stabträgerstatue

Turin, Museo Egizio, Inv.-Nr. 3049
Holz, bemalt, Höhe 43 cm
Herkunft unbekannt, vermutlich aus Deir el-Medineh
Neues Reich, 19. Dynastie, um 1250 v. Chr.

Im Westen von Theben, am Rand des Wüstengebirges, liegt Deir el-Medineh, die Siedlung der Arbeiter, Handwerker und Künstler, die im Neuen Reich die wunderbaren Felsengräber im Tal der Könige geschaffen haben. Die kleine Arbeitersiedlung ist einer der am besten dokumentierten Wohnorte des gesamten Altertums. Durch vielfältige schriftliche Zeugnisse aus vielen Generationen sind zahlreiche Bewohner bekannt, wir kennen von ihnen Briefe, Rechtsurkunden, geschäftliche Texte, Haus und Grab. Auch das religiöse Leben dieser Menschen, das sich um die lokalen Heiligtümer entfaltete, ist dokumentiert. Dazu gehören die Votivstatuen, die diese „Diener an der Stätte der Wahrheit" (wie sie sich in feierlicher Weise nennen) da haben aufstellen lassen. Auffallend sind darunter die Stabträger-Statuen. Diese nehmen vermutlich Bezug auf die jährliche Barkenprozession, bei der das Kultbild (die Gottesstatuette) des Karnak-Tempels auf das Westufer übersetzte und da die einzelnen Heiligtümer besuchte. In der Begleitung des Kultbildes befanden sich unter anderem die Götterstäbe, die ansonsten im Barkenraum des Tempels, in nächster Nähe zum Allerheiligsten, ihren Platz hatten, und die offensichtlich in besonderer Beziehung zum Königtum standen. Wenn die Nekropolenarbeiter sich mit dem Stab darstellen ließen, so drückten sie damit sowohl ihre Verbundenheit mit dem lokalen Kult als auch ihre Loyalität zum König aus.

Die Nekropolenarbeiter und -künstler nahmen in der ägyptischen Gesellschaft keinen hohen Rang ein und sie gehörten sicherlich nicht zu den wohlhabendsten Personen. Aber sie besaßen ihren soliden Wohlstand. Sie konnten es sich leisten, gleich Vezieren und höchsten Beamten von sich Statuen anfertigen zu lassen. Diese sind zwar aus dem „leichten" Werkstoff Holz, aber von ausgezeichneter Arbeit. Das wird besser verständlich, wenn man bedenkt, daß die Bildhauer ja Arbeitskollegen und Mitbürger der Auftraggeber waren. In unserem Fall ist der Körper gut proportioniert, gut gegliedert und in der Haltung gut getroffen. Das Gesicht mit den großen Augen ist voll Respekt vorausgewandt. Es wird von einer kunstvollen Perücke umrahmt. Der Oberkörper ist nackt. Der halblange, plissierte Schurz ist sorgfältig um die Hüften geschlungen. Der Gottesstab ist von einem Falkenkopf gekrönt, der vielleicht für den Gott Chons von Theben steht.

Die Statuette trägt keine Inschrift, auch ihre Herkunft aus Deir el-Medineh ist nicht erwiesen. Jedoch die Ähnlichkeit in Material, Stil und Darstellungsinhalt mit mehreren anderen Statuen, die aufgrund ihrer Hieroglypheninschriften von Deir el-Medineh-Leuten stammen, erlaubt es, dasselbe auch in unserem Fall anzunehmen.

Lit.: A. Fabretti, F. Rossi, R. V. Lanzone, Regio Museo di Torino, Catalogo generale, Vol. I, 1882, p. 416; E. Scamuzzi, L'Art Égyptien au Musée de Turin, Turin 1966, pl. LXXIII; H. Satzinger, Der heilige Stab als Kraftquelle für den König, Jahrbuch der kunsthistorischen Sammlungen in Wien 77, 1981, S. 39; Catherine Chadefaud, Les statues porte-enseignes de l'Égypte Ancienne, Paris 1982, p. 95, 96; S. Curto, L'antico Egitto nel Museo Egizio di Torino, Turin 1984, p. 198;

Zu den Stabträgerstatuen: Catherine Chadefaud, Les statues porte-enseignes de l'Égypte Ancienne, Paris 1982; H. Satzinger, Der heilige Stab als Kraftquelle für den König, Jahrbuch der kunsthistorischen Sammlungen in Wien 77, 1981, S. 9–43

H. S.

141
Stabträgerstatue des Siese

Wien, Kunsthistorisches Museum, Inv.-Nr. ÄS 34
Granodiorit, Höhe 105 cm, Breite 35 cm, Tiefe 36 cm
Vermutlich aus Assiut
Neues Reich, 19. Dynastie, um 1220 v. Chr.

Die Statue war gemäß einer ihrer Inschriften im Haupttempel von Assiut aufgestellt, der dem schakalsgestaltigen Gott Wepwaut geweiht war. Der stehende Mann ist sorgfältig in modischer Weise gekleidet: mit plissiertem, langem Schurz mit dem üblichen dreieckigen Vorderteil, mit einem plissierten Hemd mit halblangen Ärmeln sowie einer Perücke, die sich durch wellige Gestaltung auszeichnet. Er hält den Blick demütig gesenkt. Seine Rechte ruht flach vorn auf dem Schurz, die Linke hält einen langen Stab an die Schulter gelehnt, der oben von einem Schakalskopf gekrönt ist, dem Emblem des Gottes Wepwaut. Stabträgerstatuen sind im Neuen Reich bezeugt, und zwar sowohl für Könige als auch für Private. Die Gottesstäbe selbst werden in den Allerheiligsten der Tempel aufbewahrt, zusammen mit dem Kultbild (Gottesstatuette). Sie stehen in besonderer Beziehung zum Königtum: sie sind gleichsam Antennen, die dem König die göttliche Lebenskraft vermitteln. Wenn ein Mann wie Siese sich in Form einer Stabträgerstatue im Tempel verewigen ließ, so huldigte er damit sowohl seinem Stadtgott als auch seinem König.

Siese hatte im Reich Ramses' II. und seines Sohnes Merenptah ein wichtiges Amt inne: er war der Leiter des Speicherwesens von Ober- und Unterägypten. Getreide war das wichtigste Nahrungsmittel für alle Volksschichten, und in dieser geldlosen Kultur war es auch die wichtigste Entlöhnung bei öffentlichen Arbeiten. Es wurde in regionalen Speichern gesammelt, aber in einer zentralen Behörde registriert, um sinnvoll eingesetzt und verteilt werden zu können.

Trotz ihrer Beschädigungen zeigt die Statue schön, in welcher Weise in Hartgestein differenzierte Gestaltungen ausgedrückt werden, so etwa die Struktur der Perücke und das Plissee der Kleidung. Das breite, rundliche Gesicht ist sehr individuell. Von Siese sind noch zwei andere Statuen erhalten, die ähnliche Charakteristika aufweisen. Auf diese Weise erweist sich eine Porträthaftigkeit dieser Skulpturen.

Lit.: E. Rogge, Statuen des Neuen Reiches und der III. ZZ., CAA Wien, Lief. 6, 1990, S. 6, 116–125

H. S.

DRITTE ZWISCHENZEIT (LIBYERZEIT)
(21.–24. DYNASTIE)

Nach dem Tode des letzten Ramessiden Ramses XI. übernahm im Norden Smendes die Oberherrschaft, gründete eine neue Hauptstadt namens Tanis im Deltagebiet, die auch Begräbnisort der meisten Könige der 21. und 22. Dynastie wurde. Gleichzeitig etablierte sich in Theben der unter der Leitung des Hohepriesters des Amun stehende „Gottesstaat des Amun", der alsbald eine Ausdehnung über ganz Ober- und Mittelägypten vom ersten Katarakt bis zum Fajjum erfahren sollte. Dennoch wurde die Oberhoheit der Pharaonen von Tanis in Theben anerkannt. Der vorletzte Herrscher der 21. Dynastie verheiratet seine Tochter mit König Salomon, ein Anlaß der zur Erbauung des Tempels in Jerusalem führte. Psusennes II., der ebenfalls in Tanis begraben wird, war der letzte Herrscher der 21. Dynastie. Nach seinem Tod übernehmen die libyschen Söldnerheere die Herrschaft in Ägypten und begründen die 22. Dynastie. Auch ihr Hauptsitz ist Tanis sowie das ebenfalls im Delta gelegene Bubastis. Könige mit den Namen Scheschonk und Osorkon bestimmen die Geschicke des Landes. Um 750 v. Chr. kommt es zu einer erneuten Teilung des Landes. Neben der 22. Dynastie von Bubastis entsteht kurzzeitig eine über ganz Ägypten regierende 23. Dynastie. Kurz darauf wird Theben von dem nubischen König Kaschta von Kusch besetzt. Während die 24. Dynastie in Sais noch von Libyern regiert wird, kommt es gegen 722 v. Chr. zu einem siegreichen Feldzug des Königs von Kusch, Pije, nach Norden. Er erobert Memphis und die meisten libyschen Fürsten anerkennen seine Oberhoheit. Nur kurze Zeit kann ein gewisser Bokchoris Memphis zurückgewinnen und sich als Pharao krönen lassen. Oberägypten hingegen verbleibt im Besitz des Königs von Kusch.

Zeittafel, Dynastienliste

(fettgedruckt die in der Ausstellung vertretenen Pharaonen)

21. Dynastie: 1070–945 v. Chr.
Smendes (1070–1044)
Psusennes I. (1040–990)
Amenemope (993–984)
Siamun (978–960)
Psusennes II. (960–945)

22. Dynastie: 945–722 v. Chr.
(Bubastiden)
Scheschonk I. (945–924)
Osorkon I. (924–887)
Takeloth II. (865–833)
Scheschonk III. (814–763)
Scheschonk V. (785–722)

23. Dynastie: 808–783 v. Chr.
Petubastis (808–783)
Osorkon III. (um 760–750)
Takeloth III. (um 740)

24. Dynastie: 725–712 v. Chr.
Tefnacht (725–718)
Bocchoris (718–12)

142
König Osorkon I. als Sphinx

Wien, Kunsthistorisches Museum, Inv.-Nr. ÄS 52
Basalt, Höhe 38 cm, Breite 26,5 cm, erhaltene Länge
51 cm
Vermutlich aus dem Gebiet zwischen Herakleopolis und
Bubastis
3. Zwischenzeit, 22. Dynastie, um 900 v. Chr.

Nach dem Zerfall der ägyptischen Einheit unter der Regierung Ramses' XI. kam es zu Beginn der Dritten Zwischenzeit in der 21. Dynastie zu einer Aufteilung der Macht zwischen den in Theben residierenden Priesterkönigen des „Gottesstaates des Amun" und den im Deltagebiet in Tanis residierenden Königen. Das dazwischenliegende Machtvakuum wurde immer mehr von libyschen Söldnerführern ausgenützt, die sich schließlich vom Kommandanten der Militärkolonien, der ursprünglich nur eine beschränkte Territorialherrschaft ausübte, zum gesamtägyptischen König ausrufen ließen. Der erste Herrscher war Scheschonk I., nach dessen Residenzstadt Bubastis diese Herrscherdynastie „Bubastiden" genannt wird. Eine verhältnismäßig rege Bautätigkeit, auch in Oberägypten, kennzeichnet diese Dynastie, die vor allem in der Skulptur ihren bewußten Rückbezug auf Vorbilder des Neuen Reiches nicht verleugnen wollte. Der hier gezeigte Sphinx gehörte dem Sohn und Nachfolger Scheschonks I., König Osorkon I., dessen Namenskartuschen insgesamt siebenmal am Sphingenkörper angebracht sind. Wahrscheinlich waren die eingetieften Hieroglyphen ursprünglich mit farbiger Paste oder Metall ausgefüllt. Die Übernahme der königlichen Darstellungsform als Sphinx, die bekanntlich seit dem Alten Reich zu den traditionellen tiermenschlichen Erscheinungsformen des Königs zählt, entspricht dem Konzept aller Dynastiegründer, die ihren in traditioneller Sicht nicht unbedingt legitimen Herrschaftsanspruch gerade deswegen besonders deutlich dokumentieren wollen.
Der auf einer länglichen Basisplatte aufruhende Sphinx ist verhältnismäßig grobschlächtig ausgearbeitet, sodaß man davon ausgehen kann, daß die Skulptur handwerklich nicht ganz vollendet wurde. Vor allem die Gesichtsmodellierung mit den nur eingeritzten, waagrechten, unsymmetrisch großen Augen und die halbfertige Mundpartie deuten darauf ebenso hin wie die nur angedeutete Schraffur am Königskopftuch, dessen beide Lappen bis weit über die Schultern herabhängen. Das breite, runde

Gesicht mit den großen abstehenden Ohren läßt natürlich keine individuellen, porträthaften Züge erkennen, sondern deutet eher auf eine idealisierende Absicht des Künstlers hin, in dieser Skulptur, die sicher mehrfach hergestellt wurde und einen der großen Tempel dieser Zeit geschmückt haben dürfte, Osorkon I. als Träger des göttlichen Königtums zu präsentieren. Es fällt auf, daß die zahlreichen Namenskartuschen gerade auf den Läufen des Löwenkörpers angebracht sind, als ob damit die Übertragung der gefährlichen Schnelligkeit, die diesem Tier zu eigen ist, an dem König vollzogen werden sollte. Darüber hinaus kommt in jener Zeit den Sphingen auch eine schützende, behütende Funktion zu, die für die gleichzeitigen Sphinxdarstellungen aus dem nichtköniglichen Bereich belegt ist. Hierfür verantwortlich ist die Verbindung, die die Sphinxgestalt seit jeher

auch mit dem Sonnengott eingegangen ist, der in dieser Erscheinungsform den Namen „Horus im Horizont" trägt und als mächtige Schutzgottheit aufgefaßt wurde. So heißt es in einer Inschrift auf einer ebenfalls in der Wiener Ägyptischen Sammlung befindlichen Sphinxdarstellung: „Es spricht dieser Sphinx: Oh, zu Osiris gewordener Graf und Fürst, Prophet und Offizier Wahibre, geboren von der Hausherrin Techuwat! Ich schütze Dein Grab, bewache Deine Unterweltstätte, entferne den Frevler von Deiner Tür, ich fälle die Feinde mit Gemetzel, vertreibe das Unheil von Deinem Grab, vernichte Deine Widersacher auf der Richtstätte. Ich schließe sie ein, und niemals wieder können sie aus ihrem Leichnam herauskommen". Dieser Text findet sich zwar auf einem „Privatsphinx", der dennoch als königliche Erscheinungsform mit Königskopftuch ge-

staltet ist, ohne daß jedoch ein bestimmter Königsname angeführt wäre (Wien, Inv.-Nr. ÄS 76).

Von König Osorkon I. ist außer diesem Sphinx noch der Oberteil einer Statue mit Namenskartusche erhalten, der in Byblos gefunden wurde und auf die engen wirtschaftlichen Beziehungen hinweist, die in der 22. Dynastie zwischen Ägypten und Vorderasien bestanden haben (Louvre Inv.-Nr. AO 9502). Außerdem ist noch eine ebenfalls mit der Namenskartusche des Königs versehene Bronzestatuette erhalten geblieben, die sich heute im Brooklyn Museum (Inv.-Nr. 57.92) befindet.

Lit.: K. Mysliwiec, Royal Portraiture of the Dynasties XXI–XXX, 1988, pp. 15f., 21f., Pls. XVIIb, XVIIIa–c; E. Rogge, Statuen des Neuen Reiches und der III. ZZ., CAA Wien, Lief. 6, 1990, S. 6, 143–149;

Zum König: K. A. Kitchen, The Third Intermediate Period in Egypt (1100–650 BC), 1973, pp. 88ff, 302ff.

143
Statue des Gottes Imichentwer

Wien, Kunsthistorisches Museum, Inv.-Nr. ÄS 5770
Metasandstein („grüner Schiefer"), Höhe 115 cm, Breite
50 cm, Tiefe 36 cm
Vermutlich aus dem Gebiet von Memphis
3. Zwischenzeit, 22. oder 23. Dynastie, um 800 v. Chr.

Trotz der Zerstörungsspuren im Gesicht und an den
Seiten tritt uns in dieser Statue ein Götterbildnis entgegen, dessen technisch perfekte Oberflächenmodellierung diese Skulptur zu einem besonderen Meisterwerk
macht. Der auf der Rückseite dieser Standfigur angebrachte Rückenpfeiler, der von einer obeliskenartigen
Spitze abgeschlossen wird und bis zum Scheitel der
Figur reicht, enthält in fein eingeschnitten Hieroglyphen den Namen des Gottes sowie den Teil einer Königskartusche. Daraus entnehmen wir, daß es sich bei
der dargestellten Figur um den Gott Imichentwer handelt, einem bereits seit der 5. Dynastie belegten Lokal-
gott Unterägyptens, der bisweilen mit dem Schöpfergott
Ptah geglichen wurde oder als seine Erscheinungsform
galt. Da es sich bei dieser Standfigur um die einzige
rundplastische Darstellung des Gottes Imichentwer handelt, können über seine etwaigen sonstigen Attribute
keine Aussagen gemacht werden. Der Text auf dem
Rückenpfeiler lautet in Übersetzung: „Worte zu sprechen von seiten des Imichentwer: Ich habe jegliches
Leben und Gedeihen gegeben dem Herrn der beiden
Länder Usermaatre ...". Da der hier genannte Thronname sowohl von den Königen Ramses II., III., V., VII.,
VIII. sowie von einem König der 21. und von insgesamt
fünf Königen der 22. und drei Königen der 23. Dynastie
geführt wurde, wobei diese Häufung ausschließlich dem
legendären Ansehen Ramses' II. zu verdanken ist, läßt
sich eine sichere Zuordnung dieser Götterstatue in die
Regierungszeit eines dieser Könige allein aufgrund des
Namens nicht vornehmen. So sind es allein stilistische
Gründe, die eine Datierung ermöglichen, wobei hier jedoch gerade bei dem in Betracht kommenden Zeitraum
nach wie vor große Unsicherheiten bestehen.
Die fast lebensgroße Standfigur, deren ursprünglich an
den Körper angelegte Arme abgebrochen sind, lehnt an
einem bis zum Scheitel reichenden Rückenpfeiler. Bemerkenswert ist in der Seitenansicht die Kurvatur der
rückwärtigen Körperlinie, die ähnlich wie Brust- und
Bauchlinie in ihrer leicht schwellenden Formung
Anklänge an die Amarna-Zeit erkennen läßt. Die in weiten Haarwellen auf die Schultern herabfallende, dreigeteilte Strähnenperücke umschreibt die beiden kunstvoll
herausmodellierten Ohren in einem weichen Bogen und

umrahmt das plastisch ausmodellierte Gesicht. Die beiden leicht trapezoiden Augen liegen waagrecht knapp unterhalb der Brauenbögen, die wie die Lidstriche in plastischer Riemchenform wiedergegeben sind. Die hohen
Backenknochen sind nur leicht betont und weich
schwingt die Wangenpartie in der sanften Rundung des
Kinns aus, dessen Spitze vom Ansatz des geschwungenen Götterbartes bedeckt ist. Nach hinten wird das Gesicht durch die beiden eingeritzten Bartbänder begrenzt.
Der vorgewölbte Mund wird von vollen, runden Lippen
gekennzeichnet, die Mundwinkel sind leicht eingetieft.
Der fünfreihige Schmuckkragen auf der Brust, der wohl
ursprünglich bunt bemalt gewesen ist, weist eine aus reliefierten Tropfenperlen gefertigte Abschlußreihe auf.
Besondere Aufmerksamkeit verdient der plastisch gegliederte Oberkörper, dessen Brustmuskel stark betont
sind. Eine flache Rinne kennzeichnet die Körpermitte
und führt bis zum scharf eingeschnittenen, kreisförmigen
Nabel. Die schwellenden Hüften werden von einem breiten, schärpenartigen Gürtel bedeckt, der einen über die
Mitte des rechten Oberschenkels zusammengeschla-
genen, enggefältelten Götterschurz zusammenhält. Das
unterhalb der Gürtelschnalle herabfallende Band ist in
Form eines Isisblut-Zeichens wiedergegeben, ein Symbol für Dauer und Beständigkeit.
Obwohl die in der letzten Veröffentlichung vorgeschla-
gene Datierung dieser Statue in die Regierungszeit Ramses' II., wobei auch eine Usurpation einer Mittleren-
Reichsstatue in Betracht gezogen wird, nicht völlig auszuschließen ist, halten wir einen späteren zeitlichen Ansatz für gerechtfertigter. Trotz aller offensichtlich bewußten Rückbezüge auf die Stilmerkmale eines Ramses II.
oder Sethos I., wozu vor allem die runde Gesichtsform,
die Stilistik der Augenpartie und die vollen, weichen Lippen als Argumente angeführt werden, erscheint die Ge-
sichtsgestaltung und vor allem die Gesamtmodellierung
des Körpers, trotz aller bewußten oder unbewußten Re-
miniszenzen und Spuren längst vergangener Vorbilder,
einen Ansatz in die 22. oder 23. Dynastie wahrscheinlicher zu machen. Das ramessidische Lächeln, das den Statuen dieses Königs jene unvergleichliche Innerlichkeit
verleiht und dem königlichen Selbstverständnis dieser
Zeit entsprochen haben muß, läßt sich hier kaum feststellen. Zu glatt, zu formal wirken letztlich die Gesichtszüge,
die ihr stilistisches Vorbild in der Ramessiden-Zeit freilich nicht verleugnen. Die Verwendung von Chloritschiefer allerdings ist für die Zeit der 19. und 20. Dynastie so
gut wie nicht belegt.

Lit.: S. Curto, *Some Notes Concerning the Religion and Statues of Divini-
ties of Ancient Egypt, Studien zur Sprache und Religion Ägyptens*, FS W.
Westendorf, Bd. 2, 1984, S. 732ff.; E. Rogge, *Statuen des Neuen Reiches
und der III. ZZ.*, CAA Wien, Lief. 6, 1990, S. 6, 76–83

144
Kopf einer Statue einer Königin

London, Britisches Museum, Reg. No. 956
Schwarzer Granit, Höhe 44,5 cm, Breite 23 cm, Tiefe
24,5 cm
Aus Unterägypten, vermutlich Sa el-Hagar
3. Zwischenzeit, 22. oder 23. Dynastie, um 800 v. Chr.

Der schwarze Granitkopf, dessen leicht gelblich gesprenkelte Maserung den gesammelten ruhigen Gesichtsausdruck der Frauengestalt etwas zu irritieren scheint, könnte aufgrund der Uräus-Schlange sowohl einer Göttin als auch einer Königin zugewiesen werden. Doch diese Unsicherheit der Zuweisung setzt sich fort, erörtert man die Frage der Datierung dieses Kopfes. Verschiedene Details des Gesichtes lassen eindeutig die Vorbildhaftigkeit der mittleren 18. Dynastie erkennen. Vor allem die Stellung der mandelförmigen Augen, aber auch die weich geschwungene Wangenpartie und der ein leises Lächeln verratende „thutmosidische" Mund, dessen Lippenbildung freilich schon Anklänge an die kantige Begrenzung, wie sie unter Amenophis III. typisch ist, erkennen läßt, sprechen bei flüchtiger Betrachtung für eine Datierung in die zweite Hälfte der 18. Dynastie. Dennoch spricht eine Reihe von Anhaltspunkten für eine spätere Datierung, auch wenn eine letzte Sicherheit hier nicht erreicht werden kann. Sosehr die einzelnen Details und ihre stilistische Ausarbeitung den gewählten Vorbildern nahekommen, so entscheidet sich das Gesamtbild, das aus der Summe der Einzelteile gebildet wird, deutlich von Skulpturen dieser Zeit. Abgesehen von der letztlich zu stark abgerundeten Schädelform und der tief bis auf die Stirn herabreichenden, dreigeteilten Strähnenperücke, die in ihrer Anordnung und Ausführung ohne Zweifel jener des Imichentwer (s. Kat.-Nr. 143) sehr nahe kommt, gibt es einen weiteren wichtigen Anhaltspunkt, diese Frauendarstellung nicht der 18. Dynastie sondern eher der 22. oder 23. Dynastie zuzuweisen. Hierbei handelt es sich um den erst unlängst aufgefundenen Herkunftsvermerk dieses Statuenfragments, das sich seit 1875 im British Museum befindet, ursprünglich jedoch der Sammlung Belzonis angehörte und in Sais ausgegraben oder zumindest erworben wurde. Damit aber wird eine Datierung in die 18. Dynastie unwahrscheinlich, da Funde aus dieser Zeit in Sais nicht zu erwarten sind. Daß andererseits in der 22. und 23. Dynastie eine Vorliebe für thutmosidische Formen zu vermerken ist, kann auch mit anderen Beispielen belegt werden.

Lit.: T. G. H. James - W. V. Davies, Egyptian Sculpture, p. 65, fig. 71; C. N. Reeves, Belzoni, the Egyptian Hall, and the date of a long-known sculpture, JEA 75, 1989, pp. 235–237, pls. XXXIII, XXXIV; Il senso dell'arte nell'antico Egitto, Katalog Bologna 1990, No. 101

145
Statue der Göttin Wenut

Paris, Louvre, Inv.-Nr. N 4535
Diorit, Höhe 65 cm, Breite 15,4 cm, Tiefe 34 cm
Herkunft unbekannt
3. Zwischenzeit, 22. Dynastie, um 900 v. Chr.

Diese Sitzstatue einer löwenköpfigen Göttin kann aufgrund der beiden senkrechten Inschriftenzeilen auf der Vorderseite des Thrones identifiziert werden. So handelt es sich nicht, wie man beim ersten Betrachten der Statue vielleicht vermuten würde, um eine Darstellung der Göttin Sachmet (s. Kat.-Nr. 95 und 96), sondern um „Wenut, die Herrin von Unu , die Herrin des Himmels, die Herrin an der Stätte der Achtheit". Die Göttin ist menschengestaltig mit einem Löwenkopf dargestellt. Sie sitzt auf einem schmalen Thron mit kurzer abgerundeter Rückenlehne, der auf einer hohen Basisplatte steht. Die Göttin lehnt sich an einen hohen unbeschrifteten Rückenpfeiler, der bis zur Sonnenscheibe auf ihrem Haupte reicht, über der Stirn bäumt sich die Uräus-Schlange auf. Das raubkatzenartige Gesicht der Göttin mit den deutlich ausgearbeiteten Ohren sitzt auf einem mit vollen Brüsten ausmodellierten Oberkörper, auf den die dreigeteilte Strähnenperücke zu beiden Seiten des Kopfes herabfällt. In statuarischer Sitzform hält die Göttin die rechte Hand flach auf dem Oberschenkel, während die linke in der Faust das Lebenszeichen zeigt. Die insgesamt zwar ausgewogene Komposition läßt dennoch in den stilistischen Details große Unterschiede zu den zahlreichen Sachmet-Statuen erkennen, die im Bereich des Mut-Tempels unter König Amenophis III. aufgestellt wurden (s. Kat.-Nr. 95 und 96). Und dementsprechend hatte diese Statue wohl auch eine andere Funktion zu erfüllen. Ein zwischen den beiden auf der Basisplatte aufruhenden Füßen rund gebohrtes Loch läßt vermuten, daß es zur Aufnahme eines Kultgegenstandes, vielleicht einer Fahne oder eines anderen Attributes der Göttin bestimmt war, und somit diese Sitzfigur ein ursprünglich wohl im Allerheiligsten eines Tempels aufgestelltes Kultbild war, dem täglich geräuchert und geopfert wurde. Nur wenige Kultstatuen dieser Art sind überliefert (s. Kat.-Nr. 105).

Die Göttin Wenut, die seit der 11. Dynastie als Schlangengöttin belegt ist und deren Namen soviel wie „Die Hurtige" bedeutet, war Gaugöttin der Hauptstadt des 15. oberägyptischen Gaus. Aus diesem Grund wird ihr Name auch mit dem Zeichen einer Kobra determiniert und daraus erklärt sich auch ihre Verbindung zu den Kronengöttinnen des Königs. Da der Name der Göttin hieroglyphisch mit dem Bild eines Hasen geschrieben wird, konnte sie auch in Hasengestalt bzw. hasenköpfig wiedergegeben werden. Ihre unlängst wieder bezweifelte Verbindung zur Löwengestalt (s. Lexikon der Ägyptologie, Bd. 6, s.v. Unut, S. 859) wird durch die hier gezeigte Statue jedoch eindeutig bestätigt, wenn auch die Gründe dafür dunkel sein mögen.

Lit.: G. Perrot - C. Chipiez, Histoire de l'Art dans l'Antiquité, T. I: L'Egypte, Paris 1882, p. 59, Fig. 39

146
Statuette eines Königs

London, Britisches Museum, Reg. No. 2276
Bronze, Höhe 22,5 cm, Breite 8 cm, Tiefe 9 cm
Herkunft unbekannt
3. Zwischenzeit, 22. oder 23. Dynastie, um 800 v. Chr.

Die Herstellung von Metallstatuen hat in Ägypten eine bis weit in das Alte Reich zurückreichende Tradition. Schon auf dem Palermo-Stein, jener aus dem Alten Reich stammenden Chronik der ersten fünf Dynastien der ägyptischen Geschichte wird die Fertigung einer Kupferstatue von einem König der 2. Dynastie geschildert. Berühmt sind die beiden Kupferstatuen in natürlicher Größe, die den König Pepi I. und seinen Sohn Merenre aus der 6. Dynastie zeigen. Seit der 12. Dynastie ist in Ägypten Bronze bekannt, die aus Syrien importiert wurde und in Form von Gefäßen, Geräten und Werkzeugen, aber auch als Statuen und Türbeschläge alsbald eine weite Verbreitung fand. Wohl erst in der Spätzeit begann man in Ägypten das Rohmaterial nicht länger ausschließlich zu importieren, sondern die Zinn-Kupfer-Legierung selbst herzustellen. Während aus den ersten zwanzig Dynastien äußerst wenige Bronzestatuen überliefert sind, kommt es in der Dritten Zwischenzeit zu einer wahren Explosion der Bronzeherstellung, sodaß trotz der vorauszusetzenden großen Verlustrate in Form von Einschmelzprozessen eine beachtliche Anzahl von derartigen Bildnissen überliefert ist. Beginnend mit der in Gold tauschierten Bronzestatuette des Königs Osorkon I. und seiner Enkelin, der Gottesgemahlin des Amun, Karomama, bis hin zu den zahllosen Götter-

bronzen aus dem Ende der ägyptischen Geschichte, tritt uns hier gleichsam eine neue Darstellungsform der ägyptischen Rundplastik entgegen, die in ihrer großen Mehrheit kaum an die Qualität der aus Stein oder Holz gefertigten Rundbilder herankam.
Die Statuette zeigt einen König in Pseudoschrittstellung (Basisplatte weggebrochen). Er ist bekleidet mit dem üblichen Königskopftuch und der Uräus-Schlange sowie dem plissierten kurzen Königsschurz mit Mittelteil. Während die linke Hand an den Körper gelegt ist und wohl ursprünglich ein Szepter trug, stützt sich die rechte auf einen nicht mehr erhaltenen Würdestab, eine Darstellungsform, wie sie für vornehme Personen seit den Reliefs der 4. Dynastie belegt ist und sich auch in der bereits oben erwähnten Kupferstatue des Königs Pepi I. aus der 6. Dynastie findet. Die Statuetten wurden meist im Wachsausschmelzverfahren (cire-perdue-Verfahren) hergestellt. Bei diesem wird über die aus Wachs modellierte Grundform eine Lehmhülle gelegt, anschließend das Wachs ausgeschmolzen und der entstandene Hohlraum mit der flüssigen Bronzelegierung ausgefüllt.

Lit.: M. Bierbrier, The Lethieullier family and the British Museum, Pyramid Studies (FS I. E. S. Edwards), 1988, p. 225

147
Kopf einer Königsstatue

London, Britisches Museum, Reg. No. 63833
Granit, Höhe 23 cm, Breite 17 cm, Tiefe 12,5 cm
Herkunft unbekannt
3. Zwischenzeit, 22. oder 23. Dynastie, um 770 v. Chr.

Herkunft und Zuordnung des unbeschrifteten Königs-kopfes sind unbekannt. Das Statuenfragment zeigt einen Königskopf mit breit plissiertem Königskopftuch, einer auffallend breiten Uräus-Schlange und dem unteren Teil einer Kompositkrone, deren Spitze und Seitenteile weg-gebrochen sind. Das rundliche, breite Gesicht, das von dem enganliegenden Kopftuch umrahmt wird, erweckt einen behäbigen, aber keineswegs plumpen Eindruck. Die breiten, eher kursorisch ausgearbeiteten Ohren, die übrigens nicht in der gleichen Höhe angesetzt sind, stehen vor den beiden Seitenteilen des Kopftuchs weit ab. Der breite Gesichtsschädel wird durch die parallel zum Stirnband verlaufenden, bis weit in die Schläfen-partie reichenden Augenbrauen betont, unter denen un-regelmäßig geschwungene Oberlider zwei waagrecht eingesetzte Augen mit leicht hervortretenden Augäpfeln markieren. Die betonte Wangenpartie wird durch die beiden eingetieften Labionasalfalten von der Nase und dem Oberlippenbereich getrennt. Der breite, von abge-rundeten Lippen gebildete Mund verleiht dem Antlitz ein sprechendes, ja fast impulsives Aussehen. Ein abge-rundetes, fettiges Kinn mündet in einen breiten Halsan-satz.

Der breite, letztlich grob geformte Gesichtsschädel, der energisch wirkende Mund und die abstehenden Ohren lassen an das Mittlere Reich denken, das diesem Kö-nigsbildnis hier wohl zum Vorbild gedient hat. Wäre an-statt des breiten Uräus ein Doppeluräus über der Stirn angebracht, dann wäre eine Zuordnung dieses Kopfes in die 25. Dynastie zumindest nicht unwahrscheinlich.

Lit.: Unveröffentlicht

148
Würfelhocker des Nimlot

Wien, Kunsthistorisches Museum, Inv.-Nr. ÄS 5791
Basalt, Höhe 77,5 cm, Breite 35 cm, Tiefe 35,5 cm
Herkunft unbekannt, vielleicht aus Heliopolis
3. Zwischenzeit, 22. Dynastie, um 900 v. Chr.

Mit der Rückbesinnung auf die seit dem Mittleren Reich nachweisbaren Hockerstatuen zeigt diese Skulptur einmal mehr die bewußte Anlehnung an das traditionelle Formeninventar der ägyptischen Rundplastik, eine Erscheinung, die einerseits einem möglichen Mangel an Selbstbewußtsein entsprungen sein könnte, andererseits aber gerade jene Selbstbehauptung widerspiegelt, die in der bewußten Tradierung einmal als richtig und stimmig erkannter Grundformen für das über Jahrtausende hin unverändert formale Erscheinungsbild der ägyptischen Skulptur verantwortlich gewesen ist. Die Einbettung des Körpers in einen würfeligen Raum unter Verzicht auf eine anatomisch „richtige" Körperhaltung läßt auf die Wertigkeit schließen, die der formalen Gestaltung gegenüber der realistischen Abbildhaftigkeit zukam.
Die auf allen vier Seiten des Würfels sowie auf der Basisplatte beschriftete Hockerfigur ist in ein enges, knöchellanges Gewand gehüllt, unter dem sich die an den Leib gezogenen aufgestellten Beine deutlich abzeichnen. Die Arme sind über die Knie gelegt, die rechte Hand hält einen Lattich. Das rundliche, flächig modellierte Gesicht wird von einer glatten, stark abgeflachten Perücke umrandet. Große tiefliegende Augen unter einer hohen fliehenden Stirn sowie der breite, von wulstigen Lippen gebildete Mund mit leicht herabgebogenen, stark eingetieften Mundwinkeln kennzeichnen ein in sich ruhendes, kontemplatives Antlitz. Die Körperhaltung der „geschlossenen Form", aus der nur der Kopf herausragt, der über die Perücke dennoch mit dem kubischen Körper eng verbunden ist, entspricht der Vorstellung eines kultischen Aktes, eines Gebets, dessen Inhalt die auf den vier umlaufenden Seiten eingeritzten Inschriften wiedergeben. Die Inschriften berichten aber auch von der Person, dem Namen und der Abkunft des Dargestellten: Es ist Nimlot, einer der Söhne Königs Scheschonk I., des Begründers der 22. Dynastie, der ursprünglich als libyscher Söldner Fürst in Herakleopolis war, sich aber schließlich zum König ganz Ägyptens ausrufen ließ. Während der älteste Sohn Scheschonks als König Osorkon I. seine Nachfolge auf dem Thron antrat, war Nimlot oberster Befehlshaber, der für die Sicherheit im

Lande, aber auch für die Beibehaltung der Macht in seiner Familiendynastie verantwortlich war. Auf der Vorderseite des Würfelhockers ist links eine Darstellung des mit der hohen Federkrone versehenen Gottes Amun in den Stein eingetieft, rechts von ihm sind acht waagrechte Inschriftenzeilen eingeschrieben, die folgenden Text beinhalten:
Z. 1 „Ein Opfer, das der König Amun-Re gibt dem Herrn der Throne der beiden Länder, dem Ersten von Karnak,
Z. 2 dem Großen Gott und Herrn des Himmels, damit er mir Leben, Heil und Gesundheit gewähre, indem ich wohlbehalten bin
Z. 3 und daß nicht Übles bei mir ist, damit ich Atum sehe
Z. 4 und meine Stimme im Verborgenen ist, damit meine Vollkommenheit in
Z. 5 Heliopolis vernommen werde, damit meine Sehnen fest seien und mein Geist herrlich,
Z. 6 damit er täglich mein Verklärtsein gebe für den Ka des Gerechtfertigten,
Z. 7 der keine Sünde hat und die Abweichungen verbirgt, nämlich des Königssohnes des Ramses und Anführers des
    gesamten Heeres Nimlot, des Gerechtfertigten,
Z. 8 seine Mutter ist die Tochter eines Anführers Patareschunes, die Gerechtfertigte" (s. Abb.)
Während auf der linken Seite eine Darstellung des Gottes Ptah wiedergegeben ist, der mumienförmig in enganliegendem Gewand in der für ihn typischen Darstellungsform wiedergegeben ist, ist auf der rechten Seite der Gott Re-Harachte dargestellt. Die an die beiden Gottheiten gerichteten Gebete und Bitten sollen Nimlot und seinen Namen „bis in Ewigkeit in seiner Wohnstätte und seine Erben auf seinem Platz dauern lassen, während für seinen Ka geopfert wird".
Kubische Grundform und stilistische Gestaltung vereint mit dem Namen und den persönlichen Gebeten des Dargestellten fügen sich hier in idealer Weise zu einem von Form, Stil und Inhalt bestimmten Menschenbildnis, einer Skulptur, die wie kaum eine andere in verdichteter Weise das Kunstwollen der ägyptischen Darstellungen veranschaulicht. Sicher war dieser Würfelhocker einst in einem Tempel der Residenzstadt, nicht weit vom königlichen Palast entfernt, aufgestellt und sollte durch seine ständige Präsenz dazu beitragen, die in den Gebeten geäußerten Wünsche des Nimlot zu verwirklichen.

Lit.: K. Myśliwiec, Royal Portraiture of the Dynasties XXI–XXX, 1988, Pl. XVIIa; E. Rogge, Statuen des Neuen Reiches und der III. ZZ., CAA Wien, Lief. 6, 1990, S. 6, 150–163

Inschriften und Darstellungen am Würfelhocker des Nimlot (linke Seite Front, Rückenpfeiler, rechte Seite; nach: E. Rogge, CAA Wien, Lief. 6, 1990, S. 6, 155–158)

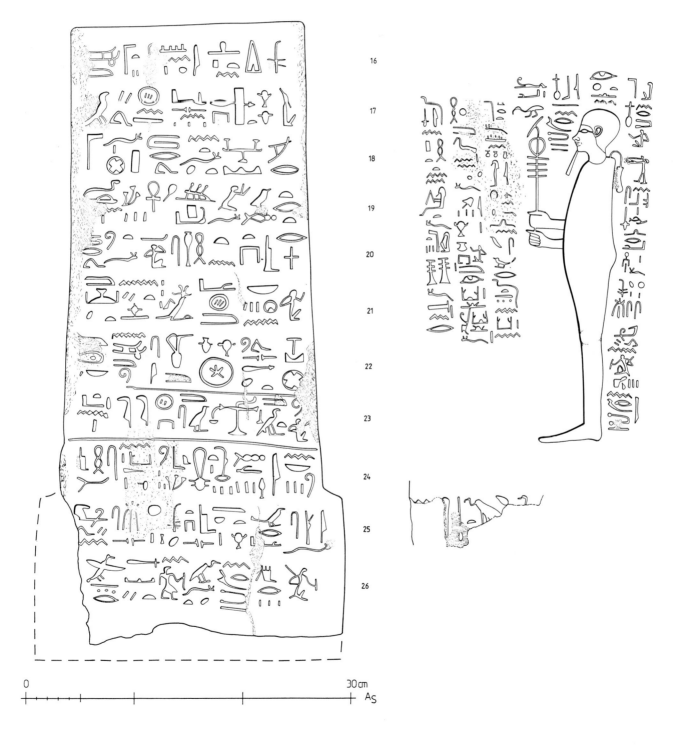

374

149
Würfelhocker des Hor

Berlin-Museumsinsel, Ägyptisches Museum,
Inv.-Nr. 17272
Grauwacke, Höhe 31 cm
Aus Karnak
3. Zwischenzeit, 23. Dynastie, um 760 v. Chr.

In ähnlicher Weise wie der Würfelhocker des Nimlot ist auch der „Priester des Amun in Karnak, Priester des Month in Theben, Fürst und Prinz, Siegler des Königs von Unterägypten, einziger Freund, Wedelträger zur Rechten des Königs, der allein vor den König tritt und den Palast in seiner Erhabenheit anblickt, Briefschreiber des Pharao, Hor" in der Darstellungsform des Würfelhockers wiedergegeben. Stärker noch als in der Statue des Nimlot sind hier die Körperformen zugunsten der flächigen Außenseiten des Würfels aufgegeben. In abstrahierender Direktheit wird hier der Würfel zur allein maßgeblichen Form, aus dem der Kopf wie eine abgerundete Pyramide herausragt. Durch die waagrechte, fast spiegelglatte Fläche vor dem Gesicht, das nur durch einen schmalen Kinnbart mit dem Würfel verbunden ist, erhält das Antlitz eine besondere, von der Flächigkeit des umgebenden Rahmens sich abhebende Plastizität. Das Gesicht ist zwar sorgfältig ausgearbeitet, Augenbrauen und Lider sorgsam herausmodelliert, der deutlich scharfkantig geschnittene Mund paßt sich harmonisch dem weichgeschwungenen Gesichtsfeld an, doch verrät der Gesamteindruck wenig persönliche, individuelle Züge, sondern vermittelt eher ein zeitloses idealisiertes Schönheitsideal.

Die aus der würfeligen Oberfläche reliefartig herausgearbeiteten Hände ruhen auf den Knien, wobei die rechte Hand ein Lattichbündel hält, ein Symbol für Leben und Fruchtbarkeit. Eine zeitliche Zuordnung dieses Würfelhockers wird durch die auf der Oberseite des Würfels angebrachte Königskartusche des Königs Osorkon III.

ermöglicht, der einer der letzten Herrscher der 23. Dynastie gewesen ist. In der für diese Zeit üblichen Art und Weise sind die umlaufenden Flächen mit Götterdarstellungen und Texten reliefiert. So stehen auf der Vorderseite der falkenköpfige Kriegsgott Month, der mit Sonnenscheibe und Federkrone versehen ist, in der rechten Hand das Anch-Zeichen und in der linken seinen Würdestab trägt, rechts der mumienförmige, mit der hohen Atef-Krone bekleidete Totenherrscher Osiris, der in seinen Händen das Szepter und die Geißel hält. Während auf der linken Seite Horus, „der seinen Vater rächt", sowie Thot, „der Herr der Gottesworte" wiedergegeben sind, verehren auf der rechten Seite die Göttermutter und Himmelsherrin Isis sowie ihre Schwester Nephthys, die Himmelsherrin und Herrin der Götter, die Barke des Sonnengottes der Nekropole von Memphis, Sokaris.

Auch dieser Würfelhocker war einst im großen Tempel von Karnak aufgestellt, um dem Toten die Teilnahme an den täglichen Opfern zu ermöglichen. Dementsprechend heißt es auf der beschrifteten Rückseite: „Wie köstlich ist es den Gott Amun zu sehen, wenn ich in seinem Haus sitze und das Lob der Priester höre wie den Jubel der Gottesmacht des Ostens". Mit der Gottesmacht des Ostens ist das täglich beim Aufgehen der Morgensonne zu vernehmende Geschrei der Paviane, der heiligen Tiere des Sonnengottes, gemeint (s. Kat.-Nr. 89).

Lit.: K. Bosse, Die menschliche Figur in der Rundplastik der ägyptischen Spätzeit von der XXII. bis zur XXX. Dynastie, ÄF 1, 1936, S. 28; Ägyptisches Museum, Katalog Berlin-Museumsinsel 1991, Nr. 100

SPÄTZEIT (25.–30. DYNASTIE)

Mit König Schabaka beginnt die 25. Dynastie und damit die kuschitische Herrschaft in Ägypten. Der Äthiopier vereinigt ganz Ägypten und Nubien bis in die Gegend des heutigen Khartum unter seiner Herrschaft. Residenz der kuschitischen Pharaonen ist ihre Hauptstadt Napata, doch kommen sie öfters zu kultischen Zwecken nach Ägypten. Sie entfalten eine rege Bautätigkeit, vor allem in Nubien und in Theben. Allmählich kommt es zu einer Neuorientierung. Die noch in der 22. und 23. Dynastie beliebte Orientierung nach dem Vorbild des späten Neuen Reiches wird aufgegeben, und statt dessen kommt es zu einem bewußt archaisierenden Rückgriff auf ältere Epochen, wie das Alte und Mittlere Reich, bisweilen auch die erste Hälfte der 18. Dynastie. Die nächste Katastrophe erfährt Ägypten im Jahre 671 v. Chr., als die Assyrer in Ägypten eindringen und Memphis erobern. Oberägypten bleibt nach wie vor unter der Oberhoheit der Kuschiten. Als ein Kuschitenkönig nach seiner Thronbesteigung die Assyrer angreift und Memphis erobert, wird er alsbald aus Unterägypten wieder vertrieben und bis zum ersten Katarakt von den Assyrern verfolgt. Damals kommt es zu einer totalen Plünderung und Zerstörung der Hauptstadt Theben.

Unter König Psammetich I., dem Begründer der 26. Dynastie, wird Ägypten wieder völlig selbständig. Residenzstadt dieser Dynastie ist Sais, deswegen spricht man auch von den Saiten. Die Bautätigkeit beschränkt sich fast ausschließlich auf Unterägypten. Die Kunst nimmt einen neuen Aufschwung und auch die wirtschaftliche Situation des Landes ist zufriedenstellend. Im Jahre 525 v. Chr. wird Ägypten jedoch von den Persern erobert und zur Satrapie des persischen Reichs. Die 27. Dynastie unter König Kambyses hat begonnen, unter Xerxes wird eine Revolte in Ägypten niedergeschlagen. Rund 120 Jahre später erhebt sich Ägypten erneut unter der Führung des Amyrtaios und anderer libyscher Fürsten. Es kommt zur letzten unabhängigen Dynastie, der sogenannten 28. Dynastie, die über ganz Ägypten regiert. Nach der nur wenige Jahre dauernden 29. Dynastie kommt es zu einem kurzen Aufblühen der ägyptischen Kultur während der 30. Dynastie unter den Königen Nektanebis und Nektanebos. Bald schon jedoch erneuert sich die persische Herrschaft ein zweites Mal. Nun bleibt Ägypten bis zur Eroberung durch Alexander den Großen im Jahre 332 v. Chr. wieder eine Satrapie des persischen Reiches.

Zeittafel, Dynastienliste

25. Dynastie:	712–664 v. Chr.
	Kaschta (um 760–740)
	Pije (740–713)
	Schabaka (712–698)
	Schebitku (698–690)
	Taharqa (690–664)
	Tanutamun (664–656)
	Assyrische Eroberung 671–664
26. Dynastie:	664–525 v. Chr.
	(Saitenzeit)
	Necho I. (672–664)
	Psammetich I. (664–610)
	Necho II. (610–595)
	Psammetich II. (595–589)
	Apries (589–570)
	Amasis (570–526)
	Psammetich III. (526–525)
27. Dynastie:	525–404 v. Chr.
	(Perserherrschaft)
28. Dynastie:	Amyrtaios (404–399)
29. Dynastie:	399–380 v. Chr.
	Nepherites I. (399–393)
	Psammuthis (393)
	Hakoris (393–380)
	Nepherites II. (380)
30. Dynastie:	380–343 v. Chr.
	Nektanebis (380–362)
	Teos (362–360)
	Nektanebos (360–343)
31. Dynastie:	343–332 v. Chr.
	(Zweite Perserherrschaft)

150
Würfelhocker des Achimenru

Paris, Louvre, Inv.-Nr. A 85
Diorit (?), Höhe 45 cm, Breite 17 cm, Tiefe 28,5 cm
Aus Theben
Spätzeit, 25. Dynastie, um 660 v. Chr.

Die Hockerstatue des Achimenru kann aufgrund der umlaufenden Beschriftung und der darin enthaltenen genealogischen Angaben an das Ende der 25. bzw. Beginn
der 26. Dynastie datiert werden. Diese Statue entstammt
also jener stilistisch nur schwer zu trennenden Übergangszeit von der Fremdherrschaft der Kuschiten zu der
erneuten Unabhängigkeit Ägyptens unter den Saiten,
den Herrschern der 26. Dynastie. Im Gegensatz zu den
kühl wirkenden und von formaler Strenge gekennzeichneten Würfelhockern der 22. und 23. Dynastie vermitteln die der Saiten-Zeit entstammenden Beispiele eine
deutlich verstärkte Plastizität und Betonung der Körperformen. Das runde, fleischige Gesicht mit weit geöffneten Augen und wulstigen Lippen entspricht ganz dem
Königsbildnis der 25. Dynastie. Dennoch erinnert die

Gesamtgestaltung, vor allem die breit abstehenden
Ohren, an das Mittlere Reich, in dem die Darstellungsform des Würfelhockers aus dem Bestreben nach größt-
möglicher Annäherung an ein von Geradansichtigkeit
bestimmtes Formideal erfunden wurde. Auffallend bei
dieser Statue sind die rundplastisch ausmodellierten
Oberarme und die deutlich sichtbaren hochgestellten
Beine, vor allem aber der leicht nach oben gerichtete
Blick, der gerne als Ausdruck jenseitiger Verklärtheit
gedeutet wird.

Lit.: J. Leclant, Le prêtre Pekiry et son fils le grand majordome Akha-
menrou, JNES 13, 1954, pp. 154, 155; B. V. Bothmer, Apotheosis in Late
Egyptian Sculpture, KEMI XX, 1970, p. 43 no. III, pl. IX, 11; PM I/2², 1964,
p. 793;

151
Würfelhocker des Horemachbit

Wien, Kunsthistorisches Museum, Inv.-Nr. ÄS 9639
Granit, Höhe 32 cm, Breite 15,8 cm, Tiefe 19,5 cm
Herkunft unbekannt
Spätzeit, 26. Dynastie, um 650 v. Chr.

Der Würfelhocker des Horemachbit ist die letzte Neuerwerbung der Ägyptischen Sammlung des Kunsthistorischen Museums. Sein vollkommener Erhaltungszustand und die hohe Qualität der Ausführung machen ihn zu einem herausragenden Beispiel für den hohen Entwicklungsstand, den die ägyptische Skulptur zu Beginn der 26. Dynastie aufweisen konnte. Horemachbit wird in der üblichen Hockerhaltung wiedergegeben, wobei jedoch, wie bereits in der 25. Dynastie einsetzend, die Plastizität der einzelnen Gliedmaßen betont wird, während die abstrakt formale Würfelstruktur in den Hintergrund rückt. Er sitzt auf einer fast quadratischen, kantig abgeschnittenen Basisplatte, die an der Vorderseite die Opferformel mit dem Namen des Gottes Amun-Re enthält. In fünf waagrechten Inschriften auf der Vorderseite seines enganliegenden Gewandes, das von den Knien bis knapp oberhalb der Knöchel herabreicht, sind die Eltern des Horemachbit genannt, im Anschluß daran sind Segenswünsche formuliert. Die trotz ihrer geringen Größe fast monumental wirkende Statue besticht durch die harmonisch ausgewogene Gesamtmodellierung. Von der Basisplatte bis zum Scheitel bietet die sitzende Figur die Silhouette eines Ovals, aus der nur die abgerundeten Ell-bogen leicht hervortreten. Das Gesicht wird von einer glatten Perücke umrahmt, die übergroßen Ohren sind frei gelassen. Sorgfältig sind die waagrecht neben der Nasenwurzel ansetzenden Augenbrauen reliefiert; auffallend sind die stark geschwungenen Augenlider. Eine lange, gerade Nase endet über dem nicht besonders gekennzeichneten Philtrum, der breite, dicklippige Mund scheint leicht geöffnet zu sein. In weichem Schwung leiten die Wangen zum abgerundeten Kinn über, unter dem ein modischer kurzer Bart befestigt ist. Die flach aus der Masse des Steins herausmodellierten Hände sind auf die Oberarme gelegt, die Ellbogen ruhen auf den Knien.

Die vollendet modellierte Hockerfigur kann aufgrund der leicht nach oben gerichteten Blickrichtung des Dargestellten in jene Gruppe von Würfelhockern eingeordnet werden, die man gemeinhin als Darstellung des verklärten Toten auffaßt (s. Kat.-Nr. 150). Insofern kam auch dieser Statue die Funktion zu, Horemachbit im Tempel seines Gottes Amun-Re bei den täglichen Opfern zu vertreten.

Lit.: Unveröffentlicht

381

152
Statuenkopf

Paris, Louvre, Inv.-Nr. E 11068
Brekzie, Höhe 20,5 cm, Breite 24,7 cm
Aus Karnak
Spätzeit, 26. Dynastie, um 650 v. Chr.

Es wäre denkbar, daß auch dieser Statuenkopf ursprünglich zu einem Würfelhocker gehört hat. In seltener Deutlichkeit wird hier das Bestreben der Saiten-Zeit sichtbar, in bewußt archaisierender Weise den als richtig empfundenen Vorbildern vorangegangener Epochen zu entsprechen. So lassen sich auch bei dem hier gezeigten Statuenfragment Stilmerkmale des Alten, des Mittleren, ja sogar des Neuen Reiches auffinden, die hier zu einem neuen Gesamtbild vereint, letztlich ein in der formalen Gestaltung zwar befriedigendes, in seiner Ausstrahlung jedoch eher flaches, farbloses Ergebnis zeigen. Die über der Stirn leicht gescheitelte Perücke fällt in dichten Strähnen hinter den Ohren auf die Schultern herab. Beispiele für diese Perückenart finden sich bereits im Mittleren Reich. Auch die breiten, großen Ohren sind ein Stilmerkmal, das in der Saiten-Zeit gerne verwendet wird und letztlich ebenfalls auf das Mittlere Reich zurückzuführen ist. Die waagrechte Schulterlinie, der breite, eher kurze Hals und die geschlossene Form dieses Fragmentes vermitteln etwas von der Ausstrahlung der Alten-Reichsplastik, sosehr sie auch hier durch die Augen- und Mundpartie abgeschwächt wird. Die schmalen, ungleichmäßig geformten Augen setzen sich mit ihren stäbchenförmig reliefierten Oberlidern bis an den Rand des Gesichtes fort. Auch die Brauenbögen, die parallel zu den Oberlidern verlaufen, sind nur schmale Striche. Unter der breiten Nase ist deutlich das Philtrum zu erkennen, der leicht nach oben geschwungene Mund wird von zwei vertieften Mundwinkeln begrenzt.

Lit.: B. V. Bothmer, ESLP, p. 30

153
Kopf einer Statue eines Beamten

London, Britisches Museum, Reg. No. 848
Quarzit, Höhe 23 cm, Breite 17 cm, Tiefe 13 cm
Herkunft unbekannt
Spätzeit, 25. Dynastie, um 670 v. Chr. (?)

Das Statuenfragment aus rotem Quarzit weist eine seltsame Mischung aus Stilmerkmalen des Mittleren Reiches und der 25. Dynastie auf. Die übergroßen, gleichmäßig geformten Ohren vor der gekräuselten Strähnenperücke zählen ebenso dazu wie der auf der linken Seite noch erkennbare breite Schulteransatz. Die wulstigen Augenlider hingegen, die hervortretenden Augäpfel und das Fehlen eines Brauenbogens heben diesen Kopf von vergleichbaren Skulpturen ab, wobei ihm aufgrund der stark bewegten Wangenmodellierung, der deutlich vertieften Labionasalfalten und des hervortretenden, fleischigen Mundes eine merkwürdige Sonderstellung zukommt.

Lit.: B. V. Bothmer, ESLP, p. 8

154
Statuengruppe eines Ehepaares

Paris, Louvre, Inv.-Nr. A 117
Kalkstein, Höhe 44 cm, Breite 29,5 cm, Tiefe 29 cm
Herkunft unbekannt
Spätzeit, 26. Dynastie, um 650 v. Chr.

Die Statuengruppe des „Dritten Amun-Priesters, obersten Vorlesepriesters, Schreibers der Gottesarchive, Reinigungspriesters der Sechmet Padiimennebnesuttaui" sowie seiner Gemahlin „Schepenmut, der Priesterin der Hathor, der Sängerin des Amun-Re der dritten Phyle, der Hausherrin und deren Sohn" gehört zu den in der Spätzeit extrem seltenen Beispielen für Statuengruppen. Das Ehepaar sitzt auf einer würfeligen Bank und lehnt sich gegen eine hohe Rückenlehne. Zwischen den beiden steht der kleine Sohn Horus. In Handhaltung, Bekleidung und Stil bietet diese Statuengruppe ein Sammelsurium unterschiedlicher Anleihen und mißverstandener Vorlagen aus dem Alten, Mittleren und Neuen Reich. Während die Perücke des Mannes eindeutig auf die 18. Dynastie zurückgeht, entspricht seine Handhaltung jener des Alten Reiches. Während die rechte Hand das Taschentuch hält, umarmt er mit der linken seine Ehefrau – genau umgekehrt als es im Alten Reich üblich ist. Er ist in einen gefältelten, kurzen Schurz gekleidet, seine Beine sind barfuß und in jener groben Modellierung

wiedergegeben, wie sie für das Ende des Alten Reiches und den Beginn des Mittleren Reiches charakteristisch ist. Die Ehefrau ist in ein weißes Leinengewand gehüllt, das an der Vorderseite eine Beschriftung mit ihrem Titel und Namen aufweist. Sie trägt die dreiteilige Strähnenperücke und hat beide Hände flach auf die Oberschenkel gelegt. Bei beiden Erwachsenen ist die Modellierung des Oberkörpers und der Gliedmaßen plump und auch die Gesichter sind eher grobschlächtig und voluminös wiedergegeben. Der zwischen seinen Eltern stehende kleine Sohn ist ebenfalls mit dem ursprünglich dem König vorbehaltenen Schendit-Schurz mit plissiertem Mittelteil bekleidet. Rechts und links von ihm finden sich Titel und Namen seiner Eltern.

Aufgrund verschiedener genealogischer Angaben läßt sich die Statuengruppe etwa in das 14. Jahr des Königs Psammetich I. in der 26. Dynastie einordnen.

Lit.: Unveröffentlicht

155
Hockerstatue des Harwa

London, Britisches Museum, Reg. No. 32555
Diorit, Höhe 23 cm, Breite 16 cm, Tiefe 19,5 cm
Herkunft unbekannt
Spätzeit, 25. Dynastie, um 750 v. Chr.

Die Statuengruppe des Harwa stellt eine seltene Kombination von Hockerstatue und Naophoren-Statue dar, wie sie in dieser Form kaum ein zweites Mal belegt ist. Harwa sitzt mit hochgezogenen Knien auf der rückwärts leicht erhöhten Basisplatte. Seine Füße, mit deutlich ausgearbeiteten Zehen, sind am Rand der Basisplatte aufgesetzt, er selbst lehnt an einem Rückenpfeiler, der ihm bis zum Halsansatz reicht und oben wie eine Stele abgerundet ist. Harwa ist in ein Gewand mit Kurzärmeln gekleidet, das auch die Knie und einen Teil seiner Unterschenkel bedeckt. Sein kahler, eierförmiger Schädel ist durch den kurzen Hals nur wenig vom Oberkörper losgelöst, sodaß die ganze Figur ein eher geducktes, gedrungenes Aussehen erhält. Der kahle Schädel setzt sich über eine äußerst niedrige Stirn bruchlos bis zu den beiden reliefierten Augenbrauen fort. Die darunter eingetieften, von stark geschwungenen Oberlidern begrenzten Augen scheinen nach oben zu blicken. Wangenpartie, Nase und Mund sind cher grobflächig gearbeitet und lassen keine individuellen Gesichtszüge er-

kennen. Mit seinen aufgestellten Unterschenkeln stützt Harwa die beiden vor ihm in ähnlicher Haltung sitzenden Götterfiguren, die jeweils mit der langen glatten Strähnenperücke sowie einem engen, anliegenden Gewand bekleidet sind. Beide Gottheiten zeigen über der Stirn die sich aufbäumende Uräus-Schlange sowie einmal das Kuhgehörn mit Sonnenscheibe, das andere Mal die Federkrone mit Sonnenscheibe, Darstellungen zweier aufgrund der häufigen Verwendung der hier gezeigten Attribute nicht näher identifizierbarer Göttinnen. Die Namenskartusche zwischen den beiden Gottheiten enthält den Namen der Gottesgemahlin Amenirdis und ermöglicht auf diese Weise eine Datierung der Figurengruppe noch in die 25. Dynastie.

Lit.: B. Gunn - R. Engelbach, The Statues of Harwa, BIFAO XXX, 1931, p. 791–815, pls. IV, V; K. Bosse, Die menschliche Figur in der Rundplastik der ägyptischen Spätzeit von der XXII. bis zur XXX. Dynastie, ÄF 1, 1936, S. 51 Nr. 132, Taf. VIf; B. V. Bothmer, Apotheosis in Late Egyptian Sculpture, KEMI XX, 1970, p. 43 no. II, pl. IX, 10; S. Donadoni, L'Egitto, 1981, p. 247; St. Quirke, Who were the Pharaohs?, 1990, p. 17

156
Statue des Iraachonsu

Boston, Museum of Fine Arts, James Fund and Contribution, Inv.-Nr. 07.494
Granit (?), Höhe 43 cm, Breite 12,6 cm
Herkunft unbekannt
Spätzeit, 25. Dynastie, um 660 v. Chr.

Die mit Ausnahme der weggebrochenen Füße vollständig erhaltene Standfigur des Priesters Iraachonsu stellt ein kennzeichnendes Beispiel für die Modellierkunst in der Steinskulptur aus dem Ende der 25. Dynastie dar. Der Priester ist in traditioneller Weise mit vorgesetztem linken Bein wiedergegeben, die Arme hängen zu beiden Seiten des Körpers herab und umfassen den „Schattenstab" bzw. die abgekürzte Wiedergabe eines Stabs oder eines Tuchs. Er ist bekleidet mit einem von einem breiten Gürtel, der mit dem Namen des Dargestellten versehen ist, zusammengehaltenen plissierten Schurz mit lang herabreichendem gefälteten Mittelteil. Die ursprünglich ausschließlich den Königen vorbehaltene Sitte, ihren Namen und ihre Titel auf den Gürtel des Schurzes zu schreiben, tritt übrigens in der 25. Dynastie erstmals im privaten Bereich auf. Obwohl der etwas zu kleine Kopf gegenüber dem überbreiten Oberkörper etwas disproportioniert wirkt, erweckt die Gesamterscheinung des Priesters einen kräftigen, sportlichen, ja direkt vitalen Eindruck, der durch die kantige Ausarbeitung der Muskulatur, sowohl der Unterschenkel als auch der Unterarme, unterstrichen wird. Der Oberkörper wird vom waagrechten Brustbein bis zum Nabel durch eine senkrecht verlaufende Vertiefung gleichsam in zwei Teile geteilt. Auf einem kräftigen, muskulösen Hals sitzt der kleine runde Kopf, der deutlich das kurz geschorene, fast wie eine Kappe aufsitzende Haar erkennen läßt. Die

Augen sind eher summarisch wiedergegeben, dasselbe gilt für den breiten, geöffneten Mund und die etwas verqueren Gesichtsfalten.

Die besondere Qualität dieser Statue wird auch in der Seitenansicht deutlich, in der die gekonnte Ausmodellierung der Körperlinien, sowohl der sanft geschwungenen Rückenlinie, die sich an den Rückenpfeiler schmiegt, als auch des nach vorne ausschreitenden linken Beines, hervorsticht. Aus der senkrechten Inschrift des schmalen Rückenpfeilers, der ja von vorne nicht sichtbar ist, sodaß ein ungebundenes, freies Ausschreiten der Statue vermittelt wird, geht hervor, daß Iraachonsu Prophet des Gottes Amun und Sohn einer Dame namens Nesnebtischeru gewesen war. Die Seiten des Rückenpfeilers sind mit verschiedenen Opferformeln beschriftet, was darauf hinweist, daß auch diese Standfigur einst in einem Tempel Aufstellung gefunden hatte.

Von Iraachonsu sind noch zwei weitere Skulpturen bekannt, die sich heute in Kairo und Berkeley befinden. Genealogische und stilistische Anhaltspunkte bei allen drei Skulpturen bzw. Statuenfragmenten sichern eine Datierung an das Ende der 25. Dynastie.

Lit.: BMFA V, No. 30, December 1907, p. 72; B. V. Bothmer, ESLP, pp. 10, 11, pl. IX

157
Statue eines Beamten

Paris, Louvre, Inv.-Nr. E 5347
Holz, Höhe 47 cm
Herkunft unbekannt
Spätzeit, 26. Dynastie, um 590 v. Chr.

Die fast genau in der Mitte auseinandergebrochene Holzstatue, deren rechte Hälfte fehlt, zeigt eine männliche Standfigur, die mit dem ursprünglich nur dem König vorbehaltenen Schendit-Schurz mit plissiertem Mittelteil bekleidet ist und in der Linken den Schattenstab, eine verkürzte Form eines Tuchs oder eines Würdestabs, hält. Die Grundform orientiert sich ganz an der Standfigur des Alten Reichs und entspricht der in der 26. Dynastie üblichen bewußten Rückbesinnung auf die Vorbilder des Alten und Mittleren Reichs. Der muskulös ausgearbeitete, breite Oberkörper ist über einen langen Hals mit dem Kopf des „Fürsten und Vorstehers" verbunden, dessen Name nicht überliefert ist. Die Augen sind von deutlich reliefierten Lidern umgeben, unter der zerstörten Nase sitzt ein schmaler, ebenfalls beschädigter Mund, die beiden enganliegenden Ohren sind zum Teil weggebrochen, der Schädel ist kahl geschoren bzw. nur für die Aufnahme einer Perücke bestimmt. Insgesamt vermittelt diese Holzstatue einen guten Eindruck von der Kunst der Holzbearbeitung dieser Zeit, die aufgrund eines stilistischen Vergleiches mit der in Berlin aufbewahrten Psammetich-Gruppe (Inv.-Nr. 8812 ff.) wohl in die 26. Dynastie anzusetzen sein dürfte.

Lit.: Unveröffentlicht

158
Naophorenstatue des Gemnefhorbak

Wien, Kunsthistorisches Museum, Inv.-Nr. ÄS 62
Granodiorit, Höhe 51 cm, Breite 18 cm, Tiefe 25,7 cm
Herkunft unbekannt, vielleicht aus Sais
Spätzeit, 30 Dynastie, um 350 v. Chr.

Nachdem es gelungen war, die seit 525 v. Chr. beste-hende persische Herrschaft abzuschütteln, kam es unter den letzten einheimischen Dynastien nochmals zu cinem entscheidenden kulturellen Aufschwung, der in der 30. Dynastie unter den aus Sebennytos stammenden Herr-schern seinen Höhepunkt erreichte. Trotz der weiter an-dauernden Bedrohung durch die Perser errichteten sie im ganzen Lande Baudenkmäler und orientierten sich in ihrem Kunstschaffen nicht nur an den Glanzepochen der Vergangenheit, sondern auch an dem Vorbild der Saiten-zeit. So fällt es in vielen Fällen schwer, sicher zu ent-scheiden, ob eine Statue in die 26. oder in die 30. Dyna-stie zu datieren ist.

Der seit der 18. Dynastie belegte Statuentyp des Nao-phoren hat sowohl in der Saitenzeit als auch in der 30. Dynastie eine verbreitete Wiederbelebung erfahren. Die offizielle Funktion der oftmals mit dem Namen des Kö-nigs versehene Tempelstatue hatte die Grabstatue ver-drängt, deren hauptsächliche Darstellungsformen – die Sitzfigur oder die Familiengruppe – so gut wie nicht mehr belegt sind.

Die Tempelstatue zeigt einen knienden Mann, der einen kleinen Schrein vor sich hält, in dem eine nackte Frau-engestalt mit unterägyptischer Krone steht; es ist das Kultbild der Neith, der Stadtgöttin von Sais. Das zeit-lose, idealisierte Gesicht wird von einer beutelartigen Haartracht umrahmt. Die von plastischen Lidrändern umgebenen, weit geöffneten Augen stehen in einem al-terslosen Antlitz, in dem nur die leicht gebogene Nase und der betonte Mund einen individuellen Akzent setzen. Die poliert wirkende Glättung des Steins zeugt von der hohen Meisterschaft der Steinmetze dieser Zeit, deren Fertigkeit nicht mehr zu überbieten war. Die Sei-tenansicht ist von unübertrefflicher harmonischer Aus-gewogenheit, die auch durch die stehengelassene Fül-lung zwischen Naos und Körper nicht beeinträchtigt wird. Dic unter dcm Gcwicht des Sitzenden gespreizten Zehen sind die einzige „realistische" Note in dem von zeitloser Entrücktheit bestimmten Bildwerk.

Die Inschriften auf dem breiten Rückenpfeiler der Statue, die eine Reihe kryptographischer Elemente ent-halten, wie sie für die religiöse Geheimschrift der 30. Dynastie charakteristisch sind, geben Namen, Titel und genealogische Herkunft des „Tempelverwalters, des Re-degewandten, der die passende Antwort zu sagen weiß, des Gemnefhorbak, der von der obersten Tempelschrei-berin des Südheiligtums Merneithiotes geboren wurde", an. Besonders interessant sind die idealbiographischen Angaben zu seiner Person, die in ihrer literarischen Aus-formung in das Alte Reich zurückgehen und den Toten als idealen Menschen darstellen sollen. So wird er als der „Vortrefflichste in seiner Stadt und bei seiner Fa-milie" bezeichnet, der „nicht weggeht vom Platz in seiner Tüchtigkeit, der nicht dem Armen seine Habe wegnimmt und nicht Not sein läßt an irgendetwas. Nicht gibt es seine Sünde bei Gott, seinen Makel bei den Men-schen … er ist es, der Brot dem Hungrigen gibt und den Nackten bekleidet …".

Am Schluß steht eine Widmungsinschrift seines Bru-ders, der diese Statue im Tempel von Sais aufgestellt hat. Die Statue gehört übrigens zum ältesten Bestand des Wiener Kunsthistorischen Museums. Sie wurde bereits im 16. Jahrhundert in Konstantinopel von einem öster-reichischen Gesandten erworben.

Lit.: H. Satzinger, *Ägyptische Kunst in Wien*, S. 61–63, Abb. 28; W. Seipel, *Bilder für die Ewigkeit. 3000 Jahre ägyptische Kunst, Katalog Konstanz 1983*, Nr. 102; E. Rogge, *Statuen der Spätzeit (750–300 v. Chr.), CAA Wien, Lief. 9, 1992, S. 9, 105–116*

159
Statuenphoros

Paris, Louvre, Inv.-Nr. E 4299
Schiefer, Höhe 25 cm, Breite 5,3 cm, Tiefe 8,6 cm
Herkunft unbekannt
Spätzeit, 26. Dynastie, um 660 v. Chr.

Der seit dem Neuen Reich belegte Darstellungstyp des Naophoren oder Statuenphoren erfreute sich, vor allem in der Spätzeit, besonderer Beliebtheit. Die aus grünem Schiefer verfertigte Darstellung eines namentlich nicht bekannten Mannes, der vor sich eine auf einem Sockel stehende Osirisstatue mit beiden Armen stützt und sie somit gleichsam als Votivgabe im Tempel darbringt, ist in seiner ausgezeichneten Oberflächenmodellierung und Detailgenauigkeit ein vorzügliches Beispiel für diesen Darstellungstyp in der Skulptur der ersten Hälfte der 26. Dynastie. Der Mann steht in der üblichen Pseudoschrittstellung, wobei der linke vorgesetzte Fuß ohne Rücksicht auf den zwischen den Beinen stehenden Osiris von dessen Basissockel teilweise überlagert wird. Er ist bekleidet mit einem langen, gefältelten Vorbauschurz, vor dessen flacher Seite die Osirisstatue auf einem würfeligen Sockel mit vorkragendem Abschluß steht. Die Osirisstatue ist mit der hinter ihr befindlichen Figur durch einen stehengelassenen Steg verbunden. Der breite Oberkörper geht in fleischige Arme über, die dazwischenliegenden Stege sind ebenfalls nicht abgearbeitet. Besondere Aufmerksamkeit verdient der im Gesamtverhältnis etwas klein proportionierte Kopf, der von einer glatten Beutelperücke bedeckt wird, die hinter den großen, abstehenden Ohren vorbei bis auf die Schultern bzw. den schlanken Rückenpfeiler herabfällt. Das Gesicht zeigt zwar eine ausgeprägte Detailzeichnung, die aber keineswegs eine individuelle Porträtähnlichkeit vermittelt, sondern vielmehr schematisch wesentliche Merkmale betont. So sind die beiden Brauenbögen riemchenartig vom Nasenansatz parallel zur Perücke und dann in einem leichten Schwung reliefartig nach rückwärts gebogen. Die darunterliegenden Augen sind von deutlich modellierten Oberlidern umrahmt, sichtbar

wölben sich die Augäpfel nach vorne. Die gerade, schmale Nase endet in einer fleischigen Spitze mit breiten Nasenflügeln, die fast dieselbe Länge wie der darunterliegende, durch ein deutliches Philtrum von der Nase getrennte Mund aufweist. Deutlich sind die beiden Labionasalfalten zu erkennen, die von den äußeren Nasenflügeln zu den vertieften Mundwinkeln herabführen. Die etwas betontere Unterlippe ist leicht nach oben gewölbt und verleiht dem Antlitz einen lächelnden Ausdruck, wohl jenes Lächeln, das nicht nur für die Saiten-Zeit typisch ist, sondern letztlich wohl auch das Vorbild für das archaische Lächeln der griechischen Kouros-Statuen abgegeben hat. Die Osirisstatue ist schematisch ausgeführt und weist alle jene Attribute auf, die diesem Totenherrscher zustehen. Er ist mit der hohen Atef-Krone bekrönt, auf deren Vorderseite sich in mehrfacher Schlingung die Uräus-Schlange als das königliche Wappentier herabringelt. Der Gott trägt den geflochtenen, leicht nach vorne gebogenen Götterbart umgeschnallt und hält in den Händen die Nechech-Geißel sowie das Heka-Szepter. Er ist in mumienförmiger Weise mit enganliegendem Gewand und nebeneinandergestellten Beinen wiedergegeben, nur leicht drücken sich die Körperformen durch die Oberfläche. Seine Brust schmückt ein mehrreihiger Halskragen, der einen aus Blüten gefertigten Außenrand aufweist. Die Gesichtsmodellierung ist in ähnlicher Weise wie jene des Naophoren im einzelnen detailliert, doch ohne zusamenfassende Konzeption durchgeführt. Statuen dieser Art muß es zu Hunderten gegeben haben, die auf Veranlassung der höheren Beamten oder Priesterschaft als Weihegabe in den Tempeln des Landes aufgestellt wurden.

Lit.: B. V. Bothmer, ESLP, pp. 3, 34, 46

160
Oberteil einer Statue eines Mannes

Turin, Museo Egizio, Inv.-Nr. 3075
Schiefer, Höhe 35 cm
Herkunft unbekannt
Spätzeit, 26. Dynastie, um 650 v. Chr.

Das äußere Erscheinungsbild dieses Statuentorsos entspricht ganz der in der Saiten-Zeit so beliebten idealisierenden Darstellungsweise, die zwar in den einzelnen Ausformungen der Gesichtsdetails, der Muskulatur des Oberkörpers, der Oberschenkel, etc. hohe Meisterschaft an den Tag legt, alle diese Einzelheiten jedoch in geglätteter, teils isolierter Form einbringt, ohne jene porträthafte Verinnerlichung zu erreichen, wie sie zum Beispiel der Königsplastik des Mittleren Reiches zu eigen war. Eher ist es eine Rückbesinnung auf das Idealporträt des Alten Reiches, dessen Ausstrahlung dem Betrachter das Gefühl von überzeitlicher Dauer und Ruhe vermittelte. Sie war Ausdruck jener Geborgenheit, die in einer vom König garantierten Weltordnung jedem Einzelnen zugute kam und in sein Selbstverständnis miteinfloß. Dies nachzuahmen, war sicher eine der Triebfedern, die die saitische Skulptur zu höchsten Meisterleistungen anspornte. Anders als im Alten Reich jedoch, das eine Vorliebe für die bemalte Kalksteinstatue hegte, war man in der Saiten-Zeit bemüht, härteste Gesteinsarten zu verwenden, wie Basalt oder Schiefer, um diesen Materialien jene Prägnanz, jenen Schliff und jenes technisch perfekte Erscheinungsbild zu verleihen wie kein zweites Mal in der ägyptischen Kunstgeschichte. In diesem Sinne ist auch der hier gezeigte Torso zu verstehen, der einen mit einer glatten, bis hinter die Schultern herabreichenden Perücke bekleideten Mann zeigt, dessen breites, offenes Gesicht zwar keine individuelle Ausdruckskraft besitzt, aber dennoch jene ruhige, selbstbewußte Ausstrahlung vermittelt, wie es der überzeitliche Anspruch, den diese Tempelstatue letztlich erfüllen sollte, erforderte. Die unregelmäßig waagrecht angeordneten Augen, deren leicht hervorgewölbte Pupillen einen geradezu lebendigen Eindruck vermitteln, werden von rundlich reliefierten Lidern umgrenzt, wobei sich die Oberlider deutlich weiter nach außen fortsetzen als

die Unterlider. Die leicht zerstörten Brauenbögen beginnen beim Nasenansatz und setzen sich bis zum Ende des Oberlides fort. Besonders plastisch modelliert ist die Wangenpartie zu beiden Seiten der zerstörten Nase, von der vertiefte Falten bis zur hervortretenden Mundpartie führen, die selbst von betonten Mundwinkeln begrenzt wird. Die Lippen sind fest geschlossen, aber erwecken dennoch den Anschein eines gewissen Lächelns. Das runde, fleischige Kinn, dessen Spitze leicht beschädigt ist, tritt etwas hervor und akzentuiert die plastische Oberflächenmodellierung. Um den Hals hängt eine Kette mit einem als Göttin Maat gestalteten Anhänger. Diese Göttin, deren Symbol die Feder ist – eine steckt in ihrem Haar, eine weitere hält sie in der Hand –, ist die Verkörperung der kosmischen Weltordnung. Sie ist von allem Anfang an die Grundlage des zyklischen Kreislaufs von Werden und Vergehen, sie steuert also den natürlichen Kreislauf, dem alles Leben unterworfen ist. Ihr Garant ist der König, seine Aufgabe ist es von jeher, der Maat zum Sieg zu verhelfen, ihren Vollzug zu gewährleisten und ihre Beeinträchtigung zu verhindern. Aber nicht nur der Kreislauf der Natur ist der Maat unterworfen, auch das Zusammenleben der Menschen, die gesellschaftliche Ordnung, das Sozialleben, das von Recht und Gerechtigkeit, von Wahrheit und Lüge bestimmt wird. Und auch hier ist der Pharao wieder ihr Garant, für den stellvertretend der höchste Beamte im Staat, der Vezir, oder aber auch speziell beauftragte Richter den Vollzug der Maat zu gewährleisten hatten. So liegt es nahe, in dieser Darstellung die Gestalt eines Vezirs oder eines hohen Beamten zu sehen, der im Vollzug seines Richteramtes der Maat zum Sieg verhelfen sollte.

Lit.: A. Fabretti, F. Rossi, R. V. Lanzone, Regio Museo di Torino, Catalogo generale, Vol. I, 1882, p. 422; S. Curto, L'antico Egitto nel Museo Egizio di Torino, Turin 1984, p. 284, 285; A. M. Donadoni Roveri (Hrsg.), Egyptian Civilization. Monumental Art, 1989, Fig. 160

161
Oberteil einer Statue eines Mannes

Paris, Louvre, Inv.-Nr. E 14705
Serpentin (?), Höhe 29,5 cm
Herkunft unbekannt
Spätzeit, 26. Dynastie, um 530 v. Chr.

Dieses aus härtestem Gestein gefertigte Statuenfragment dürfte aufgrund des Ansatzes unterhalb der Brust zu einem Naophoren gehört haben. In unvergleichlich exakter Weise sind die Konturen des Gesichtes, der Augenbögen, der Lippen, aber auch des Perückenansatzes der harten Oberfläche abgerungen. Die breite, beutelförmige, ungegliederte Perücke mit ihren wulstförmigen Seitenteilen entspricht der plastischen Gesamtmodellierung, die sowohl bei der Gestaltung des Oberkörpers als auch vor allem bei der Ausformung des Gesichtes bemerkbar ist. Die hohen, kaum von der Stirn abgesetzten Augenbögen verleihen dem Antlitz ein hoheitsvolles, distanziertes Aussehen, das durch die scharfkantigen Augenlider kontrastiert wird. Ein voller, dicklippiger Mund wird von den üblichen tiefen Mundwinkeln be-grenzt. Während die Unterlippe etwas hervorspringt, leitet die leicht angeschrägte Oberlippe zum deutlich eingeschnittenen Philtrum über. Ein Lächeln ist diesem Mund nur schwer abzuringen. Das breite, nach vorne gewölbte Kinn schließt den insgesamt oval-rundlichen Gesichtsschädel nach unten ab. Deutlich sind die hochstehenden Backenknochen oberhalb der Wangenpartie herausmodelliert. In seiner technologischen Perfektion der Oberflächenglättung und auch der Proportionierung ist es ein Meisterwerk, das jedoch bereits jene Ausstrahlung vermissen läßt, die noch für die frühen Skulpturen der Saiten-Zeit bezeichnend war. Aus diesem Grund wird die Skulptur wohl gegen das Ende der 26. Dynastie, wenn nicht noch später anzusetzen sein.

Lit.: Unveröffentlicht

162
Oberteil einer Priesterstatue

Wien, Kunsthistorisches Museum, Inv.-Nr. ÄS 20
Gabbro, Höhe 26,6 cm, Breite 19,5 cm, Tiefe 13,2 cm
Herkunft unbekannt
Spätzeit, 27. Dynastie, um 400 v. Chr.

In ähnlicher Weise wie die beiden vorangegangenen Katalognummern 160 und 161 entspricht auch das Wiener Statuenfragment, dessen Zugehörigkeit zu einer Stand- oder Sitzfigur oder einem Naophoren nicht mehr festgestellt werden kann, ganz der in der Saiten-Zeit, also der 26. Dynastie, entwickelten und verfeinerten Stilistik. Die unglaublich feine Oberflächenbearbeitung, die der Statue ein poliertes, glänzendes Aussehen verleiht, drängt sich in ihrer Wirkung geradezu in den Vordergrund, während die Modellierung der Einzeldetails, der Augen, des Mundes, der Ohren, gleichsam formale Versatzstücke hervorgebracht hat, die in ihrem Zusammenhang kaum jene verinnerlicht lächelnde Wirkung erzielen, wie dies noch in der Mitte der 26. Dynastie der Fall war. Abgesehen von der ergänzten Nase ist der Statuentorso vollständig erhalten. Eine hohe, über der knappen Stirn aufragende Beutelperücke umschließt das nach unten zu leicht oval abgerundete Gesicht. Ein feiner Steg trennt die Perücke von der niedrigen Stirn, unter der die beiden Augenbögen vom Nasenansatz scharfkantig und ohne auf die darin eingebrachten Augen besondere Rücksicht zu nehmen in die Schläfengegend einmünden. Das linke Auge ist aus der Symmetrieachse nach unten verrutscht, sodaß zwischen Augenbogen und Oberlid dieses Auges eine merkwürdige Leere entsteht. Beide Augen sind von einem doppelten Lidrand umgeben, der Augapfel wölbt sich deutlich nach außen, ohne jedoch in der Mitte besonders betont zu sein. Unter der angesetzten Nase beginnt ein stark ausgeprägtes Philtrum, das in die leicht nach oben geschwungene Oberlippe übergeht, die zusammen mit der

vollen, ebenfalls in der Mitte geschwungenen Unterlippe von zwei tiefen Mundwinkeln begrenzt wird. Deutlich ist die Labionasalfalte erkennbar, dennoch ist die gesamte Wangenpartie nicht besonders ausgeprägt modelliert. Das trifft auch auf das abgerundete Kinn zu, das ohne besonderen Akzent in die breite Halspartie übergeht. Insgesamt ein in den einzelnen Details stimmiges, von der Gesamtwirkung jedoch eher inhaltsleeres, auf keinen Fall porträthaftes, idealisiertes Menschenbild.

Besondere Aufmerksamkeit verdient die Kleidung des dargestellten Mannes, dessen Halspartie deutlich zeigt, daß er unter dem mit einem V-Ausschnitt versehenen, enganliegenden Hemd ein dünnes Unterhemd trug. Darüber war der Mann mit einem langen Wickelschurz bekleidet, dessen beide Zipfelenden in naturalistischer Weise aus dem oberen Gewandsaum herausragen bzw. auf die Seite und nach unten umgekippt sind. Diese stilistischen Merkmale einschließlich der verschiedenen Kleidungsstücke sind erst seit der 27. Dynastie mit Sicherheit belegt und geben für die Datierung des Statuenfragments einen sicheren Terminus post quem. Die unter Kat.-Nr. 160 und 161 gezeigten Vergleichsobjekte weisen zwar deutliche Unterschiede in der stilistischen Ausführung auf, die sie eindeutig als älter ausweisen, dennoch erscheint uns ein Ansatz, der zeitlich bereits an das Ende der Spätzeit führen würde, zu spät zu sein. Aus diesem Grund schlagen wir, wie B. V. Bothmer, eine Datierung an das Ende der 27. Dynastie vor.

Lit.: B. V. Bothmer, ESLP, pp. 70, 79; E, Rogge, Statuen der Spätzeit (750–300 v. Chr.), CAA Wien, Lief. 9, 1992, S. 9, 145–152

163
Osiris-Statue

New York, Metropolitan Museum of Art, Bequest of
Walter C. Baker, 1970, Acc. no. 1972.118.195
Schiefer, Höhe 28,5 cm, Breite 14,5 cm, Tiefe 19,6 cm
Herkunft unbekannt
Spätzeit, zwischen 650–350 v. Chr.

Der aus grünem Schiefer bzw. Grauwacke bestehende
Kopf einer Statue des Gottes Osiris gehört zu den aus-
nehmend selten belegten Götterbildern der ägyptischen
Spätzeit, die aus Stein gefertigt sind. Während die seit
der 21./22. Dynastie immer häufiger auftretenden Bronzestatuetten seit der 26. Dynastie einen ungeahnten Pro-
duktionsaufschwung erfuhren, sodaß in den Tempeln
dieser Zeit Tausende dieser mehr oder weniger kleinen
Figürchen als Votivgaben aufgestellt waren, erfolgte die
Herstellung von Hartsteinstatuen wohl ausschließlich im
königlichen Auftrag und beschränkte sich auf die Anfertigung von Kultbildern.
Obwohl der bis zur Spitze der Krone reichende, spitz zu-
laufende Rückenpfeiler dieser einstigen Standfigur unbeschriftet geblieben ist, kann an der Zuordnung dieses
Kopfes an den „Ersten der Westlichen", den Totenherrscher Osiris, kein Zweifel bestehen. Er trägt die für ihn
typische Atef-Krone, die rechts und links des Kronen-
aufsatzes von zwei Federn flankiert wird, den Symbolen
der Maat, der personifizierten kosmischen Weltordnung.
Auf der Vorderseite oberhalb der Stirn ringelt sich die
Uräus-Schlange herab, deren feingezeichneter Oberkörper sich drohend emporreckt. Das Fehlen der Seitenflügel der Krone, aber auch des größten Teils der Ohren
konzentriert den Blick ganz auf das Gesicht des Gottes,
das verhaltene Würde, Ruhe und Erhabenheit ausstrahlt,
ohne deswegen unnahbar zu wirken. Es ist ein Gesicht,
dem man sich anvertrauen konnte, dem man die Bitten
für ein glückliches Weiterleben im Jenseits vortrug,
ohne vor einer unüberbrückbaren Distanz zu stehen.
Auch wenn es die Priester waren, die im abgedunkelten
Allerheiligsten den täglichen Opferkult im Auftrag des
Königs vor der Kultstatue vollzogen, diese also den
Blicken der Gläubigen gar nicht ausgesetzt war, so blieb
Osiris immer der Gott, dem sich die Sehnsüchte und
Hoffnungen aller zuwandten. Auch wenn diese Statue,
und das läßt sich nicht mit Sicherheit feststellen, vielleicht keine direkte kultische Funktion gehabt haben
sollte, sondern als Weihegeschenk eines Königs im
äußeren Bereich des Tempels aufgestellt war, so ist sie
dennoch ein vollendetes Zeugnis für einen letzten,

großen Aufschwung, den die ägyptische Plastik am
Ende der Spätzeit nochmals erfahren sollte.
Die subtile Behandlung der Oberfläche, die gleichmäßig
poliert, aber nicht übermäßig geglättet wirkt, die zu
einem glücklichen Ganzen vereinigten Einzeldetails des
Gesichts, die hier freilich nicht ein individuelles Porträt
zeigen, sowie die harmonische Gesamtgestalt, die
Krone, Uräus und Antlitz zu einem zeitlosen Bildnis
fügt, machen diese Statue zu einer der herausragenden
Schöpfungen dieser Zeit. Es ist bedauerlich, daß von
dieser Statue nicht mehr erhalten ist, die den Gott Osiris
in seiner typischen Darstellungsform wiedergab – stehend und in Mumiengestalt, in den Händen das Heka-
Szepter und die Nechech-Geißel, die Insignien des To-
tenherrschers, und unter dem Kinn der mit eingeritzten
Riemen befestigte, geflochtene Götterbart.
Eine genaue Datierung dieses Kopfes fällt schwer.
Uräus-Schlange, die Form der Atef-Krone und die Modellierung des Gesichtes können ebenso gut der 26. Dynastie entstammen wie einem späteren Zeitraum. Bemerkenswert freilich sind die parallel zum Kronenrand
fein geschwungenen, schmalen Augenbrauen und vor
allem die markant geschnittenen Augen, deren Oberlider
als abgerundete Stege sich weit über das Unterlid bis an
den inneren Gesichtsrand fortsetzen. Die Augen sind
symmetrisch angeordnet, der innere Augenwinkel ist,
wie in dieser Zeit üblich, etwas tiefer angesetzt als der
äußere. Unterhalb der Augen wölbt sich die Wangenpartie in weicher Schwingung bis zur hervortretenden
Mundpartie, nur durch eine leichte Labionasalfalte unterbrochen. Der schmale, aber von vollen Lippen gebildete Mund ist leicht nach oben gekrümmt und endet in
eingebohrten Mundwinkeln. Bei einer längeren Betrachtung vermeint man, das Lächeln dieses Gottes zu verspüren, das Lächeln des Wissenden.

*Lit.: B. V. Bothmer, ESLP, pp. 57, 58, pl. XLVI; MMA, Ancient Art from
Private Collections, No. 80, p. 17, pls. 22, 24; MMA, Notable Acquisitions,
1979–80, p. 12*

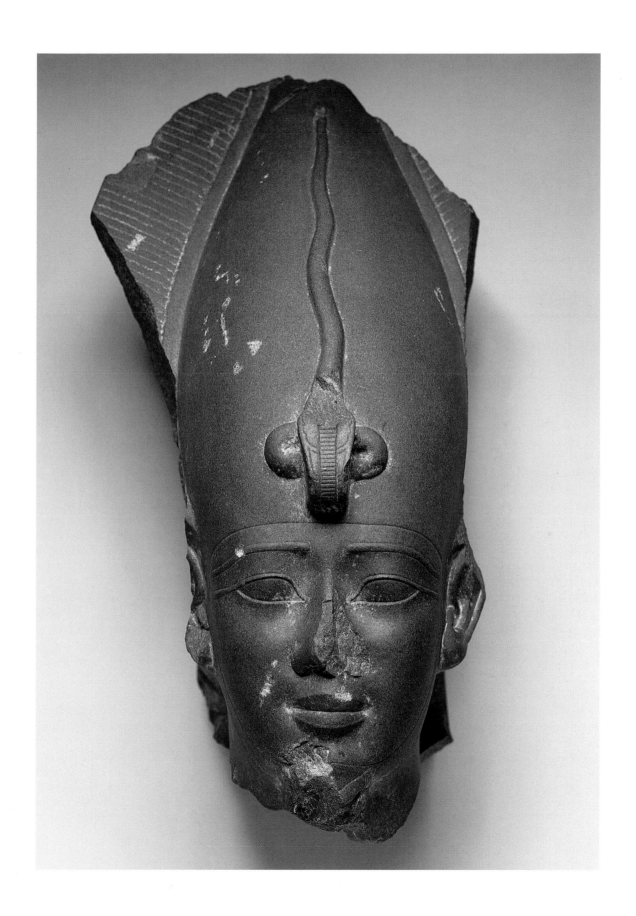

164
Oberteil einer Statue einer Göttin oder Königin

London, Britisches Museum, Reg. No. 37901
Schiefer, Höhe 23,5 cm, Breite 15 cm, Tiefe 10,5 cm
Herkunft unbekannt
Spätzeit, 30. Dynastie, um 330 v. Chr.

Ein breites, harmonisch abgerundetes Gesicht, das von zwei auffallend großen Ohren flankiert wird, bildet das optische Zentrum dieses oberen Teils einer Frauenstatue, die aufgrund fehlender Beschriftung weder einer Göttin, noch einer Königin oder einer anderen Person mit Sicherheit zugewiesen werden kann. Eine in breiten Strähnen zu beiden Seiten des Kopfes bis tief über die Schultern sowie am Rücken herabfallende dreigeteilte Perücke bildet gleichsam den Rahmen zu einem Antlitz, das in seiner subtilen Ausstrahlung in mancher Hinsicht an den Osiriskopf aus New York (Kat.-Nr. 163) erinnert. Frappierend ist vor allem die totale Übereinstimmung bei der Ausbildung der schmalen, leicht und parallel zum Perückenansatz geschwungenen Augenbrauen sowie der in dieser Form äußerst selten belegten Oberlider, die vom inneren Augenwinkel ihren Ausgang nehmen und in einem weiten Bogen über die Unterlider bis an den Rand des Gesichtes reichen. Die Augen sind – wie bei der Osiris-Statue aus New York – fast waagrecht in den Gesichtsschädel eingebettet, die inneren Augenwinkel liegen ebenfalls tiefer als die äußeren. Die Wölbung des Auges nach außen unterstreicht bzw. akzentuiert die Blickrichtung der dargestellten Frau. Das Gesicht, die Wangenpartie, ist etwas weniger plastisch herausmodelliert, dennoch tritt der von zwei vollen Lippen gebildete Mund deutlich aus dem unteren Ge-sichtsfeld hervor und wird ebenfalls von zwei tiefen Mundwinkeln begrenzt. Das abgerundete Kinn wirkt fast fleischig, ist fast ein Doppelkinn und geht in sanftem Schwung zum breiten Hals über. Die Brust der Frau wird von einem mehrreihigen Schmuckkragen bedeckt, der am äußeren Rand eine Perlenreihe aufweist. Die parallelen Linien des Schmuckkragens nehmen die ebenfalls parallel geritzten, waagrechten Strähnen über der Stirn auf, die durch ein zusätzliches Haarband zusammengehalten werden. Die Dargestellte ist in ein anliegendes, kaum merkbares Trägerkleid gehüllt, das bis unterhalb des Brustansatzes reicht, während die breiten Träger die Brüste bedecken. Nur wenig läßt sich aus der erhaltenen Handhaltung der Frau rekonstruieren. Vielleicht hielt sie ein Sistrum oder ein Lebenszeichen oder vielleicht auch einen Stab-Blumenstrauß in den Händen, eines jener Attribute, die als Abzeichen göttlicher Würde den Rang der dargestellten Person unterstreichen. Die Gesamtausführung dieses Statuenfragments, die ja von der Summe der Einzeldetails gebildet wird, läßt auf eine Herstellung im 4. Jahrhundert v. Chr. schließen, vielleicht in der 30. Dynastie. Ob sich hieraus auch ein Datierungsansatz für die Osiris-Statue aus New York ableiten läßt, kann hier nicht beantwortet werden.

Lit.: B. V. Bothmer, ESLP, p. 117

DIE PTOLEMÄERZEIT

Die Zeit der griechischen, eigentlich makedonischen Herrschaft wurde nach dem Tode Alexanders des Großen von der Dynastie der Ptolemäer (Lagiden) bestimmt. Glanzvoller Mittelpunkt der damaligen Zeit war die Neugründung Alexanders des Großen, Alexandrien. Die dort eingerichteten Stätten der Wissenschaft machen Alexandrien zum Zentrum der zivilisierten Welt. Während der Herrschaft der Ptolemäer kommt es erneut zu einer regen Bautätigkeit, so errichtet Ptolemäus II. den großen Isis-Tempel auf der Insel Philae, der als zukünftige Wallfahrtsstätte bis zum Jahre 530 am längsten die religiösen einheimischen Traditionen weit über die Herrschaft des römischen Imperiums hinaus aufrecht erhält.

Nach der Schlacht von Actium im Jahre 31 v. Chr. wird Alexandrien von Octavian erobert, Antonius und Kleopatra begehen Selbstmord. Mit dem Beginn der römischen Herrschaft wird Ägypten direkt dem Imperator unterstellt und von einem eigenen Präfekten verwaltet. Ägypten wird zur Kornkammer des römischen Reiches. Unter den Kaisern Marc Aurel und Commodus werden die letzten Tempelbauten in Ägypten errichtet. Aus dem 2. Jahrhundert datieren auch die letzten bedeutenden Zeugnisse ägyptischer Literatur. Das Ende der ägyptischen Kultur kommt im 4. Jahrhundert, als die Tempel verfallen, geschlossen oder von christlichen Mönchen zerstört werden. Die späteste hieroglyphische Inschrift auf Philae datiert aus dem Jahre 394.

Zeittafel, Dynastienliste

Makedonische Dynastie (332–304 v. Chr.)
Alexander der Große (332–323)
Philipp Arrhidäus (323–316)
Alexander IV. (316–304)
Ptolemäerherrschaft (304–30 v. Chr.)
Ptolcmaios I. Sotcr I. (323–284)
Ptolemaios II. Philadelphos (285–246)
Ptolemaios III. Euergetes I. (246–221)
Ptolemaios IV. Philopator (221–205)
Ptolemaios V. Epiphanes (205–180)
Ptolemaios VI. Philometor (180–164 und 163–145)
Ptolemaios VII. Neos Philopator (145)
Ptolemaios VIII. Euergetes II. (170–163   und 145–116)
Königin Kleopatra III. und Ptolemaios IX.
Soter II. (116–107)
Königin Kleopatra III. und Ptolemaios X. Alexander I. (107–88)
Ptolemaios IX. Soter II. (88–80)
Königin Kleopatra Berenike (81–80)
Ptolemaios XI. Alexander II. (80)
Ptolemaios XII. Neos Dionysos (80–58 und 55–51)
Königin Berenike IV. (58–55)
Königin Kleopatra VII. (51–30)
30 v. Chr. wird Ägypten eine Provinz des Römischen Reiches

165
Oberteil einer Statue des Gottes Osiris

London, Britisches Museum, Reg. No. 1667
Granit, Höhe 76 cm, Breite 35,5 cm, Tiefe 31 cm
Herkunft unbekannt
Ptolemäisch, 2. Jhdt. v. Chr.

Schon ein flüchtiger Vergleich mit dem in New York befindlichen Osiris-Kopf (Kat.-Nr. 163) vermittelt eine deutliche Vorstellung von dem ungeheuren Abstand, der diese beiden Kunstwerke in zeitlicher und qualitativer Hinsicht voneinander trennt. Doch sei zuerst eine genaue Beschreibung der Osiris-Figur aus London versucht: Der erhaltene Oberteil der Osiris-Figur läßt darauf schließen, daß es sich hier ursprünglich um eine lebensgroße Götterfigur gehandelt hat, die wahrscheinlich in ähnlicher Weise wie der Osiris-Kopf aus New York als Kultstatue in einem Heiligtum, einer Kapelle oder gar einem Tempel fungiert hatte. Die Statue zeigt den Totenherrscher Osiris mit den ihm eigenen Attributen: Die hohe Atef-Krone mit den beiden aus Maat-Federn gebildeten Seitenteilen, die auf dem Widdergehörn aufsitzen, die Uräus-Schlange ringelt sich in breiter Windung auf der Vorderseite des Kronenkörpers, der Schlangenkopf ist nach vorne gerichtet. Der geflochtene, an seiner Spitze abgebrochene Götterbart ist für Osiris und andere Götterdarstellungen ebenso verbindlich wie die beiden Herrschaftsinsignien, die der Gott in seinen plump ausgefertigten, übereinandergelegten Händen hält: Heka-Szepter, Vorläufer der Bischofskrümme, und die Nechech-Geißel. Auffallend ist die unterschiedliche Größe der Hände sowie die plumpe

Ausformung der Daumen, die Handgelenke sind mit breiten Armreifen geschmückt.

Das merkwürdig stumpf wirkende Gesicht des Gottes wird von einer kurzen, breiten, fleischigen Nase bestimmt, unter der ein von dicken Lippen gebildeter Mund steht. Ein eher ausdrucksloses Gesicht, dessen unregelmäßig eingeritzte Augen unter halbkreisförmig geschwungenen Augenbrauen den Gesamteindruck nicht beeinflußen können. Es ist eine zwar monumentale Skulptur, deren Schöpfer es aber nicht verstanden hat, die Einzelteile zu einem harmonischen Gesamtbild zusammenzufügen. Die Attribute, wie Geißel und Szepter, die Krone und der Bart, aber auch die geradezu angeklebt wirkenden, übergroßen Ohren sind hieroglyphische Einzelelemente, die in isolierter Weise zu einem Mosaik versammelt werden, ohne daß daraus eine befriedigende Gesamtkomposition entstehen würde. Es ist eine späte Schöpfung aus der ausgehenden Ptolemäerzeit, die mit letztem künstlerischen Aufwand versucht, den Vorbildern älterer Zeiten zu entsprechen, sie nachzuahmen, ohne jedoch ihren Geist atmen zu können. Ein Spätzeitprodukt, das das Ende nicht nur der ägyptischen Kunst, sondern auch der ägyptischen Religion und ihres Wesens ankündigt.

Lit.: Unveröffentlicht

166
Bronzebüste eines Königs

Hildesheim, Roemer-Pelizaeus Museum, Inv.-Nr. 384
Bronze, Höhe 36 cm
Vermutlich aus Tell Horbeit
Ptolemäisch, 3. Jhdt. v. Chr.

Während die Votivaltäre in den Tempeln der Spätzeit und der griechisch-römischen Epoche gleichsam überquollen von zehntausenden kleiner und mittlerer Bronzestatuetten, die als Votivgaben der Gläubigen in den Tempeln aufgestellt wurden, in der Hoffnung, über ihre Mittlerfunktion an dem göttlichen Geschehen der Opferhandlung teilhaben zu können, sind Großbronzen aus der ägyptischen Kunst nur in äußerst geringer Anzahl überliefert. Dies liegt zum einen an der Tatsache, daß Bronze in Ägypten erst seit dem Mittleren Reich in Form von Barren importiert wird, zum anderen aber natürlich auch daran, daß wie bei sämtlichen Metallarbeiten, die Verlustquote durch Einschmelzen zur Wiederverwendung des Metalls äußerst hoch anzusetzen ist. Die Kostbarkeit des Materials sowie die technologische Schwierigkeit bei der Herstellung von Statuen aus Metall haben wohl dazu geführt, daß vor allem Königsdarstellungen oder Götterstatuen angefertigt wurden. Dies ist ein weiterer Grund dafür, daß so wenige Metallstatuen überliefert sind. Abgesehen von den Kupferstatuen des Alten Reiches, unter denen die beiden Standbilder des Königs Pepi I. und seines Sohnes Merenre aus der 6. Dynastie die bedeutendsten sind, kam es seit der 22. Dynastie zur Anfertigung von Bronzestatuen, unter denen die in Gold und Silber tauschierte Statue der Königin Karomama aus der 22. Dynastie wohl am bekanntesten ist (vgl. auch Kat.-Nr. 146).

Der hier gezeigte Königskopf aus Bronze gehört demnach zu den großen Raritäten der ägyptischen Bronzeskulptur, die hier erstmals nach einem langjährigen Restaurierungsprozeß in fertigem Zustand der Öffentlichkeit präsentiert werden kann. Die Bronzeplastik zeigt den mit dem blauen Kriegshelm versehenen Kopf eines namentlich nicht bekannten Königs. In mehrfacher Schlängelung windet sich die Uräus-Schlange vom Scheitel des Helms bis über die Stirn, wo sich der Ober-

körper der Schlange weit nach vorne aufbäumt, der Kopf ist allerdings abgebrochen. Deutlich sind die geschuppte Haut der Schlange zu erkennen sowie ihre von geriefelten Strichen gekennzeichnete Bauchseite. Der blaue Helm wirkt im Verhältnis zum Gesamtgesicht etwas unproportioniert klein. Das abgerundete Gesicht wird von zwei flach an den Kopf angelegten Ohren flankiert, die muschelförmig nach außen gebogen sind. Die gerade kurze Nase endet über einem nicht besonders deutlich ausgearbeiteten Philtrum, den hervortretenden Mund begrenzen zwei gut markierte Mundwinkel, die beiden vollen Lippen ruhen in unregelmäßiger Kurvatur übereinander. Die Wangenpartie ist nicht besonders plastisch modelliert und endet in einem weich abgerundeten Kinn, unter dem der ungegliederte Königsbart ansitzt, der mit dem kreisförmigen Halskragen durch einen kleinen Steg verbunden ist. Einen besonders lebendigen Eindruck dieses Gesichts bewirken die erhaltenen Reste der ursprünglichen Augenbemalung. Auch für die übrigen Teile dieser Kopfskulptur sind zusätzliche, heute verlorengegangene Farben vorauszusetzen. So war mit Sicherheit der Kronenkörper blau bemalt, und auch der Schmuckkragen sowie der Königsbart dürften entsprechende Einfärbungen aufgewiesen haben.

Die Zuweisung dieses Königskopfes an einen bestimmten Pharao fällt mangels entsprechender Vergleichsobjekte schwer. Obwohl in den bisherigen Veröffentlichungen dieser Kopf gerne der Ramessidenzeit, vor allem dem König Ramses II. zugewiesen wurde, schließen wir uns auch nach der Restaurierung der von W. Wolf bereits 1964 vorgeschlagenen Zuordnung in die Ptolemäerzeit an.

Lit.: W. Wolf, Kunst Ägyptens, Stuttgart 1957, S. 633, Abb. 676; H. Kayser, Die ägyptischen Altertümer, S. 70, Abb. 61, Taf. 6; H. Kayser, Das Pelizaeus-Museum in Hildesheim, S. 63, Abb. 27; A. Eggebrecht, Das Alte Ägypten, 1984, S. 114

167
Königskopf

Turin, Museo Egizio, Inv.-Nr. 1396
Quarzit, Höhe 34 cm
Herkunft unbekannt
Ptolemäisch, 3. Jhdt. v. Chr.

Mit der Eroberung Ägyptens durch Alexander den Großen im Jahre 331 v. Chr. begann für das Land am Nil jene letzte Phase historischer Entwicklung, die in zwiespältiger Weise von gesteigertem Selbstbewußtsein, Fremdenhaß und in bestimmten Bereichen von offener Anpassungsbereitschaft gekennzeichnet war. Die Griechen, mit denen man seit Jahrhunderten wirtschaftliche und zum Teil auch freundschaftliche Kontakte pflegte, waren nun in Gestalt der makedonischen Ptolemäer ein Gegenüber geworden, das anders als die libyschen, kuschitischen, assyrischen oder persischen Fremdherrschaften in viel stärkerem Umfang die kulturelle und damit bewußtseinsmäßige Substanz des alten Ägypten zu beeinflußen suchte. Während einerseits die Verwaltungssprache Griechisch war und das gesamte Verwaltungssystem der Ptolemäer darauf ausgerichtet war, soweit als möglich eigene Organisationsformen anzuwenden, waren die Ptolemäer anfangs bestrebt, der Jahrtausende alten Tradition Ägyptens Tribut zu zollen. Es ist nur schwer vorstellbar, mit welchen Gefühlen und Ansprüchen ein makedonischer König in Ägypten seine Herrschaft über ein Land und seine Menschen ausübte, die seit Jahrhunderten im Bewußtsein Griechenlands und natürlich auch Makedoniens eine tragende Rolle in der Menschheitsgeschichte gespielt hatten. Aus diesem Bewußtsein heraus, Herr in einem Lande zu sein, vor dessen Geschichte und kulturellen Leistungen man sich seit jeher in Ehrfurcht verbeugt hatte, war es andererseits leichter geworden, sich in großzügiger Geste in bestimmten Bereichen dem äußerlichen Erscheinungsbild des traditionellen Ägypten anzupassen. Dies trifft vor allem für die verhältnismäßig spärlich belegte Königsplastik zu, die ganz in der Tradition der 26. und 30. Dynastie steht.

Der hier gezeigte Königskopf ist als solcher ausschließlich aufgrund des glatten Königskopftuches und des über der Stirn sich aufbäumenden Uräus erkennbar, die Seitenflügel des Kopftuches rechts und links der beiden Ohren sind bis zum Hals abgeschlagen. Trotz des nur kursorischen Erhaltungszustands erregt das Gesicht des Mannes aufgrund der unregelmäßig geschnittenen Augen, deren scharfkantigen Lider deutlich zum weichgeschwungenen Brauenbogen kontrastieren, eine gewisse lächelnde Aufmerksamkeit. Die deutlich aufmodellierte Wangenpartie wird durch die üblichen Labionasalfalten, den vorspringenden Mund und das abgerundete Kinn gegliedert. Der leicht nach oben gerundete Mund endet in tief ausgehöhlten Mundwinkeln, die Lippen wirken zusammengepreßt. Insgesamt ein keineswegs uninteressantes, aber dennoch alles andere als porträthaftes Antlitz, das vielmehr aufgrund der idealisierten Grundstimmung in jene Kategorie von Königsporträts gehört, die in ihrem uralten Anspruch auf überzeitliche Vergegenwärtigung des göttlichen Königtums auf individuelle und damit zeitlich begrenzte Porträthaftigkeit verzichtete.

Lit.: A. Fabretti, F. Rossi, R. V. Lanzone, Regio Museo di Torino, Catalogo generale, Vol. I, 1882, p. 109; A. M. Donadoni Roveri (Hrsg.), Egyptian Civilization. Monumental Art, 1989, Fig. 271

168
Königskopf

Turin, Museo Egizio, Inv.-Nr. 1399
Schiefer, Höhe 18 cm
Herkunft unbekannt
Ptolemäisch, 3. Jhdt. v. Chr.

Auch dieses Königsporträt läßt nur mit Mühe individuelle Gesichtszüge erahnen, die aufgrund verschiedener, sicher zuweisbarer Vergleichsobjekte als ein Porträt des Königs Ptolemäus II. Philadelphos gedeutet werden können. Material, Oberflächenbearbeitung, Augenform und Wangenbildung entsprechen ganz dem der 26. Dynastie entnommenen stilistischen Repertoire, das hier freilich in verstärktem Maße oberflächlich aufgesetzt wirkt. Das Königskopftuch, dessen Fältelung durch unterschiedliche Oberflächenbearbeitung der Stoffalten erzielt wurde, die überdies vielleicht noch bemalt waren, trägt über der Stirn den Körper der Uräus-Schlange, deren Kopf allerdings aus anderem Material, vielleicht aus Gold oder Silber, in dem dafür eigens vorgesehenen Zapfenloch eingesetzt war. Ein breites Stirnband trennt das Kopftuch von der niedrigen Stirn, unter der die beiden unregelmäßig geformten, von scharfkantigen Lidern umgrenzten Augen liegen. Die Gesichtsmodellierung wirkt geglückter als bei Kat.-Nr. 167. Die etwas vorstehenden Backenknochen geben einen leichten Akzent, der durch den hervortretenden, leicht lächelnd wirkenden Mund weiter verstärkt wird. Trotz aller Ähnlichkeiten zu anderen Statuenköpfen dieses Königs bleibt auch dieses Antlitz ein Idealporträt, das jeglicher zeitlicher und altersmäßiger Festlegung enthoben ist.

Ptolemäus II., der vermutlich im Jahre 282 v. Chr. nach ägyptischem Ritual gekrönt wurde, gehörte zu den bedeutendsten Ptolemäerherrschern. Durch seine Verheiratung mit seiner eigenen Schwester Arsinoe II. führte er eine neue Heiratspolitik ein, die vor allem dogmatisch-religiöse Ursachen zum Zwecke der Legitimation des Herrscheramtes hatte. Dementsprechend begründete er auch einen hellenistischen Königskult. Er begann Verhandlungen mit Rom und gründete so bedeutende Städte wie Berenike und Ptolemais. Außerdem veranlaßte er die Rückführung der Leiche Alexanders des Großen von Memphis nach Alexandrien. Wichtige Teile der großen Tempel des Landes, vor allem in Elephantine, Karnak und Philae, gehen auf Ptolemäus II. zurück.

Lit.: A. Fabretti, F. Rossi, R. V. Lanzone, Regio Museo di Torino, Catalogo generale, Vol. I, 1882, p. 109; E. Scamuzzi, L'Art Égyptien au Musée de Turin, Turin 1966, pl. CI; K. Myśliwiec, A Contribution to the Study of the Ptolemaic Royal Portrait, ET VII, 1973, p. 44; S. Donadoni, L'Egitto, 1981, p. 282; S. Curto, L'antico Egitto nel Museo Egizio di Torino, Turin 1984, p. 293; A. M. Donadoni Roveri (Hrsg.), Egyptian Civilization. Monumental Art, 1989, Fig. 270

169
Weiblicher Torso

Wien, Kunsthistorisches Museum, Inv.-Nr. ÄS 5809
Diorit, Höhe 66 cm, Breite 24,7 cm, Tiefe 15,9 cm
Herkunft unbekannt
Ptolemäisch, 3. Jhdt. v. Chr.

Die Einzigartigkeit dieses weiblichen Torsos ist wie kaum eine andere ägyptische Statue der Ptolemäerzeit geeignet, die Widersprüchlichkeit aufzuzeigen, mit der das ägyptische Kunstschaffen dieser Zeit, sei es im Relief, sei es in der Skulptur, zu kämpfen hatte. Es kann gar kein Zweifel daran bestehen, daß die dieser weiblichen Standfigur, deren Kopf weggebrochen ist, zugrundegelegte Grundform bis mindestens auf das Mittlere Reich zurückzuverfolgen ist, wobei insofern eine Anleihe an Darstellungsformen des Neuen Reiches genommen wurde, als die weibliche Standfigur hier in ähnlicher Weise wie die hölzernen Frauenstatuetten der 19. Dynastie mit nach vorne gesetztem linken Bein wiedergegeben ist. Dennoch, die eng an den Körper angelegten herabhängenden Arme, deren überlängte Proportionen hier besonders deutlich zum Ausdruck kommen, und die grundsätzlich angestrebte Frontalität sind Grundmuster uralter Darstellungsform. Aber damit ist auch bereits alles ausgesagt über das Ägyptische in dieser Skulptur, die in ihrer plastischen Gestaltung und programmatischen Zielsetzung weit von allem Ägyptischen entfernt zu sein scheint.

Der Statuentorso der Frau wird oben von den beiden auf die Schultern bis zu den Brüsten herabfallenden Haarteilen der Strähnenperücke gekennzeichnet, zwischen denen ein mehrreihiger Schmuckkragen mit einer separaten Perlenkette zu sehen ist. Die Arme liegen am Körper, das linke Bein ist also leicht nach vorne gestellt, ein Teil der Unterschenkel und die Füße fehlen. Das nur zu erahnende, enganliegende Gewand ist gleichsam negiert, schmiegt sich irgendwo zwischen den Beinen an die Körperkonturen an und behindert weder Blick noch optische Empfindung. Die runden üppigen Brüste auf dem schmächtigen Brustkorb werden nur in ihrem obersten Teil von den herabfallenden Haarflechten bedeckt. Unter einer schmalen Taille breitet sich die von einem weich gerundeten Nabel gekennzeichnete Hüfte, die in betont vortretende Oberschenkel übergeht. Insgesamt eine Darstellung des weiblichen Körpers, die in ihrer rundplastischen Qualität und Ausdruckskraft wohl nur in der Amarna-Zeit bei den Statuen der Königin Nofretete ein entsprechendes Gegenüber findet. Die sinnliche Ausstrahlung des weiblichen Körpers und seine unverhüllt gezeigte Nacktheit sollten freilich mehr vermitteln, als es ein erotisierendes Sujet dieser Art sonst erwarten ließe. In ähnlicher Weise, wie die Skulptur der Amarna-Zeit die Betonung der weiblichen Körperformen der Nofretete in ein religiöses Konzept stellte, das ausgehend von der mütterlichen Fruchtbarkeit dieser Königin innerhalb der Amarna-Theologie einen festen, kosmisch bestimmten Platz zuordnete, der sinnfällig zum Ausdruck gebracht wurde, ist auch für die Ptolemäerzeit die hier veranschaulichte extreme Sinnlichkeit ein Symptom nicht nur gesellschaftlich bestimmter, sondern auch religiös motivierter Tendenzen, die vielleicht mit dem im ganzen Mittelmeerraum sich ausbreitenden Isis-Kult in Zusammenhang zu sehen sind.

Lit.: 5000 Jahre Ägyptische Kunst, Katalog Wien 1961/62, Nr. 168 (mit Abb.); E. Komorzynski, Das Erbe des Alten Ägypten, Wien 1965, Abb. 75; C. Vandersleyen (Hrsg.), Das Alte Ägypten, Propyläen Kunstgeschichte Bd. 15, 1975, Abb. 231; S. Donadoni, L'Egitto, 1981, p. 282; J. Leclant (Hrsg.), Ägypten III. Spätzeit und Hellenismus, München 1981, S. 164; museum. Ägyptisch-Orientalische Sammlung Kunsthistorisches Museum Wien, 1987, S. 66; Kunsthistorisches Museum Wien. Führer durch die Sammlungen, Wien 1988, S. 41

419

170
Kopf einer Statue eines Mannes

Turin, Museo Egizio, Inv.-Nr. 3139
Schwarzer Marmor, Höhe 22 cm
Herkunft unbekannt
Ptolemäisch, 3. Jhdt. v. Chr.

Der aus schwarzem Gestein gehauene Kopf war, wie aus den Resten des bis zum Hinterkopf hochführenden Rückenpfeilers ersichtlich ist, ursprünglich Bestandteil einer Standfigur. Sein kahlgeschorener Schädel und seine grobmodellierten Gesichtszüge ordnen ihn in die Kategorie der sogenannten „Eierköpfe" ein, die beginnend mit der 30. Dynastie als besonderes Charakteristikum des Statuenrepertoires der ausgehenden Spätzeit gelten können. Wie auch bei diesem Kopf tritt die Schädelform oberhalb der Schläfen birnenförmig nach außen, sodaß die Gesamtform des Schädels einem Achter gleicht. Diese Beobachtung, die zur Kategorisierung dieser Köpfe als „Achterköpfe" geführt hat, geht auf die 1988/1989 in den USA und in München gezeigte Kleopatra-Ausstellung zurück, für deren wissenschaftliches Konzept R. S. Bianchi verantwortlich zeichnete. Demnach entwickelten die ägyptischen Künstler der

Spätzeit mehrere Darstellungstypen älterer Männer, wie eben die sogenannten „Eierköpfe", deren Seitenprofil jenem von Hühnereiern ähnlich ist bzw. bei Vorderansicht einem „Achter". In beiden Fällen entspricht die künstlerische Zielsetzung jenen altersbestimmten Darstellungen des Alten und Mittleren Reiches, in denen es weniger um die Porträthaftigkeit der Statue ging als vielmehr um die Wiedergabe des mit Jugendbildnis bzw. Altersbildnis veranschaulichten Lebensprozesses. In idealisierender Weise werden auch bei diesem Kopf die Gesichtszüge ohne besonders auffallende Merkmale ausmodelliert.

Lit.: A. Fabretti, F. Rossi, R. V. Lanzone, regio Museo di Torino, Catalogo generale, Vol. I, 1882, p. 431; E. Scamuzzi, L'Art Égyptien au Musée de Turin, Turin 1966, pl. C; A. M. Donadoni Roveri (Hrsg.), Egyptian Civilization. Monumental Art, 1989, Fig. 266; Kleopatra, Ägypten um die Zeitenwende, Katalog München 1989

171
Falkenköpfiger Gott

London, Britisches Museum, Reg. No. 11498
Bronze, Höhe 32 cm, Breite 15,5 cm, Tiefe 15 cm
Herkunft unbekannt
3. Zwischenzeit/ Spätzeit

Während von den tausenden kleineren Bronzestatuetten, die als Votivgaben in den Tempeln der Spätzeit aufgestellt waren, verhältnismäßig viele überliefert sind, sind von den größeren Bronzestatuen die meisten den Einschmelzungsorgien späterer Jahrhunderte zum Opfer gefallen. So stellt auch die hier gezeigte Götterbronze eine Ausnahme dar, vor allem aufgrund ihres perfekten Erhaltungszustandes. Dargestellt ist ein teils hockender, teils kniender menschengestaltiger Gott mit Falkenkopf, der den rechten Arm zum Gruß erhoben hat, während der linke abgewinkelt an die Brust gelegt ist. Bekleidet ist der falkenköpfige Gott nur mit einem kurzen Schurz und einer in breiten Strähnen auf die beiden Schultern und den Rücken herabfallenden Perücke. Mit Ausnahme des angesetzten linken Armes ist die gesamte Bronze in einem Guß hergestellt worden.

Die sich durch ihre seltene Haltung auszeichnende Götterskulptur zeigt eine „Seele von Buto", die zusammen mit anderen gleichartigen Darstellungen die „Seelen" entweder der verstorbenen prädynastischen Könige dieser Stadt oder aber auch uralte Lokalgötter dieser Stadt verkörpern. Neben den Seelen von Buto gab es auch solche von Hierakonpolis, Heliopolis, von Hermo-polis und andere mehr. Charakteristisch für sie ist, daß sie im Gegensatz zu der in der ägyptischen Göttervorstellung faßbaren Individualität des jeweiligen Gottes anonym als Gruppe auftreten. Häufig werden sie im Zusammenhang mit dem Begräbnis als Begleiter des Toten im Jenseits wiedergegeben, aber sie sind auch einzeln dargestellt, wobei jeweils der hier vorliegende Jubelgestus charakteristisch ist. Während die Seelen von Buto stets falkenköpfig wiedergegeben sind, tragen die parallel dazu anzusetzenden Seelen von Hierakonpolis Schakalsköpfe.

Wie immer auch die theologisch-mythologische Deutung dieser Gottheiten aussehen mag, es fällt auf, daß sie in ihrer Darstellungsform dem kanonischen Grundgerüst der ägyptischen Skulptur zwar insoferne entsprechen, als sie die „Geradansichtigkeit" in mustergültiger Weise verkörpern, in ihrer nur auf eine bestimmte Darstellungsgruppe beschränkten Haltung jedoch eine Ausnahmeerscheinung bilden. Weder in der königlichen noch in der privaten Skulptur hat diese Darstellungsform jemals Aufnahme gefunden.

Lit.: Treasures of the British Museum, Katalog Japan 1985, p. 95; H. Beinlich, LÄ V, 1984, s. v. Seelen

423

172
Kopf einer Statue eines Mannes

Turin, Museo Egizio, Inv.-Nr. 3141
Quarzit, Höhe 24 cm
Herkunft unbekannt
Spätzeit/Ptolemäisch, 4./3. Jhdt. v. Chr.

Der etwas unterlebensgroße Kopf aus rötlichem Quarzit wurde bisweilen auch der 18. Dynastie zugewiesen, läßt sich jedoch aufgrund der eierköpfigen Gesamtform und der Gesichtsdetails eher in die 30. Dynastie oder an den Anfang der Ptolemäerzeit datieren. Der weit ausgreifende, kahlgeschorene Schädel ist durch eine parataktische Anordnung von Ohren, Augen, Augenbrauen und Mund gekennzeichnet. Die kaum verwirklichte Gesamtgestaltung ist wohl auch Ursache dafür, daß dieser Kopf auch bereits zu weiblichen Ehren gekommen ist und als Amarna-Prinzessin gedeutet wurde.

Lit.: E. Scamuzzi, L'Art Égyptien au Musée de Turin, Turin 1966, pl. XXXVII; S. Curto, L'antico Egitto nel Museo Egizio di Torino, Turin 1984, p. 127; A. M. Donadoni Roveri (Hrsg.), Egyptian Civilization. Monumental Art, 1989, Fig. 265; Il senso dell'arte nell'antico Egitto, Katalog Bologna 1990, No. 29

173
Kopf einer Statue eines Beamten

London, Britisches Museum, Reg. No. 64350
Sandstein, Höhe 21 cm, Breite 8 cm, Tiefe 9 cm
Herkunft unbekannt
30. Dynastie/Ptolemäisch

Der unterlebensgroße Quarzitkopf entspricht in seiner Gesamtmodellierung den „Eierköpfen" der 30. Dynastie und später, die in keineswegs porträthafter Absicht, sondern vielmehr im Rückgriff auf ein längst erprobtes Formeninventar, je nach Aufgabenstellung, ein idealisiertes Jugend- oder Altersbildnis zeigen konnten. Daß es sich hierbei um ein Altersbildnis handelt, ist sofort einsichtig. Der knochige, eiförmig nach rückwärts ausgreifende Schädel ist kahl oder geschoren, sodaß die Formung der Schädelkalotte deutlich zutage tritt. In dem nach unten spitz zulaufenden Gesicht, dessen Backen-knochen stark betont sind, sitzt ein großlippiger, breiter Mund, der aus dem knochigen Gesichtsschädel etwas herausgehoben ist. Von Ohr zu Ohr zieht sich eine tiefe Wangenfurche, die dem Gesicht einen besonderen Akzent verleiht. Schwere Augenlider drücken auf die rundlichen Augäpfel, in denen man runde Pupillen zu sehen vermeint. Insgesamt ist dieser Kopf sicher eine kleine Meisterleistung, die im Auftrag eines hohen Beamten, vielleicht sogar eines Königs, realisiert wurde.

Lit.: Unveröffentlicht

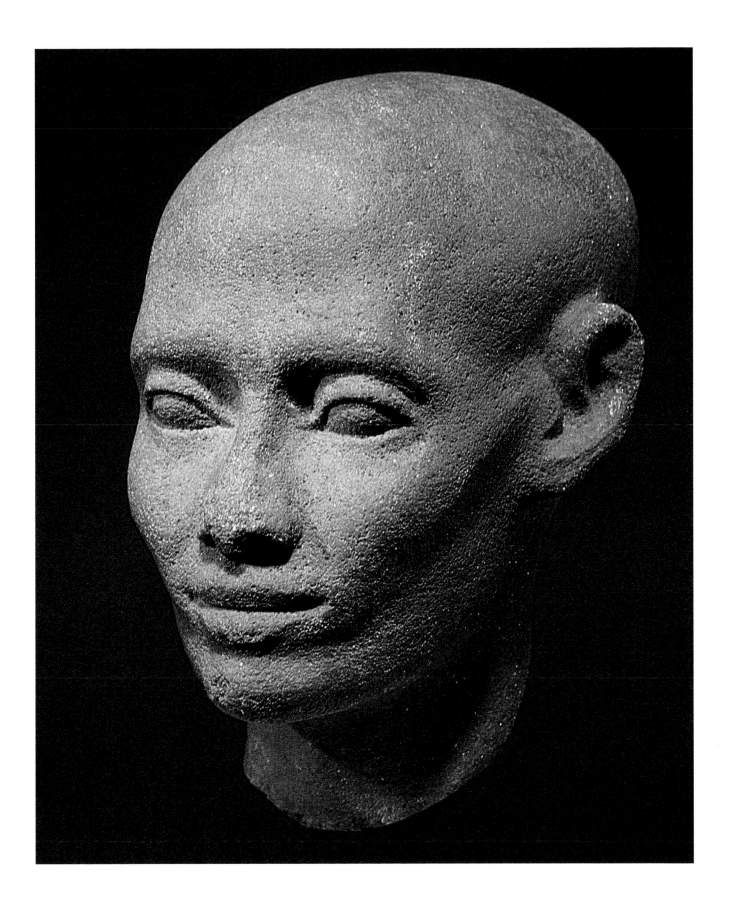

174
Kopf einer Statue eines Mannes

Paris, Louvre, Inv.-Nr. E 9420
Quarzit, Höhe 9,7 cm, Breite 7,2 cm, Tiefe 10,9 cm
Herkunft unbekannt
30. Dynastie/Ptolemäisch

Dieses kleine, weit unterlebensgroße Köpfchen entspricht in der Gesamtformung genau jenem idealisierten Kopftyp, der unter dem Begriff der „Eierköpfe" nun als geschlossene Darstellungskategorie der ägyptischen Skulptur seit der 30. Dynastie angesehen werden kann. Trotz seiner geringen Größe sind sämtliche Gesichtsdetails sorgfältigst ausgearbeitet. Über der hohen Stirn wölbt sich der kahlgeschorene Schädel, rechts und links sind die zum Teil beschädigten Ohren angebracht. Eine besondere Spannkraft verleiht diesem Antlitz die Augenstellung und der äußerst plastisch modellierte Ge-sichtsschädel. Verschiedene, tief eingegrabene Falten, die sich unterhalb des abgerundeten Kinns treffen, durchziehen die plastisch bewegten Wangenpartien. Der schmale, von zwei tiefen Mundwinkeln begrenzte Mund wird durch die beiden ihn halbkreisförmig umgebenden Falten besonders betont. Auch die Augen mit ihren schweren Augenlidern erwecken eher den Eindruck eines müden, strapazierten Mannes als den eines idealisierten, überzeitlichen Porträts.

Lit.: Unveröffentlicht

429

175
Fragment eines Statuenkopfes

Paris, Louvre, Inv.-Nr. AF 554
Rosengranit, Höhe 15 cm
Herkunft unbekannt
Ptolemäisch, 3. Jhdt. v. Chr.

Das aus sorgfältig poliertem Rosengranit gefertigte Kopffragment ist fern jeglicher individueller, porträthafter Aussage. Das von parataktisch nebeneinander gesetzten Einzeldetails gebildete Antlitz wirkt nichts desto trotz lebendig und läßt diesen Kopf der Gruppe der „Eierköpfe" zuweisen. Bemerkenswert sind die fein reliefierten, strichartigen Augenbrauen, die sich von der Nasenwurzel bis zur Schläfenpartie wie ein Viertelkreis nach außen ziehen. Die beiden waagrecht stehenden, etwas schlitzartigen Augen werden von scharfkantigen Rändern bzw. sorgfältig reliefierten Oberlidern begrenzt. Eine breite kurze Nase sitzt in einem kaum ausmodellierten Gesichtsfeld. Dasselbe gilt für den leicht vorspringenden Mund, dessen geometrisch stilisierte Lippen kaum Lebendigkeit versprühen.

Lit.: Unveröffentlicht

176
Kopf einer Statue eines Mannes

Brüssel, Musées Royaux d'Art et d'Histoire,
Inv.-Nr. E. 5346
Schiefer, Höhe 8,1 cm, Breite 5,8 cm, Tiefe 8,7 cm
Herkunft unbekannt
Ptolemäisch, 2. Jhdt. v. Chr.

Das kleine, aus grünem Chloritschiefer gefertigte Köpfchen unterscheidet sich deutlich von zahlreichen geglätteten „Eierköpfen", die keineswegs als Verkörperung individueller, porträthafter Züge dienen, sondern in Rückbesinnung auf die idealisierenden Grab- und Tempelstatuen der vorangegangenen Zeit in ähnlicher Weise bewußt ein vom Alter gezeichnetes Antlitz zeigen. So kann auch dieser Kopf mit deutlicher Adlernase eher als eine ikonenhafte Verdichtung eines allgemeinen Altersbildnisses aufgefaßt werden, denn als Porträt einer bestimmten Person.

Das Köpfchen zeigt in der Seitenansicht nicht nur die Reste des nach oben spitz zulaufenden Rückenpfeilers, der an die Schädelkalotte anschließt, sondern vor allem auch die großen, in Verlängerung des Augenbogens angesetzten Ohren, die in Frontalansicht kaum abstehen. Einen besonderen Akzent erhält die Statue durch die an

der Spitze leicht beschädigte, stark geschwungene „Adlernase". Kräftige und stark vertiefte Falten durchziehen das Gesicht und verleihen ihm jenen Eindruck eines alten Mannes, wie er aus den Königsporträts des Mittleren Reiches mehrfach belegt ist. Auch dieser Kopf stellt kein individuelles Porträt dar, sondern versucht in schematisch-idealisierender Weise dem menschlichen Antlitz eine zeitlose Dimension zu verleihen. Die Ansicht, daß es sich hier um keinen Porträtkopf handelt, sondern um einen festgeprägten Darstellungstyp, erfährt ihre Bestätigung durch das Vorhandensein mehrerer ganz ähnlich gestalteter Köpfe, die eine Reihe keineswegs zufälliger Gemeinsamkeiten aufweisen.

Lit.: B. V. Bothmer, ESLP, pp. 142f., 144, 145, 150, Pls. 102, 103; R. Tefnin, Statues et statuettes de l'ancienne Égypte, Brüssel 1988, p. 53, No. 17

177
Kopf einer Statue eines Mannes

Berlin-Charlottenburg, Ägyptisches Museum,
Inv.-Nr. I/65
Dunkelgrüner Hartstein, Höhe 25,5 cm
Herkunft unbekannt
Ptolemäisch, ca. 2. Jhdt. v. Chr.

Neben dem „Grünen Kopf" zählt dieser aus grünem Schiefer gefertigte Statuenkopf zu den wichtigsten Beispielen spätzeitlicher Skulptur des Berliner Ägyptischen Museums. Ausgehend von einer sichtbaren Affinität der beiden Köpfe zueinander, die fast demselben Werkstattkreis entsprungen zu sein scheinen, ergibt sich auch in der Deutung dieses Kopfes die naheliegende Erkenntnis, daß er kein porträthaft individuelles Antlitz wiedergibt, sondern vielmehr in idealisierender Weise den Begriff des Alterns bzw. den alternden Mensch als Darstellungsziel aufweist. Die fast graphisch-ornamental einge- ritzten oder reliefierten Falten und Augenbrauen, die ungemein plastische Modellierung der von hochangesetzten Backenknochen bestimmten Wangenpartie, der breite, leicht nach oben gewölbte Mund mit grübchenartig vertieften Mundwinkeln zeigen eine große Ähnlichkeit zu der stilistischen Gestaltung des „Grünen Kopfes".

Lit.: W. Kaiser, Ein Statuenkopf der Ägyptischen Spätzeit, Jahrbuch der Berliner Museen 8, 1966, S. 5–31; Ägyptisches Museum Berlin, Katalog 1967, Nr. 941

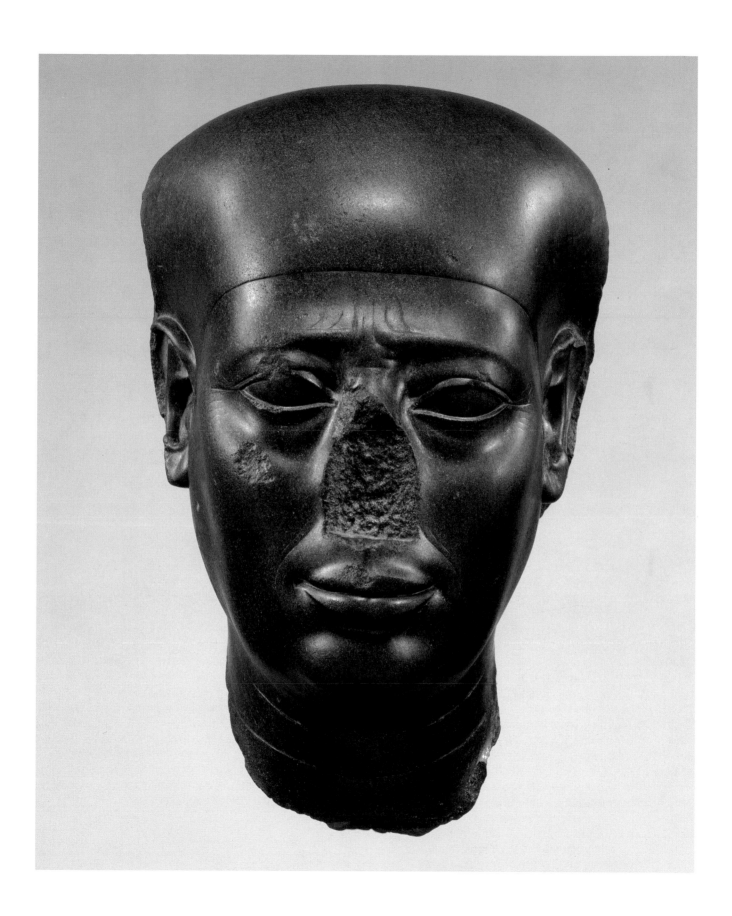

178
Fragment eines Kopfes

Wien, Kunsthistorisches Museum, Inv.-Nr. ÄS 42
Metasandstein („Schiefer"), Höhe 32,5 cm, Breite 15,5
cm, Tiefe 15,5 cm
Herkunft unbekannt
Ptolemäisch, 3. Jhdt. v. Chr.

Zu den wohl bedeutendsten Skulpturen der ägyptischen Spätzeit, einschließlich der Ptolemäerzeit, zählt der hier gezeigte Kopf der Wiener Ägyptisch-Orientalischen Sammlung. Der Kopf aus grünem Schiefer weist eine so überzeugende Oberflächenmodellierung auf, daß an der Darstellung eines Altersbildnisses nicht gezweifelt werden kann. Wenn bezüglich dieses Kopfes häufig festgestellt wurde, daß hier eine ausländische, also griechische Einflußnahme vorläge, es sich hier also um eine gerade für die Kunst Ägyptens zur Zeit der makedonischen Fremdherrschaft immer wieder gern vorausgesetzte Mischform ägyptischer und griechischer Elemente handle, so kann diese Annahme wohl aufgrund der Forschung der letzten Jahre als nicht stichhaltig bezeichnet werden. Im Gegenteil, die Jahrtausende lange Geschichte der ägyptischen Skulptur hat sehr wohl gezeigt, daß die ihr innewohnenden gestalterischen Fähigkeiten zu bestimmten Zeiten gleichsam explosionsartig an die Oberfläche kamen und das traditionell bestimmte Grundgerüst typischer Darstellungsformen mit neuen stilistischen Schöpfungen plötzlich unerwartet bereichert haben. In kunstvollster Weise sind hier alle jene künstlerischen Mitteln der Oberflächengestaltung eingesetzt, die etwa in der Gestaltung des Auges, des knochigen Gesichtsschädels, des schmalen Mundes, des faltigen Halses etc. tatsächlich ein idealisierendes Altersbildnis verwirklicht haben. Geht es in diesem Bildnis also um die Darstellung des Alters an sich, um den Inhaber bzw. Auftraggeber der Statue in einem bestimmten, entscheidenden Augenblick seines Lebens, das von der Jugend zum Alter geführt hat oder erst führen wird, festzuhalten, so erübrigt sich die Frage nach einer echten Porträthaftigkeit oder gar die Suche nach einem König, mit dem dieser Kopf identifiziert werden könnte. Auch das Fehlen der Uräus-Schlange wäre für ein königliches Bildnis kaum erklärbar.

Lit.: R. Anthes, Der Berliner Hocker des Petamenophis, ZÄS 73, 1937, Taf. VI,2; H. Satzinger, Ägyptische Kunst in Wien, S. 69, Abb. 31; Kunsthistorisches Museum Wien. Führer durch die Sammlungen, Wien 1988, S. 41; Cleopatra's Egypt – Age of the Ptolemies, Katalog Brooklyn Museum/ New York 1988, No. 35, pl. VI

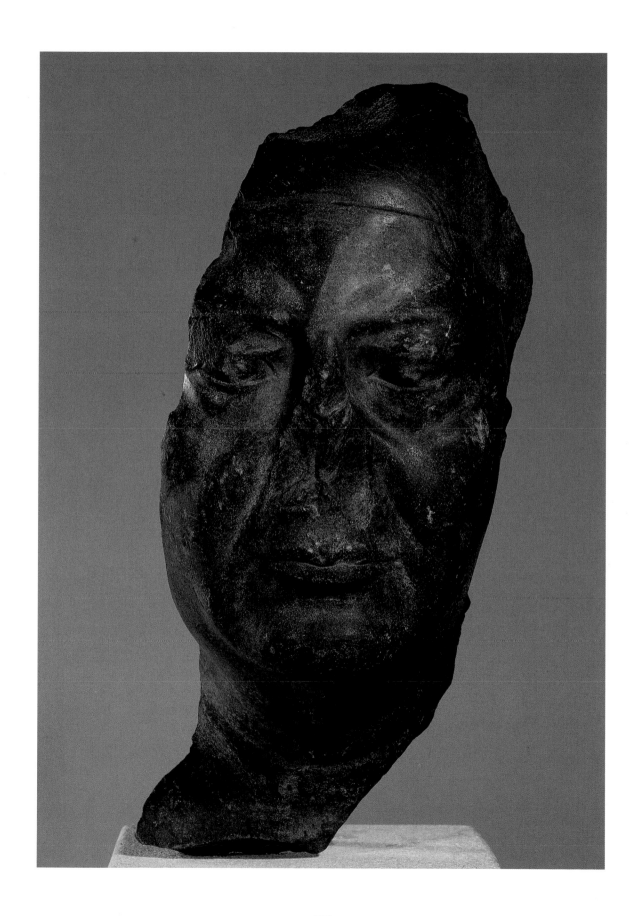

438

179
Kopf einer Statue eines Mannes

London, Britisches Museum, Reg. No. 65221
Granit, Höhe 10,5 cm, Breite 6 cm, Tiefe 8 cm
Herkunft unbekannt
Ptolemäisch, 1. Jhdt. v. Chr.

Der kleine, aus rötlich gesprenkeltem Granit gefertigte Kopf verkörpert das typische Altersbildnis, wie es in den „Eierköpfen" der Ptolemäerzeit häufig und ohne individuell porträthaften Anspruch belegt ist. Trotz der rauhen Oberflächenstruktur vermittelt der hagere, knochige Schädel den realistischen Anblick eines alten, glatzköpfigen Mannes, dessen zusammengepreßter Mund eine gewisse Bitterkeit verrät. Die kleinen, von wulstigen Lidern überwölbten Augen blicken müde aus einem faltigen, von hohen Backenknochen und tief eingefurchten Wangen gekennzeichneten Gesichtsfeld. Eine lange, breit ausladende Nase verstärkt den vertikalen Charakter des oval-länglichen Kopfes, dessen Alterszüge durch die deutlich markierten Falten über dem Nasenansatz noch betont werden. So zeigt dieses Statuenköpfchen, trotz seiner geringen Größe, das faszinierende Bildnis eines alten Mannes, dessen porträthafte Züge in diesen Statuenkopf sicher eingeflossen sind.

Lit.: B. V. Bothmer, ESLP, p. 176

180
Königinnenkopf

Wien, Kunsthistorisches Museum, Inv.-Nr. AS I 406
Basalt, Höhe 31 cm, Breite 21,5 cm, Tiefe 26,5 cm
Herkunft unbekannt
Ptolemäisch, 2. Jhdt. v. Chr.

Der aus ungewöhnlich hartem Stein herausgearbeitete Kopf muß trotz seiner männlichen Gesichtszüge aufgrund der Haartracht einer Königin zugesprochen werden. Nur wenig noch ist ägyptisch an diesem Kopf. Dazu gehören die offenkundige Frontalität, die besondere Ausmodellierung der Augen, sowie der dicklippige, leicht geöffnet scheinende Mund. Die Haartracht entspricht dem griechischen Isis-Stil. Offensichtlich wird eine in dichten Strähnen herabfallende Perücke von einem Perückenband zusammengehalten.

Die Gesichtszüge sind alles andere als ansprechend; ein Eindruck, der auch durch die Seitenansicht, die ein fettes, von Doppelkinn und riesiger Nase gekennzeichnetes Frauenporträt erkennen läßt, verstärkt wird.

Lit.: *5000 Jahre Ägyptische Kunst, Katalog Wien 1961/62, Nr. 213; Kunsthistorisches Museum Wien. Führer durch die Sammlungen, Wien 1988, S. 70; R. R. Smith, Hellenistic Royal Portraits, Oxford 1988, p. 170, No. 74, Taf. 48, 1–2; cf. pp. 94/95*

441

181
Kopf einer Statue eines Mannes

Wien, Kunsthistorisches Museum, Inv.-Nr. AS I 689
Granit (?), Höhe 28 cm, Breite 17,1 cm, Tiefe 25,6 cm
Herkunft unbekannt
Frühe Kaiserzeit

Der noch mit den Resten eines Rückenpfeilers versehene, lebensgroße Statuenkopf aus schwarzem Granit entspricht in seiner äußeren Gestaltungsform sowie dem zwischen dem hellen Haar und dem dunklen Gestein changierenden Kontrast einem Idealporträt ohne individuellen Anspruch. Das aus kurzen Locken bestehende Haar liegt wie eine Kappe auf dem Schädel, der durch eine besonders hohe Stirn gekennzeichnet ist. Die Gesichtsform ist von vorne fast rechteckig, eine Form, die durch die senkrechten, anliegenden Ohren noch ver-

stärkt wird. Die beiden Augen werden von schweren Lidern umrahmt, die sonst üblichen Brauenbögen fehlen zur Gänze. Der verhältnismäßig breite Mund ist zusammengepreßt und betont so den eher abweisenden, kühlen Charakter dieses Antlitzes.

Lit.: R. v. Schneider, Album auserlesener Gegenstände aus der Antikensammlung, 1895, S. 6, Taf. 13,2; H. Drerup, Ägyptische Bildnisköpfe griechischer und römischer Zeit, Orbis Antiquus 3, 1950, S. 19, 27 Anm. 58, Taf. 14; 5000 Jahre Ägyptische Kunst, Katalog Wien 1961/62, Nr. 219

182
Statue des Wennefer

London, Britisches Museum, Reg. No. 55254
Basalt, Höhe 54 cm, Breite 13,5 cm, Tiefe 21,5 cm
Aus Karnak
Ptolemäisch, 2. Jhdt. v. Chr.

Diese seit dem Neuen Reich häufigen Theophoren-Statuen sind kontinuierlich bis an das Ende der ägyptischen Geschichte nachweisbar. Während in den meisten Fällen der Gott des Theophoren auf einer gemeinsamen Basisplatte steht, ist seit der Ptolemäerzeit nur mehr der hier gezeigte Darstellungstyp bekannt. Der auf einem fast quadratischen Steinsockel stehende Wennefer hält in seinen beiden Händen einen kleinen würfeligen Sockel, auf dem der mumiengestaltige Gott „Chons, das Kind" steht. Er hält in den Händen das Was-Szepter, das Heil und Gesundheit verleihen soll, und ist durch die Jugendlocke als Kindgott gekennzeichnet. Auf dem Haupte trägt Chons, der Mondgott, die Mondsichel und Sonnenscheibe. Wennefer ist in einen langen Wickelrock gekleidet, dessen beiden Zipfel oberhalb des Abschlusses herausschauen. Die Vorderseite des langen Schurzes sowie die Oberarme sind mit Hieroglyphen bedeckt, die verschiedene Titel des Wennefer sowie das übliche Opfergebet enthalten. Wennefer zeigt ein von zwei riesigen Ohren umrahmtes Gesicht, dessen Einzelheiten eher summarisch angegeben sind. Zwei stark geschwungene Augen, die von scharf reliefierten Lidern umgeben werden, eine große knollige Nase und ein schmaler, leicht hervortretender Mund kennzeichnen sein Antlitz. Über der niedrigen Stirn ist deutlich der Ansatz der hinter den Schultern herabfallenden, nichtgesträhnten Perücke zu vermuten. Die für Statuen dieser Art bisweilen verwendete Gesteinsart (Basalt) läßt aufgrund ihrer Härte erahnen, welch meisterliche Leistung diese in sich vollendete Theophoren-Statue erbrachte. Sie wurde im Statuenversteck von Karnak gefunden und war ursprünglich wohl im Chons-Tempel, nicht weit von der Auffindungsstelle, als Tempelstatue aufgestellt. Eine Datierung in das 2. Jahrhundert v. Chr. ist wahrscheinlich.

Lit.: B. V. Bothmer - H. De Meulenære, The Brooklyn Statuette of Hor, Son of Pawen, Egyptological Studies (FS R. A. Parker), 1986, p. 3 n. 7

183
Statue des Pascheribastet

London, Britisches Museum, Reg. No. 34270
Basalt, Höhe 53 cm, Breite 13 cm, Tiefe 18,5 cm
Herkunft unbekannt
Ptolemäisch, 2. Jhdt. v. Chr.

Diese von Bernhard V. Bothmer in das 2. Jahrhundert v. Chr., also noch in die Zeit der Ptolemäer, datierte Statue, steht, an einen Rückenpfeiler gelehnt, in der typisch ägyptischen Pseudoschrittstellung auf einer kleinen rechteckigen Basisplatte. Armhaltung und das linke, abgewinkelte Knie entfernen sich von dem traditionellen Darstellungstyp der ägyptischen Standfigur, eine Entwicklung, die durch die leichte, aber doch deutlich merkbare Drehung des von Alterszügen gekennzeichneten Kopfes nach rechts noch verstärkt wird. Der Mann ist in ein hemdartiges, kurzes, anliegendes Gewand gekleidet, das an den Außenrändern ausgefranst ist und über der Schulter durch ein umlaufendes Band befestigt ist. In der Rechten hält er den sogenannten „Schattenstab" oder das Taschentuch, in der Linken ebenfalls ein bestimmtes Werkzeug. Wenn es in vielen Fällen auch schwer fällt, von einer „Mischform" ägyptisch-griechischer Elemente zu sprechen, so wird die hier eingegangene Verbindung ägyptischer Vorgaben und hellenistischer freier Entwicklung in idealer Weise zum Ausdruck gebracht. Ein Vergleich mit der Kat.-Nr. 182, dem Theophoren des Wennefer, zeigt die unglaubliche Bandbreite gleichzeitiger schöpferischer Entwicklungen.

Lit.: E. D. Ross, The Art of Egypt, pl. 240, fig. 2; B. H. Stricker, Oudheidkundige Mededelingen N. R. XL, 1959, p. V, 3; B. V. Bothmer, ESLP, pp. 145, 154, 155

184
Sarg des Panehemisis

Wien, Kunsthistorisches Museum, Inv.-Nr. ÄS 4
Basalt, Länge 205 cm, Breite 66,5 cm, H. 47,5 cm
Herkunft unbekannt
Ptolemäisch, 2. Jhdt. v. Chr.

Härtestes Material und feinste Reliefierung und Gravur gehen in diesem menschengestaltigen Sarkophag, der aus Wanne und Deckel besteht, eine meisterliche Verbindung ein. Nach über hundert Jahren Fremdherrschaft der Ptolemäer in Ägypten war die einheimische Priesterherrschaft nach wie vor intensiv darum bemüht, die eigene Religion und ihre uralte Tradition möglichst unverfälscht und frei von äußeren Einflüssen zu bewahren, ja noch weiter auszubauen. Während das Griechische und sein Alphabet als Verwaltungssprache ein neues, schnelles Kommunikationsmittel darstellten und das seit dem 7. Jahrhundert gebräuchliche Demotische als kursive Entwicklung der Hieroglyphenschrift ebenfalls eine weite Verbreitung gefunden hatte, ohne freilich allen Gesellschaftsschichten zur Verfügung zu stehen, blieben die Hieroglyphenschrift und ihr Zeichensystem das wichtigste Rückzugsgebiet der ägyptischen Priester, die durch eine bewußte Verkomplizierung des Systems, durch die immer häufigere Anwendung kryptographischer Schreibungen und eine ungemeine Vermehrung des Zeichenbestandes die Schrift und zum Teil auch die Staatsreligion zu einer Art Geheimwissenschaft machten. So bemühten sich die Priester der Tempel von Edfu, Philae, Esna etc., die gerade in der Ptolemäerzeit ihre größte Ausdehnung erfahren hatten, diese ihre Tempel immer mehr zu einem geheimen Ort auszubauen, ihn zu schützen und vor Verunreinigung durch Fremde zu bewahren. Dementsprechend heißt es an einem Eingang eines Tempels: „Dies ist ein geheimnisvoller und geheimer Ort. Verbiete seinen Zugang den Asiaten, der Phöniker nähere sich ihm nicht, es betrete ihn weder der Grieche noch der Beduine …". Die sich darin zeigende Angst vor Überfremdung, ja Fremdenhaß, ist ein typisches Merkmal für die Zeit der Ptolemäerherrschaft. Die daraus resultierende Rückzugsbewegung der Theologen führte letztlich zu einer immer größeren Kluft zwischen der einstigen Staatsreligion und dem einfachen Volk, das den theologischen Spekulationen der Priester und deren Tempeln immer unverständiger gegenüberstand. Nicht zuletzt darin sollte der schnelle Sieg des Christentums dereinst seine Begründung finden.

So war auch die Vorsorge der Priester für ihr eigenes Begräbnis ein wichtiges Anliegen. Panehemisis, dessen Tempel uns nicht bekannt ist, versuchte in diesem monumentalen Basaltsarkophag nicht nur für sich ein steinernes, die Zeiten überdauerndes Begräbnis sicherzustellen, sondern in der kunstvollen Ausstattung und in den auf der Außenseite sowohl der Sargwanne als auch des Deckels angebrachten Texten, gleichsam ein theologisches Testament zu hinterlassen. So ist fast jeder Quadratzentimeter dieser harten Oberfläche mit feinsten, gravierten und modellierten figürlichen Darstellungen bedeckt, die meist einen Bezug zur Sonnenbahn und damit zur zyklischen Wiederkehr des Werdens und Vergehens aufweisen. Über dem gewaltigen, manieristisch gestalteten Deckelgesicht erhebt sich der Skarabäus als das ewige Symbol des Werdens und Entstehens, das in Form hunderttausender Amulette die ägyptische Alltagswelt seit dem Mittleren Reich begleitet hat. Zahlreiche mythologische Szenen und Jenseitstexte, die den Totenbüchern entnommen sind, sollen dem Bestatteten ein sicheres jenseitiges Leben garantieren. In für die Spätzeit charakteristischer Weise enthalten die Texte auch eine Idealbiographie des Beigesetzten, in der dieser auf seinen lauteren Lebenswandel als Voraussetzung für ein glückliches jenseitiges Leben hinweist: „Nicht wurde eine Sünde von mir an der Seite des Verschlingers der Vielen gefunden, nicht wurde ein Vergehen durch mich im Gerichtskollegium aufgeschrieben". Die Angst vor dem Totengericht, die seit den Sargtexten des Mittleren Reiches belegt ist, ist ein immer wiederkehrendes Thema in den Gräbern und Jenseitstexten Ägyptens. Mit diesem anthropomorphen Sarkophag mit großen Ohren, einer dreigeteilten, auf den Rücken und rechts und links des Gesichtes herabfallenden Perücke und einem offenen, breiten Gesicht sowie den zahllosen Texten und Darstellungen hat der Priester Panehemisis uns nicht nur das Testament seines eigenen Lebens hinterlassen, sondern in verdichteter Form ein Resümee des Glaubens und der Hoffnungen seiner Zeit gezogen, die uns dank dieses Sarkophags auch heute noch in ihren Bann zieht.

Lit.: E. v. Bergmann, Der Sarkophag des Panehemisis, Jahrbuch der Kunsthistorischen Sammlungen des österreichischen Kaiserhauses, 1883, 1884, Bd. 1, S. 1–40, Bd. 2, S. 1–20; 5000 Jahre Ägyptische Kunst, Katalog Wien 1961/62, Nr. 211 (mit Abb.); Osiris, Kreuz und Halbmond, Katalog Stuttgart - Hannover 1984, Nt. 79; museum. Ägyptisch-Orientalische Sammlung Kunsthistorisches Museum Wien, 1987, S. 102; Kunsthistorisches Museum Wien. Führer durch die Sammlungen, Wien 1988, S. 52

185
Votivstatue eines Mannes

Wien, Kunsthistorisches Museum, Inv.-Nr. AS I 341
Kalkstein, bemalt, Höhe 201 cm
Aus Pyla (Zypern)
Zyprisch-archaisch, um 500 v. Chr.

Am Beginn der griechischen monumentalen Plastik im 7. Jahrhundert v. Chr. steht der Typus des Kuros, des nackten, mit vorgesetztem linken Bein und seitlich anliegenden Armen stehenden Jünglings. Die in einem Heiligtum bei Pyla auf Zypern gefundene Statue entspricht in Aufbau und Haltung weitgehend diesem Typus. Das strahlende, kraftvolle Antlitz wird durch die großen, mandelfömigen Augen und das sogenannte archaische Lächeln, das für griechische Skulpturen des 6. Jahrhunderts charakteristisch ist, bestimmt. Doch ist der Einfluß, den die wechselvolle Geschichte dieser Insel, die im 6. Jahrhundert hintereinander unter assyrischer, ägyptischer und persischer Vorherrschaft stand, deutlich feststellbar. Wie einige Kuroi aus dem ionischen Osten, aus Samos, Pergamon und Milet, sind auch die zyprischen Statuen immer bekleidet: Unter einem roten Mantel (Farbspuren auf dem Oberschenkel), der die rechte Körperseite bedeckt, befand sich einst ein gemaltes, eng anliegendes Untergewand. Auf assyrischen Einfluß geht der mächtige, aus stilisierten Ringellöckchen gebildete Bart zurück. Die strenge Frontalität, die Geschlossenheit des Umrisses mit den herabhängenden Armen und den zu Fäusten geballten Händen sowie die Schrittstellung dieser Kuroi stehen zweifelsohne unter dem Einfluß Ägyptens. Dies wurde auch schon in der Antike erkannt; so beschreibt zum Beispiel

Diodor einen im Kuros-Typus geschaffenen Apollo auf Samos als eine Statue, „die ägyptischen Werken ähnlich ist". Die enge Bindung zwischen Griechenland und Ägypten im 7. Jahrhundert, als sich der Kuros-Typus entwickelte, überliefert auch Herodot: Unter Psammetich I. (663-609 v. Chr.) sollen ionische und karische Griechen im Niltal angesiedelt worden sein, wodurch „man von dieser Zeit an in Griechenland über die Vorgänge in Ägypten genau Bescheid wußte". Von Anfang an lösen die griechischen Künstler ihre Statuen jedoch von dem Rückenpfeiler, durch den die ägyptischen Statuen dem Steinblock, aus dem sie herausgearbeitet wurden, verhaftet bleiben. Während man in Ägypten an der einmal gefundenen Form festhält, entwickelt sich im griechischen Kulturkreis im Verlauf von 150 Jahren der Typus des archaischen Kuros zur frühklassischen Jünglingsgestalt. In Zypern allerdings (ähnlich wie in Etrurien) verläuft diese Entwicklung verlangsamt und nicht so kontinuierlich: So wirkt die um die Wende zum 5. Jahrhundert geschaffene Weihestatue des Priesters noch durchaus archaisch, wobei vor allem die nicht vollständige Trennung der Unterschenkel, die im besonderen an ägyptische Statuen erinnert, auffällt.

Lit.: R. v. Schneider, Album auserlesener Gegenstände der Antiken-Sammlung des Allerhöchsten Kaiserhauses, Wien 1895, S. 1, Taf. I; Kunsthistorisches Museum Wien, Führer durch die Sammlungen, Wien 1988, S. 61

BILDHAUERMODELLE

186
Ostrakon mit Königskopf

Ostrakon: Königskopf (Ramses VI. ?)
Wien, Kunsthistorisches Museum, Inv.-Nr ÄS 5979
Kalkstein, Höhe 39 cm, Breite 42 cm
Vermutlich aus dem Grab des Königs
Neues Reich, 20. Dynastie, um 1150 v. Chr.

Die nach der griechischen Bezeichnung für „Tonscherbe" benannten Ostraka (Einzahl Ostrakon) können als die Skizzenbücher des Alten Ägypten angesehen werden. Flache Splitter aus Kalksteinblöcken oder die Scherben zerbrochener Tongefäße waren ein in großen Mengen verfügbarer Ersatz für den kostbaren Papyrus. Sie dienten als Zeichengrund für flüchtige Bildskizzen, Studien, Entwürfe, Übungsarbeiten und einfache Kritzeleien. Auch die mit Briefen, Abrechnungen, Listen oder literarischen Exzerpten beschrifteten Ostraka nehmen unter den altägyptischen Quellen eine wichtige Stellung ein, können wir doch gerade aus ihnen – an den offiziellen Dokumenten vorbei – einen Einblick in das ägyptische Alltagsleben gewinnen. Allerdings stammen die meisten Ostraka aus dem Neuen Reich, und zwar vornehmlich aus dem Nekropolengebiet am westlichen Nilufer. Nicht weit vom Tal der Könige entfernt, in dem sich die Pharaonen aus der 18. Dynastie ihre Gräber anlegten, befand sich die Arbeitersiedlung, die heute Deir el-Medine genannt wird. Dort wohnten und arbeiteten bis in die 20. Dynastie hinein jene Steinmetze, Zeichner und Bildhauer, die für die Ausgestaltung der Königsgräber verantwortlich waren. So ist es nicht verwunderlich, daß aus der Wohnsiedlung dieser Handwerker, aber auch aus dem Tal der Könige und der angrenzenden Gebiete eine Fülle von mit Zeichnungen versehenen Ostraka erhalten ist, die uns die Vorstufen zu kunstvollen Reliefs oder auch unkonventionelle Skizzen fern jeder kanonischen Prägung zeigen. Neben Schülerskizzen und Meisterentwürfen, die als Vorstudien der später im Grab anzufertigenden Reliefs angesehen werden können, stehen auch Darstellungen, die das Vergnügen des Künstlers an schöpferischer Freiheit zum Ausdruck bringen. Dazu gehören Darstellungen des Königs mit Bartstoppeln ebenso wie erotische Szenen. Eine besondere Bedeutung scheinen die in der offiziellen Kunst kaum berücksichtigten Tiergeschichten gehabt zu haben, deren zum Teil aus der Verkehrten Welt stammende Szenen auf den Ostraka sehr häufig zu finden sind (z. B. Katze bedient Maus).
Das hier gezeigte Ostrakon, das einzige der Wiener Sammlung und eines der größten, das bisher bekannt geworden ist, zeigt die in Hellrot vorgezeichnete und in einem tiefen Dunkelrot überarbeitete Darstellung eines Königs mit der sogenannten Atefkrone. Obwohl der Fundort nicht mehr feststellbar ist, entspricht das Königsbildnis ganz den offiziellen Wandreliefs der Ramessidenzeit. Das im klassischen Stil gezeichnete Gesicht mit elegant geschwungenen Brauenbögen über dem länglichen Auge bekommt einen besonderen Akzent durch die deutlich gebogene Nase und den kleinen, ausdrucksvollen Mund. Die gewaltige Kompositkrone mit Sonnenscheibe, Widdergehörn, Uräus-Schlangen (ebenfalls mit Sonnenscheibe und Kuhgehörn) und Straußenfedern ist an der Spitze des Mittelteils mit einem von Sonne und Uräus gekrönten Widderkopf geschmückt. Um den Hals trägt der König eine doppelte Goldkette, in den (nicht dargestellten) Händen hält er Geißel und Szepter.
Besondere Aufmerksamkeit verdienen die in dunklerem Rot vorgenommenen Korrekturen der hellroten Vorzeichnung, die besonders beim Widdergehörn augenfällig werden. Bestimmte zeichnerische Details – Innenzeichnung des Ohres, Halsfalten, Nasenbildung – sind in der kraftvollen Nachzeichnung, die wohl als Vorlage eines Reliefs aufzufassen ist, nicht mehr berücksichtigt. Bisher wurde das Ostrakon nur allgemein der Ramessidenzeit zugewiesen, doch erscheint es uns möglich, in seiner Darstellung König Ramses VI. zu vermuten. Die in seinem Grab gefundenen und mit seinem Namen versehenen Ostraka lassen folgende stilistische Übereinstimmungen und Charakteristika erkennen: das schmale, überlange Auge, dessen Oberlid in einen langen Schminkstrich ausläuft; der niedrige Augenansatz noch unterhalb der Nasenmitte; die deutliche Krümmung des Nasenrückens; der kurze Mund, dessen volle Lippen rasch zu den Mundwinkeln hin abfallen, die spitz zulaufen oder – wie hier – in einem Punkt enden. Eine letzte Sicherheit wäre freilich nur zu erreichen, wenn die nur noch in Spuren erahnbaren Beschriftungsreste links von der Krone lesbar wären.

Lit.: E. Brunner-Traut, Die altägyptischen Scherbenbilder (Bildostraka) der deutschen Museen und Sammlungen, Wiesbaden 1956, S. 49 Nr. 32, Taf. XIV; E. Komorzynski, Das Erbe des Alten Ägypten, Wien 1965, S. 200, Abb. 50. Zum Porträt Ramses' VI.: K. Mysliwiec, Le portrait royal dans le bas-relief du Nouvel Empire, Warschau 1976, S. 132ff.; Fig. 295ff.

F. H.

187
Unfertige Statue des Königs Mykerinus

Boston, Museum of Fine Arts, Museum Expedition,
Inv.-Nr. 11.730
Granit, Höhe 35,2 cm, Breite 18,5 cm
Aus Giza, Taltempel des Mykerinus
Altes Reich, 4. Dynastie, nach 2485 v. Chr.

Im Taltempel des Mykerinus wurden zahlreiche Statuen dieses Königs gefunden, darunter waren etliche unvollendete in verschiedenen Phasen der Bearbeitung.

Der Block ist schon so weit abgearbeitet, daß der Statuentyp erkennbar ist. Der König sitzt in zeremonieller Haltung auf einem Blocksitz, die Beine nebeneinandergestellt, die Arme liegen am Körper an, die Unterarme liegen auf den Oberschenkeln, wobei die rechte Hand zur Faust geballt, die linke Hand flach aufliegt. Dies ist eine typische Haltung für die Statuen von sitzenden Männern.

Alles ist noch im Rohzustand, kantig, plump, und nur für den Kenner der ägyptischen Statuentypen und ihres Kanons erkennbar. Unter dem breiten Gesicht ist ein Block für einen relativ kurzen rechteckigen Bart stehengelassen. Auch das Nemes, das Kopftuch, welches die Haare des Königs verdeckt, ist schon erkennbar. Der Sitz und die Füße stehen auf einem gemeinsamen Podest. Die Zehen sind samt der Vorderkante des Podestes abgebrochen und fehlen.

An Gesicht, Armen und Händen sind rote Linien gezogen für die Markierungen der nächsten Arbeitsphase. Das Vorhandensein von unfertigen Statuen läßt auf einen plötzlichen Tod des Königs schließen. Die Statuen wurden ohne Rücksicht auf ihren Fertigungszustand an ihren vorgesehenen Plätzen aufgestellt. Der Idee nach ist jedenfalls dieser König vielfach in Stein verewigt. Wäre diese Statue verschleppt worden und nicht an ihrem Aufstellungsort gefunden worden, hätte man sie niemals einem bestimmten König zuordnen können.

Mykerinus war der 6. Herrscher der 4. Dynastie und vermutlich ein Sohn des Chephren, regierte von 2485 bis 2457 v. Chr. Er ist der Erbauer der dritten großen Pyramide von Giza. Seine ist die kleinste, nur 66 m hoch (zum Vergleich die große Pyramide des Cheops: ursprüngliche Höhe 146,59 m), doch wirkt sie neben den beiden anderen nicht ganz so klein, weil sie auf einer Erhöhung des Plateaus steht. In den unteren Lagen ist ihre Verkleidung aus Granit noch erhalten. In seiner Grabanlage wurden zahlreiche Statuen gefunden, außer den Sitzstatuen auch Statuengruppen, die ihn in Begleitung von Göttinnen und Gaugottheiten zeigen, einmal auch gemeinsam mit seiner Gemahlin Chamerernebti. Im Taltempel seines Pyramidenbezirkes befanden sich 18 Sitzstatuen, 16 davon sind unvollendet.

Lit.: G. A. Reisner, Mycerinus. The Temples of the Third Pyramid at Giza, 1931, p. 112, no. 26, pl. 62b; R. Anthes, Werkverfahren ägyptischer Bildhauer, MDIK 10, 1941, Taf. 17a; W. Davis, The Canonical Tradition in Ancient Egyptian Art, 1989, p. 96, fig. 5.1, (zweiter von links)

E. H.

457

188
Unfertige Statue des Königs Mykerinus

Boston, Museum of Fine Arts, Museum Expedition,
Inv.-Nr. 11.733 a, b, c
Granit, Höhe 44 cm, Breite 17,5 cm
Aus Giza, Taltempel des Mykerinus
Altes Reich, 4. Dynastie, nach 2485 v. Chr.

Unter den zahlreichen Statuen des Königs Mykerinus, die in seinem Taltempel gefunden wurden, waren auch viele unvollendete, an denen man die verschiedenen Stadien der Bildhauerarbeit studieren kann.

Diese Statue war schon in einem sehr vorgeschrittenen Stadium, als die Arbeit daran unterbrochen werden mußte, vermutlich durch den plötzlichen Tod des Königs.

Es ist eine Sitzstatue (wie Boston 11.730, Kat.-Nr. 187). Der König sitzt auf einem Blocksitz über einem Podest. Alle wesentlichen Teile des Körpers sind bereits herausgearbeitet. Der Körper erscheint durch die breiten Schultern, kräftigen Arme und stämmigen Beine sehr wuchtig und schwer. Die Innenseite der Arme und die Seiten des Oberkörpers sind schon bis zum Verbindungssteg in die Tiefe modelliert. Dieser bleibt ja entsprechend der ägyptischen Auffassung stehen. Die Unterarme liegen auf den Oberschenkeln, die rechte Hand zur Faust geballt, die linke Hand flach am Knie. Zwischen den Beinen steht der Saum des kurzen Schurzes. Die beiden Unterschenkel der Beine, unterhalb der Knie leicht eingezogen, stehen mit geringem Abstand zueinander wie zwei Säulen vor dem Sitz. Die Schienbeine stehen vor. Die Füße sind breit und recht flach. Deutlich sichtbar ist die Blockhaftigkeit des Aufbaues. Der Körper des Königs wirkt selbst wie ein Fels. Damit wird er zum Inbegriff des fest verankerten Königtums, einer unumstößlichen Macht.

Der Brustmuskel bildet zwei flache Wellen, die über die Achselhöhlen hinaus unterhalb der Schulterkugel auslaufen. Die Schultern sind stark abfallend. Am Gesicht sind die Augen, die breite Nase, die Lippen schon etwas modelliert, auch die Ohren haben ihre gerundeten Konturen, am Kinn sitzt ein trapezförmiger Bart. Porträthafte Züge sind schon bemerkbar. Eingerahmt wird das Gesicht vom Nemes, dem Königskopftuch, das die Haare völlig verdeckt. Der Scheitelbereich ist sehr flach, für den Uräus über der Stirn ist eine Erhebung stehengeblieben. Die letzten Feinheiten werden, auch an der Muskulatur, in einem weiteren Arbeitsgang herausgeholt. Dann fehlt noch die abschließende Oberflächenbehandlung durch Glätten und Polieren, eventuell Bemalung.

Lit.: A. Reisner, Mycerinus. The Temples of the Third Pyramid at Giza, 1931, p. 112, no. 32, pl. 62f; R. Anthes, Werkverfahren ägyptischer Bildhauer, MDIK 10, 1941, Taf. 17c; W. Davis, The Canonical Tradition in Ancient Egyptian Art, 1989, p. 96, fig. 5.1, (zweiter von rechts)

E. H.

459

189
Unfertige Knie-Figur mit Naos

Wien, Kunsthistorisches Museum, Inv.-Nr. ÄS 58
Grauwacke, Höhe 59,5 cm, Breite 18,5 cm, Tiefe 27,8 cm
Herkunft unbekannt
Spätzeit, 26./27. Dynastie, 6. Jh. v. Chr.

Die erst sehr roh zugerichtete Statue stellt einen
knienden Mann dar, der vor sich auf den Oberschenkeln
einen Naos hält, ein häufiger Typ der Tempelstatue von
Privatleuten in der Spätzeit.
Die Arme liegen ganz eng am Körper an, die Hände liegen flach an den Seiten des Naos. Der Götterschrein ist
nur ein Kubus, noch ohne das Götterbild darin. Der Brustmuskel ist als kantiger Abbruch sichtbar, die beiden Knie
sind durch eine Kerbe getrennt und gerundet. Die Vorderseite des hohen Sockels ist bogenförmig.
Besonders an den Seiten wird der Rohzustand der
Skulptur deutlich. Die Arme sind unförmig und außen
flächig, der Scheitel des Kopfes ist schon gerundet, doch
für das Gesicht ist noch reichlich überschüssiges Material stehengeblieben, sodaß noch nichts erkennbar ist.
Als Haartracht würde man die übliche Beutelperücke erwarten, die auf der Schulter in rundem Bausch aufsitzt,
hier jedoch verlaufen die Seitenteile schräg nach außen
ohne die notwendige Rundung. Also ist hier wohl die
schulterlange Strähnenperücke gemeint, die ebenfalls
bei Männerstatuen der 26. Dynastie vorkommt. Der
Rückenpfeiler ist extrem flach und mündet oberhalb der
Schulterblätter in die Perücke. Die geschwungene
Rücken-Gesäßlinie ist schon vorhanden, die aufeinan-
derliegenden Ober- und Unterschenkel durch eine Kerbe
angerissen. Die Zehen der Füße sind nach vorne gebogen, aber noch nicht erkennbar.
Eigenartigerweise ist der Rückenpfeiler samt Hinterhaupt schon geglättet, was beim Ausführungszustand
dieser Plastik auffällig ist. Vielleicht hat man ihn nur für
Glättübungen verwendet, als man die Statue aufgegeben
hatte, weil man zu große Mängel in der bisherigen Ausführung feststellte. Es sind die Schultern ungleich hoch,
d.h. eigentlich würde die rechte Schulter nach Ausarbeitung von Gesicht und Perücke zu tief sitzen. Der rechte
Arm würde durch Rundmodellierung zu dünn werden.
Auch ist der hohe Sockel sehr schmal, wodurch die
Statue von vorne gesehen unstatisch wirkt.
Die Verwendung von Metasandstein gibt im Vergleich
mit Statuen aus demselben Material einen Hinweis auf
die Herstellungszeit vor der 28. Dynastie.

*Lit.: E. Rogge, Statuen der Spätzeit (750–300 v. Chr.), CAA Wien, Lief. 9,
1992, S. 9, 85–87*

E. H.

461

190
Unvollendete osiriphore Statue

Wien, Kunsthistorisches Museum, Inv.-Nr. ÄS 66
Metasandstein, Höhe 43,5 cm, Breite 10,2 cm,
Tiefe 18,9 cm
Herkunft unbekannt
Spätzeit, späte 26. Dynastie, ca. Mitte des 6. Jh. v. Chr.

Ein Mann in Schreitstellung bringt eine Osirisfigur dar, die vor ihm auf einem hohen Podest steht. Die Basis dieser Figurengruppe ragt vorne etwas über das Podest des Gottes hinaus und setzt sich an der Hinterseite des Mannes in einem hohen Rückenpfeiler fort, der bis zur Kugelperücke hinaufreicht.

Die langbeinige Figur des Mannes zeigt sanfte, fließende Körperrundungen, die nur teilweise aus dem knöchellangen, über der Brust geknoteten Wickelschurz heraustreten. Da der Schurz einen vorne weit wegstehenden Vorbau hat, ist auch die Osirisstatue sehr weit nach vorne gesetzt und die Hände des Darbringenden können daher nicht die Osirisstatue selbst halten, sondern greifen eigentlich ins Leere – den Verbindungssteg. Es entsteht der Eindruck, als hätte er die Statue vor sich hingestellt und weist nun darauf hin. So bleibt durch den großen Vorbau des Schurzes, den Verbindungssteg zu Osiris, auf der linken Seite durch die wegen des vorgesetzten linken Beines zusätzliche Tiefe des Rückenpfeilers eine beachtliche Steinmasse stehen, die rechts durch das hohe gleichschenkelige Dreieck des Schurzes und auf der linken Seite durch die parallelen schrägen Linien von Vorder- und Hinterseite des Schurzes aufgelockert wird.

Vorgesehene Details sind erst in verschwommenen Umrissen erkennbar: rundes Gesicht mit kleiner Nase, die vor der Kugelperücke liegenden Ohren. Die Hände sind bloß verflachte Enden der Arme, die Füße sind lang und bloß abgeschrägt. Die Schurzzipfel auf der Brust zeigen die Art der Knotung.

Der Osiris hat einen unverhältnismäßig beiten, plumpen Körper, dadurch wirken die Arme besonders dünn. Der rechte Arm ist mißglückt, sein Oberarm wird vom Wedel verdeckt, der Unterarm ist zu einem „Strich" verkümmert. Der Kopf mit Bart und Ohren, Osiriskrone und Uräus sind sichtbar.

Der Sockel und der untere Teil des Rückenpfeilers sind nur grob abgearbeitet, an den Figuren sind besonders im oberen Bereich die dicht gesetzten Körnungen durch den Spitzmeißel auffällig.

An der Hinterseite wird die Abweichung von der Mittelachse deutlich. Die Mitte der Basis stimmt nicht mit der Mitte des Pfeilers überein. Ein Fehler, der sich leicht beheben läßt, indem man die rechte Seite der Basis verschmälert.

Das weite Vorstehen des langen Schurzes im unteren Teil ist ein Hinweis darauf, daß der Mann darunter einen Schurz mit Vorbau trägt. Dieser Gewandtyp ist für osiriphore Statuen der frühen 26. Dynastie belegt. Der unter der Brust geknotete lange Wickelschurz („persischer") tritt am Ende der 26. Dynastie auf.

Lit.: E. Rogge, Statuen der Spätzeit, CAA Wien, Lief. 9, 1992, S. 9, 77–88

E. H.

191
Unvollendete Statue eines knienden Naophoren

Wien, Kunsthistorisches Museum, Inv.-Nr. ÄS 5772
Metasandstein, Höhe 102 cm, Breite 48 cm, Tiefe 68 cm
Herkunft unbekannt
Spätzeit, Ende 26./Anfang 27. Dynastie, 6. Jh. v. Chr.

Dieser unvollendeten Statue fehlt der Kopf, sie weist auch sonst Beschädigungen auf, vor allem sind die Unterarme abgeschlagen. Es ist der Typ des im Fersensitz knienden Mannes, der einen Naos mit einem Götterbild vor sich hält. Das Podest ist rechteckig, der Rückenpfeiler hat Obeliskenform. Da der untere Teil des Halses bis hinten zum Rückenpfeiler erhalten ist, ohne daß der Ansatz einer Perücke zu sehen ist, war der Kopf kahl. Der Körper zeigt glatte, fließende Formen, die Schultern sind schön gerundet, der Brustmuskel mit den kleinen Brustwarzen ist flach. Die Achseln sind spitz eingeschnitten, das rechte Schlüsselbein ist angedeutet.

Der Körper hat, von hinten gesehen, eine hochangesetzte, eingezogene Taille, von rechts ist er ein wenig zum Bauch hin eingezogen, von links wirkt er zylindrisch. Diese verschiedenen Ansichten sind möglich, weil der Körper durch den Verbindungssteg zum Naos an der Vorderseite in zwei Hälften geteilt wird und durch die Verbindungsstege von den Armen zum Oberkörper die Hinterseite von der Vorderseite getrennt ist. Wenn also die Höhenmaße nicht exakt eingezeichnet und auch eingehalten werden, entstehen diese divergierenden Ansichten ein- und desselben Körperteiles.

Die Rückenlinie verläuft beinahe gerade parallel zur Kante des Rückenpfeilers. Die Schenkel sind glatt und sanft gewölbt, die Kniescheiben leicht abgeflacht, der Wadenmuskel ist etwas herausgedrückt – gut beobachtet. Der Knöchel ist tropfenförmig, die umgebogenen Zehen fächerförmig ausgespreizt, ihr erstes Glied mit Zehennagel ist aufgebogen. Die linke Fußsohle ist flach. Von der linken Hand sind die walzenförmigen Finger erhalten, nur die Daumenkuppe ist aufgestellt. Die Hände liegen flach an den Seitenflächen des Naos.

In den glatten Quader des Naos ist an der Vorderseite eine Nische eingetieft, darin steht in Relief die Figur des Gottes Osiris. Der Götterschrein ist auf den Oberschenkeln des Knienden aufgesetzt und wird durch einen niedrigen gekehlten Pfeiler unterstützt.

Bis auf einige Details ist die Statue schon ausgearbeitet, Kleidung ist nicht angegeben. Vermutlich war der kurze Schurz gemeint. Die gesamte Oberfläche, auch die des Sockels, ist mit den feinen Einschlägen des Spitzmeißels dicht übersät, doch weil diese so dicht und regelmäßig gesetzt sind, beeinträchtigen sie das Gesamtbild nicht.

Lit.: E. R. Russmann, The Statue of Amenemopemhat, MMJ 8, 1973, p. 110, n. 62; E. Rogge, Statuen der Spätzeit, CAA Wien, Lief 9, 1992, S. 9, 88–91

E. H.

192
Unfertige naophore Statue des Prinzen Chaemwese

Wien, Kunsthistorisches Museum, Inv.-Nr. ÄS 5768
Grauer Granodiorit, Höhe 154 cm, Breite 58 cm,
Tiefe 52 cm
Aus Memphis
19. Dynastie, ca. 1235 v. Chr.

Die Statue eines im Fersensitz knienden Mannes ist überlebensgroß. Sie wurde für den Prinzen Chaemwese, einen Sohn Ramses' II., gestiftet.

Leider ist die Statue sekundär stark beschädigt, es fehlen fast der ganze Kopf mit dem oberen Ende des Rückenpfeilers, die Arme, der vordere Teil des Sockels mit dem darauf befindlichen vorderen Beinteil samt Naos. Die rechte Brust ist abgeschlagen.

Der Körper wirkt kräftig, die Schultern laden weit aus, die Muskulatur an Schultern und Brust ist dezent angegeben, eine breite Rinne führt vom kreisrund eingetieften Nabel hinauf zum Brustbein. Dadurch wird der Oberkörper im Zusammenhang mit dem fast waagrechten Brustmuskel T-förmig gegliedert. Das untere Gegenstück ist der wulstartige Steg unterhalb des Nabels zwischen den (nicht mehr vorhandenen) Unterarmen, einem Rest des von den Händen gehaltenen Gegenstandes, der möglicherweise ein Naos war. Auf der linken erhaltenen Brust ist scheibenförmig die Brustwarze angegeben. Das Gesäß ist in naturalistischer

Weise, bedingt durch den Fersensitz, etwas breitgequetscht. So bekommt der Körper sehr bewegte Konturen. Einen Gegensatz dazu bilden die Unterschenkel mit dem in der Mitte verlaufenden kantigen Grat, der im flachen Hügel des Knöchels endet, einer in dieser Haltung angespannten Sehne. Die nach vorne gebogenen Zehen sind unter der Körperlast fächerförmig aufgespreizt. An ihnen sind schon die Zehennägel und die Hautfalten über den Gelenken ausgeführt.

Über den kantig vortretenden Schlüsselbeinen saß auf relativ schmalem Hals der Kopf. In Resten vor dem Rückenpfeiler ist die Haartracht zu erkennen – eine Kugelperücke mit der Jugendlocke an der rechten Seite. Dies ist eine typische Haartracht der Hohenpriester von Memphis. Dies steht in Übereinstimmung mit den Inschriften auf dem Rückenpfeiler, die den Dargestellten u. a. als Ptah-Priester ausweisen.

Die Figur erscheint nackt, doch ist sie sicher mit einem kurzen Schurz bekleidet zu denken. Ober- und Unterkante konnten noch bei der Endausführung angegeben werden bzw. durch Bemalung hinzugefügt werden.

Interessant ist zu sehen, daß man zuerst den Rückenpfeiler mit den Inschriftkolumnen fertigstellte. Die Hieroglyphen sind sorgfältig eingetieft, die Kolumnenbegrenzungen eingraviert. Hier begann man auch mit dem Polieren der Oberfläche, während die Statue samt Basis noch die unzähligen Spuren des Spitzmeißels zeigt und viele Details fehlen wie z. B. die kleinen Löckchen der Perücke. In nächster Nähe der Seitenflächen des Rückenpfeilers sind teilweise auch die angrenzenden Bereiche des Rückens geglättet. Besonders augenfällig wird dies an der linken Fußsohle.

Vielleicht war auch diese Statue unvollendet aufgestellt, obgleich sie ja gerade durch die Inschriften ihre eigentliche Vollendung erfuhr. Auch für uns ist dadurch der Inhaber dieser Statue als eine ganz bestimmte Person begreifbar.

Aus der Inschrift geht hervor, daß diese Statue den Ptah-Priester und Königssohn Chaemwese darstellt und von seinem Sohn Ramses gestiftet wurde. Chaemwese war der 4. Sohn Ramses' II. und starb vermutlich kurz nach dessen 55. Regierungsjahr. Als Hoherpriester errichtete er in Memphis den ramessidischen Ptah-Tempel und baute das Serapeum, die Grabstätte der Apis-Stiere in Saqqara, aus. Von ihm selbst sind auch andere Statuen bekannt.

Lit.: F. Gomàa, Chaemwese, ÄA Bd. 27, 1973, S. 37 und 183, Nr. 48; PM, III², 1974, p. 838; J. Málek, The Monuments Recorded by Alice Lieder in the „Temple of Vulcan" at Memphis in May 1853, JEA 72, 1982, p. 108, no. 6, pl. 11,1; E. Rogge, Statuen des Neuen Reiches und der III. ZZ., CAA Wien, Lief. 6, 1989, S. 6, 84–90

E. H.

193
Unfertige Statue eines löwenköpfigen Gottes

Berlin-Museumsinsel, Ägyptisches Museum,
Inv.-Nr. 24021
Kalkstein, Höhe 57 cm
Herkunft unbekannt
Spätzeit, Ende 4. Jh. v. Chr. oder später

Auf schmaler rechteckiger Basis steht vor einem Rückenpfeiler ein löwenköpfiger Gott in Schreitstellung, das rechte Bein vorgesetzt, bekleidet mit einem kurzen Schurz. Der rechte Arm hängt herab und hält mit der Hand ein Anch, das Symbol für Leben. Dieses schmiegt sich an das Bein eng an. Der linke Arm ist schräg abgewinkelt, der Unterarm liegt in Höhe der Leistengegend, die zur Faust geschlossene Hand sollte einen aus anderem Material gefertigten Gegenstand, ein Szepter, halten.

Die Skulptur blieb unvollendet. Auf Rückenpfeiler und Hinterhaupt des Löwenkopfes sind noch Spuren des eingeritzten Quadratrasters. Im wesentlichen sind alle Teile herausgearbeitet, der linke Arm ist schon gerundet, nur die Fingerteilung an der Faust fehlt. Am linken Arm sieht man deutlich, wie man sich mit einem Flachmeißel in nebeneinandergelegten senkrechten Streifen (sie entsprechen der Breite der Schneide) der Rundung näherte. Die einzelnen Schläge sind noch sichtbar. Ein ähnliches Arbeitsstadium ist auch sonst an Kopf und Körper zu sehen. Die Zehen sind schon getrennt. Auch hier ist der linke Fuß bereits besser ausgearbeitet als der rechte.

Der Löwenkopf hat längliche Ohrmuscheln, bei denen die scheibenförmige Gesichtsmähne ansetzt. Der Übergang vom Tierkopf zum Menschenkörper sollte durch die lange Strähnenperücke gelöst werden. Die vorderen Haarteile sind breiter als die Gesichtsmähne. Sie sollten in der Mitte noch geteilt werden. In diesem ungeteilten Zustand erinnern sie an die Brustmähne von Sphingen.

Da noch Details wie der Bauchnabel, aber auch an der Muskulatur des Körpers fehlen, und Götterfiguren auch weniger einer Modeströmung unterworfen sind und eher eine glatte, strenge Auffassung beibehalten, ist es schwierig, diese Statue näher zu datieren. Die bisher sichtbaren Körperlinien, Brustmuskel, die ganz waagrechten Schultern sind während der gesamten Spätzeit vereinzelt zu finden. Ein näherer Hinweis ist vielleicht die Form der Löwenohren, die länglichen Ohrmuscheln, die wir erstmals bei den Löwen von Nektanebos II. beobachten.

Diese Figur stellt wahrscheinlich den Gott Mahes, einen Kriegsgott, dar, dessen Kult zuerst in den unterägyptischen Städten Bubastis und Leontopolis gepflegt wurde. Er wurde besonders in der Spätzeit verehrt. Sein Kult verbreitete sich nach Oberägypten und in die westlichen Oasen, in ptolemäischer Zeit bis nach Nubien.

Lit.: Ägyptisches Museum, Katalog Berlin-Museumsinsel, 1991, Nr. 96
E. H.

468

194
Bildhauermodell einer weiblichen Sitzstatue

Brüssel, Musées Royaux d'Art et d'Histoire,
Inv.-Nr. E 8723
Kalkstein, Höhe 33,6 cm, Breite 10,2 cm, Tiefe 21,1 cm
Herkunft unbekannt
Ptolemäische Zeit, 3. Jh. v. Chr.

Auf einem Blocksitz mit niedriger Lehne sitzt eine Frau in konventioneller Haltung. Sie ist bekleidet mit dem traditionellen engen, knöchellangen Kleid, die Frisur ist die lange dreigeteilte Strähnenperücke, welche die Ohren frei läßt. Die breite Haarpartie im Rücken reicht bis unter die Schulterblätter, die beiden vorderen Strähnen liegen auf den Brüsten, sind etwas schräg zueinander gerichtet und gerundet. Das Kleid ist nicht das übliche Trägerkleid, sondern hemdartig hochgeschlossen. Die gebogene Linie des Halsausschnittes ist deutlich abgesetzt. Der Saum des Kleides ist nur zwischen den beiden Beinen, die etwas auseinandergestellt sind, zu sehen, an den Beinen selbst nicht markiert. Auch ein Armausschnitt fehlt. Das ist in der ägyptischen Skulptur nichts Unübliches, gerade in ptolemäischer Zeit. Weil Kanten des Kleides nicht unbedingt reliefiert angegeben werden, wirken Frauen oft unbekleidet. Es muß darauf hingewiesen werden, daß Details der Kleidung nicht notwendigerweise in Skulptur ausgeführt sein müssen, weil das durch die Bemalung hinzugefügt wurde.
Beide Unterarme liegen auf den Schenkeln, die linke Hand liegt flach auf, die rechte liegt als geballte Faust. Die Oberschenkel ragen über die Tiefe des Sitzes hinaus, die Unterschenkel stehen etwas schräg nach vorne und

in einigem Abstand voneinander. Die Füße sind sehr lang, die Fesseln plump. Das Podest vor dem Sitz ist ebenfalls sehr lang und der Steg zwischen Beinen und Block tief.

Diese Statue befindet sich in einem Stadium knapp vor der Vollendung. Figur und Sitz sind vollständig herausgearbeitet. Im Gesicht sind bereits alle feinen Details vorhanden: die großen, leicht schräg liegenden Augen, deren Oberlid von einem schmalen Grat begrenzt ist, der sich lang und spitz zulaufend weit über den äußeren Augenwinkel auf die Schläfen hinauszieht, der angedeutete abfallende Brauenbogen, auch der lächelnde Mund mit den vollen Lippen.

Das Gesicht ist bereits gut geglättet, an Perücke und Körper sieht man noch die Spuren der Bearbeitung mit dem Flachmeißel, besonders an der Innenseite des linken Armes und den Beinen. An den Füßen sind die Zehen gerundet, die Zehennägel ausgeführt. An den Händen jedoch sind die Finger noch nicht gerundet, die eingebogenen Finger der Faust sind plump, der Zeigefinger zu dick, der kleine Finger wirkt verkümmert. Die Fingerknöchel fehlen.

An Sitz und Podest ist der Netzraster eingraviert.

Trotz der Beschädigungen am Gesicht lassen alle Merkmale gemeinsam mit der glatten Gestaltung des Körpers, mit den schweren, runden Brüsten, dem Bäuchlein mit der Grube des Nabels und die Form der Perücke im Vergleich mit anderen Statuen auf eine Entstehungszeit nach 278 v. Chr. schließen. Die Ähnlichkeit mit Arsinoe II. (316-270 v. Chr.) ist nicht zu verleugnen. Sie war eine Tochter von Ptolemäus I. und Berenike, heiratete in dritter Ehe 278 v. Chr. ihren Bruder Ptolemäus II.

Lit.: Pierre éternelle, Katalog Brüssel 1990, p. 209ff., No. 105

E. H.

195
Modell für den Torso des Königs Nektanebos I.

Paris, Louvre, Inv.-Nr. E 22752
Kalkstein, Höhe 19 cm, Breite 6,2 cm, Tiefe 5,5 cm
Herkunft unbekannt
Spätzeit, 30. Dynastie, 380–362 v. Chr.

Ein männlicher Körper mit Hals, Schultern bis etwa zur Mitte der Armkugeln, Oberschenkeln bis etwa oberhalb der Knie. Hals, Armansätze und Beine sind gerade abgeschnitten. Die Beinstümpfe dienen als Standfläche. Der Körper ist rundplastisch, d. h. ohne Rückenpfeiler, auch die Beine sind frei, nicht durch einen Steg verbunden wie es für ägyptische Skulptur typisch ist.

Es ist hier die vollkommene Modellierung des Körpers wesentlich. Die Stege können bei Ausführung der Großplastik ja hinzugefügt, d. h. eigentlich stehengelassen werden.

Die Muskulatur des Körpers ist weich und zurückhaltend modelliert, der kreisförmig gebohrte Nabel sitzt in einer breiten Eintiefung des Bauches.

Unterhalb des Nabels sitzt das reliefierte Band des Gürtels, der den kurzen plissierten (Schendjut-)Schurz hält. Dieser Schurz ist ein altertümliches Kleidungsstück, eine Zeremonialtracht, die vor allem von Göttern und Königen getragen wird (siehe auch Kat.-Nr. 189, Torso Berlin). So wie der Körper sehr fein ausgeführt und geglättet ist, wurde auch bei der Kleidung viel Sorgfalt auf die Details verwendet. Der Gürtel ist mit einem Wellenmuster verziert. In der Mitte sitzt die Schließe in Form einer Kartusche, in die der Name Cheperkare, der Thronname von Nektanebos I., eingraviert ist. Dadurch kann auch die Entstehungszeit der Statue eingegrenzt werden. Die Plissées enden an der Unterkante des Schurzes in kleinen Bögen und springen auch in der Rundung des Überschlages etwas auseinander. Die Fältelungen sind der Bewegung des Schreitens angepaßt.

An den Schnittflächen von Hals und Armen ist ein Fadenkreuz eingeritzt.

Lit.: Unveröffentlicht

E. H.

196
Bildhauermodell: Torso

Berlin-Charlottenburg, Ägyptisches Museum,
Inv.-Nr. 23218
Kalkstein, Höhe 18,5 cm
Herkunft unbekannt
Ptolemäische Zeit, ca. Mitte 3. Jh. v. Chr.

Rundplastische Vorbilder für den Körper sind selten. Die uns bekannten sind Männerkörper – Torsi mit Hals, Schultern bis etwa zur Mitte der Armkugel und Oberschenkeln bis oberhalb des Knies. Die Beine sind waagrecht abgeschnitten, sodaß diese Torsi gut stehen. Auch die Arme sind senkrecht abgeschnitten. Auf den verbliebenen Flächen von Hals, Armansatz und Beinstumpf sind waagrechte und senkrechte Meßlinien eingeritzt. Bekleidet sind sie mit dem altertümlichen plissierten (Schendjt-)Schurz des Alten Reiches, einer Zeremonialtracht für Könige und Götter, die nur äußerst selten an Privatplastik zu beobachten ist. Der kurze Schurz wird, von einem Gürtel gehalten, vorne übereinandergeschlagen, wobei die Endstücke in einem Bogen hochgezogen sind, darunter liegt zwischen den Beinen ein schmaler Streifen, die Schambedeckung.

Der Torso ist rundplastisch, hat keinen Rückenpfeiler. Die Beine sind in Schreitstellung, das linke Bein vor das rechte gesetzt, und nicht durch einen Steg verbunden. An dem schlanken und gleichzeitig kräftigen Oberkörper sind nur die wichtigsten Muskelpartien weich herausgearbeitet. Der Brustmuskel besteht aus zwei flachen, sanft abwärts geschwungenen Hügeln, die seitlich hinauf zur Achsel auslaufen. Der Solarplexus und Bauchmuskel sind ebenfalls nur flache Erhebungen, der gebohrte Nabel liegt in einer tropfenförmigen Vertiefung.

Der Gürtel verläuft als sehr flach reliefiertes, glattes Band, vorne unterhalb des Nabels einen Bogen beschreibend, ohne Schließe. Der Schurz liegt eng am Körper an, die feinen Plissées betonen die Körperform und fächern sich im Bogen des Überschlages etwas auf. Die Fältchen bilden am Saum kleine Zacken. Die dicht nebeneinanderstehenden Grate der Plissées bilden einen schönen Kontrast zur Glätte des Körpers.

Die Modellierung des Körpers entspricht der Weichheit der Haut und des darunterliegenden Fleisches. Es ist dies keine harte, durch Training aufgebaute Muskulatur; nur was für die Charakterisierung eines Männerkörpers notwendig ist, wird gezeigt. Auch die Rückenlinie mit dem kleinen Gesäß ist weich fließend. Die Härte und der Widerstand des Steines gegen das bearbeitende Werkzeug werden hier völlig aufgehoben. Das Modell ist zwar aus dem relativ weichen und gut zu bearbeitenden Kalkstein geschnitten, doch wurden gleichartige Formgebungen ebenso bei Hartgestein angewendet. Der gesamte Torso ist vollendet mit Oberflächenglättung ausgeführt, also als Vorbild für auszuführende Statuen gedacht.

Dieser Körperbau findet Entsprechung in einer Statue, die an das Ende der Regierungszeit von Ptolemäus II. gesetzt wird.

Auffallend sind die Größenverhältnisse der Bildhauerlehrstücke und Modelle, die häufigsten Höhenmaße liegen zwischen 13 und 22 cm, egal ob es sich um Köpfe, Büsten oder Körper handelt. Es wurden also für diese Werkstättenbestände kleine Blöcke, allerdings aus gutem Kalkstein verwendet. Auf diese Weise wird Material gespart und bei der Lagerung wenig Platz beansprucht.

Lit.: *Ägyptisches Museum Berlin, Katalog 1967, Nr. 971*

E. H.

197
3 Bildhauermodelle von linken Füßen

Berlin-Charlottenburg, Ägyptisches Museum,
Inv.-Nr. 20788, 15316, 19747
Kalkstein, Länge 16 cm, 15 cm, 14,5 cm
Herkunft unbekannt
Ptolemäerzeit, 3.–1. Jh. v. Chr.

Auch für Teile des menschlichen Körpers gab es Vorlagen. Interessant sind die drei linken Füße, die jeder ein anderes Arbeitsstadium zeigen. Es sind Füße auf einer Standfläche bis oberhalb des Knöchels mit dem Ansatz des Unterschenkels, oben waagrecht abgeschnitten.
Inv.-Nr. 20788 ist noch völlig blockhaft mit dem eingeritzten Raster an den Seitenflächen, die untere Ritzlinie ist die Oberkante der Standfläche, die Senkrechten sind mit doppelter Linie eingezeichnet. Für Vorfuß und Rist wurde bereits abgeschrägt.
Inv.-Nr. 19747 zeigt das weit fortgeschrittene Stadium. Die Standfläche ist entsprechend der Kontur des Fußes abgerundet, die Zehen liegen einzeln mit gebogenem ersten Glied. Die zweite Zehe ist besonders lang. Die große Zehe fehlt. Die Rundung des Fußgelenkes ist schon vorhanden, am Fuß selbst stehen noch die facettierten Längsstreifen, die der eigentlichen Form ganz na-

hekommen. An der Außenseite des Fußes verläuft eine breite Vertiefung entlang der Ferse und der Fußsohle, die flache Scheibe des Knöchels umrundend.
Inv.-Nr. 15316 ist ein Fuß in vollendeter Ausführung auf einer rechteckigen flachen Basisplatte. Der Knöchel tritt kantig hervor, der Vorfuß liegt breit auf, die Zehen sind etwas gespreizt, große und zweite Zehe sind gleich lang, die drei äußeren werden in schräger Linie kürzer. Die Zehennägel sind angegeben. Die Zehen wirken etwas plump. Zwischen erster und zweiter Zehe ist ein etwas größerer Zwischenraum – vielleicht vom Zehenriemen von Sandalen herrührend. Die Lage der Zehen suggeriert den belasteten Fuß eines Standbeines.

Lit.: Ägyptisches Museum Berlin, Katalog 1967, Nr. 972–974; H. Schäfer, Von ägyptischer Kunst, 1930, Taf. 40,2

E. H.

198
Bildhauerlehrstück einer Königsbüste

Paris, Louvre, Inv.-Nr. N 450
Kalkstein, Höhe 14,8 cm, Breite 11,3 cm
Herkunft unbekannt
Ptolemäische Zeit, 3. Jh. v. Chr.

Diese Büste ist als Lehrstück für Bildhauerschüler anzusehen. Auf der senkrechten Hinterseite, der Basis, den Seiten der Schultern, am Uräus sind die senkrechten und waagrechten Hilfslinien stehengelassen.

Der Kopf des Königs ist als Dreiviertelrelief aus dem Block gearbeitet, was in der Vorderansicht nicht zu erkennen ist, weil bis zur Mitte des Kopfes alles ausgeführt ist und auch die Schräge der Seitenteile des Kopftuches vorhanden ist.

Der Brustteil ist bloß eine schräge Fläche, auf der die vorderen Lappen des Tuches, dessen Außenkanten in schöner S-Kurve geschwungen sind, liegen. Die Brust und die Seitenpartien des Kopftuches sind schon geglättet, am Kopf selbst sind noch verschiedene Arbeitsstadien zu sehen: Das Gesicht ist bereits porträthaft, wenn auch idealisiert, Augen und Brauenbogen, Nase und Mund sind im vorletzten Stadium – nur die Grate der senkrechten Streifen, die durch Abarbeiten mit dem Flachmeißel übrigblieben über Augen, Wangen und Hals, müssen abgearbeitet werden, dann kann bereits die Polierung des Oberfläche beginnen. Die Seiten des Halses sowie der hintere Teil der Wangen und das Kinn sind bereits geglättet.

Die Ohren dagegen sind noch recht blockhaft, zwar ist die Kontur schon herausgearbeitet und die Ohrmuschel eine etwas eingetiefte Fläche, doch müssen hier noch die Details des Knorpels eingezeichnet und ausgemeißelt werden. Derselbe Zustand ist am Kopf, besonders in der Mitte festzustellen. Das Stirnband des Kopftuches fehlt noch, nur die Unterkante ist abgesetzt. In der Mitte des Bandes ist der Uräus angesetzt, er ist erst in Konturen vorhanden. Der hintere Teil des Leibes, der in der Mitte des Scheitels liegt, ist nur teilweise aus einem breiten Steg herausgeholt.

Nach dem breiten Gesichtsoval, dem Hals mit dicker Kehle, der Charakterisierung von Augen und Brauen, dem lächelnden Mund sind Ähnlichkeiten mit Ptolemäus II. vorhanden.

Lit.: Unveröffentlicht

E. H.

199
Bildhauerlehrstück einer Königsbüste

New York, Metropolitan Museum of Art, Rogers Fund,
1907, Acc. no. 07.228.6
Kalkstein, Höhe 13,4 cm
Herkunft unbekannt
Ptolemäische Zeit, Ende 3./2. Jh. v. Chr.

Dieses kleine Objekt ist wie so viele dieser Art plastischer Bildhauermodelle in Art einer Büste gearbeitet, mit einer breiten Standfläche. Von vorne gesehen erscheint der Königskopf rundplastisch, er geht jedoch hinten in eine senkrechte Fläche über. Das heißt, daß man aus einem kleinen Kalksteinblock nur den Kopf mit dem Nemes, wodurch er als Modell für ein Königsporträt ausgewiesen ist, herausgemeißelt hat. Damit ist alles Wesentliche, das einen bestimmten König meint, vorhanden. Die Hinterseite von Kopf und Kopfbedeckung von Königen ist bekannt und im Prinzip immer gleich. Wichtig ist das Herrscherporträt, das für sämtliche Bildhauerwerkstätten Gültigkeit hat. Sind im Auftrag des regierenden Königs für ihn Statuen herzustellen, hat man den Prototyp seines Porträts zur Hand und kann ihn für jede beliebige Art von Königsstatue verwenden, auch für Sphingen. Das Gesicht bleibt gleich, nur die Hinterseite und der Körper werden entsprechend gestaltet.
An diesem Kopf erkennt man deutlich, daß er als Übungsbehelf für die Bildhauerschule gedacht war bzw. daß er auch eine Vorlage für die Bildhauer der Königsstatuen sein kann. Es sind alle Züge gut herausgearbeitet, auch die wesentlichen Details angegeben. Die letzte Endausfertigung ist für einen Künstler nicht mehr am Modell notwendig, denn er beherrscht sämtliche Techniken. Er braucht nur die Maßeinteilungen für Höhe und Breite, wo Augen, Nase usw. einzusetzen sind, er muß wissen, welcher Gesichtstyp gewünscht wird und wie der Uräus über der Stirn auszuführen ist. Alles andere ist seiner Kunstfertigkeit und seinem Wissen vom Kanon zum Aufbau der Figur entsprechend dem Zeitgeist überlassen.
Auf der gut geglätteten Fläche der Hinterseite ist ein Quadratraster eingeritzt, mit zusätzlichen Markierungen auf der Mittelachse – für die Höhe von Augen, Nase, Mund etc. Von hier aus kann man jederzeit für den nächstfolgenden Arbeitsgang wieder die Höhen für die Vorzeichnung einmessen.

An diesem Modell ist der Brustteil eine schräge Ebene mit in Relief gearbeiteten aufliegenden Lappen des Königskopftuches, deren Außenkanten in flacher S-Kurve geschwungen sind. Das Stirnband ist noch nicht von dem Haarteil vor den Ohren getrennt. Die Ohren sind bereits in ihren äußeren Konturen vorhanden. Das Gesicht zeigt alle Züge, die wir von den idealisierten Porträts Ptolemäus' II. kennen, auch in den feinen Details der Gestaltung von Augen und Mund. Der Körper des Uräus über der Stirn ist hinter dem (fehlenden) Schild in Achterwindung gelegt und liegt in leichter Wellenlinie auf der Scheitelmitte. Am Ende und zugleich Höhepunkt des Scheitels ließ man an der Hinterseite den Rest des breiten Steges, aus dem der Uräus herausgeschnitten wurde, stehen. Dieser Steg hatte die Breite der Achterschleife des Körpers.
Auffallend sind die breiten facettierten Streifen, die von hinten bis hinunter über den Hals vertikal über den Kopf gelegt sind. Sie sind wohl absichtlich zu Demonstrationszwecken stehengelassen. Sie bedeuten die letzte Annäherung an die gerundete Form, nachdem man ja auch bei diesem Werkstück wie üblich von allen Seiten (mit Ausnahme der Hinterseite) eines Quaders her sich stufenweise angenähert hat. Auch diese Stege sind gut geglättet, keine Meißelschläge sind daran erkennbar, d. h. dieser Kopf sollte in diesem Stadium der Ausführung belassen bleiben.
Das breite Gesicht mit dem kleinen, schmallippigen Mund, dem dicken Hals gehört wahrscheinlich in die Zeit nach Ptolemäus II.

Lit.: E. Young, Sculptor's Models or Votives? In Defense of a Scholarly Tradition, BMFA 22, 1963/64, p. 253, fig. 11

E. H.

200
Bildhauerlehrstück einer Königsbüste

Berlin-Charlottenburg, Ägyptisches Museum,
Inv.-Nr. 4436
Kalkstein, Höhe 20,5 cm
Herkunft unbekannt
Ptolemäische Zeit, Ende 4./Anfang 3. Jh. v. Chr.

Büsten von Königen wurden als Prototypen für die Rundplastik in den Bildhauerwerkstätten hergestellt. Es gibt Werkstücke für alle Arbeitsphasen. Bei diesem Stück ging es vornehmlich um die Vorderseite, das Gesicht mit dem Königskopftuch. Die Unterseite, Hinterseite und die Seiten bis hinauf zu den Schultern entsprechen noch den Flächen des ursprünglichen Quaders. Der Kopf ist gleichsam als Dreiviertelrelief herausgearbeitet.

Das rundliche Gesicht mit dem leisen Lächeln zeigt den idealisierten Typ des Königskopfes der Ptolemäerzeit. Der Seitenteil und die beiden Lappen des Kopftuches sind bereits geglättet. Sonst sind die letzten Phasen vor der Endausführung zu sehen.

Für die beiden Ohren und den Uräus über der Stirne stehen erst kantige, glatte Blöcke. Auf diese muß nochmals die Detailsansicht gezeichnet werden, nach der der Bildhauer weiterarbeiten muß. Für den Uräus ist ein Linienkreuz eingeritzt, das den Ansatz des Kopfes über dem Schild markiert. Über Kopf, Gesicht und Hals führen breite senkrechte Facetten, der Nasenrücken ist bandartig. Darin ist zu erkennen, wie man sich der gerundeten Form allmählich annähert durch tangential gelegte abgemeißelte Streifen, deren Stöße nachträglich abgearbeitet und geglättet werden. Die feine Brauenlinie und die Lidränder sind schon zu erkennen. Vom Raster auf der Hinterseite konnte man von Phase zu Phase jederzeit die entsprechenden Höhen für die Vorderseite projizieren.

Weil auf dieser Königsbüste verschiedene Stadien der Arbeit gleichzeitig vorhanden sind, auch die breiten Facetten gut geglättet und ohne Meißelspuren sind, ist zu schließen, daß das so beabsichtigt und als Lehrbehelf für Schüler vorgesehen war.

Die ausgewogenen Proportionen des Gesichtes mit dem kaum merkbaren Lächeln scheinen noch an die 30. Dynastie angelehnt zu sein, doch weist die weichere Auffassung der Ausführung schon auf die Ptolemäerzeit hin. Man könnte diesen Kopf daher vielleicht am ehesten an den Anfang der Ptolemäerzeit stellen.

Lit.: H. Schäfer, Ägyptische Kunst, Abb. 448, 1–2; Ägyptisches Museum Berlin, Katalog 1967, Nr. 967

E. H.

201
Bildhauermodell eines Königskopfes

Berlin-Charlottenburg, Ägyptisches Museum,
Inv.-Nr. 11648
Kalkstein, Höhe 13,5 cm
Herkunft unbekannt
Ptolemäische Zeit, 3. Jh. v. Chr.

Aus dem kleinen Kalksteinquader ist nur das Gesicht mit den Ohren und der Stirnansatz des Königskopftuches herausgearbeitet. Es sitzt wie ein Dreiviertelrelief vor einer Platte. Der Brustteil ist nur eine einfache Schräge mit darauf liegenden breiten Streifen, die die Lappen des Kopftuches markieren. Auf den stehengebliebenen Quaderflächen sind waagrechte und senkrechte Linien eingraviert, sie markieren vor allem die Mittelachse. Kurze Querstriche in verschiedenen Höhen zeigen auf der Mittellinie der Rückenplatte verschiedene Höhen für das Gesicht an: Augen, Mund, Kinn.

Das Gesicht ist vollendet ausgeführt und die Oberfläche poliert. Es ist das rundliche idealisierte Gesicht eines Ptolemäerkönigs, auf dem das verklärte Lächeln liegt. Wangen und Kinn sind weich modelliert, die Nase verbreitert sich dreieckig, Nasenlöcher sind gebohrt. Der obere Rand der Oberlippe ist fast waagrecht, die Mundwinkel sind hinaufgezogen und eingetieft. Die Augen liegen etwas schräg, die Lidränder bilden einen feinen Grat und laufen in den inneren und äußeren Augenwinkeln spitz aus. Ebenso sind die Augenbrauen ein feiner annähernd waagrechter Grat, der gegen die Schläfen schräg abfällt. Über der Stirn liegt die Achterschleife eines Schlangenleibes ohne Schild direkt auf dem Stirnband.

Auch hier scheint es sich um einen Kopf aus der Zeit Ptolemäus' II. zu handeln.

Lit.: Ägyptisches Museum Berlin, Katalog 1967, Nr. 969

E. H.

202
Bildhauerlehrstück einer Königsbüste

Turin, Museo Egizio, Inv.-Nr. 7048
Kalkstein, Höhe 12 cm, Breite 9,4 cm
Herkunft unbekannt
Ptolemäische Zeit, 2./1. Jh. v. Chr.

Aus einem kleinen Quader aus Kalkstein ist der Kopf
eines Königs mit Königskopftuch als Dreiviertelrelief
herausgearbeitet. Die Fläche der Hinterseite mit den
Maßeinteilungen wurde nur im oberen Teil ab Schulter-
höhe seitlich abgeschrägt, entsprechend der Kontur des
Kopftuches.
Auf der Vorderseite sind die Schultern gerundet, doch
die Brust darunter ist nur eine schräge Ebene, auf der die
vorderen Lappen der Kopfbedeckung als breite Streifen
daraufliegen, allerdings sind deren untere Enden nach
außen zu bereits abgerundet. Sie reichen fast bis zur Unterkante des Blockes. Auf den seitlichen dreieckigen
Flächen der „Büste" ist ebenfalls der eingeritzte Raster
sichtbar.
Das Gesicht mit den Ohren ist schon relativ gut ausgeführt. Auch hier wieder ist es ein Gesicht mit sanft gerundeten Wangen, einer zierlichen dreieckigen Nase mit
schmaler Nasenwurzel. Die Augen haben spitz auslau-
fende Augenwinkel, feine abfallende und lang gezogene
Augenbrauenlinien, die Mundwinkel des kleinen, vor-
springenen Mundes, der knapp unterhalb der Nase sitzt,
sind zu einem Lächeln hochgezogen.
Um die Augen herum stehen noch die Grate der Meißelschläge, auch unterhalb der Nase. Über den oberen Teil
des Gesichtes gehen noch die breiten senkrechten Facet-
tenstreifen sowie über den Scheitel- und Stirnteil des
Kopftuches, worunter die endgültige Rundung bereits
sichtbar wird. Doch über dem Scheitel von der hinteren
Fläche nach vorne bis zur Vorderfläche des Blockes und
hinunter bis in die Mitte der Höhe des Stirnbandes ist ein
Steg für den Uräus stehengelassen. An der Vorderseite
markiert ein Linienkreuz die Teilung von Schild und
Kopf.
Wie bei diesem Typ von Lehrstück üblich, wurde der
eher unwesentliche Brustteil geglättet, doch am Kopf die
letzten Arbeitsphasen kennbar gemacht.

Lit.: A. M. Donadoni Roveri (Hrsg.), Egyptian Civilization Monumental Art, 1989, Fig. 190

E. H.

203
Bildhauermodell eines Königskopfes

Paris, Louvre, Inv.-Nr. E 3393
Kalkstein, Höhe 20,8 cm, Breite 16,8 cm, Tiefe 14,3 cm
Herkunft unbekannt
Ptolemäische Zeit, 3. Jh. v. Chr.

Die rechtwinkelige Form des Quaders ist noch erhalten,
nur die beiden oberen Ecken sind abgeschlagen, dadurch
auch die Ohren beschädigt. Daraus kommt maskenartig
das Gesicht hervor. Es ist dies ein vollendetes Werkstück
mit geglätteter Oberfläche. Charakteristisch ist das breite
Oval des Gesichtes mit dem weichen Kinn, das in die
Schräge der Kehle hineinfließt. Die Nase mit schmaler
Wurzel verbreitert sich dreieckig zu den kleinen Nasenflügeln mit gebohrten Nasenlöchern. Die stark betonten
Mundwinkel sind zu einem Lächeln hinaufgezogen, sodaß die Lippenspalte einen großen Bogen zeichnet, wie
mit einem Zirkel. Kinnbogen, Lippenspalte, die Kontur
der Nasenflügel sind Teile aus konzentrischen Kreisen,
deren Mittelpunkt in der Nasenspitze liegt. Auch die Vertiefungen der Mundwinkel bilden Kreise.
Die mandelförmigen Augen liegen schräg, das Unterlid
ist kantig eingeschnitten, das flach gewölbte Oberlid hat
einen feinen Wulstrand, der über den äußeren Augenwinkel spitz hinausläuft. Die nur angedeuteten Augenbrauen stehen waagrecht und fallen zu den Schläfen hin
schräg ab. Diese Behandlung des Gesichtes mit dem verklärten und doch eingefroren wirkenden Lächeln ist typisch für Ptolemäus II.
Dieses so ausführlich gearbeitete Gesicht wird nur einfach eingerahmt – zu beiden Seiten ist das Königskopftuch (Nemes) mit dem Schulterknick schematisch angedeutet, vor den Ohren und in der Stirn dessen Ansatz.
Der Scheitelteil des Kopfes wurde weggelassen. Es ist
die glatte Oberseite des Blockes erhalten mit einigen
Spuren von farbigen Markierungslinien.
Interessant ist auch die Hinterseite des Kopfes. Um 90
Grad nach rechts gekippt wurde die Fläche für ein Relief
verwendet. Es zeigt die Profilansicht desselben Kopfes
mit der elegant geschwungenen Stirn-Nasenlinie, den
kleinen Nasenflügeln, dem lächelnden breitlippigen
Mund. Auch die Augenumrahmung ist die gleiche. Der
Augenbrauenbogen verläuft – bis auf das äußerste Ende –
parallel zum Ansatz des Nemes. Die Kante für die Seitenflügel des Nemes mit dem Schulterknick ist eingeschnitten. Das Relief ist noch nicht bis zur Vollkommenheit geglättet, die Arbeitsrichtung des Meißels ist noch erkennbar.

Lit.: Unveröffentlicht

E. H.

486

204
Bildhauermodell einer Königsbüste

London, British Museum, Reg. No. 48665
Kalkstein, Höhe 13,5 cm, Breite 10 cm, Dicke 5,5 cm
Herkunft unbekannt
Ptolemäische Zeit, Ende 4./Anfang 3. Jh. v. Chr.

Dieses Modell gehört zu dem Typ Büste, der als Brustbild gedacht ist. Diese Büste ist erst unterhalb der Brust abgeschnitten und im unteren Teil links und rechts seitlich abgeschrägt und gerundet, die Arme senkrecht abgeschnitten, d. h. an diesen Stellen sind die Seitenflächen des Blockes mit den Markierungslinien stehengelassen.

Das Gesicht ist ein breites Oval mit unterhalb der Augen betonten Wangenknochen. Die Nasenwurzel ist deutlich vertieft, die Nase ein schmales Dreieck mit kleinen Nüstern, in die relativ große Nasenlöcher gebohrt sind. Der Mund mit den vollen Lippen hat durch tiefe Grübchen betonte Winkel, wobei der rechte etwas höher sitzt als der linke. Die Unterlippe ist scharfkantig vom Kinn abgesetzt und vorgewölbt. Ebenso ist das Philtrum eine von Graten begleitete kurze Rinne. Die Augen sind sehr groß, stehen schräg und sitzen eng beisammen. Die inneren Augenwinkel sind nahe zur Nase gezogen und gerundet. Die Lidränder sind mit einem feinen Wulst umrandet, am Oberlid durch eine Ritzlinie besonders hervorgehoben, der obere Lidrand ist auf die Schläfen hinaus verlängert. Die Brauen liegen als schmales Band waagrecht, senken sich im äußeren Viertel der Augen sehr schräg abwärts und ziehen sich weit auf die Schläfen hinaus. Auf die Bildung der Ohren wurde besondere Sorgfalt gelegt, als sollten ganz bestimmte dargestellt werden. Die Ohrmuschel ist langgezogen, das Ohrläppchen durch eine Einziehung abgesetzt. Die Formung des Knorpels wirkt sehr realistisch. Auch hier fallen die scharfen Linien auf.

Der Kopf ist bekleidet mit dem üblichen Königskopftuch mit breitem Stirnband und aufgerichtetem Uräus, dessen unterer Teil des Leibes in enger S-Kurve gewunden ist und über der Mittte des Scheitels in leichter Wellenlinie liegt. Die vorderen Lappen des Tuches weichen der Rundung des breiten Halses aus, fallen senkrecht parallel herunter, die Außenkanten sind leicht geschwungen.

Die Büste als Brustbild wird durch die Brustwarzen charakterisiert. In den flach reliefierten Hof ist ein Kreis tief eingeritzt.

Trotz sekundärer Beschädigungen der Oberfläche ist zu erkennen, daß diese Königsbüste vollkommen ausgearbeitet und poliert war.

Die Bildung der Augen, d. h. die Reliefierung von Umrandung und Brauen, Wangenbildung, sind an vielen Statuen der Spätzeit zu beobachten, das Lächeln ist nur angedeutet, d. h. ein freundlicher, milder Gesichtsausdruck. Stilistische Merkmale, vor allem der 30. Dynastie, wirken in der ptolemäischen Zeit fort. Da wir in diesem Gesicht noch nicht das für Ptolemäus II. typische Lächeln finden, könnte dieser Kopf vielleicht seinen Vorgänger Ptolemäus I. oder Ptolemäus II. am Beginn seiner Herrschaft zeigen, bevor ein eigener Typus für ihn geschaffen war.

Lit.: Unveröffentlicht

E. H.

205
Bildhauermodell einer Königsbüste

Brüssel, Musées Royaux d'Art et d'Histoire,
Inv.-Nr. E. 4063
Kalkstein, Höhe 22,5 cm, Breite 17,5 cm, Tiefe 9,8 cm
Herkunft unbekannt
Ptolemäische Zeit, ca. 282 bis 246 v. Chr.

Die vordere Hälfte des Kopfes mit dem Gesicht und dem Königskopftuch und der Brust stehen als Dreiviertelrelief vor einer Platte mit der Meßeinteilung – der Hinterseite des Blockes.
Bei dieser Büste ragt die Platte seitlich etwas vor, im unteren Teil senkrecht, oben schräg entsprechend den Seitenteilen des Kopftuches. Beim Brustteil sind die beiden unteren Ecken weggenommen und gerundet, sodaß er nicht so unorganisch eckig und flach wirkt wie andere Königsbüsten. Es ist hier die Rundung des Brustmuskels hin zu den Achseln gemeint. Die Arme sind an den Schultern abgeschnitten wie bei den Männertorsi (siehe Kat.-Nr. 192 und 196). Die Modellierung der Brust wird durch die kleinen Brustwarzen betont.
Das breite, volle Oval des Gesichtes mit den leicht schräg stehenden Augen ist charakteristisch für die Porträts von Ptolemäus II. Auch hier sind die Brauen waagrecht und seitlich abfallend. Der Rand des Oberlides wird durch eine begleitende Ritzlinie betont. Der innere Augenwinkel ist langgezogen, der Nasenrücken schmal, die Nasenlöcher sind gebohrt. Die Mundwinkel sind lächelnd hochgezogen und sind durch breite Grübchen betont. Viel Sorgfalt wurde in die Gestaltung der Ohrmuscheln gelegt, das Ohrläppchen ist durch eine Einziehung abgesetzt.
Die Fältelung des Kopftuches ist im oberen Bereich in gleichmäßig breiten, flachen Rippen angegeben, die von den Schultern auf die Brust fallenden Lappen sind wie Plissées als schmale Stege mit breiteren Zwischenräumen gerippt. Die Vertiefungen könnten mit einem schmalen Hohlbeitel ausgeschabt sein. Die Außenkanten dieser Lappen beschreiben eine flache S-Kurve, die Innenkanten führen in gerader senkrechter Linie am Hals vorbei. Das Tuch ist auf der Stirne durch ein Band gehalten, in der Mitte windet sich der Leib des

Uräus entlang des Scheitels. Der Schlangenleib ist hinter dem Schild (dieser und der Kopf fehlen) in einem engen Doppelhaken gewunden.
Die gesamte Büste ist vollendet ausgeführt, die Oberfläche poliert, nur noch feinste Spuren von der Bearbeitung mit dem Meißel sind zu erkennen.
Die vollendete Ausführung der Büste inklusive Brustmuskel und dem Gesicht, das in Art der Gesichtsbildung und Ausführung der einzelnen Details den bekannten Porträts von Ptolemäus II. in ägyptischer Tracht und Darstellungsweise gleicht, ist wohl als ein Bildhauermodell anzusehen, wie es für sämtliche Werkstätten dieses Herrschers zur Verfügung stand, um danach den Köpfen seiner Statuen das entsprechende Aussehen zu verleihen. Das Herrscherbild ist jugendlich und idealisierend. Typisch ist die breite, runde Kehle. Gleichzeitig wurde auch Privatplastik diesem Stil angeglichen. Der König bildete auch in der künstlerischen Gestaltung das Leitbild.
Ptolemäus II. war der Sohn von Ptolemäus I. und Berenike I., geboren 308 v. Chr. Nach dem Tod seines Vaters wurde er 282 v. Chr. Alleinherrscher bis zu seinem Tod im Jahr 246 v. Chr. Seine erste Gemahlin war Arsinoe I., die zweite seine Schwester Arsinoe II. Später wurden Geschwisterehen bei den Ptolemäern üblich. Er gründete die Städte Berenike und Ptolemais und entwickelte auch sonst überall im Land eine rege Bautätigkeit. Durch die Rückführung der Leiche Alexanders des Großen, des Begründers dieser Dynastie, wurde der Staatskult von Memphis nach Alexandria verlegt.

Lit.: R. Hostens-Deleu, Beeldhouwers-modellen in de egyptische afdeling van de Koninklijke Musea voor Kunst en Geschiedenis, BMRAH 49, 1977, p. 15, fig. 2; Pierre éternelle, Katalog Brüssel 1990, p. 206ff., No. 102

E. H.

206
Bildhauermodell einer Königsbüste

Paris, Louvre, Inv.-Nr. E 17230
Kalkstein, Höhe 16,8 cm, Breite 13 cm
Herkunft unbekannt
Ptolemäische Zeit, 3./2. Jh. v. Chr.

Aus der Vorderseite eines kleinen Kalksteinblockes ist der Kopf eines Königs mit Nemes und Uräus über der Stirn herausgearbeitet. Auf der flachen Hinterseite und an den Seitenflächen des Brustteiles und auf der Basis ist der Netzraster sichtbar.

Die Brust ist, wie bei diesem Typ von Bildhauermodell üblich, eine schräge Fläche mit leichter Schulterrundung, darauf liegen die vorderen Lappen des Nemes, deren Außenkanten stark abgesetzt sind und in elegantem Schwung verlaufen.

Das Gesicht ist breit, die Nase hat einen schmalen Rücken und verbreitert sich erst am unteren Ende zu breiten, doch zierlichen Nasenflügeln mit gebohrten Nasenlöchern. Die Augen sitzen etwas schräg, die inneren Augenwinkel sind sehr langgezogen, der Augapfel ist gerundet eingetieft. Die flachen Oberlider sind am Lidrand von einem schmalen Wulst begleitet. Die Augenbrauen sind flach geschwungen. Die waagrechte Lippenspalte ist erst in den Mundwinkeln hinaufgezogen.

Die Mundwinkel sind in Höhe der Oberlippe breit kreisförmig eingetieft.

Das breite Band des Nemes sitzt tief in der Stirne und die Scheitelpartie ist stark gewölbt, zum seitlichen Umbruch des Tuches in flacher Kurve verlaufend. In der Mitte der Stirn ist der Schild des Uräus – dessen Kopf fehlt – aufgerichtet, dahinter liegt der Leib in einer „Achter"-Schleife, der dann geradeaus über der Mittelachse des Scheitels liegt. Der Uräus ist an der Unterkante des Stirnbandes angesetzt.

Die Oberfläche ist noch nicht glatt poliert, sie wirkt porig von den verbliebenen Spuren des Spitzmeißels. Die linke Ohrmuschel ist noch sehr rauh.

Das breite, kurze Gesicht ist nach Ptolemäus II. anzusetzen, wohl gegen Ende der Ptolemäerzeit.

Lit.: Unveröffentlicht

E. H.

493

207
Bildhauermodell einer Königsbüste

London, Britisches Museum, Inv.-Nr. 57273
Basalt, Höhe 17,5 cm, Breite 15,5 cm, Tiefe 9,5 cm
Herkunft unbekannt
Ptolemäische Zeit, ca. 1. Jh. v. Chr.

Im runden Gesicht stehen scharf geschnitten die Details. Der Rand des Oberlides ist durch einen ganz schmalen Grat betont, den äußeren Augenwinkel etwas überschneidend. Die Augenhöhlen sind von der Stirne kantig und annähernd waagrecht abgesetzt, der Brauenbogen ist erst etwa in Höhe des äußeren Augenwinkels etwas abwärts gebogen. Die Nase mit dem sehr schmalen Nasenrücken verbreitert sich erst bei den Nasenflügeln, die große gebohrte Nasenlöcher haben, merklich. Oberhalb der Nasenflügel ist die Wange eckig angesetzt. Die obere Gesichtshälfte wirkt sehr streng, in der Bildung wie aus Metall gefertigt. Einen Gegensatz dazu bildet das kurze Kinn mit dem kleinen lächelnden Mund. Die Oberlippe ist schmal und durch das Philtrum gekerbt. Die Mundwinkel sind leicht hochgezogen und durch Grübchen betont. Auch die Ohrmuscheln zeigen scharfe Grate und scheinen aus Metall getrieben zu sein. Das Ohrläppchen ist mit einer geringen Einziehung abgesetzt.

Das Kopftuch sitzt tief in der Stirne mit einem breiten reliefierten Band. Der Kopf ist betont hochgezogen, die Waagrechte der Brauen entspricht der Mitte zwischen Kinn und Scheitelhöhe. Über der Stirn ist der Uräus mit breitem Schild aufgerichtet. Er ist an der Unterkante des Stirnbandes angesetzt. Die Windungen des dünnen Leibes sind sehr schematisch wie zwei lange U-Häkchen links und rechts vom Schild mit parallel laufenden Li-

nien reliefiert, der hintere Teil des Leibes liegt gerade wie eine Schnur über der Scheitelmitte. Das Kopftuch ist glatt, die Innenkanten sind neben dem Hals gerundet, laufen dann gerade weiter auf die Brust, wobei sie nicht exakt parallel laufen, sondern sich mit den unteren Enden etwas einander nähern. Die Außenkanten sind in einer deutlichen senkrecht stehenden S-Kurve geschwungen.

Die Ausführung ist gut, die Oberfläche soweit geglättet und poliert, daß nur kleine Poren auf die Arbeit des Spitzmeißels hinweisen.

Wir haben auch hier einen idealisierten jugendlichen Königskopf vor uns. Die scharfkantige Bildung von Augenumrandung und Brauen, des Mundes, der Nasenflügel, die tief angesetzten Wangen, der kleine lächelnde Mund, der hohe Kopf des Nemes und die Halsrundung an den Innenkanten der vorderen Lappen, die schematische, glatte Ausführung der Uräus-Schlange weichen stark ab von den bekannten Bildnissen Ptolemäus' II., die einzelnen Teile des Gesichtes bilden nicht mehr diese organische Einheit. Vergleichbar ist dieser Kopf dem einer Statue im Louvre aus spätptolemäischer Zeit, ebenfalls aus Basalt, die aus stilistischen Gründen jetzt einem der letzten Ptolemäer zugeschrieben wird.

Lit.: Unveröffentlicht

E. H.

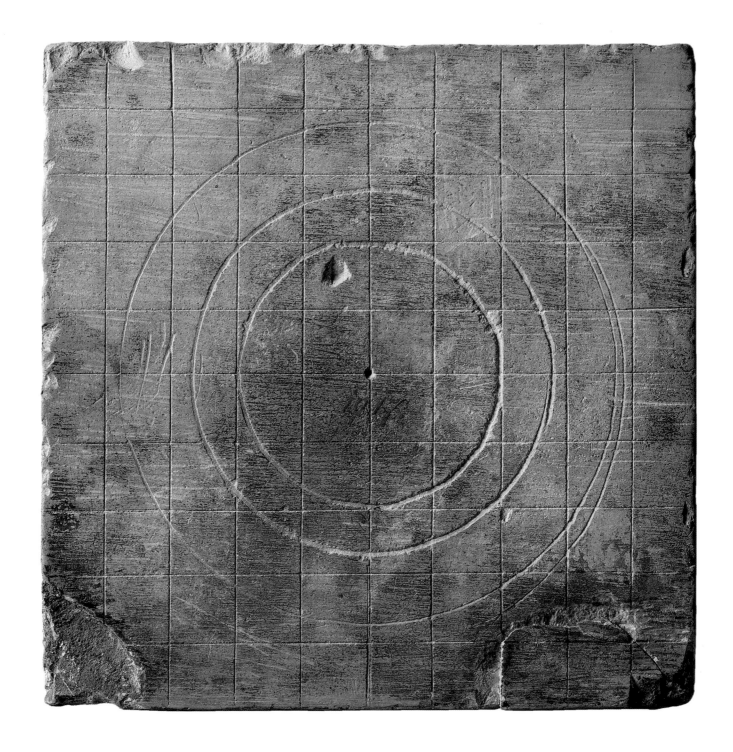

497

208
Bildhauermodell mit dem Relief eines Falken

Wien, Kunsthistorisches Museum, Inv.-Nr. ÄS 1017
Kalkstein, Höhe 11,5 cm, Breite 11,4 cm, Dicke 1,6 cm
Herkunft unbekannt
Spätzeit, 4. /.3. Jh. v. Chr.

Eine quadratisch zugeschnittene Platte aus feinem Kalkstein, deren Vorder- und Hinterseite sowie die Kanten gut geglättet wurden, bildete das Material für ein Bildhauerlehrstück.

Auf der Vorderseite ist die Hieroglyphe eines stehenden Falken in Flachrelief ausgeführt. Entlang der Unterkante läuft ein Band aus 10 Quadraten – Resten des Quadratnetzes, das die ganze Fläche unterteilte (siehe unten die Hinterseite). An der linken oberen Ecke der Platte wurde ein rechtwinkeliger Steg stehengelassen, der die ursprüngliche Dicke der Platte markiert. Ansonsten ist der Hintergrund plan abgearbeitet, nur feine Kratzspuren vom Polieren sind noch zu erkennen. Sie verlaufen in unmittelbarer Nähe des Reliefs parallel zur Kontur.

Der Falke ist sehr sorgfältig ausgeführt, mit vielen Details an Schnabel und Gefieder, was von guter Naturbeobachtung zeugt. Beim Federkleid sind die einzelnen Federpartien unterschieden und in charakteristischer Art von einander abgesetzt. Die Haut an den Läufen ist netzartig geritzt, die einzelnen Krallen angegeben. Bei den Federn sind immer nur einzelne detailliert mit allen Feinheiten ausgeführt, um anzuzeigen, in welcher Art die einzelnen Partien gearbeitet werden sollen.

Trotz des Anscheins von Naturalismus ist auch ein gewisser Manierismus zu beobachten, z. B. an den Schnabelrändern, dem Wulst am Schnabelansatz, dem abgeflachten Scheitel, dem sichelförmigen Schwung des Beinkleides, der Rosette auf der Wange. Gesicht und Flügel sind mit einem schmalen, glatten Steg konturiert. Das Gesicht ist vom Höcker an der Stirn bis hinunter zum Flügelansatz durch einen weit gezogenen Bogen von den Federn des Hinterkopfes abgegrenzt. Der Kopf selbst hat die Form eines Parallelogrammes mit abgerundeten Ecken.

Auf der Hinterseite ist ein Quadratraster für 10 × 10 Quadrate eingeritzt. Zusätzlich sind vom sehr stark eingetieften Mittelpunkt aus drei konzentrische Kreise mit einem Zirkel eingeritzt, wovon die beiden äußeren nicht exakt gezogen sind.

Diese Reliefplatte macht deutlich, daß es sich dabei um eine Vorlage für Reliefgestaltung handelt. Der Raster ist eingeritzt – er soll erhalten bleiben, um jederzeit als Beispiel für Proportionen herangezogen werden zu können. Auf Werkstücken, die dazu bestimmt waren, die Werkstätten zu verlassen, hat man das Liniennetz eher nur mit einer eingefärbten Schnur aufgetragen. Dieser Raster ging ja während des Arbeitsprozesses verloren. Ein eingeritzter Raster macht nur Sinn auf Flächen eines Blockes für eine Rundplastik, wenn diese Flächen als solche bis zur Endfertigung erhalten bleiben, wie es die Seitenflächen eines Thrones oder ein Rückenpfeiler sind.

Lit.: E. Komorzynski, Altägypten, S. 83, Abb. 37; E. Komorzynski, Das Erbe des Alten Ägypten, 1965, Abb. 49; 5000 Jahre Ägyptische Kunst, Wien 1961/62, Nr. 123; museum. Ägyptisch-Orientalische Sammlung Kunsthistorisches Museum, Wien 1987, S. 86

E. H.

209
Bildhauervorlage mit Zeichnungen

Paris, Louvre, E 11551
Kalkstein, Höhe 24,5 cm, Breite 29,5 cm, Dicke 3,6 cm
Herkunft unbekannt
Spätzeit, 26. Dynastie, ca. 589 bis 570 v. Chr.

Die Kalksteinplatte mit Zeichnungen ist nur unvollständig erhalten; sie ist an sämtlichen Seiten abgebrochen, von der Unterkante ist noch ein Großteil, auch ein Teil der rechten Kante vorhanden. Vorder- und Hinterseite sind glatt abgearbeitet, ein kleinteiliger Quadratraster ist fein eingeritzt mit maximal 31 Quadraten in der Breite und maximal 25 in der Höhe auf der Vorderseite. Auch hier sind die waagrechten und senkrechten Linien nicht in exakten Abständen, sie differieren auf der Vorderseite zwischen 0,84 und 1,05 cm. Die Hinterseite ist regelmäßiger mit durchschnittlichem Abstand von ca. 1 cm.

Die Zeichnungen sind sehr fein ausgeführt. Ein König wird von zwei Göttern geleitet, sie fassen ihn an den Händen. Nur der rechte Gott mit Falkenkopf, Re-Harachte, ist vollständig erhalten, er hält mit der linken Hand ein Anch an die Nase des Königs. Vom linken Gott ist nur der linke Arm mit den Armbändern, dessen Hand die rechte Hand des Königs hält, der Unterkörper, das linke vorgestellte Bein, das rechte Bein bis ca. Wadenhöhe mit dem oberen Teil des Tierschwanzes noch zu erkennen.

Die drei Personen schreiten nach rechts, Re-Harachte wendet seinen Kopf zurück zum König, sowie er auch

den linken Arm zurückstreckt. Dieser Gott und der König sind mit allen Details ausgearbeitet.

Am Falkenkopf fällt die naturalistische Gestaltung der Wangenzeichnung auf, die Perücke mit waagrechtem Scheitel lädt weit nach hinten aus. Über dem Scheitel ist noch der untere Teil der Sonnenscheibe mit doppelter Umrahmung. Am Schmuckkragen sind die einzelnen Perlenreihen und die Tropfenanhänger zu sehen, die Armbänder haben senkrechte Stege und waagrechte Perlenreihen. Der Gott ist bekleidet mit eng anliegendem, kurzem Schurz mit Gürtel und Bortensaum. Der Oberteil mit zwei breiten Trägern zeigt Schuppenmuster und schließt mit einer Borte am oberen Rand ab. Am Schurz sind ebenfalls noch Reste von Schuppen zu erkennen. Dieses Muster markiert Vogelfedern. Entlang des Gesäßes und der Oberschenkel hängt der Löwenschwanz.

Die Linien der Körper sind sehr elegant, das Gesäß nur minimal angedeutet, die langen Finger der Hände sind maniert geschwungen. Das Gesicht des Königs zeigt eine fein geschwungene Nase und volle Lippen.

Der König trägt eine besondere Tracht. Von der Krone ist nur der untere Teil mit dem weit ausladenden, gewellten Widdergehörn erhalten, vermutlich der Federkrone des Amun. Links und rechts sind zwei Vögel, Falken (oder Weihen), an seinen Oberkörper angeschmiegt, die Vogelschwingen über der Brust gekreuzt, oberhalb des Nabels treffen sich deren Fänge. Vom Gürtel des kurzen Schurzes hängt eine Schürze mit Fransensaum, beidseitig von aufgerichteten Uräen mit der oberägyptischen Krone flankiert. Auf der Schürze sind zwei Kartuschen mit Namen des Königs Apries: Haaibre und Wahibre. Kollier und Armband gleichen denen des Gottes. Der Tierschwanz, der hinten vom Gürtel herabhängt, ist gesträhnt. Diese Tracht wird schon von Königen und Prinzen der Ramessidenzeit im Verkehr mit Göttern getragen. Auch die Mumie des Osiris wird von Vögeln in derselben Weise schützend umschlungen. Es könnte also hier der verstorbene König gemeint sein.

Die Höhe der beiden erhaltenen Figuren beträgt 22 Einheiten. Diese Zeichnung scheint eine Meisterzeichnung zu sein und als Vorlage für Wandreliefs gedient zu haben, vielleicht für das Königsgrab oder eine Kultstätte.

Durch die beiden Königsnamen ist diese Zeichnung nicht vor 589 v. Chr. anzusetzen. Apries war der vierte König der 26. Dynastie. Er war der Nachfolger seines Vaters Psammetich II. und regierte von 589 bis 570 v. Chr.

Lit.: Unveröffentlicht

E. H.

210
Schülerzeichnungen von Tieren

Paris, Louvre, Inv.-Nr. E 11335
Kalkstein, Höhe 20,5 cm, Breite 2 cm, Dicke 1,7 cm
Herkunft unbekannt
Spätzeit, 3. bis 1. Jh. v. Chr.

Bruchstück einer größeren Kalksteinplatte, die beidseitig geglättet und mit einem eingeritzten Quadratraster versehen ist. Nur der linke untere Teil ist vollständig, sonst ist die Platte unregelmäßig abgebrochen. In der Breite sind maximal 17 Quadratreihen, in der Höhe maximal 23 erhalten. Dieser Raster ist nicht ganz regelmäßig, die waagrechten und senkrechten Linien stehen nicht immer in exakt gleichem Abstand zueinander. Für Zeichnungen wurde nur eine Fläche benützt.

Auf der Vorderseite sind die schwarzen Strichzeichnungen von drei Tieren: eine schreitende Antilope, darüber eine sitzende Katze, zwischen beiden eingeschoben ein liegender Löwe.

Alle drei Tiere sind nach rechts gerichtet – das scheint die übliche Richtung für einzelne Zeichnungen und Reliefvorlagen zu sein. Die Antilope steht auf der untersten waagrechten Linie des Rasters, die Katze hat als Standlinie die nächste freie Rasterlinie über dem Gehörn der Antilope. Diese beiden Tiere nehmen in ihrer Höhe jeweils 10 1/2 Rastereinheiten ein, d. h. sie sind in der Zeichnung gleichwertig behandelt, ohne Rücksicht auf natürliche Größenverhältnisse. Der freie Raum zwischen dem Rücken der Antilope und der Katze, nämlich fünf Rastereinheiten, sind für den Löwen mit einer Höhe von drei Einheiten ausgenützt.

Die Zeichnungen sind mit einfachen Strichen schwungvoll ausgeführt, doch zeigen sie noch die Mängel eines Schülers. Mit dem untersten Tier ist wahrscheinlich eine Antilope gemeint wegen der stark nach hinten gebogenen langen Hörner und des kurzen Schwanzes. Schulter- und Brustpartie sind zu lang geraten, die Beine sind sehr unterschiedlich, teilweise plump, teilweise steif. Das Hinterteil der Katze ist mißglückt, der Unterschenkel des Hinterlaufes und der Schwanz scheinen in eins verflossen zu sein, auch ist die Rückenlinie viel zu gerade.

Für Übungszwecke ist eine Steintafel mit eingeritztem Raster insofern nützlich bei Zeichnungen, als man mißglückte Zeichnungen wieder entfernen kann, ohne gleichzeitig den Raster zu verlieren. So kann man dasselbe Stück immer wieder verwenden, ähnlich einer Schiefertafel.

Lit.: Unveröffentlicht

E. H.

501

211
Papyrusfragmente mit Zeichnungen für eine Sphinx

Berlin-Museumsinsel, Ägyptisches Museum,
Inv.-Nr. P. 11775
Papyrus; ca. 40 × 70 cm
Aus Mallawi
Ptolemäische Zeit, 3. bis 2. Jh. v. Chr.

Von diesem Papyrus sind nur wenige Fragmente erhalten. Er war sekundär zur Herstellung von Mumienkartonage verwendet worden, d. h. er war zu dieser Zeit Abfall, wurde weggeworfen und anderweitig wiederverwendet.

Es war ein Papyrus mit Zeichnungen, und aus diesen Resten ließ sich erkennen, daß es ein Entwurf für die Skulptur einer Sphinx war, und zwar Vorderansicht, Draufsicht und Seitenansicht. Erkennbar sind von der Vorderansicht der linke Schläfenteil, das rechte Gegenstück dazu mit dem Ohr, der Wangenlinie und der Außenkante des seitlichen Flügels des Königskopftuches, der rechte Nasenflügel mit Mund und Kinn, das untere Ende des rechten vorderen Lappens des Kopftuches, der Unterkörper einer Frau mit herabhängenden Armen, die zwischen den Pranken der Sphinx steht. Für die Pranken sind nur zwei mit dem Zirkel gezogene rote Linien angerissen, sie bestimmen ihre Größe. Der größere Bogen bezeichnet wahrscheinlich die Stelle, an der der Unterschenkel aus der Brustmähne herauskommt. Die Draufsicht ist erkennbar durch den am Rücken liegenden Zopf und die beiden sichelförmig gekrümmten Schulterpartien der Mähne, weiters gibt es vom Kopftuch die Wölbung des Hinterhauptes und vorne eine Gerade als Hilfslinie für den Umbruch der seitlichen Flügel, die Wangenlinie mit dem linken Ohr, Teile der Außen- und Innenseite der Vorderbeine und die drei äußeren Zehen der linken Pranke. Dort ist der Anschluß an die Zeichnung der Vorderansicht. Auf einem weiteren Fragment ist der vordere Teil der Seitenansicht einer Pranke zu sehen.

Die Zeichnung war nicht vollständig ausgeführt, wie auch am Mund zu sehen ist – er besteht aus einem waagrechten Strich mit kleinen Kreisen an den Enden für die Mundwinkel.

Möglicherweise waren die drei Ansichten so ineinandergeschoben, daß von der Seitenansicht die Vorderbeine unter der Draufsicht begannen, um Platz zu sparen. Die Höhe wird durch die Vorderansicht bestimmt.

Wie für Vorzeichnungen üblich, wurden die Zeichnungen in einen Quadratraster gesetzt . Auffallend ist hier, daß an der Vorderansicht drei verschiedene Rastergrößen verwendet sind: für den Löwenkörper ein 30 mm-Raster wie auch für die Draufsicht, für den Königskopf ein Raster von 37,5 mm, für die Frauengestalt ein Raster von 6,25 mm. Die kleine Figur der Frau, die wahrscheinlich eine Göttin darstellt, wird in besonders kleine Quadrate aufgeteilt, sonst könnte man die Einzelheiten von Gesicht und Körper zwar zeichnen, aber nur schwer maßstabgetreu vergrößert auf den Steinblock auftragen. Dafür waren die Zeichnugen gedacht.

Borchardt zeigte auf, daß jede Quadratseite einer Handbreit in Lebensgröße entspricht. An veschiedenen Stellen der Zeichnung und an Kreuzungspunkten sind Zeichen eingetragen, die demotische Zahlen sein könnten.

Diese Fragmente sind wohl ebenso in ptolemäische Zeit, in das 3. bis 2. Jh. v. Chr. zu datieren wie die anderen beschrifteten und datierbaren Papyri, mit denen sie gemeinsam zu dieser Kartonage verarbeitet waren.

Lit.: L. Borchardt, Sphinxzeichnung eines Aegyptischen Bildhauers, in: Amtliche Berichte aus den Kg. Kunstsammlungen 39, Berlin 1917–18, col. 105–110; H. Schäfer, Von ägyptischer Kunst. Eine Grundlage, 1930, S. 320, Abb. 263; E. Chr. Kielland, Geometry in Egyptian Art, 1955, p. 84–89

E. H.

LISTE DER DYNASTIEN
UND WICHTIGSTEN HERRSCHER

Vorgeschichtliche Zeit:

El-Badari-Kultur um 5500–4500 v. Chr.
Negade-I-Kultur um 4500–3500 v. Chr.
Negade-II-Kultur um 3500–3200 v. Chr.
Negade-III-Kultur um 3200–3000 v. Chr.

Die Reichseinigungszeit:

um 3100–2950 v. Chr.
König Skorpion
König Ka
König Narmer

Die Frühzeit:

1. Dynastie: um 2950–2770 v. Chr.
Aha - Menes
Djer
Wadji
Den
Anedjib
Semerchet
Quaa

2. Dynastie: um 2770–2650 v. Chr.
Hetepsechemui
Raneb
Ninetjer
Peribsen
Chasechemui

Das Alte Reich:

3. Dynastie: um 2650–2575 v. Chr.
Nebka
Djoser
Sechemchet
Huni

4. Dynastie: um 2575–2465 v. Chr.
Snofru (2575–2551)
Cheops (2551–2528)
Djedefre (2528–2520)
Chephren (2520–2467)
Mykerinos (2490–2471)
Schepseskaf (2471–2467)
Thamphthis (2467–2465)

5. Dynastie: um 2465–2325 v. Chr.
Userkaf (2465–2458)
Sahure (2458–2446)
Neferirkare (2446–2427)
Niuserre (2427–2420)
Menkauhor (2396–2388)
Djedkare-Isesi (2388–2355)
Unas (2355–2325)

6. Dynastie: um 2325–2155 v. Chr.
Teti (2325–2293)
Pepi I. (2393–2259)
Merenre (2259–2250)
Pepi II. (2250–2155)

Die Erste Zwischenzeit:

7./8. Dynastie: um 2155–2134 v. Chr.
zahlreiche lokale Herrscher

9./10. Dynastie: um 2134–2040 v. Chr.
18 Könige in Herakleopolis

Das Mittlere Reich:

11. Dynastie: um 2134–1991 v. Chr.
Intef I. (2134–2118)
Intef II. (2118–2069)
Intef III. (2069–2061)
Mentuhotep II. (2061–2010)
Mentuhotep III. (2010–1998)

12. Dynastie: um 1994–1782 v. Chr.
Amenemhet I. (1994–1975)
Sesostris I. (1975–1933)
Amenemhet II. (1933–1901)
Sesostris II. (1901–1882)
Sesostris III. (1882–1843)
Amenemhet III. (1843–1799)
Amenemhet IV. (1799–1785)
Sebeknefru (1785–1782)

13. Dynastie: um 1782–1650 v. Chr.
über 50 Könige

14. Dynastie: um 1715–1650 v. Chr.
zahlreiche Kleinkönige im Delta

Die Zweite Zwischenzeit:

15./16. Dynastie: Hyksosherrschaft
um 1650–1540 v. Chr.
Salitis
Scheschi
Yakobher
Chian
Apophis
Chamudi
zahlreiche Vasallen der Hyksos

17. Dynastie: um 1650–1551 v. Chr.
zahlreiche Könige in Theben, darunter
Intef
Taa I.
Taa II.
Kamose (1555–1551)

Das Neue Reich:

18. Dynastie: um 1552–1306 v. Chr.
Ahmose (1552–1527)
Amenophis I. (1527–1506)
Thutmosis I. (1506–1494)
Thutmosis II. (1494–1490)
Hatschepsut (1490–1468)
Thutmosis III. (1490–1436)
Amenophis II. (1438–1412)
Thutmosis IV. (1412–1402)
Amenophis III. (1402–1364)
Amenophis IV./Echnaton (1364–1347)
Semenchkare (1347)
Tutanchamun (1347–1338)
Eje (1337–1333)
Haremhab (1333–1306)

19. Dynastie: 1306–1168 v. Chr.
Ramses I. (1306–1304)
Sethos I. (1304–1290)
Ramses II. (1290–1224)
Merenptah (1224–1204)
Sethos II. (1204–1196)
Amenemesse
Siptah (1194–1188)
Tausret (1188–1186)

20. Dynastie: 1186–1070 v. Chr.
Sethnacht (1186–1184)
Ramses III. (1184–1153)
Ramses IV. (1153–1146)
Ramses V. (1146–1142)
Ramses VI. (1142–1135)

Ramses VII. (1135–1129)
Ramses VIII. (1129–1127)
Ramses IX. (1127–1109)
Ramses X. (1109–1099)
Ramses XI. (1099–1070)

Die Dritte Zwischenzeit (Libyerzeit):

21. Dynastie: 1070–945 v. Chr.
Smendes (1070–1044)
Psusennes I. (1040–990)
Amenemope (993–984)
Siamun (978–960)
Psusennes II. (960–945)

22. Dynastie: 945–722 v. Chr.
(Bubastiden)
Scheschonk (945–924)
Osorkon I. (924–887)
Takeloth II. (865–833)
Scheschonk III. (814–763)
Scheschonk V. (785–722)

23. Dynastie: 808–783 v. Chr.
Petubastis (808–783)
Osorkon III. (um 760–750)
Takeloth III. (um 740)

24. Dynastie: 725–712 v. Chr.
Tefnacht (725–718)
Bocchoris (718–712)

Die Spätzeit:

25. Dynastie: 712–664 v. Chr.
Kaschta (um 760–740)
Pije (740–713)
Schabaka (712–698)
Schebitku (698–690)
Taharqa (690–664)
Tanutamun (664–656)
Assyrische Eroberung 671–664

26. Dynastie: 664–525 v. Chr.
(Saitenzeit)
Necho I. (672–664)
Psammetich I. (664–610)
Necho II. (610–595)
Psammetich II. (595–589)
Apries (589–570)
Amasis (570–526)
Psammetich III. (526–525)

27. Dynastie:	525–404 v. Chr. (Perserherrschaft)
28. Dynastie:	Amyrtaios (404–399)
29. Dynastie:	399–380 v. Chr. Nepherites I. (399–393) Psammuthis (393) Hakoris (393–380) Nepherites II. (380)
30. Dynastie:	380–343 v. Chr. Nektanebis (380–362) Teos (362–360) Nektanebos (360–343)
31. Dynastie:	343–332 v. Chr. (Zweite Perserherrschaft)

Die Makedonische Dynastie:

332–304 v. Chr.
Alexander der Große (332–323)
Philipp Arrhidäus (323–316)
Alexander IV. (316–304)

Die Ptolemäerherrschaft:

304–30 v. Chr.
Ptolemaios I. Soter I. (323–284)
Ptolemaios II. Philadelphos (285–246)
Ptolemaios III. Euergetes I. (246–221)
Ptolemaios IV. Philopator (221–205)
Ptolemaios V. Epiphanes (205–180)
Ptolemaios VI. Philometor (180–164 und 163–145)
Ptolemaios VII. Neos Philopator (145)
Ptolemaios VIII. Euergetes II. (170–163 und 145–116)
Königin Kleopatra III. und Ptolemaios IX. Soter II. (116–107)
Königin Kleopatra III. und Ptolemaios X. Alexander I. (107–88)
Ptolemaios IX. Soter II. (88–80)
Königin Kleopatra Berenike (81–80)
Ptolemaios XI. Alexander II. (80)
Ptolemaios XII. Neos Dionysos (80–58 und 55–51)
Königin Berenike IV. (58–55)
Königin Kleopatra VII. (51–30)
30 v. Chr. wird Ägypten eine Provinz des Römischen Reiches

VERZEICHNIS DER ABKÜRZUNGEN

Abgekürzt zitierte Zeitschriften und Reihen

ÄA   Ägyptologische Abhandlungen, Wiesbaden

ÄF   Ägyptologische Forschungen, Wiesbaden

ASAE   Annales du Service des Antiquités de l'Égypte, Kairo

BCMA   Bulletin of the Cleveland Museum of Art, Cleveland

BdE   Institut Français d'Archéologie Orientale (IFAO). Bibliothèque d'Etude, Kairo

BIFAO   Bulletin de l'Institut Français d'Archéologie Orientale, Kairo

BiOr   Bibliotheca Orientalis, Leiden

BMFA   Bulletin of the Museum of Fine Arts, Boston

BMMA   Bulletin of the Metropolitan Museum of Art, New York

BSFE   Bulletin de la Société Français d'Egyptologie

CAA   Corpus Antiquitatum Aegyptiacarum

CdE   Chronique d'Egypte, Brüssel

ET   Etudes et travaux, Warschau

FIFAO   Fouilles de l'Institut Français d'Archéologie Orientale du Caire, Kairo

GM   Göttinger Miszellen, Göttingen

HÄB   Hildesheimer Ägyptologische Beiträge, Hildesheim

JARCE   Journal of the American Research Center in Egypt, Boston, Mass.

JEA   The Journal of Egyptian Archaeology, Hrsg. Egypt Exploration Society, London

JNES   Journal of Near Eastern Studies, Chicago

LÄ   Lexikon der Ägyptologie, Hrsg. W. Helck, E. Otto (bis Bd. I) und W. Westendorf (ab Bd. II), Wiesbaden 1972ff.

MÄS   Münchner Ägyptologische Studien, Berlin

MDIK   Mitteilungen des Deutschen Archäologischen Instituts, Abteilung Kairo, Wiesbaden

MDOG   Mitteilungen der Deutschen Orientgesellschaft, Berlin, Leipzig

MIFAO   Mémoires publiés par les membres de l'Institut Français d'Archéologie Orientale du Caire, Kairo

MJbK   Münchner Jahrbuch der bildenden Kunst, München

MMJ   Metropolitan Museum Journal, The Metropolitan Museum of Art, New York

RdE   Revue d'Égyptologie, Paris

SAK   Studien zur altägyptischen Kultur, Hamburg

ZÄS   Zeitschrift für ägyptische Sprache und Altertumskunde, Berlin

Abgekürzt zitierte Literatur

B. V. Bothmer, ESLP
Egyptian Sculpture of the Late Period: 700 B. C. to 100 A. D., Brooklyn 1960

W. Helck, Urk. IV
Urkunden der 18. Dynastie, Berlin

PM
B. Porter und R. L. B. Moss, Topographical Bibliography of Ancient Egyptian Hieroglyphic Texts, Reliefs, and Paintings, 7 Bde., Oxford 1927–1951, Bde.I^2, II^2, III^2, Oxford 1960–1981

W. S. Smith, HESPOK
A History of Egyptian Sculpture and Painting of the Old Kingdom, Oxford 1949^2, Reprint 1978

J. Vandier, Manuel I
Manuel d'Archéologie Égyptienne, Tome I, Les Époques de Formation. La Prehistoire, Paris 1952

J. Vandier, Manuel III
Manuel d'Archéologie Égyptienne, Tome III, Les Grandes Époques. La Statuaire, Paris 1958

EMPFOHLENE UND WEITERFÜHRENDE LITERATUR

Allgemeine Einführungen in die Ägyptologie:

J. Baines - J. Malek,	Weltatlas der Alten Kulturen, Ägypten 1980
E. Brunner-Traut,	Die Alten Ägypter, Stuttgart 1981
A. Eggebrecht (Hrsg.),	Das Alte Ägypten, München 1984
E. Hornung,	Einführung in die Ägyptologie, Stand-Methoden-Aufgaben, Darmstadt 1967
E. Hornung,	Geist der Pharaonenzeit, Zürich und München 1989
E. Otto,	Wesen und Wandel der ägypischen Kultur, Berlin - Heidelberg - New York 1969
B. G. Trigger, B. J. Kemp, D. O'Connor, A. B. Lloyd,	Ancient Egypt. A Social History, 1983
W. Wolf,	Kulturgeschichte des Alten Ägypten, Kröner TA 321, 1977
W. Wolf,	Das Alte Ägypten, dtv-Bd. 3201, 1978

Nachschlagewerke:

W. Helck - E. Otto,	Kleines Wörterbuch der Ägyptologie, Wiesbaden 1970
LÄ	Lexikon der Ägyptologie, Bde. I – VI, Wiesbaden 1975 ff.
W. R. Dawson und E. P. Uphill,	Who was Who in Egyptology, London 1972.
G. Posener,	Knaurs Lexikon der ägyptischen Kultur, Knaurs TB 576, München, Zürich 1978.

Zur Geschichte:

J. von Beckerath,	Abriß der Geschichte des Alten Ägypten, München 1971
W. B. Emery,	Ägypten, Geschichte und Kultur der Frühzeit 3200–2800 v. Chr., München 1964
W. C. Hayes,	The Scepter of Egypt I, New York, Reprint 1990
W. C. Hayes,	The Scepter of Egypt II, New York, Reprint 1990
W. Helck,	Geschichte des Alten Ägypten = Handbuch der Orientalistik, Abt. 1, Bd. 1, Abschn. 3, Leiden 1981
M. A. Hoffman,	Egypt before the Pharaohs, New York 1979
E. Hornung,	Grundzüge der ägyptischen Geschichte, Darmstadt 1978
K. A. Kitchen,	The Third Intermediate Period in Egypt, Warminster 1986
S. Morenz,	Die Begegnung Europas mit Ägypten, Zürich und Stuttgart 1969
E. Otto,	Ägypten, Der Weg des Pharaonenreiches, Stuttgart 1969
J. A. Wilson,	Ägypten, in: Propyläen Weltgeschichte, Bd. I, Berlin 1961
W. Wolf,	Die Welt der Ägypter, Stuttgart 1965

Zu Religion und Jenseitsglauben:

B. Adams,	Egyptian Mummies. Aylesbury 1984
H. Altenmüller,	Grab und Totenreich der Alten Ägypter. Hamburg 1982
J. Assmann,	Ägyptische Hymnen und Gebete. Zürich und München 1975
J. F. und L. Aubert,	Statuettes Égyptiennes: Chouabtis, Ouchebtis. Paris 1974
W. Barta,	Die altägyptische Opferliste von der Frühzeit bis zur griechisch-römischen Epoche, Berlin 1963
W. Barta,	Aufbau und Bedeutung der altägyptischen Opferformel, ÄF 24, Glückstadt 1968
W. Barta,	Die Bedeutung der Pyramidentexte für den verstorbenen König, MÄS 39, Wiesbaden 1981
H. Beinlich,	Die „Osirisreliquien" – Motiv der Körperzergliederung in der altägyptischen Religion, Wiesbaden 1984
H. Bonnet,	Reallexikon der Ägyptischen Regligionsgeschichte, Berlin 1952
J. H. Breasted, Jr.,	Egyptian Servant Statues, Washington 1948
W. A. W. Budge,	The Mummy: A Handbook of Egyptian Funerary Archaeology. Cambridge 1925; London 1987
M. L. Buhl,	The Late Egyptian Anthropoid Stone Sarcophagi. Kopenhagen, 1959
H. Carter und A. C. Mace,	The Tomb of Tut-Ankh-Amen 1, London 1923
H. Carter,	The Tomb of Tut-Ankh-Amen 2, New York 1927
H. Carter,	The Tomb of Tut-Ankh-Amen 3, London 1933
A. R. David,	The Ancient Egyptians: Religious Beliefs and Practices. London, 1982
I. E. S. Edwards,	The Pyramids of Egypt, rev.ed. Harmondsworth 1986
R. O. Faulkner,	The Ancient Egyptian Pyramid Texts, Oxford 1969
R. O. Faulkner,	The Ancient Egyptian Coffin Texts 1, Warminster 1973
R. O. Faulkner,	The Ancient Egyptian Coffin Texts 2, Warminster 1977
R. O. Faulkner,	The Ancient Egyptian Coffin Texts 3, Warminster 1978
R. O. Faulkner,	trans. The Ancient Egyptian Book of the Dead, New York, 1985
H. Frankfort,	Kingship and the Gods, London - Chicago 1978
J.-C. Goyon,	Rituels Funéraires de l'Ancienne Egypte, Paris 1972
J. G. Griffiths,	The Origins of Osiris and His Cult, (Studies in the History of Religions XL), Leiden 1980
E. Hornung,	Das Amduat. Die Schrift des verborgenen Raumes 1: Text II: Übersetzung und Kommentar. Wiesbaden 1963
E. Hornung,	Altägyptische Höllenvorstellungen (Abhandlungen der Sächsischen Akademie der Wissen-

schaften zu Leipzig, Phil.-hist. Klasse 59,3). Berlin 1968

E. Hornung,	Ägyptische Unterweltsbücher, Zürich und München 1972
E . Hornung,	Der Eine und die Vielen. Ägyptische Gottesvorstellungen, Darmstadt 1973
E. Hornung,	Das Buch von den Pforten des Jenseits 1: Text (Aegyptiaca Helvetica 7), Geneva 1979
E. Hornung,	Das Totenbuch der Ägypter, Zürich und München 1979
E. Hornung,	Das Buch von den Pforten des Jenseits II: Übersetzung und Kommentar (Aegyptiaca Helvetica 8), Geneva 1980
E. Hornung,	Das Tal der Könige. Die Ruhestätte der Pharaonen, Zürich und München 1983
E. Hornung,	„Vom Sinn der Mumifizierung" Die Welt des Orients 14, 1983, pp. 167–175
H. Kees,	Der Götterglaube im alten Ägypten, Berlin 1955[2], Reprint 1977
H. Kees,	Totenglaube und Jenseitsvorstellungen der alten Ägypter, Berlin 1956[2], Reprint 1980
G. Lapp,	Die Opferformel des Alten Reiches, Mainz 1986
L. Manniche,	City of the Dead – Thebes in Egypt, London 1987
S. Morenz,	Gott und Mensch im alten Ägypten, Leipzig 1964
S. Morenz,	Ägyptische Religion, Stuttgart 1960.
P. Munro,	Die spätägyptischen Totenstelen, Glückstadt 1973
M. Münster,	Untersuchungen zur Göttin Isis vom Alten Reich bis zum Ende des Neuen Reiches, Berlin 1968
E. Naville,	Das Ägyptische Totenbuch der XVIII. bis XX. Dynastie, Berlin 1886
E. Otto,	Das Ägyptische Mundöffnungsritual, ÄA 3, Wiesbaden 1960
E. Otto,	Osiris und Amun, München 1960
A. Piankoff,	The Pyramid of Unas (Bollingen Series XL, Egyptian Religious Texts and Representations 5), Princeton 1968
S. Sauneron (Hrsg.),	Rituel de l'embaumement, Cairo 1952
H. D. Schneider und M. J. Raven,	Die Egyptische oudheid, Gravenhage 1981
C. Seeber,	Untersuchungen zur Darstellung des Totengerichts im Alten Ägypten, München und Berlin 1976
W. Seipel,	Grab und Wohnhaus. Die Anfänge Ägyptens, Konstanz 1981
W. Seipel,	Kleinkunst und Grabmobiliar in: Propyläen Kunstgeschichte, Bd. 15, Berlin 1975, S. 359 ff.
W. Seipel,	Ägypten. Götter, Gräber und die Kunst. 4000 Jahre Jenseitsglaube, Katalog Linz 1989
K. Sethe,	Die Altägyptischen Pyramidentexte, 4 Bde, Leipzig 1908–1922
K. Sethe,	„Zur Geschichte der Einbalsamierung bei den Ägyptern und einiger damit verbundener Bräuche" Sitzungsberichte der Preussischen Akademie der Wissenschaften, Phil.-hist. Klasse 13, 1934
J. Settgast,	Untersuchungen zu altägyptischen Bestattungsdarstellungen, Glückstadt 1963
B. E. Shafer (Hrsg.),	Religion in Ancient Egypt, Ithaka und London 1991
A. J. Spencer,	Death in Ancient Egypt, Harmondsworth und New York 1982
J. Spiegel,	Das Auferstehungsritual der Unas-Pyramide, Wiesbaden 1971

Zur Kunst:

C. Aldred,	Some Royal Portraits of the Middle Kingdom in Ancient Egypt, MMJ 3, 1970, pp. 27–50
C. Aldred,	The Development of Ancient Egyptian Art, London 1973
H. Altenmüller und W. Hornbostel,	Das Menschenbild im alten Ägypten. Porträts aus vier Jahrtausenden, Katalog Hamburg 1982
W. Barta,	Das Selbstzeugnis eines altägyptischen Künstlers (Stele Louvre C 14), MÄS 22, 1970
L. M. Berman (Hrsg.),	The Art of Amenophis III: Art Historical Analysis, Cleveland 1990
R. S. Bianchi et al.,	Cleopatra's Egypt. Age of the Ptolemies, Katalog Brooklyn 1988
F. v. Bissing,	Denkmäler ägyptischer Skulptur, München 1914
L. Borchardt,	Statuen und Statuetten von Königen und Privatleuten im Museum von Kairo, Teile 1–5, (CGC), Berlin 1911–1936
K. Bosse,	Die menschliche Figur in der Rundplastik der ägyptischen Spätzeit von der XXII. bis zur XXX. Dynastie, ÄF 1, Glückstadt - Hamburg - New York 1936
B. V. Bothmer et al.,	Egyptian Sculpture of the Late Period: 700 B. C. to 100 A. D., Brooklyn 1960
B. V. Bothmer,	On Realism in Egyptian Funerary Sculpture of the Old Kingdom, Expedition 24, 1982, pp. 27–39
J. Capart,	L'Art Égyptien, T. II: La Statuaire, Brüssel 1942
L. Curtius,	Ägypten, in: L. Curtius, Die antike Kunst I, Ägypten und Vorderasien (Hdb. der Kunstwissenschaft), Berlin-Neubabelsberg 1923[2]
W. Davis,	The Canonical Tradition in Ancient Egyptian Art, 1989
E. Delange,	Musée du Louvre. Catalogue des statues égyptiennes du Moyen Empire, Paris 1987
H. Drerup,	Ägyptische Bildnisköpfe griechischer und römischer Zeit, Orbis Antiquus 3, 1950, S. 5–27
A. M. Donadoni Roveri (Hrsg.),	Egyptian Civilization. Monumental Art, 1989
M. Eaton-Krauss und E. Graefe	Studien zur ägyptischen Kunstgeschichte, HÄB 29, Hildesheim 1990
H.G. Evers,	Staat aus dem Stein, Denkmäler, Geschichte und Bedeutung der ägyptischen Plastik während des Mittleren Reiches, 2 Bde., München 1929
R. Fazzini,	Images of Eternity: Egyptian Art from Berkeley and Brooklyn, Brooklyn 1975
H. Fechheimer,	Die Plastik der Ägypter, Berlin 1920
G. Fecht,	Vom Wandel des Menschenbildes in der ägyptischen Rundplastik, Hildesheim 1965
G. Grimm,	Kunst der Ptolemäer- und Römerzeit im Ägyptischen Museum Kairo, Mainz 1975
H. A. Groenewegen-Frankfort,	Arrest and Movement, London 1951
R. Hamann,	Ägyptische Kunst, Wesen und Geschichte, Berlin 1944
M. Hirmer und E. Otto,	Ägyptische Kunst, München 1976
E. Iversen,	Canon and Proportions in Egyptian Art, Warminster 1975[2]
F. Junge,	Provinzialkunst des Mittleren Reiches in Elephantine, in: L. Habachi, Elephantine IV. The Sanctuary of Heqaib, Text, Mainz 1985, pp. 117–139
H. Junker,	Die gesellschaftliche Stellung der ägyptischen Künstler im Alten Reich, Wien 1959
H. Kayser,	Ägyptisches Kunsthandwerk, 1969
H. Kayser,	Die Tempelstatuen ägyptischer Privatleute im Mittleren und Neuen Reich, Heidelberg 1936
H. Kees,	Studien zur ägyptischen Provinzialkunst, Leipzig 1921

H. Kyrieleis,	Bildnisse der Ptolemäer, Berlin 1975
J. Leclant (Hrsg.),	Ägypten I. Das Alte und das Mittlere Reich, München 1979
J. Leclant (Hrsg.),	Ägypten II. Das Großreich, München 1980
J. Leclant (Hrsg.),	Ägypten III. Spätzeit und Hellenismus, München 1981
M. G. Legrain,	Statues et statuettes de rois et de particuliers, T. I–III (CGC), Kairo 1906–1914
I. Lindblad,	Royal Sculpture of the Early Eighteenth Dynasty in Egypt, Medelhavsmuseet Memoir 5, 1984
G. Maspero,	Essais sur l'Art Égyptien, Paris 1912
A. Mekhitarian,	Ägyptische Malerei. Die großen Jahrhunderte der Malerei, Genf 1954
K. Michalowski,	Ägypten, Freiburg 1974
H. W. Müller,	Ägyptische Kunst, Frankfurt 1970
H. W. Müller,	Der Kanon in der ägyptischen Kunst, in: Der „Vermessene" Mensch. Anthropometrie in Kunst und Wissenschaft, München
M. Müller,	Die Kunst Amenophis' III. und Echnatons, Basel 1988
M. Murray,	Egyptian Sculpture, London 1930, Reprint 1970
K. Mysliwiec,	Le portrait royal dans le bas-relief du Nouvel Empire, Warschau 1976
K. Mysliwiec,	Royal Portraiture of the Dynasties XXI–XXX, Mainz 1988
K. Parlasca,	Probleme der späten Ptolemäerbildnisse, in: H. Maehler und M. Strocka (Hrsg.), Das ptolemäische Ägypten, Mainz 1978, S. 25–30
E. R. Russmann,	The Representation of the King in the XXVth Dynasty, Brüssel 1974
W. Seipel,	Bilder für die Ewigkeit. 3000 Jahre ägyptische Kunst, Katalog Konstanz 1983
H. Schäfer,	Das Bildnis im Alten Ägypten (Bibl. der Kunstgeschichte, 2), Leipzig 1921
H. Schäfer,	Das altägyptische Bildnis, Leipziger Ägyptologische Studien 5, Glückstadt - Hamburg - New York 1936
H. Schäfer,	Von ägyptischer Kunst, Eine Grundlage, 4. Aufl., Hrsg. E. Brunner-Traut, Wiesbaden 1963
M. A. Shoukry,	Die Privatgrabstatue im Alten Reich, Suppl. ASAE, Cahier No. 15, Kairo 1951
W. S. Smith,	A History of Egyptian Sculpture and Painting of the Old Kingdom, Oxford 1949[2], Reprint 1978
W. S. Smith,	The Art and Architecture of Ancient Egypt, Harmondsworth 1965[2]
R. R. R. Smith,	Hellenistic Royal Portraits, Oxford 1988
D. Spanel,	Through Ancient Eyes: Egyptian Portraiture, Katalog Birmingham (Alabama) 1988
G. Steindorff,	Die Kunst der Ägypter, Bauten-Plastik-Kunstgewerbe, Leipzig 1928
R. Tefnin,	La statuaire d'Hatshepsout, Brüssel 1979
R. Tefnin,	Statues et statuettes de l'Ancienne Égypte, Brüssel 1988
P. Ucko,	Anthropomorphic Figurines of Predynastic Egypt and Neolithic Crete with Comparative Material from the Prehistoric Near East and Mainland Greece, London 1968
C. Vandersleyen (Hrsg.),	Das Alte Ägypten. Propyläen Kunstgeschichte Bd. XV, Berlin 1975
J. Vandier,	Manuel d'archeologie egyptienne, 5 Bde., Paris 1952–69
W. Westendorf,	Das Alte Ägypten, Baden-Baden 1968
D. Wildung,	Sesostris und Amenemhet. Ägypten im Mittleren Reich, München 1984
R. Wedewer und D. Wildung,	Ägyptische und moderne Skulptur. Aufbruch und Dauer, Katalog Leverkusen - München 1986
D. Wildung,	Die Kunst des alten Ägypten, Freiburg - Basel - Wien 1988
W. Wolf,	Die Kunst Ägyptens, Stuttgart 1957

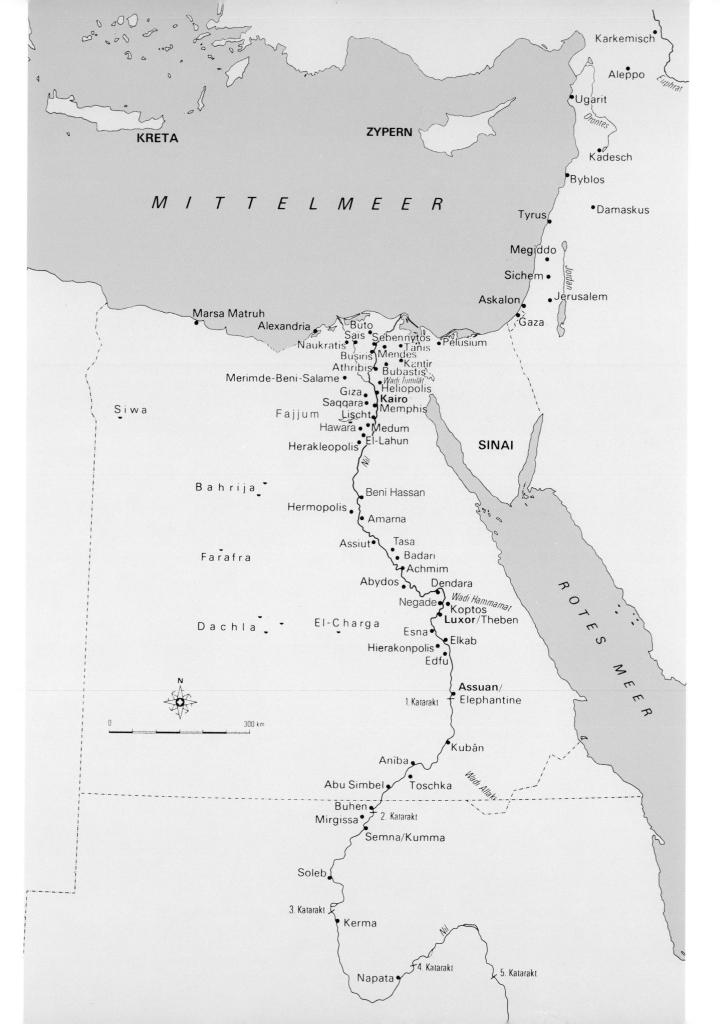

KRETA

ZYPERN

MITTELMEER

Karkemisch

Aleppo

Euphrat

Ugarit

Orontes

Kadesch

Byblos

Tyrus

Damaskus

Megiddo

Sichem

Jordan

Askalon

Jerusalem

Gaza

Marsa Matruh

Alexandria

Buto

Saïs

Sebennytos

Pelusium

Naukratis

Tanis

Busiris

Mendes

Kantir

Athribis

Bubastis

Merimde-Beni-Salame

Wadi Tumilat

Giza

Heliopolis

S i w a

Saqqara

Kairo

Memphis

Fajjum

Lischt

Hawara

Medum

Herakleopolis

El-Lahun

SINAI

B a h r i j a

Beni Hassan

Hermopolis

Amarna

Nil

Assiut

Tasa

F a r a f r a

Badari

Achmim

Abydos

Dendara

Negade

Wadi Hammamat

Koptos

R
O
T
E
S

D a c h l a

El-Charga

Luxor/Theben

Esna

Elkab

Hierakonpolis

Edfu

M
E
E
R

N

Assuan/
Elephantine

1. Katarakt

Kubân

0   300 km

Anîba

Abu Simbel

Toschka

Wadi Allaki

Buhen

Mirgissa

2. Katarakt

Semna/Kumma

Soleb

3. Katarakt

Kerma

Nil

4. Katarakt

5. Katarakt

Napata